KB101419

1st Edition

# 초음파 이상태아의 진단과 상담

대한산부인과초음파학회

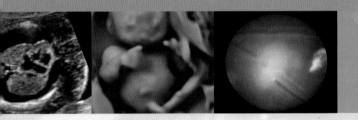

Diagnosis and consultation
of fetal abnormalities

대한산부인과초음파학회
Korean Society of
Ultrasound in Obstetrics and Gynecology

〈알림〉
본 책은 다양한 임상증례들을 통해 산과 초음파학에 입문하는 전공의부터 임산부를 진료하는 임상의사들에게 간접적인 경험의 기회를 제공함으로써 진료와 상담에 도움이 되고자 제작되었습니다. 따라서 본 책의 내용들은 초음파와 관련하여 발생할 수 있는 법적 문제에 대한 해석 또는 판단의 근거가 될 수 없음을 알려드립니다

# 초음파 이상태아의 진단과 상담

**첫째판 1쇄 인쇄** | 2020년 10월 26일
**첫째판 1쇄 발행** | 2020년 11월 5일

지 은 이 대한산부인과초음파학회
발 행 인 장주연
출 판 기 획 최준호
책 임 편 집 한성의
편집디자인 조원배
표지디자인 김재욱
일 러 스 트 김경열
제 작 담 당 신상현
발 행 처 군자출판사(주)
　　　　　등록 제4-139호(1991. 6. 24)
　　　　　본사 (10881) **파주출판단지** 경기도 파주시 회동길 338(서패동 474-1)
　　　　　전화 (031) 943-1888　　　팩스 (031) 955-9545
　　　　　홈페이지 | www.koonja.co.kr

ⓒ 2020년, 초음파 이상태아의 진단과 상담 / 군자출판사(주)
본서는 저자와의 계약에 의해 군자출판사에서 발행합니다.
본서의 내용 일부 혹은 전부를 무단으로 복제하는 것은 법으로 금지되어 있습니다.

* 파본은 교환하여 드립니다.
* 검인은 저자와의 합의 하에 생략합니다.

ISBN 979-11-5955-617-3

정가 100,000원

1st Edition

# 초음파 이상태아의 진단과 상담

# PREFACE 머리말

대한산부인과초음파학회는 2003년 "기형태아의 초음파영상도해" 초판을 발간하여 우리나라 산부인과 영역의 초음파 진단 및 발전에 커다란 획을 그은 이래 2009년 2판, 2015년 3판을 발간하였습니다. 또한 2007년에는 "부인과학 초음파" 초판을 발간하였고 창립 20주년인 2017년에 부인과 초음파 개정 2판을 출간하여 산부인과를 진료하시는 전문의와 전공의 선생님들의 진료와 연구활동에 지속적인 도움이 되고자 노력해왔습니다.

산부인과 영역에서 초음파는 내과의사의 청진기처럼 가장 기본적이고 핵심적인 진단방법일뿐만 아니라 침습적 처치 및 치료에서도 필수적인 역할을 담당하고 있어 산부인과 전문의들의 눈과 손의 역할을 하고 있습니다. 더욱이 나날이 발전하는 초음파 기기의 새로운 기술 및 영상의 발달로 임신 중 태아의 초음파 진단은 양적으로나 질적으로 괄목할 만한 발전을 이루고 있어 산전에 진단되는 이상태아의 진단율은 증가하고 있지만 이러한 태아의 산전 상담은 현실적으로 매우 어려운 과제입니다.

이에 대한산부인과초음파학회에서는 초음파 이상태아의 진료와 상담에 실질적인 도움이 될 수 있는 "초음파 이상태아의 진단과 상담"을 발간하게 되었습니다.

"초음파 이상태아의 진단과 상담"은 태아의 중요 초음파 이상 소견 18개 파트에 대하여, 초음파적 진단은 물론이고, 임신 중 예후, 산전관리 및 산전치료, 신생아 관리, 장기 예후 및 유전상담해야 하는 핵심적인 내용을 보기 쉽게 정리하여 실제적인 임상가이드에 도움이 되고자 노력하였습니다. 부디 어려운 진료환경에서도 산부인과 진료를 위해 애쓰시는 선생님들께 큰 도움이 되기를 기원합니다.

끝으로 초유의 COVID-19사태 및 다사다난한 사건으로 힘든 의료환경임에도 불구하고 좋은 내용으로 수고해주신 모든 집필진 교수님, 총책임을 맡아 주신 편집위원장 나성훈 교수님과 편집위원님, 그리고 출판에 처음부터 끝까지 애써주신 군자출판사 여러분께 진심으로 깊은 감사의 말씀을 드립니다. 감사합니다.

2020년 11월
대한산부인과초음파학회장 박 미 혜

# AUTHOR 저자명단

## 편집위원회

| | | | | | | |
|---|---|---|---|---|---|---|
| 나 성 훈 | 위원장, 강원의대 | 권 지 영 | 가톨릭의대 | 이 지 연 | 차의대 |
| 이 세 진 | 간사, 강원의대 | 성 원 준 | 경북의대 | 장 원 규 | 계명의대 |
| 고 현 선 | 가톨릭의대 | 안 기 훈 | 고려의대 | | |
| 곽 동 욱 | 아주의대 | 이 준 호 | 연세의대 | | |

## 집필진 (가나다순)

| | | | | | |
|---|---|---|---|---|---|
| 고 현 선 | 가톨릭의대 | 김 수 현 | 차의대 | 박 미 혜 | 이화의대 |
| 곽 동 욱 | 아주의대 | 김 승 철 | 부산의대 | 박 인 양 | 가톨릭의대 |
| 권 지 영 | 가톨릭의대 | 김 연 희 | 가톨릭의대 | 박 중 신 | 서울의대 |
| 권 한 성 | 건국의대 | 김 영 남 | 인제의대 | 박 지 윤 | 서울의대 |
| 길 기 철 | 가톨릭의대 | 김 영 한 | 연세의대 | 박 찬 욱 | 서울의대 |
| 김 건 우 | 김건우산부인과 | 김 유 민 | 중앙의대 | 박 천 수 | 울산의대 |
| 김 광 준 | 중앙의대 | 김 종 운 | 전남의대 | 박 현 수 | 동국의대 |
| 김 문 영 | 차의대 | 김 해 중 | 고려의대 | 배 진 곤 | 계명의대 |
| 김 미 선 | 차의대 | 김 호 연 | 고려의대 | 부 혜 연 | 차의대 |
| 김 민 아 | 연세의대 | 김 희 선 | 동국의대 | 설 현 주 | 경희의대 |
| 김 병 재 | 서울의대 | 나 성 훈 | 강원의대 | 성 원 준 | 경북의대 |
| 김 사 진 | 가톨릭의대 | 남 지 나 | 중앙의대 | 성 지 희 | 성균관의대 |
| 김 선 민 | 서울의대 | 류 현 미 | 차의대 | 손 가 현 | 한림의대 |
| 김 수 미 | 가톨릭의대 | 문 종 수 | 한림의대 | 손 인 숙 | 건국의대 |

## 집필진 (가나다순)

| | | | | | |
|---|---|---|---|---|---|
| 송 지 은 | 한림의대 | 이 미 영 | 울산의대 | 차 현 화 | 경북의대 |
| 신 재 은 | 가톨릭의대 | 이 세 진 | 강원의대 | 최 상 준 | 조선의대 |
| 심 소 현 | 차의대 | 이 수 정 | 울산의대 | 최 석 주 | 성균관의대 |
| 안 기 훈 | 고려의대 | 이 승 미 | 서울의대 | 최 세 경 | 가톨릭의대 |
| 안 태 규 | 강원의대 | 이 영 주 | 경희의대 | 최 수 란 | 인하의대 |
| 양 정 인 | 아주의대 | 이 준 호 | 연세의대 | 최 지 현 | 조선의대 |
| 오 경 준 | 서울의대 | 이 지 연 | 차의대 | 한 유 정 | 차의대 |
| 오 관 영 | 을지의대 | 이 희 중 | 가톨릭의대 | 호 정 규 | 한양의대 |
| 오 민 정 | 고려의대 | 전 종 관 | 서울의대 | 홍 성 연 | 대구가톨릭의대 |
| 오 수 영 | 성균관의대 | 정 유 현 | 가톨릭의대 | 홍 순 철 | 고려의대 |
| 원 혜 성 | 울산의대 | 정 윤 지 | 연세의대 | 홍 준 석 | 서울의대 |
| 위 정 하 | 가톨릭의대 | 정 진 훈 | 울산의대 | 황 한 성 | 건국의대 |
| 이　　영 | 가톨릭의대 | 조 금 준 | 고려의대 | | |
| 이 경 아 | 이화의대 | 조 윤 성 | 가톨릭의대 | | |
| 이 경 주 | 고려의대 | 조 현 진 | 인제의대 | | |

# CONTENTS 목 차

PART $\text{I}$

소개 Introduction

PART $\text{II}$

중추 신경계 Central Nervous System

# PART III

## 두개 안면 Craniofacial

# PART IV

## 목 Neck

# PART V

## 흉부 Thorax

PART **VI**

심혈관 Cardiovascular

PART **VII**

복벽 결손 Abdominal Wall Defects

# PART VIII

## 위장관 Gastrointestinal Tract

# PART IX

## 비뇨 생식관 Genitourinary Tract

PART **X**

## 태아 골격계 기형 Fetal Skeletal Anomalies

PART **XI**

## 팔다리 Extremities

PART **XII**

## 탯줄 및 태반 Umbilical Cord & Placenta

PART **XIII**

비정상 종양 Abnormal Mass

PART **XIV**

다태임신 Multiple Gestation

PART **XV**

태아의 성장 Fetal Growth

PART **XVI**

양수 Amniotic Fluid

# I
## PART

# 소개

Introduction

# 01 산과영역에서의 초음파

Ultrasound in Obstetric Field

초음파가 의학적 분야에 적용된 시점은 1950년대부터이다. 초음파의 의학적 활용의 역사는 짧지만 괄목할 만한 발전으로 1970년대부터 실시간 초음파 검사(real time ultrasound scanners)가 가능해지면서 태아 생존, 성장, 자궁 내 환경과 태아 기형 진단까지 가능해 지면서 산과분야의 필수불가결한 진단 수단이 되었다.

1980년대에 들어오면서 초음파 해상도의 발달과 Doppler 초음파의 발달로 태아해부학적 평가와 기능적인 검사의 많은 발전을 가져왔다. 또한 3D 초음파 기술의 발달로 보고자 하는 태아의 구조에 집중할 수 있는 방법도 개발됨으로써 초음파 태아이상의 진단에 도움을 주었다.

## 1. 태아이상 진단의 한계와 정도 관리

초음파를 이용한 이상태아의 진단과 상담의 전제조건은 진단의 정확성이다. 아직도 태아이상 진단의 초음파의 정확도는 13-82%까지 그 범주가 다양하고 초음파를 하는 사람의 숙련도, 초음파 진단의 경험, 임산부의 조건 등에 좌우된다. 산부인과 영역의 초음파의 자료가 쌓이면서 유럽과 미국에서 진행된 대규모 연구에서 보면 1993년 15,000명의 저위험군 임신부를 대상으로 한 RADIUS study (Routine Antenatal Diagnostic Imaging with Ultrasound)에서 35%의 구조적 이상을 발견하였고(Crane J P et al. 1994), 1997년의 200,000명의 저위험군 임신부를 대상으로 한 Eurofetus Study에서는 61%의 구조적 이상을 진단하였다는 차이를 보이고 있다(Grandjean H et al. 1999). 또한 부기형은 주기형보다 발견율이 떨어진다는 보고가 있다. 이러한 연구 결과로 태아 이상 진단이 초음파를 실행하는 기관, 임신 주수에 따라 상이한 결과를 나타낼 수 있음을 시사한다. 이에 1997년 6월, 뉴욕 Rockefeller University에서 150명의 초음파 관련 전문가들이 모여 모든 임신에서 초음파를 이용한 산전 진단은 필요하며, 과학적, 경제적 이득은 아직 논란의 여지가 있지만, 18-22주 사이에 양질의 초음파가 가능한 곳에서 산전 초음파를 하도록 한다는 것으로 결론 내렸다. 이를 토대로 모든 임신부는 20주경에 정밀 초음파를 한다는 것이 표준이 되었다. 또한 초음파 검사자의 숙련도와 장비가 진단의 정확도를 향상시킨다는 것은 당연하였기에 기형진단을 위한 산전 초음파 교육코스의 개발과 관리는 초음파 진단의 질 향상을 위해 필수적인 과정이며 이를 위해 전문가 학회와 국가가 공동으로 관리하는 정도 관리가 필요타(Edvardsson K et al. 2018).

태아이상의 병태생리상 초음파의 이상소견을 진단할 수 있는 임신 주수가 다를 수 있음을 임신부에게 이해시켜야 한다. 조음파에서 보이는 소견의 한계점과 이상이 있는데 빌긴 못하는 위음성의 가능성뿐 아니라, 정상소견인데 태아이상이 의심되는 위양성이 있을 수 있다는 것도 염두에 두면서 상담에 임하는 것이 필요하다.

## 2. 초음파의 안정성

초음파의 안정성은 초음파 에너지로 인한 열과 공동(cavitation) 형성으로 조직이 받는 손상을 고려해야 한다. 임신 중 적절한 초음파 사용은 태아에게 안전하다 명시하였고, 이를 위해서 ALARA (as low as reasonably achievable) 원칙에 따라 필요한 경우에만 초음파 검사를 하고 가능한 가장 낮은 초음파 노출 설정을 사용하여 진단 정보를 얻어야 한다. 태아 심박동을 측정할 때는 ALARA 원칙에 따라 Doppler를 이용하기보다 M mode로 측정하기를 권고하고 있다. 초음파로 인한 열 손상을 모니터링 하기 위해 TI(Thermal Index)를 확인해야 하는데 TI는 0.7을 넘지 않는 것이 바람직하다. 임신 10주 미만에서는 thermal index for soft tissue (Tis), 10주 또는 골화가 명백한 경우부터는 thermal index for bone (Tib)을 사용하여 모니터 할 것을 권고한다. Pulsed Doppler는 적응증이 될 경우에만 사용하고, TI는 1.0 미만으로 5-10분을 넘지 않도록 하며, 60분을 초과하지 않도록 한다(AIUM. 2013).

## 3. 태아이상 진단 시 의료진의 상담과 다학제 진료 상담의 필요성

태아의 이상을 진단한 경우 산과의사는 태아 이상의 병태 원리, 예후, 최신 치료법 등에 대한 지식을 갖춘 후 상담에 임해야 한다. 산과의사가 전신에서 나타나는 다양한 형태의 태아이상에 관한 지식을 완전히 숙지할 수 없다. 그럼에도 태아 이상을 진단받고 첫 상담을 하는 산과의사의 역할이 향후 태아의 적절한 처치와 치료의 시작이라는 점에서 가장 중요하다는 것을 반드시 숙지하여야 한다(전종관 외. 2015). 즉 최초 상담을 하는 산과의사의 지식의 한계가 부모의 결정에 영향을 주어 태어나서 삶을 영위할 수 있는 태아의 권리를 박탈하게 되는 경우가 없도록 해야 한다. 우선 산과의사는 태아를 환자로서 받아들일 수 있는 자세를 임신부와 가족들에게 설명해야 한다. 성인도 병이 진단되면 질병을 치료하듯이, 태아도 이상소견이 있으면 자궁 안 또는 태어나서 치료를 할 수 있다는 Fetus is a patient의 개념을 설명하여야 한다.

태아 이상의 진단이 되었을 때 태아의 초음파 소견만으로 앞으로 일어날 태아 이상의 다양한 스펙트럼을 예측하고 상담하는 것은 한계가 있다. 이를 위해 산과의사와 신생아의 치료를 담당할 여러 분야의 전문가들과의 다학제 상담과 진료 시스템에서 만들어 놓는 것이 필요하다. 또한 어느 산과 의사든지 태아 이상에 대한 상담이 충분치 못하다고 판단되는 경우나 다학제 상담 및 진료 필요하다고 판단되는 경우는 태아이상에 관해 임신부와 가족이 2차 의견을 구하도록 협진 의뢰를 고려해야 한다. 정확한 근거에 입각한 산과의사의 상담과 다학제 진료를 통한 출산 후 치료과정의 이해와 예후의 예측이 임산부와 가족의 결정에 영향을 줄 것임이 분명하기 때문이다(Shin J H et al. 2011).

## 4. 태아이상 진단과 처치에서 우리나라의 법적 현실

현실적으로 산전 초음파 검사에서 태아이상이 진단되는 경우 불법적인 요소가 있음에도 출산을 포기하는 경우가 많은 것이 우리 사회의 현실이다. 현재 우리나라는 모자보건법 14조에 의해 아주 제한된 경우를 제외하고 임신중절을 하지 못하게 법제화되어 있으나, 헌법 불합치 결정이 되면서 2020년 12월 31일까지 지속된 낙태의 죄에 관한 형법과 모자보건법(인공임신중절수술의 허용한계)의 전면 개정이 불가피해졌다. 현재는 임신중절 가능 임신 주수나 어떤 경우에 임신중절을 법적으로 허락할지 정해진 것은 없다. 임신부 생명에 대한 위험 또는 건강 상태의 중한 위험이 의학적으로 판단되는 경우나 출생 전후 태아의 생존 가능성이 없다고 판단되는 경우 '산부인과 전문의와 해당 질환 과목 전문의를 포함한 위원회'에서 승인하는 전제하에 허락할 수 있는 법적 제도를 추구하고 있다(Choi A et al. 2020). 앞으로 법 개정의 세부 사항에 따라 산과의사가 태아이상의 상담에서 현재 상황과 달라지는 부분이 있을 것이라 예상된다. 그러나 분명한 것은 산전 초음파에서 태아 이상의 진단을 하지 못했을 경우라도 이를 근거로 의료진에게 법적 책임을 지어서는 안 된다. 또한 태아이상의 병태 생리, 예후에 따라 임신 중절에 대한 의료진의 상담은 의학적 판단에 따라 원칙적이어야 한다.

# 02 임신 제1삼분기 태아 염색체 선별검사
## First Trimester Screening for Aneuploidy

## 1. 태아 목덜미투명대(Nuchal translucency)

### 1) 정의

태아의 경추 후부의 피부와 연조직 사이에 체액이 차 있는 저음영의 피하 공간을 말함

### 2) 측정방법

영국의 Fetal Medicine Foundation (FMF)은 태아 목덜미투명대 측정법에 대한 기술적 권고안을 처음 제시(https://fetalmedicine.org/fmf-certification/certificates-of-competence/nuchal-translucency-scan), 미국에서는 Nuchal Translucency Quality Review (NTQR) Program을 통해 태아 목덜미투명대 측정법 권고안을 제시(NTQR Web site 2006. Available from: https://www.ntqr.org/ SM/Provider/wfProviderInformation.aspx. Accessed November 20. 2006)

목덜미투명대는 숙련된 검사자에 의하여 측정되어야 함

(1) 임신 11주 0일부터 13주 6일기간에 측정하며, 이는 머리엉덩길이가 45-84 mm에 해당되는 시기임

(2) 태아의 영상은 정중시상면에서 측정되어야 하며, 태아척추가 경추 및 흉추에서 보여야 하고, 코 끝, 제 3, 4 뇌실이 보여야 함

(3) 태아의 목은 중립자세를 취하여야 함

(4) 태아의 머리, 목, 흉곽이 화면의 75%를 넘어야 함

(5) 태아가 양막과 떨어져 있을 때 측정. 태아의 경추부가 양막과 붙어 있다면 태아의 움직임을 기다려야 함

(6) 측정 밀림자는 투명대의 내부를 측정하여야 하며, 태아의 몸과 직각으로 측정함

(7) 목덜미투명대는 가장 넓은 부분으로 측정함

(8) 최적의 영상을 얻기 위해 때로는 경질 초음파로 측정함

### 3) 다운증후군 선별검사

    (1) 태아 목덜미투명대 검사는 단독으로 사용하는 경우 5% 위양성율에서 다운증후군의 진단율은 약 64-70%이며, 임신 제1삼분기 모체혈청 표지자와 함께 병합선별검사(combined screening test)로 사용하면 다운증후군의 진단율을 약 79-87%로 높일 수 있음(ACOG Practice Bulletin, 2016)

    (2) 목덜미투명대의 증가 자체는 태아 기형을 의미하는 것이 아니며, 태아 기형의 고위험군으로 정밀 초음파 검사 및 태아염색체 검사가 필요하다는 것을 의미함

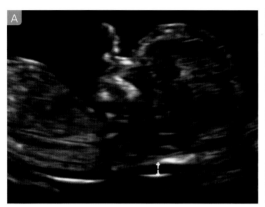 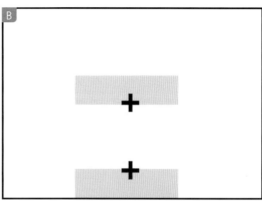

■ 그림 2-1. **A.** 태아 목덜미투명대 측정의 표준화된 보기. 태아 목덜미투명대가 1.8 mm로 정상 소견 보임, **B.** 태아 목덜미투명대 측정을 위한 밀림자의 표준화된 위치

## 2. 태아 목덜미투명대 증가

### 1) 정의

    태아 목덜미투명대 증가는 2.5 mm, 3.0 mm 또는 머리엉덩길이에 기준한 95 백분위수 이상으로 증가되어 있는 것을 기준으로 함

### 2) 태아 염색체 이상과의 관련성

    (1) 태아 목덜미투명대 증가와 태아 염색체 이상 유병율과의 관련이 높으며, 특히 다운증후군, 에드워드증후군, 파타우증후군의 홀배수체의 빈도가 증가함

    (2) 국내에서 발표된 태아 목덜미투명대 두께에 따른 태아 염색체 이상 빈도는 표 2-1과 같음(Kwak et al. 2019)

표 2-1. 태아 목덜미투명대 두께에 따른 염색체 이상 빈도

| 목덜미투명대 두께 (mm) | 태아 수 (%) | 비정상 핵형 | 염색체 이상 종류 | | | | |
|---|---|---|---|---|---|---|---|
| | | | 다운증후군 | 에드워드증후군 | 파타우증후군 | 터너증후군 | 기타 |
| 3.5–4.4 | 217 (42.2) | 43 (19.8) | 31 (72.1) | 7 (16.3) | 1 (2.3) | 0 (0) | 4 (9.3) |
| 4.5–5.4 | 94 (18.3) | 30 (33.0) | 18 (58.0) | 7 (22.6) | 2 (6.7) | 1 (3.3) | 2 (6.7) |
| 5.5–6.4 | 69 (13.4) | 35 (50.7) | 13 (37.1) | 18 (51.4) | 2 (5.7) | 1 (2.9) | 1 (2.9) |
| ≥6.5 | 134 (26.1) | 90 (67.2) | 19 (21.1) | 33 (36.7) | 3 (3.3) | 24 (26.7) | 11 (12.2) |
| 총 | 514 | 198 (38.5) | 81 (40.9) | 65 (32.8) | 8 (4.0) | 26 (13.1) | 18 (9.1) |

Kwak et al. 2019

(3) 산전 마이크로어레이 검사가 이용되면서 태아 목덜미투명대 증가와 염색체 미세결손과의 관련 이 높다는 연구 결과들이 보고되고 있음. 태아 목덜미투명대 두께에 따른 미세결손 발생빈도는 표 2-2와 같음(Bardi F et al. 2020)

표 2-2. 태아 목덜미투명대 두께에 따른 태아 이상 빈도

| 목덜미투명대 두께(mm) | 태아 수(%) | 비정상 태아 | | | | | |
|---|---|---|---|---|---|---|---|
| | | 비정상 태아 수 (%) | 염색체 이상(n=636,33.3%) | | | | 구조적 이상 (n=178, 9.3%) |
| | | | T21–18–13 | 기타* | 미세 결손 | 단일 유전 자질환 | |
| p 95–p99 | 894 (47) | 190 (21.3) | 112 (12.5) | 12 (1.3) | 8 (0.9) | 5 (0.6) | 53 (5.9) |
| 3.5–4.9 | 492 (26) | 213 (43.3) | 122 (24.7) | 16 (3.2) | 16 (3.2) | 6 (1.2) | 53 (10.8) |
| 5.0–6.4 | 199 (10.5) | 153 (76.8) | 87 (43.5) | 26 (13) | 7 (3.5) | 11 (5.5) | 22 (11) |
| 6.5–7.9 | 155 (8.2) | 129 (83.2) | 79 (50.6) | 14 (9) | 5 (3.2) | 4 (2.6) | 27 (17.3) |
| ≥8.0 | 162 (8.5) | 129 (79.6) | 56 (34.4) | 36 (22.1) | 2 (1.2) | 12 (7.4) | 23 (14.1) |
| 총 | 1,901 | 814 (43) | 456 (23.9) | 104 (5.4) | 38 (2.0) | 38 (2.0) | 178 (9.3) |

Bardi et al., 2020
T21, 다운증후군; T18, 에드워드증후군; T13, 파타우증후군
*기타: 고전적 핵형검사로 확인되는 염색체 이상 중 T21,18,13을 제외한 염색체 이상

## 3) 태아 구조적 이상 및 태아 사망과의 관련성

(1) 염색체가 정상인 태아에서 목덜미투명대가 증가된 경우(3.5 mm 이상) 태아 사망률이 증가함. 태 아 사망은 대부분 임신 20주경에 일어나며 심한 태아수종으로 진행 가능성 있음

(2) 태아 목덜미투명대가 증가된 경우, 주요 태아 기형(심장 기형, 횡격막탈장, 배꼽 탈장, 몸줄기장애, 골격계 기형 등)의 유병율이 증가됨

(3) 태아 목덜미투명대 두께에 따른 태아 구조적 이상 및 태아 사망 빈도는 표 2-3과 같음(Souka AP et al. 2005)

표 2-3. 태아 목덜미투명대 두께에 따른 임신 결과

| 목덜미투명대 두께 | 염색체 이상 (%) | 주요 기형-심장(%) | 태아 사망(%) | 건강한 출산(%) |
|---|---|---|---|---|
| 〈95th percentile | 0.2 | 1.6 | 1.3 | 97 |
| 95-99th percentile | 3.7 | 2.5 | 1.3 | 93 |
| 3.5-4.4 mm | 21.1 | 10.0 | 2.7 | 70 |
| 4.5-5.4 mm | 33.3 | 18.5 | 3.4 | 50 |
| 5.5-6.4 mm | 50.5 | 24.2 | 10.1 | 30 |
| 〉6.5 mm | 64.5 | 46.2 | 19.0 | 15 |

Souka et al. 2005

## 4) 상담

(1) 2016년 미국산부인과의사협회에서는 목덜미투명대가 3.0 mm 이상이거나 99 백분위수 이상으로 증가되어 있으면, 태아DNA선별검사나 융모막융모생검을 할 것을 권고함(ACOG Practice Bulletin. 2016)

(2) 또한 임신 제2삼분기 때 정밀 초음파 검사를 하여 태아 심장에 대하여 자세하게 확인해야 함

# 3. 림프물주머니(Cystic hygroma)

## 1) 정의

(1) 림프관이나 정맥관이 폐쇄되어 발생하는 선천성 기형으로 태아 목 뒤쪽에 생기는 연화조직의 대칭적 낭성 종괴임

(2) 대부분 후경부에서 발생. 드물게는 액와부나 앞경부에서도 발생함

## 2) 초음파 소견(그림 2-2)

(1) 임신 9주부터 확인 가능함

(2) 목 뒤쪽 또는 후외측에 하나의 대칭적 또는 양측 낭성 구조로 보이거나 그 이상의 특징적인 중격이 있음

(3) 전신 연조직 부종 및 태아수종이 동반됨(약 55%)

(4) 림프물주머니와 증가된 목덜미투명대의 초음파 소견 차이섬

① 림프물주머니: 태아 목 뒤쪽 바깥 부분이며 목 주위를 둘러싸는 낭종으로 보임

② 증가된 목덜미 투명대: 단순히 목 뒤에만 액체가 축적된 소견임

(5) 임신 제 1삼분기의 목덜미 종괴와의 감별 소견

① 태아와 산모의 움직임에 따라 소실되지 않으며, 지속적인 초음파 추적 검사 필요함

② 태아의 좌측 심장 형성 부전, 대동맥 협착증, 태아수종, 골격계와 비뇨기계, 두부와 안면기형 동반됨

(6) 태아 수종이 보이는 경우

① 림프물 주머니와 함께 복수, 흉막 유출, 심낭강 체액 저류, 연조직 부위 부종과 같은 소견 동반됨

② 림프물 주머니와 태아 수종이 동반된 경우는 주로 터너증후군을 의심됨

③ 3차원 초음파를 함께 보는 것이 진단에 도움이 될 수 있음

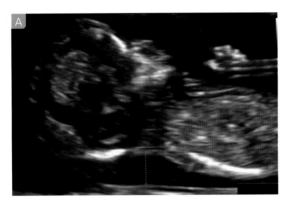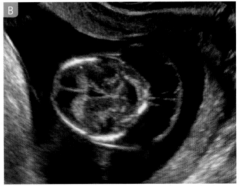

그림 2-2. 임신 12주 태아의 림프물주머니 초음파 소견. **A.** 정중 시상면에서 목덜미투명대가 6.1 mm로 증가된 소견을 보임, **B.** 횡단면에서 림프물주머니 내부에 중격이 관찰됨

## 3) 감별진단

(1) 머리와 목 부위에 발생한 뇌탈출증, 수막탈출증, 뇌수막탈출증, 투명대 부종, 경부 기형종, 혈관종

(2) 두부와 척추의 장축에 낭성 형태가 대칭적인지 비대칭적인지 확인하여 비대칭인 경우, 림프물주머니 진단됨

## 4) 태아 염색체 이상과의 관련성

(1) 림프물주머니 소견을 보이는 태아의 50% 이상에서 염색체 이상을 동반됨

(2) 크기가 크고 격막이 있는 림프물주머니가 있는 태아의 75%에서 염색체 이상과 관련, 홀배수체 가능성 5배 높고, 심장기형 발생율 12배, 태아와 신생아 사망이 6배 증가됨

(3) 임신 13-27주 사이의 목덜미 림프물주머니를 가진 태아의 86%가 터너증후군임

(4) 정상염색체 태아의 목덜미 림프물주머니 소견이 관찰 되는 경우 유전자 열성, 우성장애, 기형발생, 심장 병리학, 태아 알코올증후군, 아미노프테린증후군, 세염색체 10번 모자이씨즘과 관련이 있을 수 있음

### 5) 상담

(1) 2016년 미국산부인과의사협회에서는 태아 림프물주머니 소견이 보이는 경우에는 융모막융모생검을 하여 태아염색체를 확인할 것을 권고함(ACOG Practice Bulletin. 2016)

(2) 2019년 대한모체태아의학회에서는 태아 목덜미투명대 증가 또는 림프물주머니 소견이 보이는 임신부에서 정상 태아 염색체가 확인된 경우, 임신 제2삼분기 정밀초음파와 심장초음파를 시행하고, 태아 염색체검사로 발견되지 않는 유전질환 가능성 및 불량한 주산기 위험이 증가할 수 있음을 설명할 것을 권고함(태아 염색체 선별검사와 진단 검사에 대한 대한모체태아의학회 임상진료지침. 2019)

## 4. 코뼈(Nasal bone)

### 1) 초음파 측정방법(그림 2-3)

(1) 임신 주수 11주 0일에서 13주 6일 사이 머리엉덩이길이가 45-84 mm임

(2) 정중시상면에서 검사함

(3) 이미지크기는 상부 흉곽과 태아의 두부가 이미지의 75%를 차지해야 함

(4) 탐촉자 면이 코뼈의 횡축과 수평이어야 하며, 초음파 선과 직각을 이루게 하여야 함

(5) Equal sign: 코뼈 위의 코등선 피부의 두 흰 선이 보여야 함

(6) 코뼈를 보이는 선은 반사성인 음영발생이 있어야 함

### 2) 코뼈 유무와 태아 염색체 이상과의 관계

(1) 정상 염색체 태아에서 코뼈가 없는 경우는 1.2%, 삼배수체 태아에서는 68.4%임

(2) 코뼈가 없는 정상 태아의 인종간 차이: 코카시안 2.8%, 아시아인 6.8%, 아프로 캐리비안 10.4%임

(3) 임신 11-12주 사이에 코뼈가 보이지 않는 경우는 1주 후에 다시 검사해야 함

(4) 머리엉덩이 길이가 42 mm에서 처음으로 보이기 시작, 주수가 지날수록 선상으로 증가됨

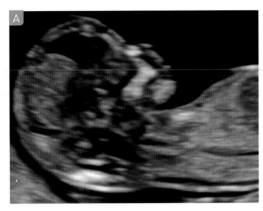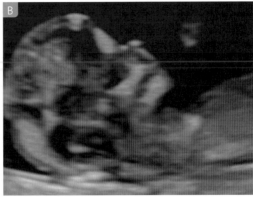

그림 2-3. 임신 12주 태아의 코뼈 사진 **A.** 코피부와 뼈가 나란히 보이는 'equal sign'이 보이는 정상 코뼈 사진, **B.** 코뼈가 확인되지 않는 사진

## 5. 삼첨판 역류(Tricuspid regurgitation)

### 1) 초음파 측정방법

(1) 심장 영상은 심첨 사방단면도(apical four chamber view)를 잡음

(2) 심실 중격과 초음파 선이 평행하여야 하며, 최대 30도 미만이어야 함

(3) 도플러 관문(doppler gate)은 상대적으로 넓게 유지해서 거의 3 mm까지 유지해야 함

(4) 심장의 확장기에 심방이 수축하는 동안에 삼첨판을 통과하는 혈류가 이상성인지 확인해야 함

(5) 의미 있는 삼첨판역류는 역방향의 흐름이 심실 수축기의 50% 이상, 최대 속도가 60 cm/sec 이상임

### 2) 태아 염색체 이상과의 관계

(1) 임신 11-14주 사이에 발견되는 경우 태아 염색체 이상(다운증후군, 에드워드증후군)과 관련됨

(2) 다운증후군 태아의 경우 74%에서 발생하며 정상 태아의 약 7%에서만이 삼첨판 역류가 발생됨

(3) 목덜미투명대와 모체혈청검사와 같은 1차 선별검사보다는 2차적인 검사로서 유용함

# 03 임신 제2삼분기 태아 염색체 선별검사
## Second Trimester Screening for Aneuploidy

임신 제1삼분기 초음파 및 선별검사가 많이 발전하고 있지만 여전히 태아 염색체 이수성(fetal aneuploidy)을 선별하는 주된 시기는 2삼분기임. 2삼분기 선별검사는 모체혈청 선별검사와 유전학적 초음파 검진(genetic sonogram)이라고 하는 초음파 선별검사를 포함함

## 1. 2삼분기 모체혈청 선별검사

모체혈청 AFP (alphafetoprotein)와 uE3 (unconjugated estriol)는 다운증후군 임신에서 정상염색체 임신에서보다 25% 정도 더 낮음. 반대로, hCG와 inhibin-A는 다운증후군 임신에서 2배 정도 더 높음(Wald et al. 1994; Malone et al. 2005). 반면, 에드워드증후군(Trisomy 18)에서는 AFP, uE3, hCG 모두 낮아지는 경향이 있음. 이러한 모체혈청 선별검사는 임신 15주에서 16주에 시행하는 것이 최적이며, 2삼분기 초음파 평가 시에 염색체 이상에 대한 표지(marker)를 확인해야 함

## 2. 2삼분기 초음파 선별검사

임신 18주경에 태아 초음파 평가는 많은 선진국에서 일반적으로 시행하는 산전검사가 되었음. 이같이 태아기형에 대한 꼼꼼한 평가는 태아 염색체 이수성의 위험도를 평가하는데 이용되었고, 이를 유전학적 초음파 검진(genetic sonogram)이라고도 일컫음. 태아염색체 이수성에 대한 위험도 평가는 염색체 이수성(aneuploidy)과 연관된 주요 구조적 기형(major structural malformation)을 확인하거나 염색체 이수성의 기회를 증가시키는 부수소견들(minor sonographic markers)의 범위를 확인함으로써 태아 염색체 검사를 시행해야 할지 여부, 산전 기형 진단 상담 및 적절한 처치를 수립하는 데 도움을 주고 있음

산전 초음파를 통한 염색체 이상의 발견율은 염색체 이상의 종류에 따라 다양함. 일반적으로 파타우증후군을 가진 태아의 약 90%에서, 에드워드증후군의 약 80%에서 하나 이상의 초음파 이상이 동반되

13

나, 다운증후군은 약 16-17%에서만 주요 기형이 동반되므로 다른 염색체 이상에 비하여 초음파를 통한 염색체 이상의 발견율이 현저히 떨어지는 것으로 알려져 있음(Lehman CD et al. 1995; Nicolaides et al. 1992; Nyberg et al. 1993)(표 3-1).

표 3-1. 다운증후군, 에드워드증후군, 파타우증후군과 관련된 주요 구조적기형과 부수소견들

| | 다운증후군 | 에드워드증후군 | 파타우증후군 |
|---|---|---|---|
| 주요 구조적기형 (Major structural malformation) | 심장기형<br>-AV canal defect<br>-VSD<br>-TOF<br>십이지장폐쇄<br>낭성하이그로마<br>태아수종 | 심장기형<br>-DORV<br>-VSD<br>-AV canal defect<br>수막척수류<br>뇌량무형성증후군<br>배꼽탈장<br>횡격막탈장<br>식도폐쇄증<br>Clubbed or rocker bottom feet<br>신장기형<br>Orofacial clefting<br>낭성하이그로마<br>태아수종 | 전전뇌증<br>Orofacial clefting<br>Cyclopia<br>Proboscis<br>배꼽탈장<br>심장기형<br>-VSD<br>-Hypoplastic left heart<br>Polydactyly<br>Clubbed or rocker bottom feet<br>Echogenic kidney<br>낭성하이그로마<br>태아수종 |
| 부수소견 (Minor sono-graphic marker) | Nuchal thickening<br>Mild ventriculomegaly<br>짧은 장골<br>에코성 장<br>신우확장증<br>에코성심장내초점<br>짧은 콧뼈<br>단두(brachycephaly)<br>손가락옆굽음증(측만지증)<br>Sandal gap toe<br>넓은 장골각<br>성장지연 | Nuchal thickening<br>Mild ventriculomegaly<br>짧은 장골<br>에코성 장<br>Enlarged cisterna magna<br>맥락총낭종<br>소악증<br>Strawberry-shaped head<br>Clenched or overlapping fingers<br>단일제대동맥<br>성장지연 | Nuchal thickening<br>Mild ventriculomegaly<br>에코성 장<br>Enlarged cisterna magna<br>에코성 심장내초점<br>Single umbilical artery<br>Overlapping fingers<br>성장지연 |

이번 장에서는 가장 흔한 염색체 이상인 다운증후군(21 삼염색체), 에드워드 증후군(18 삼염색체), 파타우 증후군(13삼염색체)가 있는 경우 보일 수 있는 초음파 소견과 부수 소견을 중심으로 기술하고자 하며, 주요 기형에 관한 자세한 내용은 각각 관련된 다른 장에서 자세히 기술할 것임

### 1) 다운증후군(Trisomy 21)

가장 흔한 염색체 이상으로 일반적인 발병률은 900-1,000명 중 1명 정도이나, 모체의 나이가 많을수록 빈도가 높아짐. 다운증후군과 관련이 있는 주요 구조적 기형은 표 3-2와 같음

표 3-2. 다운증후군과 관련이 있는 주요 구조적 기형

| | 주요 구조적 기형 |
|---|---|
| 두개안면 | 없거나 형성부전의 콧뼈<br>증가된 frontomaxillary facial angle<br>Nuchal fold 증가<br>태아 목덜미투명대 증가<br>cystic hygroma<br>도드라진 혀 |
| 중추신경계 | 맥락총낭종<br>경도의 뇌실확장증 |
| 심혈관계 | 심실중격결손<br>심방중격결손<br>심장내막상결손<br>건삭의 석회화 |
| 위장관계 | 십이지장폐쇄<br>에코성 장<br>항문폐쇄증 |
| 비뇨생식기계 | 신우확장증 |
| 골격계 | 단두(brachycephaly)<br>짧은 장골<br>손가락옆굽음증<br>합지증<br>짧고 굵은 손가락<br>Sandal gap<br>넓은 장골각 |
| 비면역성 태아수종 | |
| 양수량 | 양수과다증 |
| 자궁내 성장지연 | 임신 주수 대비 태아 몸무게가 하위 10%인 경우 |

앞에서도 언급한 바와 같이 일반적으로 21삼염색체 태아의 태아의 초음파상 주요 구조적 기형은 18삼염색체, 13삼염색체와 비교하여 더 적고, 덜 심함. 그러므로 초음파를 통한 다운증후군 염색체 이상의 진단률은 약 30% 정도로 낮음. 없거나 짧은 콧뼈, 목덜미 부종, 수신증, 손가락옆굽음증, 첫번째와 두번째 발가락 사이 벌어짐(sandal gap), 거설증(macroglossia) 등의 부수소견들(Minor sonographic marker)을 보이는 경우가 더 흔함

**상담)** 정상염색체의 태아보다 다운증후군 태아는 유산이나 자궁내 사망의 빈도가 더 높음. 생존아의 15-20%는 생후 1년 이내에 심부전이나 백혈병으로 사망하며, 평균 생존기간은 약 55세로 보고됨. 다운증후군 성인의 대부분은 중등도의 정신지체를 동반하며, 평균 지능지수는 50-60 정도임

15

### 2) 에드워드증후군(Trisomy 18)

생존아 중에서 두 번째로 흔한 상염색체 삼배수성으로, 발병률은 약 3,000-7,000생존아 중 1명으로 다양하게 보고하고 있음

한 연구에 따르면 18삼염색체 태아의 83%에서 초음파상 이상 소견(choroid plexus cysts 제외)을 보임 (Nyberg et al, 1993). 51%에서 자궁내성장지연이 있었고 24주 이후에서는 89%에서 자궁내성장지연이 관찰되었음. 18삼염색체 태아에서 보이는 초음파상 주요 구조적 이상은 다양함. 그 중 가장 흔한 소견이 자궁내 성장지연이고 특히 장골이 짧음. 이는 18주 이전부터 관찰됨. Occipitoparietal bone이 넓고 frontal bone이 좁은 특이한 두개골 모양을 보이는데, 이를 'strawberry sign'이라고 함(Nicolaides et al. 1992). 18 삼염색체 태아의 50%는 맥락총낭종(choroid plexus cyst)이 있으나, 대부분 단독소견으로 나타나지 않음. 심장기형은 73-90%에서 관찰됨(Moyano et al, 2005). 심실중격결손(ventricular septal defect), 심방중격 결손(atrial septal defect), 팔로사징(tetralogy of Fallot) 등이 흔함. 그 외 양대혈관 우심실기원, 방실중격결 손 등이 관찰되기도 함. 에코성 장은 정상적으로 3삼분기에 관찰될수 있지만 2삼분기에 보이는 경우는 비정상 소견임. 이는 태아의 삼킴운동이나 장의 연동운동이 점차 감소하면서 또는 성장지연으로 인한 태 아 혈류의 재분배를 통하여 발생했을 것이라는 가설을 Hamada 등이 주장함(Hamada et al, 1996)

다양한 사지 이상을 보이기도 하는데, 그 중 특징적인 겹쳐진 손가락 모양(overlappin flexed fingers), 흔들의자 바닥모양의 발바닥(rocker-bottom feet)이 있음. 그 외 수막척수류, 뇌량무형성증후군, 배꼽탈 장, 횡격막탈장, 식도폐쇄증, 신장기형, low-set ear, 소악증, 양수과다증이 있음. 1삼분기에 목덜미투명대 증가가 흔히 관찰됨

**감별진단)** Pena-Shokeir I syndrome은 상염색체 열성질환으로 자궁내 성장지연, low-set ear, 소악증, rocker-bottom feet 등을 보임. 특히 두피부종, 폐형성부전이 특징적임

소악증, 손가락굽음증, low-set ear, 자궁내 성장지연 등을 보이나 유전적으로는 정상인 pseudotrisomy 18과도 감별해야 함

**상담)** 18 삼염색체의 예후는 나쁨. 자궁 내에서 치사율이 높고 출생 후 평균 생존기간은 남자에서 1.4 달 여자에서 9.6달임. 55-65%의 18삼염색체 출생아는 생후 1주 이내에 사망하지만, 5-10%는 1년까지 도 생존. 대개 심한 정신지체를 보임

### 3) 파타우증후군(Trisomy 13)

생존아 중에서 세 번째로 흔한 상염색체 삼배수성으로, 약 5,000생존아 중 1명의 발병률을 보고하고 있음

파타우증후군에서 가장 흔하게 보이는 주요 구조적 기형은 전전뇌증(Holoprosencephaly)임. 그 외 13 삼염색체에서 중요하게 관찰되는 주요 기형은 비정상적인 중앙안면임. 두눈가까움증(hypotelorism), 구 강안면갈림(orofacial clefting), 단안증(cyclopia) 등을 관찰할 수 있음. 13 삼염색체 태아에서 심장기형의 빈도가 유의하게 증가되는데, 가장 흔한 심장기형은 심실중격결손(ventricular septal defect, VSD), 좌심 실형성부전, 또는 양대혈관 우심실 기시(double outlet right ventricle)임. 그 외 배꼽탈장(omphalocele), 다

지증(polydactyly), Clubbed or rocker bottom feet, 에코성 콩팥(echogenic kidney)이 관찰되기도 함

33명의 13 삼염색체 태아를 보고한 한 연구에 의하면, 30명(91%)은 초음파상 구조적인 이상이 확인되었고, 3명(9%)은 초음파상 이상소견을 확인할 수 없었음. 58%에서 중추신경계 이상을 보였고, 48%에서 안면이상, 48%에서 심장기형이 있었음(Lehman et al, 1995). 1삼분기에 보일 수 있는 초음파 이상소견으로는 목덜미투명대 증가, 태아빈맥, 조기발현 성장지연, 전전뇌증, 거대방광(megacystis), 배꼽탈장이 있음

**감별진단)** 13삼염색체에서 전전뇌증이 가장 흔하지만, 전전뇌증 단독만 있는 질병도 있음을 반드시 염두에 두어야 함. 13삼염색체는 반드시 염색체분석을 통해서만 진단할 수 있음

전전뇌증, 다지증, 비정상적인 얼굴 등을 보이나 유전적으로는 정상인 pseudotrisomy 13(Cohen-Gorlin syndrome)과 감별진단 해야함. 그 외 Meckel-Gruber syndrome, Bardet-Biedl syndrome, Smith-Lemli-Opitz syndrome과도 감별해야 함

**상담)** 13 삼염색체의 예후는 나쁨. 자궁내에서 치사율이 높고 만약 출생한다고 하더라도 출생 후 생존 중간값이 7-10일임. 5-10%는 생후 1년까지 생존할 수 있음. 생존할 경우 심한 정신지체를 보이며 발작, 근육긴장저하나 과다근육긴장증, 무호흡발작, 섭식장애, 성장제한 등을 동반할 수 있음. 13 삼염색체 태아를 임신한 산모에서 임신중독증이 유의하게 더 많이 발생하였음

# 04 염색체 이상을 시사하는 부수소견들

## Minor Sonographic Markers Associated Aneuploidy

## 1. 목덜미 피부두께의 증가

일반적으로 임신 15-21주 사이에 측정하며 투명중격공간(cavum septum pellucidum), 소뇌반구, 대조(cistern magna)를 포함한 태아의 후두와(posterior fossa)를 지나는 단면에서 뒤통수뼈의 바깥쪽에서 피부 바깥까지의 길이를 측정함. 5 mm를 넘는 경우를 비정상소견으로 판단하며 단독으로 보이는 경우에도 다운증후군의 위험도는 11배 증가하는 것으로 알려져 있음. 따라서 태아 목덜미 피부두께가 증가해 있는 경우는 염색체 검사의 적응증이 됨(ACOG practice bulletin. 2016)

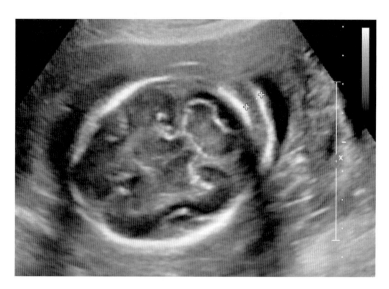

■ 그림 4-1. 임신 21주 태아목덜미 피부두께가 6.7 mm로 관찰됨. 동반기형은 관찰되지 않았고 만삭 분만함

## 2. 에코성 장

에코성 장은 국소적 혹은 전반적으로 퍼져서 나타날 수 있으며 임신 제2삼분기의 약 1%에서 나타남. 소장의 성숙에 따라 태변 증가 및 점진적 연동운동에 의한 대장으로의 태변의 이동이 시작됨. 장운동의 일시적인 마비나 폐쇄가 초래되면 태변 침착으로 인해 장관의 음영이 증가할 수 있으나 임신 제 2삼분기에서는 정상적으로도 소장의 음영이 증가할 수도 있으므로 비정상 소견으로 판단하지 않도록 주의해야 함. 초음파에서 태아 복강내의 장음영이 태아 뼈의 음영정도와 비슷한 경우에만 비정상 소견으로 판단하며 이 경우 다운증후군의 위험도가 6.7배 올라가는 것으로 알려져 있음(Nyberg DA et al. 2001)

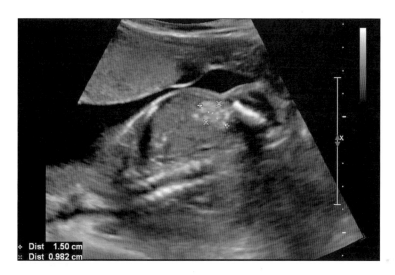

■ **그림 4-2. 에코성 장.** 임신 22주의 태아초음파 사진으로 우하복부에 에코성 장이 관찰됨. 그 외 동반기형은 관찰되지 않았고 동일 태아에서 임신 33주에는 에코성 장이 관찰되지 않았음

## 3. 짧은 대퇴골 및 상완골

태아의 양측두정뼈지름을 잴 수 있는 주수가 되면 양측두정뼈지름을 기준으로 대퇴골 및 상완골의 길이를 예상해 볼 수 있음. 예상되는 길이보다 0.9배 이하의 길이를 보이는 경우를 비정상 소견이라고 판단할 수 있으나, 반드시 임신 주수의 차이, 인종의 차이, 태아의 성별, 장골 측정 방법의 차이에서 오는 차이도 염두에 두어야 함. 단독으로 짧은 대퇴골을 보이는 경우에는 다운증후군의 위험도가 1.5배, 짧은 상완골을 보이는 경우에는 위험도가 5배 높아지는 것으로 알려져 있음

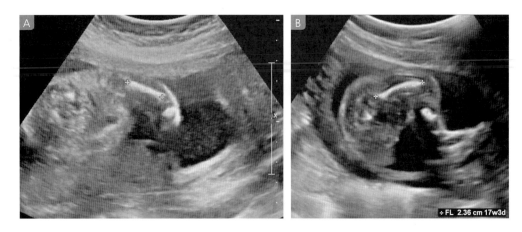

■ 그림 4-3. **골뼈 저형성. A.** 임신 21주의 태아초음파 사진으로 15주 5일 크기의 짧은 상완골이 관찰됨, **B.** 동일 태아 사진으로 17주 3일 크기의 짧은 대퇴골이 관찰됨

## 4. 심장내 에코부위

태아의 좌심실 혹은 우심실내에 유두근 부위에서 골의 음영과 비슷한 정도의 구별되는 음영부위가 있을 때로 정의되며 대부분은 좌심실에서 보임. 심장내 에코부위는 과진단을 피하기 위해 다양한 각도에서 확인되어야 하며 심첨 사방단면도(apical four chamber view)에서 가장 잘 보임. 인종에 따라 심장내 에코부위는 정상범주로 간주되기도 하며 서양인에 비해 동양인에서 발견되는 빈도가 더 높음. 심장내 에코부위가 보이는 경우 다운증후군의 위험도는 약 1.8배 높은 것으로 알려져 있음(Nyberg DA et al. 2001; ACOG practice bulletin. 2016)

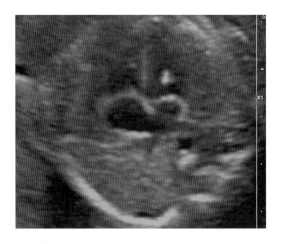

■ 그림 4-4. **심장내 에코부위.** 임신 21주 우심실에 심장내 에코부위를 보이는 태아의 초음파 사진

## 5. 신우확장증

축상면(Axial view)에서 액체가 차있는 태아의 앞뒤 신우 길이를 측정함으로써 진단할 수 있음. 임신 15주에서 20주 사이의 정상 신우 범위는 3 mm 이하임. 4 mm 이상의 양측 신우확장증이 있는 경우는 다운증후군의 위험도가 1.5배 증가하는 것으로 알려져 있음(Benacerraf BR et al. 1990; ACOG practice bulletin. 2016)

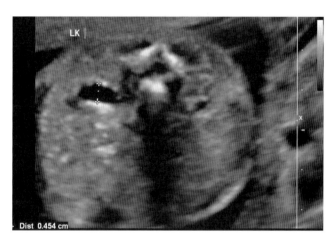

■ 그림 4-5. **신우확장증.** 임신 22주 4.5 mm의 좌측 신우확장증이 관찰됨. 동반기형은 없었음

## 6. 맥락막총낭종

맥락막총낭종은 정상 임신의 임신 중기 초음파 검사에서 약 1-3%의 빈도로 비교적 흔하게 발견됨. 맥락막총은 뇌의 연막과 풍부한 혈관이 합쳐져서 형성된 분비성 상피조직의 일종으로, 뇌척수액을 만드는 중요한 역할을 하는 구조물임. 태아 두개골의 축상면(Axial view)에서 맥락막총 내에 저음영의 낭종이 발견되는 경우 진단하며 에드워드증후군의 위험도가 7배로 높아진다는 보고도 있지만 현재는 맥락막총 낭종이 단독으로 발견되는 경우는 다운증후군을 시사하는 마커로 보기는 어렵다는 의견이 많음. 임신 중기의 초반에 맥락막총이 빠르게 성장하면서 융모가 얽히고 뇌척수액이 그 안에 차면서 낭종의 형태를 띠다가 임신 중기 후반부로 가면서 뇌척수액이 빠져나오면서 낭종이 없어지게 되는데 이는 정상적인 발달 과정 중 하나라고 할 수 있음. 임신 24-26주 이후에는 대부분 소실되며, 출생 시까지 지속되어도 태아 염색체가 정상이라면 신경학적 후유증은 없는 것으로 알려져 있음

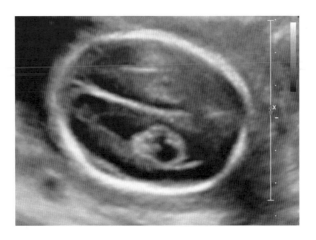

■ 그림 4-6. **맥락막총낭종.** 임신 19주의 태아초음파 사진으로 우측 맥락막총낭종이 관찰됨. 동일 태아에서 엡스타인기형이 동반 관찰되었음

## 7. 단일제대동맥

　제대에서 나타나는 가장 흔한 기형으로 단태아의 1%에서 나타남. 정상적으로 2개가 발달해야 하는 제대동맥이 1개가 발생한 경우임. 태아 복강으로 제대가 진입하는 부위에서 색도플러를 띄우고 탐색자를 머리쪽으로 각도를 주면 태아 방광주변의 양측으로 끼고 돌아나오는 제대동맥을 확인할 수 있으며 한쪽의 동맥만이 관찰되는 경우 단일제대동맥으로 진단함. 대개 우측의 제대동맥이 형성되어있지 않음. 에드워드증후군의 10-50%에서 발견되며 염색체 이상이 있는 태아의 11.3%에서 발견된다는 보고도 있음. 단독으로 발견되는 경우 일반적으로 염색체 이상의 위험도는 높지 않지만 특히 심장기형과의 연관성이 있기 때문에 심장초음파를 포함한 정밀 초음파 검사를 권고함(ACOG practice bulletin. 2016)

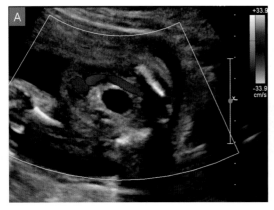
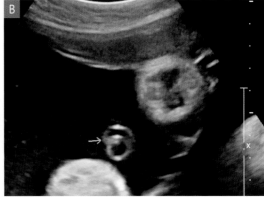

■ 그림 4-7. **단일제대동맥.** 임신 23주에 단일제대동맥을 보이는 태아초음파 사진. **A.** 태아 방광주변에 제대동맥이 한 개 관찰됨, **B.** 태아제대의 단면으로 하나의 동맥과 하나의 정맥만 관찰됨. 동반기형은 없었음

## 8. 손가락굽음증

다섯번째 손가락의 중간마디 뼈(middle phalanx)의 저형성을 보이며 손가락이 전체적으로 안쪽으로 굽어져 있는 경우 진단함. 다운 증후군에서도 흔히 나타나지만 정상변이로도 나타날 수 있고 태아의 위치에 따라 측정하기 힘들고 주관적인 판단이 영향을 주기 때문에 유용한 표지자로 간주하기는 힘듦

표 4-1. 염색체 이상을 시사하는 부수소견에 따른 다운증후군 발생의 유사비

| 부수소견 | 유사비 (Likelihood ratio) | 95% 신뢰구간 |
|---|---|---|
| 목덜미 피부두께 〉5 mm | 11 | 6-22 |
| 에코성 장 | 6.7 | 3-17 |
| 짧은 상완골 | 5.1 | 2-17 |
| 짧은 대퇴골 | 1.5 | 0.8-3 |
| 에코성 심장내초점 | 1.8 | 1-3 |
| 신우확장증 | 1.5 | 0.6-4 |
| 두 가지 부수소견을 보이는 경우 | 10 | 6.6-14 |
| 세 가지 이상의 부수소견을 보이는 경우 | 115 | 58-229 |
| 이상 부수소견이 없는 경우 | 0.4 | 0.3-0.5 |

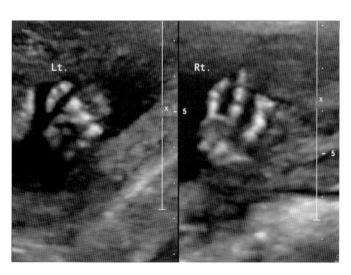

■ 그림 4-8. **손가락굽음증.** 임신 22주의 태아초음파 사진으로 양쪽 손가락굽음증 관찰됨. 양수검사에서 정상핵형 확인되었고 동반기형은 관찰되지 않았음

**참고문헌** ////////////////////////////////////////////////////////////////////////////////////////////////////////////////

1. 대한모체태아의학회 산전진단위원회. 태아 염색체 선별검사와 진단 검사에 대한 대한모체태아의학회 임상진료지침. 1 판. 서울: 제이플 러스; 2019.

2. 전종판 외. 기형 태아를 위한 카운슬링. 첫째판. 서울:군자출판사. 2015

3. American College of Obstetricians and Gynecologists. Prenatal Diagnosis of Fetal Chromosomal Abnormalities. Washington, DC: American College of Obstetricians and Gynecologists; May 2001. Practice Bulletin 27.

4. American College of Obstetricians and Gynecologists: Screening for fetal aneuploidy. Practice Bulletin No. 163. Obstet Gynecol 2016;127:e123-37.

5. American Institute of Ultrasound in Medicine. AIUM Practice Guideline for the Performance of Obstetric Ultrasound Examinations. J Ultrasound Med 2013;32:1083−1101

6. Bardi F et al. Is there still a role for Nuchal Translucency measurement in the changing paradigm of first trimester screening? Prenat Diagn 2020;40:197-205.

7. Benacerraf BR et al. Fetal pyelectasis: a possible association with Down syndrome. Obstet Gynecol. 1990;76:58-60..

8. Benacerraf BR et al. So tissue nuchal fold in the second-trimester fetus: standards for normal measurements compared with those in Down syndrome. Am J Obstet Gynecol. 1987;157:1146-9.

9. Choi A et al. Medical Issues and Opinions of Obstetrics Regarding Abortion Law Amendment. J Korean Soc Matern Child Health 2020;24:9-17

10. Crane JP et al. A randomized trial of prenatal ultrasonographic screening: impact on the detection, management, and outcome of anomalous fetuses. Am J Obstet Gynecol. 1994;171:392-9

11. Edvardsson K et al. Norwegian obstetricians' experiences of the use of ultrasound in pregnancy management. A qualitative study. Sexual & Reproductive Healthcare. 2018;15:69-76

12. Grandjean H, Larroque D, Levi S. The performance of routine ultrasonographic screening of pregnancies in the Eurofetus Study. Am J Obstet Gynecol 1999;181:446.

13. Hamada H et al. Echogenic fetal bowel in the third trimester associated with trisomy 18. Eur J ObstetGynecolReprod Biol. 1996;77:65-7.

14. Kwak DW et al. Chromosomal Abnormalities in Korean Fetuses with Nuchal Translucency above the 99th Percentile. Perinatology 2019;30:78-82.

15. Lehman CD et al. Trisomy 13 syndrome: prenatal US findings in a review of 33 cases. Radiology. 1995;194:217-22.

16. Malone FD. Nuchal translucency-based Down syndrome screening: barriers to implementation. Semin Perinatol. 2005;29:272-6.

17. MoyanoD et al. Fetal echocardiography in trisomy 18. Arch Dis Child Fetal Neonatal Ed. 2005;90:F520-2.

18. Nicolaides K et al. Ultrasonographically detectable markers of fetal chromosomal abnormalities. Lancet 1992;340:704-7.

19. Nicolaides KH et al. Strawberry-shaped skull in fetal trisomy 18. Fetal Diagn Ther. 1992;7:132-7.

20. NTQR Web site 2006. Available from: https://www.ntqr.org/ SM/Provider/wfProviderInformation.aspx. Accessed November 20, 2006.

21. Nyberg DA et al. Isolated sonographic markers for detection of fetal Down syndrome in the second trimester of pregnancy. J Ultrasound Med. 2001;20:1053-63.

22. Nyberg DA et al. Prenatal sonographic findings of Down syndrome: review of 94 cases. Obstet Gynecol. 1990b;76:370-7.

23. Nyberg DA et al. Prenatal sonographic findings of trisomy 18 using both first- and second- trimester markers. Prenat Diagn. 2003;23:243-7.

24. Nyberg DA et al. Prenatal sonographic findings of trisomy 18: review of 47 cases. J Ultrasound Med 1993;12:103-13.

25. Shin JH et al. The impact of the prenatal ultrasonography on birth of babies with Korean pediatric surgical index diseases. J Korean Surg Soc 2011;81:54-60

26. Shipp TD et al. Variation in fetal femur length with respect to maternal race. J Ultrasound Med. 2001;20:141-4.

27. Souka AP et al. Increased nuchal translucency with normal karyotype. Am J Obstet Gynecol 2005;192:1005-21.

28. Wald NJ et al. Antenatal screening for Down's syndrome. J Med Screen. 1994;4:181-246.

# 중추 신경계

## Central Nervous System

# 01 뇌량무발생증

## Agenesis of Corpus Callosum

## 1. 개요

1) 대뇌 좌우반구를 연결하는 백질 섬유집단인 뇌량이 없거나 불완전하게 형성됨
2) 뇌량무발생증은 일반인구의 0.3-0.7%로 나타나며, 발달이상이 있는 경우 약 2-3%에서 나타남
3) 뇌량의 발달은 임신 8주경부터 시작되지만, 임신 18-20주가 되어야 완성되므로 임신 20주까지 뇌량무발생증을 확진할 수 없고, 이 시기 약 20%가 가양성 진단을 보임(Palmer EE et al. 2014)

## 2. 초음파 소견

### 1) 정상 뇌량의 초음파 소견(그림 1-1)
(1) 정중시상면에서 뇌량주위수조(pericallosal cistern)와 투명중격강의 사이 무방향성의 띠로 보이며, 앞쪽 아래 시작 부분은 새의 부리모양과 비슷하게 생긴 Rostrum, 양쪽 전두엽 사이를 이어주는 섬유에 의해 주로 만들어져 앞쪽 뇌궁(ant. Fornix)을 형성하는 Genu, 양쪽 두정엽와 측두엽 연결을 담당하는 Body, 양쪽 두정엽, 측두엽, 후두엽 사이의 연결을 담당하는 Splenium 으로 이루어지는데 뇌줄기(brain stem)의 중뇌부분에서 끝이 남
(2) 관상면에서 양쪽 전엽 이어주는 다리형 구조가 보임
(3) 뇌량주위동맥이 뇌량의 주행을 따라 고리모양으로 관찰됨
(4) 경시상 단면에서 투명중격강이 관찰됨

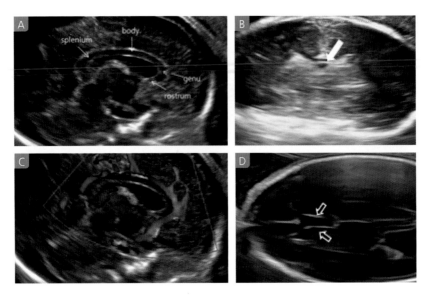

■ 그림 1-1. 임신 중기 정상태아의 뇌량 초음파. **A.** 정중시상면에서 뇌량이 고리모양으로 관찰되며 splenium이 뇌수조의 중뇌부분에서 끝남, **B.** 관상면에서 양쪽 전두엽을 이어주는 다리형 구조가 보임(굵은 화살표), **C.** 색 도플러초음파에서 뇌량의 고리모양을 따라 지나가는 뇌량주위동맥이 관찰됨, **D.** 경시상 단면에서는 투명중격강(검은 화살표)이 양쪽 측뇌실의 앞뿔의 안쪽면을 형성하는 것이 보임

## 2) 뇌량무발생증을 의심할 수 있는 초음파 소견

뇌실사이 투명중격강의 소실, 뇌량주위동맥의 주행이상, 측뇌실의 거대후두각(colpocephaly)

## 3) 진단기준

(1) 완전 뇌량무발생증의 진단(그림 1-2)

① 뇌실사이 투명중격강의 소실됨

② 횡단면에서 눈물방울(tear drop) 모양의 경도의 뇌실확장됨(양쪽 측뇌실의 전두각 간격은 서로 벌어져 있고, 후두각은 확장되어 있는 소견)

③ 관상면에서 뇌반구사이 균열이 크고, 양쪽 대뇌반구를 이어주는 다리형 구조가 관찰되지 않음

④ 정중시상면에서 뇌량이 관찰되지 않음

⑤ 뇌량주위동맥이 정상 고리구조를 이루지 않고, 윗쪽으로 솟아오르면서 나뭇가지 모양으로 뻗는 주행을 보임

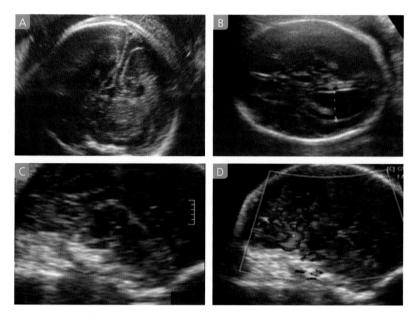

■ **그림 1-2.** 완전 뇌량무발생증의 초음파 사진. **A.** 관상면에서 뇌실사이 투명중격강이 소실되어 있고, 양쪽 대뇌반구를 이어주는 다리형 구조가 관찰되지 않음, **B.** 횡단면에서 측뇌실의 후두각 확장이 나타나 눈물방울 모양으로 관찰됨, **C.** 정중시상면에서 뇌량이 보이지 않음, **D.** 정중시상면에서 뇌량주위동맥이 정상 고리구조를 이루지 않고, 윗쪽으로 솟아오르면서 나뭇가지 모양으로 뻗는 주행을 보임

(2) 부분 뇌량무발생증의 진단
  ① 뇌실사이 투명중격강은 대부분에서 존재함
  ② 횡단면에서는 특이소견이 관찰되지 않을 수 있음
  ③ 시상면에서 뇌량이 정상보다 짧고, 제3뇌실위로 완전한 아치를 형성하지 않음(임신 20주 정상 뇌량 길이: 18-20 mm)
  ④ 뇌량주위동맥이 정상 고리구조보다 짧고 좁은 각을 형성하는 주행을 보임
(3) 뇌량 저발생증의 진단:
  뇌량의 두께가 얇아져 있음

## 3. 감별진단

뇌반구간낭종, 수두증, 전전뇌증, 중격-시신경 형성이상 등

## 4. 임신 중 예후

중추신경계 이상(댄디워커증후군, 뇌반구간낭종, 수두증, 다뇌소뇌회증 등), 심장, 골격, 비뇨기계 등 다른 기관의 다양한 기형이 동반 가능하고, 동반기형이 있을 경우 예후 나쁨

## 5. 산전관리

1) 침습적 염색체검사 및 염색체 마이크로 어레이 검사(동반기형이 있는경우 염색체 이상의 위험이 높음- 13, 18 세염색체가 약 20%에서 관찰됨)
2) 정밀초음파 검사 및 추적 초음파를 통한 동반기형 관찰됨
3) 태아 감염어부 확인을 위한 TORCH test
4) 대뇌피질의 이소증, 뇌 고랑 형성 및 뇌세포 이동의 이상과 같이 초음파에서 관찰할 수 없는 이상의 진단을 위하여 태아 뇌 자기공명영상 고려가능

## 6. 신생아 관리

1) 분만 후 초음파 시행하여 확진함
2) 수두증, 뇌전증발작, 눈과 손의 협응장애 등 나타날 수 있으나, 무증상일 수도 있음
3) 가족력 확인 및 시각, 청각검사
4) 염색체 마이크로 어레이 검사 또는 임상적 증상에 따른 특정 유전자 검사, 발달이상과 관련된 NGS Panel 검사 등
5) 대사이상이 의심될 경우 대사이상에 대한 검사
6) 신경학적 발달 추적관찰 필요성 설명

## 7. 장기 예후

1) 동반 기형이 있는 경우, 신경발달 예후의 불량인자임(D'Antonio F et al. 2016; Yeh HR et al. 2018; Kim SE et al. 2017)
2) 다양한 정도의 발달장애(정신지체, 시력 또는 청각이상, 언어장애, 식이장애 등)가 보고되었지만, 다른 기형이 동반되지 않은 단독 뇌량무발생증의 경우 약 2/3에서 정상 신경발달을 보이는 것으로 보고됨(D'Antonio F et al. 2016; Folliot-Le Doussal L et al. 2018; Yeh HR et al. 2018; Kim SE et

　　al. 2017)

　3) 단독 뇌량무발생증일 때 향후 임신에서 2-3%의 재발율임(Palmer EE et al. 2014)

## 8. 유전상담

　1) 상염색체 열성 또는 X-연관 우성 형질로 유전되는 것으로 추정됨(Palmer EE et al. 2014)

　2) 200가지 이상의 유전 증후군과 연관되어 있을 수 있음(Van den Veyver IB. 2019)

　3) 관련된 증후군 및 유전자:

　　Aicardi 증후군, Mowat-Wilson 증후군(ZEB2), acrocallosal 증후군(KIF7), ATRX-related disorders (ATRX), Opitz G 증후군(MID1), L1-related disorders including Mental retardation Adducted thumbs, Shuffling gait, Ataxia (MASA), 맥관 협착증(aqueductal stenosis)을 동반한 X-연관 수두증 (L1CAM) 등

　4) 그외 환경적 요인: 알코올, 기형유발물질, 바이러스 감염(풍진, 거대세포바이러스 등)도 관련 있음

　5) 유전성 대사질환(pyruvate dehydrogenase 결핍증)과도 관련 있음

**참고문헌**

1. D'Antonio F et al. Outcomes associated with isolated agenesis of the corpus callosum: a meta-analysis. Pediatrics (in eng) 2016;138.

2. Folliot-Le Doussal L et al. Neurodevelopmental outcome in prenatally diagnosed isolated agenesis of the corpus callosum. Early Hum Dev. 2018;116:9-16.

3. Kim SE et al. Clinical outcomes and neurodevelopmental outcome of prenatally diagnosed agenesis of corpus callosum in single center of Korea. Obstet Gynecol Sci. 2017;60(1):8-17.

4. Van den Veyver IB. Prenatally diagnosed developmental abnormalities of the central nervous system and genetic syndromes: A practical review. Prenat Diagn. 2019;39(9):666-78.

5. Yeh HR et al. Neurodevelopmental outcomes in children with prenatally diagnosed corpus callosal abnormalities. Brain Dev. 2018;40(8):634-41.

# 02 무뇌증
## Anencephaly

## 1. 개요

1) 뇌, 두개골, 두피 등 주요 부분의 선천성 결손상태를 뜻함
2) 중추신경계를 침범하는 심각하고 흔한 단일 기형으로 발생율은 국내에서는 1,000분만당 1.82명 (윤 등. 1993) 미국에서는 1,000분만당 0.06-0.8명임(Lober et al. 1985)
3) 여아가 남아보다 많아서 3:1 또는 4:1의 비율임(Naidich et al. 1992)
4) 임신 6주에 정상적으로 이루어지는 신경관 전반부의 폐쇄가 되지 않음으로 인해 두개골이 형성되지 않아 시작되는 기형임. 뇌실질은 발달할 수 있으나, 두개골 결손으로 양수에 오랜 시간 노출되어 반복되는 자극에 의해 뇌조직은 결국 파괴되어 출혈, 섬유화된 기능 없는 덩어리만 남게 됨
5) 얼굴 뼈와 두개골의 기저부는 보통 정상이나, 전두골(frontal bone)은 거의 없고 뇌조직도 거의 비정상임
6) 위험요인: 쌍태아(2.6배 높음 Ben-Ami et al. 1992), 임신 전 당뇨, 비만, 고열(hyperthermia)
7) 예방 – 임신 전 엽산 복용으로 신경관결손의 발생이 30-50% 감소됨

## 2. 초음파 소견

### 1) 진단 기준

#### (1) 임신 1삼분기

(1) 두개골이 없고, 뇌가 양수에 직접 노출되어 있음. 관상단면 촬영 시 노출된 뇌조직이 미키 마우스 얼굴처럼 보임(Chatzipapas et al. 1999)

## (2) 임신 2삼분기

① 안구 상부에 뇌조직이 없거나(frog's eye) 무정형의 이질성 덩어리로 보임. 얼굴의 관상단면에서 가장 특징적으로 보임(그림 2-1)

② 양수과다증이 흔히 동반됨

③ 초음파 소견이 매우 특징적이어서 임신 14주 이후에는 거의 100%로 정확하게 진단될 수 있음 (Goldstein et al. 1988)

## 2) 동반기형

(1) 13-33% 에서 동반기형이 있음

(2) 심장기형(4-15%), 폐형성저하증(5-34%), 횡경막탈장(2-6%), 장회전이상(1-9%), 신장기형(25%) 부신저형성증(94%), 선천복벽탈장(omphalocele) (16%) (Medical Task force on anecephaly, 1990)

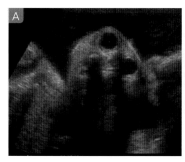 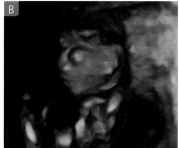 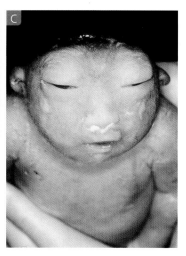

■ 그림 2-1. 임신 17주.
**A.** 얼굴의 관상도면. 안구 위로 두개골이 안보임(Frog's eye), **B.** 3D 초음파 소견. 눈위로 뇌조직과 두개골이 안보임, **C.** 임신 34주에 조산으로 태어난 무뇌아의 모습

## 3. 감별진단

1) 양막띠증후군(amniotic band syndrome): 무뇌증은 머리결손이 항상 대칭으로 되어 있으나, 양막띠증후군은 비대칭 결손이 많으며 다른 신체부위의 결손, 즉 사지, 손발가락의 절단, 비대칭 복벽결손, 척수결손(spinal defect)이 동반됨. 양막띠증후군은 양수과소증 동반이 많고 무뇌증은 양수과다증 동반이 많음

2) 뇌탈출증의 파열(ruptured encephalocele) 또는 후두공뇌탈출기형(iniencephaly)
   : 입쪽 두개골(rostral skull) 이나 전뇌(forebrain)는 보존되어 있음

3) 염색체 이상 – 13번 삼염색체성(trisomy 13), 18번 삼염색체성(trisomy 18), 터너증후군(Turner

syndrome), 세배수체(triploidy)
: 다른 동반기형이 있을 때는 염색체 이상 가능성이 있으므로 염색체검사를 고려할 수 있음

## 4. 임신 중 예후

1) 자궁내 사망(7%), 사산아 분만(20%)
2) 조산(34%)
3) 제왕절개율(26%)

## 5. 산전관리 및 산전치료

1) 90%에서 임신 2삼분기 모체 혈청 알파태아단백(alpha-fetoprotein)이 상승되어 있는데 보통은 그 전에 초음파로 이미 진단된 경우가 많음
2) 동반기형이 있는 경우 산전 염색체검사를 고려하고, 동반기형이 없는 경우 산후 염색체검사를 시행하는데 이 경우 정상 염색체인 경우가 많음(Sepulveda et al. 2004)
3) 생존 가능성이 없으므로 24주 전에 진단된 경우 임신 종결을 상의함

## 6. 신생아 관리

1) 신생아는 의식이 없고, 뇌간(brainstem) 기능은 다양한 정도로 보존되어 있어 코마상태처럼 보임. 근 긴장도와 심건반사(deep tendon reflex)가 증가되어 있고 자극에 반응을 하며 식이와 호흡과 관련된 원시적인 반사를 보임
2) 출생 후 수일내에 대부분 사망함

## 7. 장기 예후

생존이 어려워 장기이식(organ transplantation)을 위한 장기 공여도 고려해볼 수 있음

# 8. 유전상담

1) 다음 번 임신 때 재발 위험이 2-5%이며 두 번 모두 무뇌증 아이를 분만한 경우 다음 임신에서 재발할 위험율은 6%임(Main et al. 1986)

2) 모든 가임기 여성은 신경관결손을 예방하기 위해 엽산을 임신 전부터 복용을 시작하여 적어도 태아 발생 첫 4주 동안 복용해야 함. 이전에 신경관결손 태아를 임신했던 산모는 임신 한달 전부터 4 mg을 복용해야 함(Committee on Genetics, 1999)

**참고문헌** ////////////////////////////////////////////////////////////////////////////////////////////////////////////////////

1. 윤영옥 등. 신경관 결손증의 산전 진단에 관한 연구. 대한산부회지 1993;36;2896-992

2. Ben-Ami I et al. Is there an increased rate of anencephaly in twins? Prenat Diagn 2005;25;1007-10.

3. Committee on Genetics, American Academy of Pediatrics. Folic acid for the prevention of neural tube defects. Number 44, July 2003. Int J Gynaecol obstet 2003;83;123-33.

4. Chatzipapas IK et al. The "Mickey Mouse" sign and the diagnosis of anencephaly in early pregnancy. Ultrasound obstet Gynecol 1999;13;196-9.

5. Leeker M et al. Twin pregnancies discordant for anencephaly-management, pregnancy outcomes, and review of literature. Eur J Obstet Gynecol Reprod Biol 2004;114;15-8.

6. Lober J et al. Spinal bifida-vanishing nightmare? Archives of Disease in Childhood 1985;60;1086-92.

7. Main DM et al. Neural tube defects: Issues in prenatal diagnosis an counseling. Obstet Gynecol 1986; 67;1-15

8. Medical Task Force on Anencephaly. The infant with anencephaly. N Engl J med 1990;332;669-74.

9. Goldstein RB et al. Prenatal diagnosis of anencephaly : spectrum of sonographic appearances and distinction from the amniotic band syndrome. AJR Am J Roentgenol 1988;151;547-50.

10. Sepulveda W et al. Chromosomal abnormalities in fetuses with open neural tube defects: prenatal identification with ultrasound. Ultrasound Obstet Gynecol 2004;23;352-6.

# 03 지주막낭종
## Arachnoid Cyst

## 1. 개요

1) 지주막낭종은 경막과 뇌실질 사이에 뇌척수양 액체가 모인 것으로 뇌내 덩이 중 약 1% 정도에서 발생함(Pascual-Castroviejo I et al. 1991)
2) 낭종벽은 collagen과 과성장 지주막 세포로 구성되며 지주의 특징적인 섬유주(trabecular process)가 없음(Pappalardo EM et al. 2009)
3) 뇌신경계 어느 곳이나 발생 가능하지만, 대부분 midline supratentorial cyst가 연관됨
4) 외상, 감염, 출혈과 연관해서 발생할 수 있음
5) 대부분 단독 발생하지만 뇌량무발생증(agenesis of the corpus callosum)과 연관이 있을 수 있음 (Blaicher W et al. 2001)

## 2. 초음파 소견

### 1) 진단 기준
(1) 주변과 경계가 뚜렷한 저에코성 낭종(그림 3-1)
(2) 때때로 뇌실확장(ventriculomegaly)와 동반됨
(3) 대뇌 반구의 외부에 발생하고 뇌 실질을 침범하지 않음
(4) 대부분 supratentorial 부위에 발생함
(5) 컬러 도플러에 변화 없음(Li L et al. 2013)

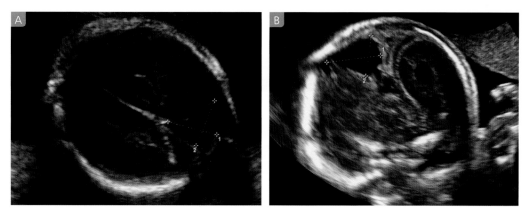

■ 그림 3-1. 임신 20주 지막낭종주. 경계가 뚜렷하고 색도플러 초음파상 혈관이 관찰되지 않는 낭종 소견이 관찰됨

## 3. 감별진단

Dandy-Walker 기형, 갈렌 정맥꽈리(aneurysm of the vein of Galen), 뇌갈림증(schizencephaly), 공뇌증(porencephaly), 뇌실막낭(ependymal cyst)(Haino K et al. 2013)

## 4. 임신 중 예후

1) 대부분 낭종의 크기는 변함이 없으나(28례 중 21례, 75%), 크기가 증가하거나(28례 중 6례, 22%), 자연 소실(28례 중 1례, 3%)되는 경우도 있음(Yin L et al. 2018)
2) 동반 기형의 유무가 태아의 예후에 영향을 미침

## 5. 산전관리 및 산전치료

1) 동반 기형이 있을 때 염색체검사가 필요하나 단독 기형인 경우는 의미가 불분명
2) 조기 분만 필요하지 않음

## 6. 신생아 관리

1) 분만 후 초음파/MRI 시행하여 확진함

2) 경련, 경증의 운동/감각 이상 또는 수두증이 발생할 수 있음

3) 출생 후 소실되는 경우도 있음

4) 환아의 대부분은 정상적이 신경학적인 빌딜을 보이고 특별한 수술이 필요하지 않음

5) 증상이 있을 때 extra/intra shunting보다는 endoscopic fenestration이 추천됨(Olaya JE et al. 2011)

## 7. 장기 예후

70-80%에서 특별한 증상이 없는 좋은 예후를 보임

## 8. 유전상담

산발적 발생으로 유전력이나 가족력과 관련 없음(Hayward R. 2009)

**참고문헌**

1. Blaicher W et al. Combined prenatal ultrasound and magnetic resonance imaging in two fetuses with suspected arachnoid cysts. Ultrasound Obstet Gynecol 2001;18:166–8.

2. Haino K et al. Prenatal diagnosis of fetal arachnoid cyst of the quadrigeminal cistern in ultrasonography and MRI. Prenat Diagn 2009;29:1078–80.

3. Hayward R. Postnatal management and outcome for fetal-diagnosed intracerebral cystic masses and tumours. Prenat Diagn 2009;29:396-401.

4. Li L et al. The clinical classification and treatment of middle cranial fossa arachnoid cysts in children. Clin Neurol Neurosurg 2013;115:411–18.

5. Olaya JE et al. Endoscopic fenestration of a cerebellopontine angle arachnoid cyst resulting in complete recovery from sensorineural hearing loss and facial nerve palsy. J Neurosurg Pediatr 2011;7:157-60.

6. Pappalardo EM et al. Fetal intracranial cysts: prenatal diagnosis and outcome. J Prenat Med 2009;3:28–30.

7. Pascual-Castroviejo I et al. Primary intracranial arachnoidal cysts. A study of 67 childhood cases. Childs Nerv Syst 1991;7:257–63.

8. Yin L et al. Sonographic diagnosis and prognosis of fetal arachnoid cysts. J Clin Ultrasound 2018;46(2):96-102.

# 04 대뇌 석회화
## Cerebral Calcification

## 1. 개요

1) 태아의 두개 내 면역학적 반응으로 인해 발생한 부분적인 신경 세포의 괴사로 인해 보이는 비정상적인 고에코의 음영이 관찰됨
2) 유사어: 두개 내 석회화(intracranial calcification)
3) 자궁 내 감염과 주로 관련:
    (1) TORCH 감염- 톡소플라즈마증(toxoplasmosis), 풍진(Rubella), 거대세포바이러스(Cytomegalovirus), 단순포진(herpes simplex), 매독(Syphilis), 파르보바이러스(Parvovirus), 수두-대상포진(Varicella zoster)
    (2) Zika virus 감염
4) 감염에 의한 질환일 경우, 유병률은 국가에 따라 다양하며 주로 소득 수준이 낮은 나라에서 질환의 이환도가 높음(0.01-0.1/1000명 생존출생)

## 2. 초음파소견

1) 진단기준
    (1) 대뇌실질에 부분적인 고에코성 병변이 관찰됨(그림 4-1)
    (2) 뇌실 확장과 동반하여 뇌실 주변부에 고에코성 병변이 보이는 경우도 있음
    (3) 기저핵에 고에코성 혈관이 보일 수 있음

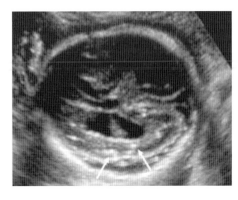

■ 그림 4-1. 대뇌 석회화. 거대세포바이러스 에 감염된 태아 뇌의 경뇌실 단면으로 경도의 뇌 실 확장증 소견과 함께 뇌실방 주위에 고에코의 음영을 보이는 석회화 소견(화살표)을 보임(출처 : '기형태아의 초음파영상도해' 3판)

## 3. 감별진단

두개 내 종양, 두개인두종(craniopharyngioma), 결절경화증(tuberous sclerosis), 시상정맥굴 및 횡정맥굴 혈전증(sagittal or transverse sinus thrombosis), 스터지웨버증후군(Sturge-Weber syndrome), 13 세염색체, 뇌농양, 결핵종, 두개 내 혹은 뇌실 내 출혈

## 4. 임신 중 예후

1) TORCH 감염은 출생 전 및 신생아 사망률의 주요한 원인 질환으로 알려져 있음(Natalie N et al. 2015)
2) 예후는 석회화의 원인에 따라 다양함
   (1) 톡소플라즈마증: 맥락막염, 운동 및 소뇌 기능 장애, 소두증, 경련, 지적 장애(정신 지체), 감각신경 난청 등이 올 수 있음
   (2) 거대세포바이러스: 청력상실, 소두증, 발달장애, 경련, 시력장애 등이 올 수 있음. 10%에서 분만 시 증상이 있으며, 10-15%에서 장기적 합병증이 동반됨(Davis NL et al. 2017)
   (3) 지카 바이러스: 태반을 통해 혈류를 타고 이동하며 소두증, 정신 지체, 선천성 기형이나 사망을 유발할 수 있음

## 5. 산전관리 및 산전치료

1) 임신 중 산모의 TORCH 감염에 해당하는 증상 유무 등의 병력을 자세하게 조사함
2) 고양이 분변 접촉 유무, 지카 바이러스 유행 국가의 여행력 유무, 유증상자 접촉 유무 등을 확인함

3) 산모 혈청의 TORCH 역가를 측정함(Rubella IgG/M, Cytomegalovirus IgG/M, Toxoplasma IgG/M, HSV-1/2 IgG/M)

4) 양수검사 혹은 제대혈 검사를 통해 태아 염색체검사 및 toxoplasmosis PCR검사, 거대세포바이러스 배양 검사나 IgM 등을 확인함

5) 정밀 초음파를 시행하여 동반하는 기형 또는, 소두증이나 자궁 내 성장지연을 확인하며 태반의 상태도 확인함

6) 톡소플라즈마증: 임신 18주 이전의 진단된 산모에서는 spiramycin을 먼저 사용하여 치료하고, 태아 감염이 확인되면 pyramethamine과 sulfadiazine, folic acid 및 spiramycin을 사용하여 치료하며, 태아 감염과 심각한 신경학적 합병증을 줄일 수 있다는 보고가 있음(Kieffer F et al. 2008)

7) 거대세포바이러스: 거대세포바이러스 고면역 글로불린(hyperimmune globulin)이 감염된 태아의 증상 및 후유증을 감소키는 데에 도움이 된다고 보고하고 있으며(Blázquez-Gamero D et al. 2019), ganciclovir와 같은 항바이러스제제 또한 시도해 볼 수 있음

8) 단순포진: 항바이러스제 치료, 질내 및 외음부에 병변시 질식 분만을 통해 감염될 수 있으므로 제왕절개를 계획함

## 6. 신생아관리

1) 분만 후 태아의 혈청 및 필요시 뇌척수액 천자를 통해 TORCH검사를 시행함

2) 감염 원인에 따라 약물 치료 및 면역 치료, 대증 치료를 시행함

3) 동반 기형을 시행함

## 7. 장기예후

원인에 따라 다르며 결막염, 청력 상실, 발진, 간 비대 비대증 또는 혈소판 감소증이 관찰될 수 있음

## 8. 유전상담

1) 감염 질환일 경우 유전력이나 가족력과 관련이 없음

2) 출생 후 신생아에서 최초로 관찰된 두개 내 석회화의 경우 유사토치증후군(Pseudo TORCH syndrome)의 감별을 위해 복부 초음파 및 염색체검사를 시행하는 것이 도움이 됨

**참고문헌** //////////////////////////////////////////////////////////////////////////////////////////////////////////////////////////

1. Blázquez-Gamero D et al. Prevention and Treatment of Fetal Cytomegalovirus Infection With Cytomegalovirus Hyperimmune Globulin: A Multicenter Study in Madrid. J Matern Fetal Neonatal Med Actions 2019;32:617-25

2. Davis NL et al. Cytomegalovirus infection in pregnancy. Birth Defects Res 2017;109:336-46.

3. Kieffer F et al. Risk Factors for Retinochoroiditis During the First 2 Years of Life in Infants With Treated Congenital Toxoplasmosis. Pediatr Infect Dis J 2008;27:27-32.

4. Natalie N et al. TORCH Infections. Clinics in Perinatology 2015;42:77-103.

# 05 Dandy-Walker 기형 및 변형
### Dandy-Walker Malformation and Variant

## 1. 개요

### 1) 종류

(1) Dandy-Walker 기형: 제 4뇌실의 확장 및 소뇌충부의 완전 혹은 부분적 결손으로 후두와가 커져 있음(그림 5-1A)

(2) Dandy-Walker 변형: 소뇌 형성부전의 정도가 다양하게 나타나지만 후두와가 커져 있지 않음(그림 5-1B)

(3) 거대 대수조(megacisterna magna): 소뇌와 제 4뇌실의 구조가 정상으로 관찰되나 후두와만 커져 있는 경우(그림 5-1C)

### 2) 발생빈도

Dandy-Walker 기형의 빈도는 1/30,000 출생아이며, 영아수두증의 약 4-12%에서 동반됨

### 3) 원인

멘델의 유전원칙에 의한 단일 유전자 질환, 염색체 이상, 바이러스 감염, 다인자 요인 등이 다양하게 알려져 있으나 유전적 원인에 의한 것이 주요 원인으로 알려져 있음(Bromley B et al. 1994)

## 2. 초음파 소견

### 1) 진단 기준

(1) Dandy-Walker 기형: 확장된 후두와(대수조 10 mm 이상)와 제 4뇌실이 낭성 구조로 연결되어 보이며, 소뇌충부가 완전 혹은 부분적 결손이 관찰됨(그림 5-1A, B). 흔히 뇌실확장증이 동반됨

(2) Dandy-Walker 변형: 대뇌반구가 정상이며 소뇌충부의 부분적인 결손이 관찰되며 대수조와 제 4

뇌실의 연결이 확인되어야 함

(3) 양수량은 보통 정상이나 염색체 이상이나 동반 기형이 있는 경우 양수과다증이나 양수감소증도 나타날 수가 있음

## 2) 초음파 진단 시 주의사항

소뇌충부의 발생이 18주경에 완성되므로 18주 이전에 진단은 신중해야 함. 초음파 검사 시 단면을 수직으로 잡으면 뇌간과 소뇌의 정상적인 낭성 공간이 마치 제 4뇌실과 대수조가 개통되어 보일 수 있음 (Osenbach RK et al.1991)

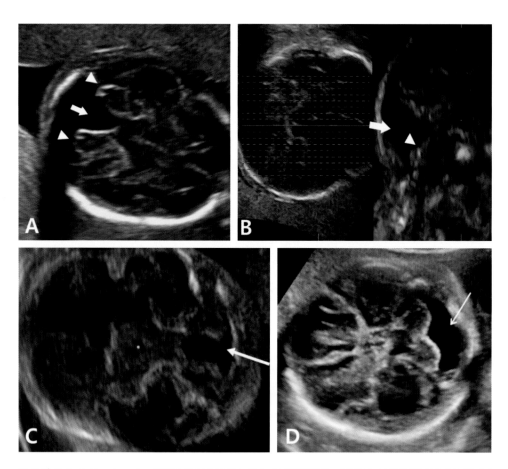

■ 그림 5-1. **A.** Dandy-walker 기형의 경소뇌 단면도. 작은 소뇌반구(화살표 머리)와 소뇌충부의 결손으로 제 4뇌실과 개통되는 확장된 후두와(화살표)가 관찰됨, **B.** Dandy-Walker 기형의 입체초음파 영상으로부터 얻은 시상단면도. 확장된 후두와(화살표)와 저형성된되 뇌간(hypoplastic brainstem)(화살표머리)이 관찰됨, **C.** Dandy-walker 변형(variant). 소뇌충부의 결손으로 네 번째 뇌실과 대조가 개통되지만(화살표), 대수조의 확장은 없음, **D.** 거대 대수조. 소뇌나 네 번째 뇌실의 구조가 정상이나 후두와만 12.8 mm(화살표)로 증가됨

## 3. 감별진단

Blake's pouch cyst(마젠디공의 폐쇄로 인한 낭종), 지주막하낭종(Arachnoid cyst) 등

## 4. 임신 중 예후

1) 동반 기형: 전형적인 Dandy-Walker 기형에서 약 25-50% 정도, Dandy-Walker 변형에서는 약 75%에서 동반기형 관찰되었음(중추신경계: 뇌실확장증, 뇌들보무발생, 통앞뇌증, 뇌류 등; 비중추신경계: 다낭성신, 심혈관계 기형, 구순열 등)
2) 임신 21주 이전에 진단될수록 출생 후 신경발달장애나 단락술이 필요한 심한 수두증이 동반될 가능성이 높음. 단독 거대 대수조만 있는 경우 약 1/3에서 임신기간 중 소실되기도 함(Ulm B et al. 1997)

## 5. 산전관리 및 산전치료

1) 염색체검사
2) 정밀 초음파 검사: 동반 기형 유무를 관찰함
3) 태아 자기공명영상(fetal MRI; Magnetic Resonance Imaging): 소뇌충부의 미세한 발달장애 정도를 평가하는 데 초음파 검사보다 정확성이 높음
4) 큰머리증(macrocephaly)이 없다면 질식 분만이 가능함

## 6. 신생아 관리

출생 후 뇌 자기공명영상 검사를 통해 소뇌발달정도와 동반된 중추신경계 이상 여부를 재평가함

## 7. 장기 예후

전통적 Dandy-Walker 기형에서 영아 사망율은 약 24%로 보고 되며, 생존아의 반 수는 정상 지능을 보인 반면 나머지 반에서 다양한 정도의 신경발달-정신장애가 보고되었음. Dandy-Walker 변형 영아에서는 안구운동 장애, 전반적 신경발달장애, 보행과 언어영역에 장애를 보였음. 거대 대조증이 단독으로 있

는 경우, 약 90%에서 정상 범위의 신경발달을 보임(Gandolfi CG et al. 2012)

## 8. 유전상담

단일 유전자 질환인 경우 그 질환이 가지는 Mendelian 유전성 성향에 따르며 에드워드증후군 같은 경우 산모의 연령에 의존하게 되며 다인자 요인의 질병과 동반된 경우 추가적으로 5% 정도의 재발율을 가지게 됨. 단독 Dandy-Walker 기형의 경우는 1-5% 정도의 재발율을 보임

**참고문헌** ////////////////////////////////////////////////////////////////////////////////////////////////////////////////

1. 대한산부인과초음파학회. 기형대아의 초음파영상 도해. 제 3판. 서울: 도서출판 구 암; 2015.

2. Bromley B et al. Closure of the cerebellar vermis: evaluation with second trimester US. Radiology 1994;193:761-3.

3. Gandolfi Colleoni G et al. Prenatal diagnosis and outcome of fetal posterior fossa fluid collections. Ultrasound in Obstetrics & Gynecology. 2012;39(6):625-31.

4. Osenbach RK et al. Diagnosis and management of the Dandy-Walker malformation: 30 year of experience. Pediatr Neurosurg 1991;18:179-89.

5. Ulm B et al. Dandy-Walker malformation diagnosed before 21 weeks of gestation: associated malformations and chromosomal abnormality. Ultrasound Obstet Gynecol 1997;10:167-70.

# 06 뇌류, 뇌탈출증
## Encephalocele

## 1. 개요

1) 정의: 두개골(skull) 일부 결손으로 인해 두개 내용물이 이탈된 것임

2) 빈도: 1-3:10,000

3) 종류 및 분류: 탈출된 뇌조직 종류에 따라 뇌척수액(CSF)과 뇌수막(meninges)만 탈출한 경우를 뇌막류(meningocele), 두개내용물중 뇌조직(brain tissue)까지 탈출된 경우를 뇌수막류(meningoencephalocele)라고 함

   탈출된 위치에 따라 크게 이마(Frontal), 뒤통수/마루뼈(occipital/parietal)로 분류함

4) 병인: 신경관결손(neural tube defect)의 한 종류로서, 머리신경구멍폐쇄(cranial neuropore closure)의 부전으로 인한 신경 조직의 이탈과 압박 미란(pressure erosion) 발생됨

5) 대부분 산발(sporadic)적으로 발생하나 세염색체(trisomy) 13, 18이나 여러 열성유전질환과 관련 있음. 그 외, 와파린과 관련이 보고됨

6) 두개내용물 이탈의 위치, 뇌조직 포함 여부, 작은머리증(microcephaly) 동반 여부, 동반기형 여부가 예후(태아사망, 신생아 사망, 출생후 발달장애)에 영향을 미침

## 2. 초음파 소견

1) 진단 기준(Cameron M et al. 2009)

   (1) 두개골 결손과 머리옆덩이(paracranial mass)

   (2) 탈출된 조직(특히, 뇌조직 탈출 유무) 확인

     : 뇌조직 탈출 시 탈출된 덩이가 뇌조직과 연결되며, 뇌이랑(gyrus)이 보이는 낭성 혹은 고형의 덩이가 확인

   (3) 다른 뇌기형 동반 확인, 두개골 내 뇌조직 이상 유무 확인: 뇌실확장증(ventriculomegaly), 작은머리

증, 뇌들보(corpus callosum)이상, 투명격막강(cavum septum pellucidum) 확인

(4) 동반 기형 확인:

① 멕켈-그루비증후군(Meckel-Gruber syndrome): 뇌류의 약10%에서 발견됨 뒤통수뇌류, 사은머리증, 작은안구증(microphthalmia), 다낭성 콩팥질환(polycystic kidneys), 모호한 생식기관(ambiguous genitalia), 다지증(polydactyly), 입술/입천장갈림증(cleft lip/palate) 등(Chen CP. 2007)

② 워커-워버그증후군(Walker-warburg syndrome): 뇌류, 수두증(hydrancephalus), 뇌이랑없음증(Lissencephaly), 작은안구증, 백내장(cataracts) 등

③ 노블치증후군(Knobloch syndrome): 뇌류, 망막변성, 백내장 등

## 2) 이마 뇌류(Frontal encephalocele)

전방 두대골 결손으로 코 혹은 눈 사이에 튀어나온 덩이 소견임

## 3) 뒤통수 뇌류(Occipital encephalocele)

후방 두개골 결손, 결손정도에 따라 다양한 소견 확인. 탈출된 조직은 32%에서 대뇌조직, 21%에서 대뇌 및 소뇌조직, 5%에서 소뇌조직, 37%에서 신경아교결절(glial nodule) 혹은 형성이상 신경조직(dysplastic neural tissue)으로 확인됨(Simpson DA et al. 1984)

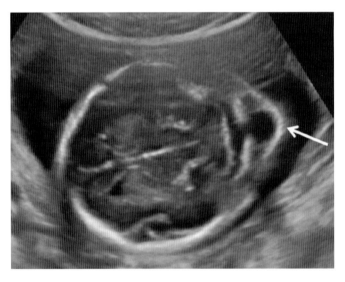

■ 그림 6-1. 뒤통수 뇌류. 뒤통수뼈의 결손을 통해 뇌실이 탈출되고 뇌실질 (화살표)에 의해 감싸여있음(기형태아의 초음파도해 참고)

## 3. 감별진단

1) 무뇌아(exencephaly/anencephaly): 두개골이 없음
2) 양막띠증후군(amniotic band syndrome): 몸과 연결된 양막띠 확인, 뇌뿐 아니라 다른 부분에도 손상이 있을 수 있음
3) 두피 덩이(scalp masses), 연조직종양(soft tissue tumor), 림프물주머니(cystic hygroma): 두개골결손 없음, 덩이 및 종양내 신경조직 없음, 림프물주머니는 목에위치한 낭성 종양소견을 보임(Pearce JM et al. 1985)
4) 제3형 Chiari 기형: 목의 솔기닫힘장애(cervical dysraphism)이 특징적임

## 4. 임신 중 예후

1) 탈출정도, 동반기형에 따라 예후가 다양함
2) 뇌조직을 포함한 뒤통수 뇌류는 20-70% 태아 사망을 보임(Weichert J et al. 2017)
3) 60%에서 임신주수가 증가함에 따라 뇌류의 크기가 증가됨을 보임. 그러나, 작은 뇌류의 경우 사라지는 경우도 소수의 케이스가 보고됨(Weichert J et al. 2017)

## 5. 산전관리 및 산전치료

1) 염색체검사 및 유전상담 필요함
2) 뒤통수 뇌탈출의 경우 임신 종결(termination) 고려됨
3) 임신 유지 시 뇌류의 크기 변화 및 두개골 크기 등을 주기적 측정이 필요함
4) 분만은 소아뇌수술이 가능한 병원에서 분만, 작은 병변의 경우 자연분만도 가능하나, 분만 중 손상을 감소시키기위해 제왕절개분만 고려됨(Thompson DN. 2009)

## 6. 신생아 관리

1) 분만 후 초음파 및 MRI 시행하여 확진함
2) 뇌류가 매우 크거나 다른 치명적인 기형이 동반되지 않으면 대부분의 경우 수술치료가 필요함
3) 대뇌기저부 뇌류이거나 뇌척수액 누출이 있는 경우 즉각적 수술 필요함(Rehman L et al. 2018)
4) 수두증이 있는 경우 뇌실-배안지름술(ventriculo-peritoneal shunt)이 뇌류교정전 시행됨(Rehman L

et al. 2018)

5) 탈출된 조직을 제거하고 결손부위를 닫아주는 수술을 일반적으로 시행함. 그러나, 탈출된 조직에 정상 뇌조직이 있는 경우 뇌조직을 보존하는 수술적 치료를 고려함

## 7. 장기 예후

뇌실질이 탈출하지 않는 경우거나 이마뇌류의 경우 예후가 비교적 좋음. 이마뇌류 경우 수술후 거의 정상 지능 및 발달을 보임. 뒤통수 뇌류의 경우 30%에서 신생아시기에 사망, 80%에서 발달장애나 경련 등을 보임(Yucetas SC et al. 2017; Kiymaz N et al. 2010)

## 8. 유전상담

단독 뇌류의 경우 대부분의 경우 유전력이나 가족력과 관련 없으며, 2-5% 재발위험성을 보임(Cowchock S et al. 1980). 동반기형이 있는 경우 특정 유전질환(멕켈그루버, 워커워버그, 노블치증후군)과 관련, 상염색체열성으로 유전되며, 이 경우 재발율은 25%임(Chen CP. 2007)

**참고문헌**

1. 대한산부인과초음파학회. 기형태아의 초음파영상 도해. 제 3판. 서울: 도서출판 구암; 2015.
2. Kiymaz N et al. Prognostic factors in patients with occipital encephalocele. Pediatr Neurosurg 2010;46(1):6-11.
3. Sepulveda W et al. Sonographic spectrum of first-trimester fetal cephalocele: review of 35 cases. Ultrasound Obstet Gynecol 2015;46(1):29-33.
4. Simpson DA et al. Cephaloceles: treatment, outcome, and antenatal diagnosis. Neurosurgery. 1984;15(1):14-21.
5. Weichert J et al. Fetal cephaloceles: prenatal diagnosis and course of pregnancy in 65 consecutive cases. Arch Gynecol Obstet. 2017;296(3):455-63.
6. Woordward PJ et al. Diagnostic Imaging:Obstetrics. 3rd ed. Salt lake city: Elsevier, Inc; 2016.
7. Yucetas SC et al. A Retrospective Analysis of Neonatal Encephalocele Predisposing Factors and Outcomes. Pediatr Neurosurg 2017;52:73-76.

# 07 무두개증

Exencephaly/Acrania

## 1. 개요

1) 드문 질환으로 출생 후 생존 어려움
2) 두개둥근천장(cranial vault)의 뼈는 없으나, 얼굴 구조와 머리바닥(skull base)은 보존이 되어, 뇌조직이 양수에 노출되게 됨
3) 1분기 초음파에서 두개골이 없고 두뇌반구가 옆으로 벌어져서 미키마우스 사인을 보이며, 2분기에는 얼굴은 보존되나 뇌조직이 양수에 떠있는 소견 보임
4) 신경관결손질환의 일환이므로 다음 임신에서 임신 전부터 고용량의 엽산이 권고됨

## 2. 초음파 소견

### 1) 임신 1삼분기의 소견
(1) 임신 11주 이후 보이는 두개골의 석회화 소견이 보이지 않음(그림 7-1)
(2) 미키마우스 사인: 양측 대뇌반구가 반구사이틈새(interhemisphere fissure)를 기준으로 가쪽으로 벌어져 보이는 소견임
(3) 고에코의 양수 소견임(Cafici D et al. 2003)

### 2) 임신 2분기 이상의 소견
(1) 얼굴과 머리바닥은 보존되면서, 머리둥근천장뼈가 없어 뇌조직이 무질서하게 노출되어 있는 소견 보임

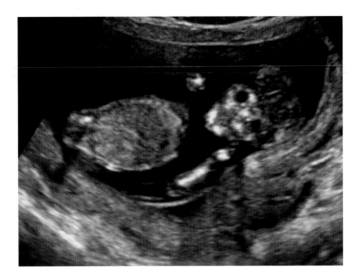

■ 그림 7-1. 임신 11주 무두개증. 얼굴뼈는 뚜렷이 보이나 석회화된 두개골이 없이 뇌가 노출된 소견

## 3. 감별진단

1) 뇌수막류(meningoencephalocele): 두개둥근천장은 있어서 일부의 뇌조직은 뼈 안에 보존되어 있음
2) Acalvaria: 두개둥근천장의 납작뼈(flat bone), 경막(dura mater)과 관련 근육 없지만, 뇌조직은 보존되어있음(Bianca S et al. 2005)

## 4. 임신 중 예후

1) 동반기형: 다른 동반기형 많음 - 배꼽탈장(omphalocele), 양막띠증후군(amniotic band syndrome) 등
2) 무뇌증(anencephaly)으로 발전 가능함(Wilkins-Haug L et al. 1991)

## 5. 산전관리 및 산전치료

1) 일반적으로는 염색체 이상과 관련 없음. 그러나 정확한 유전상담을 위해서는 염색체검사 필요함
2) 보통 목투명대(nuchal translucency) 측정 시기에 발견됨(Cheng CC et al. 2003)
3) 24주 이내 발견 시 임신 종결 권유됨

## 6. 신생아 관리

모든 경우에 사망함

## 7. 장기 예후

모든 경우에 사망됨

## 8. 유전상담

일부 유전성의 선천기형과 관련 있음. 재발 위험은 원인에 따라 다르지만, 보통의 경우 신경관결손질환과 같은 2-5% 수준임(Bianchi D et al. 2010)

**참고문헌** ////////////////////////////////////////////////////////////////////////////////////////////////////////////////////

1. Bianca S et al. Prenatal diagnosis of cranial vault defects. Prenatal Diagn 2005;25:627.
2. Bianchi D et al. Fetology: Diagnosis and management of the fetal patient. 2nd ed. New York: McGraw-Hill Medical; 2010, 120.
3. Cafici D et al. First-trimester echogenic amniotic fluid in the acrania-anencephaly sequence. J Ultrasound Med 2003;22:1077-9.
4. Cheng CC et al. Diagnosis of fetal acrania associated during the first trimester nuchal translucency screening for Down syndrome. Int J Gynaecol Obstet 2003;80:139-44.
5. Wilkins-Haug L et al. Progression of exencephaly to anencephaly in the human fetus- an ultrasound perspective. Prenat Diagn 1991;11:227-33.

# 08 통앞뇌증
## Holoprosencephaly

## 1. 개요

1) 전뇌(forebrain)에서 두 반구(hemisphere)로 나뉘는 분화에서의 문제로 생기는 뇌와 안면장애임

2) 4개의 소분류: 무엽형(alobar), 반엽형(semilobar), 엽형(lobar), 중간대뇌반구사이변이(middle inter-hemispheric variant)

   (1) 무엽형: 뇌의 중간구조물이 없고, 대뇌반구의 중앙분리가 없는 경우. 단일뇌실과 융합된 시상(thalamus)을 보이며, 심한 안면기형과 동반 많음

   (2) 반엽형: 대뇌반구 일부의 분리되었으나, 단일뇌실이 보임

   (3) 엽형: 대뇌피질과 시상은 정상적으로 분리가 이루어졌으나, 뇌량(corpus callous), 투명격막강(septum pellucidum) 또는 후각로(olfactory bulb), 후각망울(olfactory bulb)의 분리에 이상소견 있는 경우임(Bianchi D et al. 2010)

   (4) 중간대뇌반구사이변이: 뒤쪽의 전두엽과 두정엽이 분리되지 못하고, 전두엽의 극단과 후두엽은 잘 분리되어 있는 경우. 가쪽내실(lateral ventricle)의 몸체에서 융합이 있으며 앞쪽과 뒤쪽은 상대적으로 잘 발달됨(Simon EM et al. 2002)

3) 대부분의 심한 안면 기형은 무엽형과 동반되고, 심하지 않은 안면 기형은 반엽형이나 엽형에서도 보임

4) 염색체 이상 동반율이 높으며(40%), 그 중에서 75%가 13 세염색체(trisomy 13)임(Croen LA et al. 1996)

5) 산모의 당뇨와 높은 연관성을 보임(Barr M et al. 1983)

6) 염색체 이상과 대뇌 및 안면기형이 없다면 생존 가능하나 지능저하 심함(Bianchi D et al. 2010)

## 2. 초음파 소견

### 1) 진단 기준

    (1) 축면(axial view): 중간선 에코의 부재, 수두증, 단일뇌실

    (2) 관상면(coronal view): 시상의 융합 정도가 가장 잘 보임

    (3) 무엽형: 단일뇌실이 보이고, 뇌량과 대뇌낫(falx cerebri)가 없어서 중간선 에코가 안 보이는 소견. 시상은 주로 완전 융합소견임(그림 8-1)

    (4) 반엽형: 앞쪽은 융합되고 단일뇌실 소견이 보이나, 뒤쪽 대뇌반구와, 뇌실, 시상은 분리되어 맥락망총(choroid plexus)이 콧수염(mustache)처럼 보임(Monteagudo A et al. 2019)

    (5) 엽형: 초음파 소견이 모호하고 중시상면에서 다음과 같은 소견 보임(Monteagudo A et al. 2019)

        ① 대뇌반구사이틈새(interhemisphere fissure)는 존재함

        ② 뇌량 존재하기도 하고 없거나 작을 수 있음

        ③ 투명격망강(septum pellucidum)은 항상 없음

        ④ 띠이랑(cingulate gyrus)가 중앙에서 융합되기도 함

        ⑤ 이마뿔(frontal horn)은 융합되어, 제3뇌실과 이어지기도 함(그림 8-2).

    (6) 중간대뇌반구사이변이: 뇌량의 이상(없거나 저형성), 투명격망강 없음, 시상의 융합은 다양함(Monteagudo A et al. 2019)

### 2) 안면기형: 무엽형 또는 반엽형에서 동반이 많음

    (1) 단안증(cyclopia): 한 개 또는 하나로 융합된 눈

    (2) 주둥이(proboscis): 깔때기모양의 돌출부(그림 8-3)

    (3) 누두증(ethmocephaly): 눈이 분리되어있으나 가깝게 붙어있음

    (4) 원숭이머리증(cebocephaly): 두눈 가까움증(hypotelorism)이 있으며 콧구멍이 1개

    (5) 무취뇌(arrhinencephaly): 후각로와 후각망울이 없는 경우

    (6) 그 외, 두눈 가까움증, 납작코(flat nose), 중앙 구순열, 안구이상(홍채 또는 망막 결손), 중간얼굴 저형성, 목젖갈림증(bifid uvula), single central maxillary incisor tooth

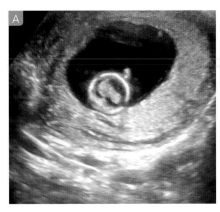
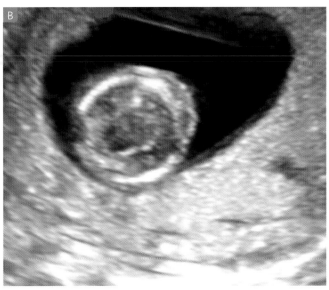

■ 그림 8-1. 임신 11주 태아에서 보이는 무엽형 통앞뇌증. **A.** 중간 에코선이 없고, 단일뇌실 소견 보임, **B.** 융합된 시상이 관찰됨

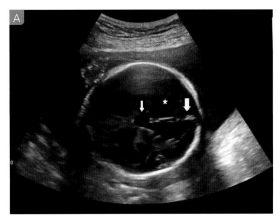
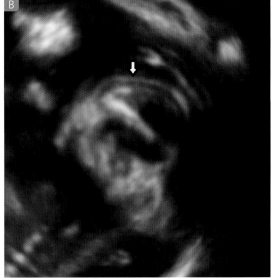

■ 그림 8-2. 임신 24주의 엽형 통앞뇌증. **A.** 대뇌반구사이틈새는 존재하나(큰 화살표), 투명대는 존재하지 않고, 가쪽내실의 이마뿔(별표)이 융합되어 제3뇌실(작은 화살표)과 연결되어 있음, **B.** 상대적으로 뇌량은 보존됨

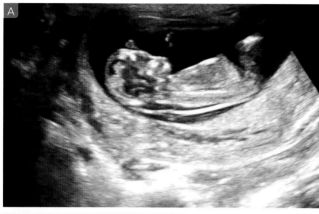
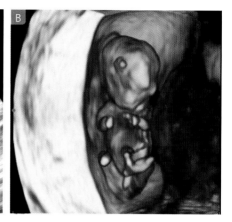

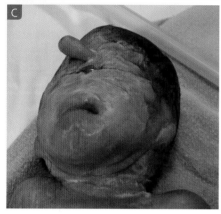

■ 그림 8-3. 통뇌앞증에서의 안면기형. **A.** 태아 정중시상면에서 태아의 안면에서 돌출된 주둥이가 보이며, 코뼈가 보이지 않음, **B.** 주둥이의 3차원 초음파, **C.** 주둥이와 단안증, 코없음의 육안소견

## 3. 감별진단

1) 수두증(hydrocephalus): 중앙선 에코의 부재와 시상의 융합이 없음
2) 격막안이형성증(septo-occipital dysplasia)
3) 무뇌수두증(hyrancencephaly): 대뇌 피질이 얇아져 있음
4) 공뇌증(porencencephaly): 대뇌낫(falx)이 없거나 비틀어져 있을 수 있으나, 시상의 융합이 없음

## 4. 임신 중 예후

1) 산전 진단이 86%임(Bullen et al. 2001)
2) 무엽형과 반엽형은 11-13주 정도에 진단 가능하나, 엽형의 경우는 모호한 소견이 많아 20주 이전에 진단되기 어려움(Blaas HG et al. 2002)
3) 50%에서 다른 동반 기형: 수막척수류(meningomyelocele), 다지증, 심장 기형, 신장 기형, 위장관계

이상임

4) 태아 시기 사망 가능성 높으며, 출생전후사망률은 89% 정도임(Berry et al. 1990)

## 5. 산전관리 및 산전치료

1) 24주 이전 발견 시 임신종결을 고려함
2) 염색체검사의 적응증임
3) 가족력, 당뇨의 과거력, 술 또는 살리실산염에 노출되었는지 확인이 필요하며, TORCH 검사도 권고됨
4) 경도의 이상인 경우 제왕절개가 고려될 수 있음(Bianchi D et al. 2010)

## 6. 신생아 관리

1) 무엽형의 경우 심한 지능저하가 있으므로 적극적인 소생술은 고려하지 않음
2) 경도 혹은 중등도의 형태의 형우 생존 가능하나, 신생아 시 경련, 무호흡, 식사문제 있을 수 있음

## 7. 장기 예후

1) 무엽형의 경우 걷거나 말할 수 없음(Hahn JS et al. 2004)
2) 반엽형의 경우 소수에서 팔다리 움직일 수 있고 말하는 경우 드물게 있음(Hahn JS et al. 2004)
3) 엽형의 경우 반 정도에서 독립적으로 걷기 가능하고 문장을 말할 수 있음(Hahn JS et al. 2004)

## 8. 유전상담

유전력이나 가족력과 관련 높음. 재발 위험성 있음

**참고문헌** ////////////////////////////////////////////////////////////////////////////////////

1. Barr M et al. Holoprosencephaly in infants of diabetic mothers. J Pediatr 1983;102;565-8.
2. Berry SM et al. Fetal holoprosencephaly: associated malformations and chromosomal defects. Fetal Diagn Ther

1990;5;92-9.

3. Bianchi D et al. Fetology: Diagnosis and management of the fetal patient. 2nd ed. New York: McGraw-Hill Medical; 2010, 121-5.

4. Blasas HG et al. Brains and faces in holoprosencephaly: pre- and postnatal description of 30 cases. Ultrasound Obstet Gynecol 2002;19;24-38.

5. Bullen PJ et al. Investigation of the epidemiology and prenatal diagnosis of holoprosencephaly in the North of England. Am J Obstet Gynecol 2001;184;1256-62.

6. Croen LA et al. Holoprosencephaly: epidemiologic and clinical characteristics of a California population. Am J Med Genet 1996;64;465-72.

7. Hahn JS et al. Evaluation and management of children with holoprosencephaly. Pediatr Neurol 2004;31;79-88.

8. Monteagudo A et al. Prenatal diagnosis of CNS anomalies other than neural tube defects and ventriculomegaly [Internet]. Waltham (MA): UpToDate; c2019 [cited 2020 Apr 20]. Available from: https://www.uptodate.com/contents/prenatal-diagnosis-of-cns-anomalies-other-than-neural-tube-defects-and-ventriculomegaly?search=holoprosencephaly&source=search_result&selectedTitle=2~30&usage_type=default&display_rank=2

9. Simon EM et al. The middle interhemispheric variant of holoprosencephaly. Am J Neuroradiol 2002;23;151-6.

# 09 무뇌수두증
Hydranencephaly

## 1. 개요

1) 대뇌반구(cerebral hemisphere)의 실질 조직이 발달이 되지 않아, 신경아교조직(glial tissue)과 뇌실막 세포(ependymal cell)로 구성된 막성 주머니에 뇌척수액만 가득 차 있는 선천성 기형으로 공뇌증(porencephaly)의 가장 심각한 형태임
2) 두개골은 발달되며, 맥락막총, 소뇌, 기저핵, 뇌줄기(brain stem)을 구성하는 중간뇌(midbrain), 시상하부의 발달은 보통 정상임
3) 원인: 명확하지 않으나 임신 12주 이후에 발생한 속목동맥(internal carotid artery) 또는 중뇌동맥의 상상돌기상(supraclinoid)영역의 완전한 폐색이 주요 병태 생리로 지목됨. 혈관 폐색의 원인으로는 거대세포바이러스, 톡소플라즈마, 풍진, 헤르페스등 자궁내 감염, 쌍태아수혈증후군과 같은 상황에서 발생한 트롬보플라스틴, 태아의 저산소증, 뇌연화증등이 원인으로 추정되며 신생아 시기에 발생하기도 함(Myers RE et al. 1969; Baud O et al. 2002; Ceccehtto G et al. 2013)
4) 주로 양측성이나 한쪽 대뇌 반구(hemihydranecephaly)에만 발생하기도 함(Pavone P et al. 2013)
5) 발생빈도 : 5,000-10,000 출생당 약 1명 내외임(Chervenak FA et al. 1993)

## 2. 초음파 소견

1) 진단 기준(그림 9-1)(Pavone P et al. 2014)
   (1) 대뇌 피질이 관찰되지 않으며 대뇌 반구의 소실됨
   (2) 시상하부, 중간뇌, 소뇌 모양은 대부분 정상이며 뇌척수액을 생산하는 맥락막총이 관찰됨
   (3) 대뇌낫(falx)이 보통 관찰되나 뇌척수액의 축적이 과도하면 파열되어 관찰되지 않기도 함
   (4) 머리 크기는 대부분 정상이거나 작으나, 뇌척수액이 제대로 흡수되지 않으면 머리크기가 커지기도 함

(5) 주로 중뇌 동맥이 관찰되지 않는 경우가 많음

(6) 한쪽 대뇌 반구(hemihydranecephaly)에만 발생하기도 함(Pavone P et al. 2013)

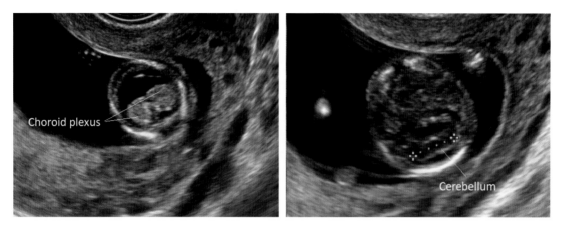

■ 그림 9-1. 무뇌 수두증의 임신 12주경 초음파 사진. 소뇌와 맥락막총이 관찰되고 대뇌 반구 실질은 관찰되지 않으며 뇌척수액으로 구성된 낭성 구조물만 관찰됨

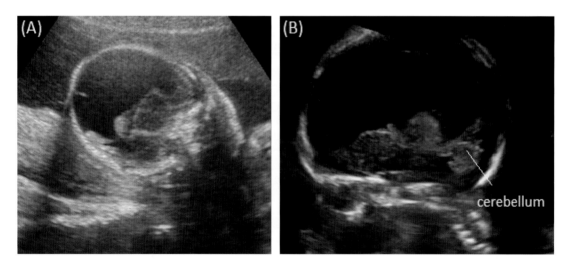

■ 그림 9-2. 무뇌 수두증. A. 임신 18주 초음파 사진. 관상면에서 대뇌 피질은 확인되지 않으며 뇌척수액으로 가득한 낭성 구조물이 보이고, 중간뇌를 확인할 수 있음, B. 임신 21주경 초음파 사진. 시상면에서 대뇌피질은 확인되지 않으며, 중간뇌와 후두와(posterior fossa)의 소뇌를 확인할 수 있음

## 3. 감별진단

1) 수두증(Severe obstructive hydrocephalus): 대뇌 피질(cerebral cortex)이 얇아지기는 하지만 존재하고, 중뇌 동맥도 관찰됨. 수종으로 인해 머리가 커지고, 맥관협착증(aqueductal stenosis)으로 인한

경우 제 3뇌실의 확장이 동반됨(Pavone P et al. 2014)

2) 통앞뇌증(alobar holoprosencephaly): 뇌의 중간선(midline)기형 및 뇌간, 안면의 기형이 동반되는 경우기 많고 대뇌낫이 관찰되지 않음(Pavone P et al. 2014)

## 4. 임신 중 예후

1) 대부분 출산 전에 사망함
2) 동반 기형: 주로 단독 발생이나, 작은 안구증, 다소뇌회증, 쌍태아수혈증후군 , 소뇌 형성부전, Poland syndrome이 동반되기도 하며 Fowler 증후군의 일환으로 발생하기도 함(Pavone P et al. 2014; Laurichesse-Delmas H et al. 2002)

## 5. 산전관리 및 산전치료

1) 염색체 이상: 혈관 장애가 주된 병인으로 유전성은 뚜렷하지 않으나, 4건 중 2건이 삼배수체(triploidy)였다는 보고가 있으며, COL4A1 mutation, PI3K-Akt3-mTOR mutation과의 관련성이 있는 경우도 보고됨(Pavone P et al. 2014)
2) 양수과다증이 동반되기도 함

## 6. 신생아 관리

1) 출생후 CT나 MRI로 진단됨
2) 두개내압상승이 심한 경우 수술적 치료(뇌실 복강 단락술, Endoscopic Choriod Plexus coagulation)를 시도하기도 하나 치료 효과는 불분명함(Ray C et al. 2015; Shitsama S et al. 2014)
3) 항경련제, 영양 공급, 호흡 부전에 대한 대증 치료가 필요함

## 7. 장기 예후

1) 대부분 산전 사망하며 출생아의 대부분도 1년 이내 사망함
2) 식물인간 정도의 신경학적 수준이며, 발달 장애, 경련, 사지 마비 증상을 보이며 호흡 부전으로 사망함(Pavone P et al. 2014)

3) 32세 까지 생존한 보고가 있으나 뇌줄기의 기능의 보전 정도에 달려 있음(Cecchetto G et al. 2013)

4) hemihydranecephaly의 경우 예후가 양호한 경우도 있어, 반부전마비(hemiparesis)이나, 보조없이 보행이 가능하고 분명한 대화가 가능한 경우도 보고됨(Pavone P et al. 2013)

## 8. 유전상담

1) 대부분 산발적으로 발생하며 유전력이나 가족력과 관련 없으며 재발 위험도 무시할 수준임

2) 열성 유전인 Fowler syndrome의 일환으로 발생하기도 함(Laurichesse-Delmas H et al. 2002)

**참고문헌**

1. Baud O et al. Cytomegalovirus infection, a risk when adopting a child abroad. Presse Medicale 2002;31:1606.

2. Cecchetto G et al. Looking at the missing brain: hydranencephaly case series and literature review. Pediatr Neurol 2013;48:152-8.

3. Chervenak FA et al. Ultrasound in Obstetrics and gynecology. 1st Ed. Boston : Little Brown ; 1993

4. Hamby WB et al. Hydranencephaly; clinical diagnosis; presentation of 7 cases. Pediatrics. 1950;6:371-83.

5. Laurichesse-Delmas H et al. First-trimester features of Fowler syndrome (hydrocephaly-hydranencephaly proliferative vasculopathy) Ultrasound Obstet Gynecol. 2002;20:612-615.

6. Myers RE. Brain pathology following fetal vascular occlusion: an experimental study. Invest Ophthalmol 1969;8:41-50.

7. Pavone P et al. Hemihydranencephaly: living with half brain dysfunction. Ital J Pediatr 2013;16:39:3.

8. Pavone P et al. Hydranencephaly: cerebral spinal fluid instead of cerebral mantles. Ital J Pediatr 2014;18:40:79.

9. Ray C et al. Hydranencephaly: Considering Prolonged Survival and Treatment by Endoscopic Choroid Plexus Coagulation. Turk Neurosurg 2015;25:788-92.

10. Shitsama S et al. Choroid plexus coagulation in infants with extreme hydrocephalus or hydranencephaly. J Neurosurg Pediatr 2014;14:55-7.

# 10 수두증
Hydrocephalus

## 1. 개요

1) 수두증은 뇌척수액 흐름에 장애가 있어 뇌실내 혹은 뇌실외에 뇌척수액 부피가 증가하는 것을 의미하여, 그 중 뇌실의 확장이 있는 경우를 뇌실확장증(ventriculomegaly)이라고 함

2) 뇌실확장증: 뇌의 축면인 경뇌실 단면에서 측뇌실의 후두위의 수직 길이가 10 mm 이상인 경우로 정의하고, 15 mm 이하 시 경증, 15 mm 이상 시 중증으로 정의함

3) 유병률: 단독 뇌실확장증은 1,000명당 0.5-1.5명꼴임(Davis GH et al. 2003)

4) 40%의 뇌실확장증에서 중추신경계 혹은 그 외 기형을 동반하며, 12%에서 비정상 유전자를 동반함(Bianchi D et al. 2010)

## 2. 초음파 소견

1) 축면 중 경뇌실 단면에서 측뇌실의 뇌실방(atrium)의 수직 길이를 측정하여 10 mm 이상인 경우임 (그림 10-1)

2) Dangling choroid: 뇌실이 확장되면서 choroid plexus가 뇌실의 벽쪽으로 향하여 보이는 소견임

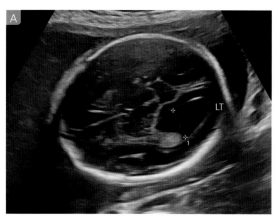
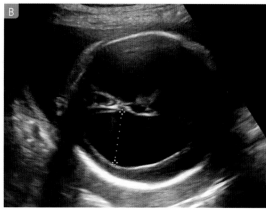

■ 그림 10-1. 뇌실확장증. **A.** 경증의 뇌실확장증. 임신 24주 태아의 측뇌실 뇌실방의 수직 길이가 1.32 cm으로 측정됨, **B.** 중증의 뇌실확장증. 임신 24주 태아의 측뇌실 뇌실방의 수직 길이가 2.60 cm으로 측정됨

## 3. 감별진단

1) 무뇌수두증(hyrancencephaly): 대뇌 피질이 얇아져 있음
2) 공뇌증(porencephaly): 뇌실질 내 일부에 물이 고여있는 공간이 있음
3) 통합뇌증(holoprosencephaly): 대뇌낫(falx)이 없고 시상의 융합이 있음
4) 다른 중추신경계 질환들과 연관되어 생기는 것과 단독의 경우의 구분이 필요

## 4. 임신 중 예후

1) 동반 기형이 없는 경증의 경우 41%에서는 자연적으로 확장된 공간이 감소하고 정상 예후를 갖고, 43%는 그대로 유지되며, 16%만이 점차 증가함(Parilla BV et al. 2006)
2) 단독이지만 중증의 뇌실확장증이 있는 경우 주산기 사망의 증가와 관련이 있으며, 50% 이상에서 중증의 장기 신경학적 합병증 동반됨(Patel MD el al. 1995)

## 5. 산전관리 및 산전치료

1) 중추신경계와 그 외 기관에 기형 동반이 많으므로, 다른 기형이 있는 지 정밀초음파를 시행하여야 하여야 함
2) 염색체 어레이 검사를 포함한 염색체검사, 태아감염 확인 위해 TORCH 검사 시행 고려할 수 있음

3) MRI: 다른 동반 기형 여부 확인에 고려할 수 있음

4) 경계성인 경우 중추신경계 이상과는 관련이 적으나, 뇌량무발생증(agenesis of corpus callosum), 신경관결손(neural tube defect) 혹은 염색체 이상과 관련 있음(Gupta JK et al. 1994; Melchiorre K et al. 2009; Agathokeleou M et al. 2013)

5) 뇌실의 크기가 점차 증가하는 경우 2.5-4.5%를 차지하고 이런 경우 예후가 안 좋을 수 있으므로, 연속적인 초음파 검사가 필요함

6) 중증의 경우 안 좋은 예후를 보이는경우가 많음

7) 예후를 결정짓는 것은 동반질환의 유무임(Pober BV et al. 1986)

# 6. 신생아 관리

1) 분만 후 중추신경계 CT와 MRI가 권고됨

2) 해부학적 구조 이상시 교정술과 ventriculo-peritoneal shunt(V-P shunt)를 고려할 수 있음

# 7. 장기 예후

1) 단독의 경도의 뇌실확장증의 경우 대부분 좋은 예후이나 10%에서는 다양한 정도의 신경학적 이상 동반함(Melchiorre K et al. 2009)

2) 뇌수두증으로 수술적 치료를 한 경우 70%에서 중증장애 동반되었다는 보고가 있음(Futagi et al. 2002)

# 8. 유전상담

유전력이나 가족력과 관련 높음. 재발 위험성 있음

**참고문헌**

1. Agathokleous M et al. Meta-analysis of second-trimester markers for trisomy 21. Ultrasound Obstet Gynecol 2013;41:247-61.

2. Bianchi D et al. Fetology: Diagnosis and management of the fetal patient. 2nd ed. New York: McGraw-Hill Medical; 2010. 134.

3. Davis GH. Fetal hydrocephalus. Clin Perinatolo 2003;30:531-9.

4. Futagi Y et al. Neurodevelopmental outcome in children with fetal hydrocephalus. Pediatr Neurol 2002;27:111-6.

5. Gupta JK et al. Management of apparently isolated fetal ventriculomegaly. Obstet Gynecol Surv 1994;49:716-21.

6. Melchiorre K et al. Counseling in isolated mild fetal ventriculomegaly. Ultrasound Obstet Gynecol 2009;34:212-4.

7. Parilla BV et al. In utero progression of mild fetal ventriculomegaly. Int J Gynaecol Obstet 2006;93:106-9.

8. Patel MD et al. Fetal ventricular atrium: difference in size according to sex. Radiology 1995;194:713-5.

9. Pober BV et al. Complexities of intraventricular abnormalities. J Pediatr 1986;108:545-51.

# 11 두개내출혈
## Intracranial Hemorrhage

## 1. 개요

1) 출산 전 태아의 뇌실이나 경막하강 및 뇌실질 내로 일어나는 출혈로 산전에는 드문 질환이지만 조산아에서 출생 후 흔한 합병증임

2) 0.9/1,000 출생아의 빈도로 발생, 조산아에서 흔함

3) 면역성 혈소판감소성 자반증이나 동종면역성 혈소판 질환을 가진 산모에서 빈도가 증가하며 동종면역성 혈소판감소증인 경우 10-30%의 위험도를 보임. 임신부의 외상, 발작, 감염, 코카인, 아스피린, 헤파린. 와파린 복용과 연관된 보고도 있음(Kutuk MS et al. 2014)

4) 태아의 위험요소로 심한 태아 저산소증, 선천성 응고병증(factor V, factor X deficiency), 심한 태아 발육 장애, 쌍태아수혈증후군이나 일측의 태아 사망 등의 보고도 있으나 20-45%는 원인 질환 없이 발생함

## 2. 초음파 소견

1) 크기 위치에 따라 다양한 소견 및 음영을 보여 다른 뇌 질환과 구분이 힘드나 뇌실 내 출혈인 경우 시간이 경과하면 뇌실확장증이 병발되는 경우가 흔하며 음영도 저음영의 에코로 변함(Hines N et al. 2009)

2) 피하막종, 배아기질, 뇌실출혈이 흔하고 경막외출혈은 드뭄

3) 보통 26-33주에 진단됨, 사산된 태아 6%에서 발견됨

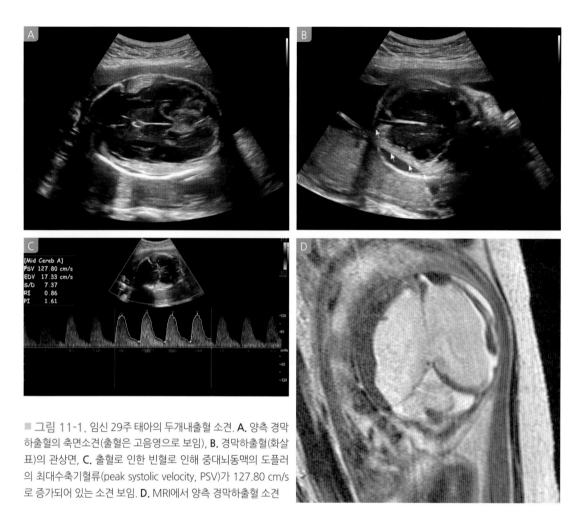

■ 그림 11-1. 임신 29주 태아의 두개내출혈 소견. **A.** 양측 경막하출혈의 축면소견(출혈은 고음영으로 보임), **B.** 경막하출혈(화살표)의 관상면, **C.** 출혈로 인한 빈혈로 인해 중대뇌동맥의 도플러의 최대수축기혈류(peak systolic velocity, PSV)가 127.80 cm/s로 증가되어 있는 소견 보임. **D.** MRI에서 양측 경막하출혈 소견

## 3. 감별진단

태아 뇌종양, 감염

## 4. 임신 중 예후

1) 응고되어 낭종을 형성하거나 뇌실 통로를 막아 뇌실확장증이 발생 할 수 있으므로 추적 초음파 검사가 필요함(Mohamed A et al. 2017)

2) 보통 무증상이나 태아 심박동 감소, 비반응성 태아 심박동, 태아 저산소증에 의한 Sinusoidal 태아

심박동, 조기진통, 태아 삼키기 장애로 인한 양수과다가 발생할 수 있음

## 5. 산전관리

1) 원인 규명을 위해 임신부의 면역성 혈소판질환이나 발작성 질환 동반여부 확인 및 와파린 같은 혈액 응고 방지제를 복용하는지 등의 자세한 병력을 조사해야 함
2) 출혈로 의한 빈혈로 비면역성 태아수종 위험도가 증가됨, 태아 수혈이 필요할 수도 있음
3) 질식 분만이 신생아의 뇌출혈을 심화시킨다는 보고는 없지만 제왕 절개 분만 고려됨

## 6. 예후

1) 예후는 중증도와 출혈의 범위에 따라 다르지만, 뇌실 내에 일어나는 출혈이 뇌실질이나 경막하강으로 일어나는 출혈보다 예후가 좋음
2) 경미한 출혈은 후유증 없이 쉽게 흡수되나 높은 등급의 출혈의 경우 50%의 태아가 사망하고 생존아 중에서도 50% 이하에서만 정상 신경학적 증상이 보인다는 보고도 있음(Begoña A et al. 2019)
3) 뇌출혈의 단계에 따른 예후
   Grade 1 (작고 국소적 모세포 출혈과 15 mm 이하의 경미한 뇌실확장)은 100% 좋은 예후
   Grade 2 (1 cm 이하의 국소적 뇌실주위 출혈과 심한 뇌실 확장)은 50% 좋은 예후
   Grade 3 (1 cm 이상의 뇌실주위 출혈과 뇌실확장)은 나쁜 예후 보임
4) 출생 후 발작, 뇌성마비, 발달지연, 뇌수종, 신경학적 발달장애, 신생아 사망이 있을 수 있음
5) 뇌 파괴로 초래된 신경학적 손상, 분만 방식은 예후를 변화시키지 않음

**참고문헌**

1. Begoña A et al. Fetal intracranial hemorrhage, Prenatal diagnosis and postnatal outcomes. J Matern Fetal Neonatal Med 2019;32:21-30.
2. Hines N et al. What is the clinical importance of echogenic material in the fetal frontal horns? J Ultrasound Med 2009;28:1629-37.
3. Kutuk MS et al. Fetal intracranial hemorrhage related to maternal autoimmune thrombocytopenic purpura. Childs Nerv Syst 2014;30:2147-50.
4. Mohamed A et al. Fetal intracranial hemorrhage; sonographic criteria and merits of prenatal diagnosis. J Maternal Fetal Neonatal Med 2017;30:2250-6.

# 12 척수수막류

Meningomyelocele

## 1. 개요

1) 척추 부위의 신경관이 완전히 닫히지 않는 선천적 결함을 뜻하며, 개방형과 폐쇄형이 있음
2) 개방형의 경우 피부, 피부하 조직, 척추궁의 손실로 신경관이 노출되게 되며, 대부분 요천골 부위에 호발함
3) 개방형의 경우 뇌척수액이 유출되면서 양수와 산모의 혈액에서 alpha-fetoprotein과 acetylcholinesterase가 증가함
4) 폐쇄형의 경우 척추의 결손은 있으나 피부로 덮여 있어서, 두개내 소견이 없으므로 산전진단이 어려움

## 2. 초음파 소견

### 1) 개방형의 소견
(1) 척추 부위의 낭종(그림 12-1)
(2) 척추의 후방부위가 벌어진 소견(splaying outward of post element)
(3) Arnold-Chiari II 기형이 흔히 동반되어 두개내 소견 보임: 소두, 바나나징후(소뇌가 뒤쪽으로 당겨진 소견), 레몬징후(이마뼈의 scalloping), 뇌실확장증, 가측뇌실의 뒤통수뿔이 뾰족한 모양(그림 12-1)

### 2) 폐쇄형의 소견
(1) 두개내 소견 동반이 없음
(2) 척추의 결손이 있으나 피부로 덮여있고, 피부 밑에 피하지방층의 종괴 동반되기도 함(Ghi T et al. 2006)

73

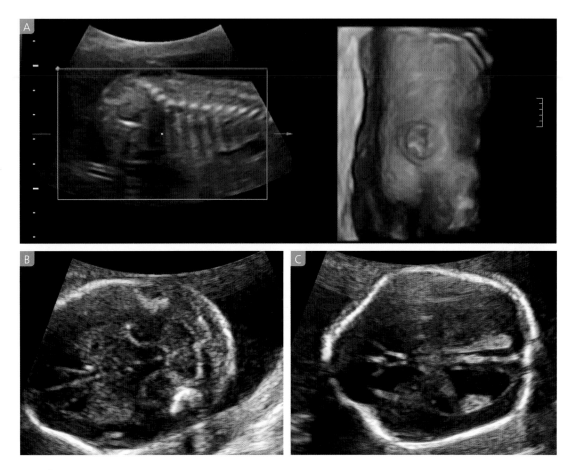

■ 그림 12-1. 척수수막류. **A.** 척추부위에 낭종 소견, **B.** 바나나징후, **C.** 레몬징후, 뇌실확장증. 가측뇌실의 뒤통수뿔이 뾰족한 모양

## 3. 감별진단

1) 반척추뼈증(hemivertebra): 쐐기형 모양의 척추뼈 몸통 소견이 보이며, 척추측만증, 척추후만증 등 척추뼈 굽이의 변형 동반 많음
2) 천미골기형종(sacrococcygeal teratoma): 천미골 부위에 낭성 종괴시 감별이 필요하며, 척추는 정상임

## 4. 임신 중 예후

1) 동반기형: 다른 동반기형 많음

## 5. 산전관리 및 산전치료

   1) 염색체검사 필요함
   2) 개방형의 경우 보통 임신 중반기에 90% 이상의 진단율을 보임(Ghi T et al. 2006)
   3) MRI가 초음파로 불명확할 때 도움이 될 수 있음(Glenn OA et al. 2006)
   3) 임신 종결, 태아 중 수술, 신생아기 수술 시도할 수 있음

## 6. 신생아 관리

   1) 무균적으로 노출부위를 처치함
   2) 봉합 수술 필요함

## 7. 장기 예후

   1) 개방형의 경우 심한 신경학적 손상의 동반이 많음. 손실의 위치와 범위가 장기적인 신경학적 예후
     와 관련되어 있으며, 대체로 위쪽이고 클수록 예후가 나쁨(Norton ME et al. 2017)
   2) 폐쇄형은 대체로 예후가 좋음(Bianchi D et al. 2006)

## 8. 유전상담

   일부 유전성의 선천기형과 관련 있음. 재발 위험은 원인에 따라 다양하나 단독의 경우 1.5-3% 정도이며, 다음 임신에서 임신 전 고용량의 엽산 복용이 권고됨(Main et al. 1986)

**참고문헌** ////////////////////////////////////////////////////////////////////////////////////////////////////////////////////////////////////

1. Bianchi D et al. Fetology: Diagnosis and management of the fetal patient. 2nd ed. New York: McGraw-Hill Medical; 2010, 121-5.
2. Ghi T et al. Prenatal diagnosis of open and closed spina bifida. Ultrasound Obstet Gynecol 2006;28(7):899-903.
3. Glen OA et al. Magnetic resonance imaging of the fetal brain and spine: an increasingly important tool in prenatal diagnosis: part 2. Am J Neuroradiol 2006;26:1807-14.
3. Main DM et al. Neural tube defects: issued in prenatal diagnosis and counseling. Obstet Gynecol 1986;67:1-16.
3. Norton ME et al. Callen's ultrasonography in obstetrics and gynecology. 6th ed. Philadelphia: Elsevier; 2017, 223.

# 13 큰머리증

Macrocephaly

## 1. 개요

1) 머리둘레가 평균보다 2 표준편차 이상, ≥98th Percentile으로 진단함

2) 주로 임신 3분기 초음파에서 발견됨(Malinger G et al. 2002).

3) 정상적인 경우부터 두개내 구조물 이상, 다양한 증후군에 이르기까지 많은 질환에서 보일 수 있음
   (표 13-1)

4) 동반기형을 갖고 있는 경우 더 이른 시기(임신 28.4주 vs 32.3주)에 큰머리증이 진단됨(Malinger G et al. 2011).

5) 유사어: macroencephaly, megaloencephaly

6) 큰머리증의 가장 흔한 원인은 가족큰머리증
   다른 동반된 기형이나 증후군이 없고 가족력이 있을 때 진단 가능함
   상염색체 우성(Antosomal dominant) 유전경향을 보임
   남:여 =4:1 (Lorber and Priestley. 1981)

**표 13-1. 산전 큰머리증의 원인**

| | | |
|---|---|---|
| Normal variant | | |
| | Familial macrocephaly (m/c) | |
| | Isolated macrocephaly | |
| Brain structure anomaly | | |
| | Hydrocephalus | |
| | Intracranial mass | |
| | Unilateral macrocephaly | |
| Skeletal dysplasia | | |
| Syndromes with overgrowth | | |

*m/c = most common

## 2. 초음파 소견

1) 머리둘레가 평균보다 2 표준편차 이상, ≥98th Percentile에서 진단됨
2) 다른 초음파 생체계측치들이 제태연령과 비교하여 어떤지 확인함
3) 동반된 뇌기형, 두개 내 종양, 두개 내 출혈, 양측 뇌반구의 동일성 등을 확인하기 위해 태아뇌초음파를 시행함
4) 골격형성이상(Skeletal dysplasia)이나 다양한 증후군(syndrome)과의 연관성을 확인하기 위해 정밀초음파로 동반 기형을 확인함

## 3. 감별진단

1) 부정확한 임신 주수
2) 림프물주머니(Cystic hygroma)
3) 태아수종(Hydrops fetalis)
4) 수막뇌탈출증(Meningo-encephalocele)

## 4. 임신 중 예후

1) 큰머리증을 일으키는 동반된 질환에 따라 다양한 예후를 보임
2) 큰머리증의 16%는 동반기형이 있음. 동반기형이 있는 경우 산전(31%), 산후(18%)에 다양한 증후군으로 진단됨(Malinger G et al. 2011)
3) 가족큰머리증은 예후가 양호함

## 5. 산전관리 및 산전치료

1) 정확한 임신주수를 확인함
2) 태아뇌초음파, 정밀초음파로 동반기형을 확인함
3) 동반기형이 있다면 염색체검사 필요함
4) 신경학적 질환의 가족력이 있는지, 부모와 형제의 머리 둘레 등을 확인함
5) 머리둘레의 변화에 대하여 추적관찰함
6) 분만법은 태아의 머리크기와 산모의 골반크기를 판단하여 결정됨

6. 신생아 관리

1) 가족큰머리증은 특별한 치료가 필요하지 않음

2) 신경학적 발달과 머리크기를 생후 수주동안 추적관찰함

7. 장기 예후

1) 산전에 동반기형이 없는 큰머리증으로 진단된 경우 2-7세에 35%가 큰머리증으로 남게 됨(Biran-Gol. 2010).

2) 동반기형이 없는 큰머리증은 91.4% 정상발달을 보이나(Malinger G et al. 2011 ), 일부(6.4%)에서 비정상적 신경학적발달이 보고되기도 하고(Lorber and Priestley. 1981), 더 뛰어난 인지기능을 보인다는 보고(Biran-Gol et al. 2010)까지 다양함

3) 동반기형이 있는 경우 예후가 불량함

## 8. 유전상담

신경학적 질환의 가족력이 있는지 확인한다. 동반기형이 있다면 다양한 증후군과 관련될 수 있음

**참고문헌**

1. Biran-Gol Y et al. Developmental outcome of isolated fetal macrocephaly. Ultrasound Obstet Gynecol 2010;36(2):147-53.

2. Lorber J et al. Children with large heads: a practical approach to diagnosis in 557 children, with special reference to 109 children with megalencephaly. Dev Med Child Neurol 1981;23(4):494-504.

3. Malinger G et al. A normal second-trimester ultrasound does not exclude intracranial structural pathology. Ultrasound Obstet Gynecol 2002;20:51－6.

4. Malinger G et al. Can syndromic macrocephaly be diagnosed in utero? Ultrasound Obstet Gynecol 2011;37:72-81.

# 14 소두증
## Microcephaly

## 1. 개요

1) 머리가 작으면서 신경학적 발달이 비정상적인 경우를 말하며, 머리의 크기가 작을수록 소두증 발생의 가능성이 높음
2) 1000명 출생아당 약 1.6명 의 발생빈도를 보이는 것으로 추정되나, 생후 첫 1년 동안 진단되는 소두증 중 출생시에 진단되는 경우는 매우 적음
3) 하나의 임상적 질환이라기보다는 일차적 뇌기형 또는 기형유발물질 노출의 결과이거나 다양한 증후군에서 나타나는 표현형임(Seltzer LE et al. 2014)

## 2. 초음파 소견

1) 비정상적으로 작은 머리둘레길이(Head circumference, HC): 임신주수의 평균보다 3SD 이하인 경우임(Chervenak FA et al. 1987)
2) 완만한 이마의 경사, 아두의 세로 길이 감소 등이 진단에 도움이 될 수 있으나 현재까지는 머리둘레 길이 측정이 가장 보편적인 기준임(den Hollander NS et al. 2000)
3) 2/3에서 holoprosencephaly, lissencephlay, microgyria, agyria와 같은 중추신경계 이상소견을 보임(그림 14-1)

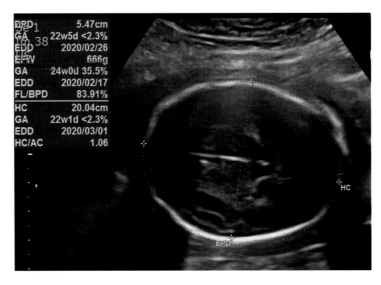

■ 그림 14-1. Sylvian fissure의 비정상적 발달을 동반한 microcephaly

## 3. 감별진단

1) 두개골 주형(cranial molding), 두개골조기유합(craniosynostosis):
소두증의 경우에는 머리둘레 길이 뿐 아니라 아두의 세로길이도 작게 측정되지만, 두개골 주형이나 두개골조기조기유합과 같은 두개골의 변형에서는 세로길이가 정상적으로 확인됨(Leibovitz Z et al. 2018)

## 4. 임신 중 예후

동반기형의 유무, 자궁내 감염 유무, 염색체 이상의 종류에 따라 예후가 달라짐

## 5. 산전관리 및 산전치료

1) 소두증의 원인과 관련해 가족 및 기형유발물질에의 노출을 확인함
2) 동반기형 확인을 위해 태아심초음파를 포함한 정밀초음파 검사 시행함
3) 중추신경계 이상을 동반하는 경우가 많으므로 태아 자기공명영상(fetal MRI)이 도움이 될 수 있음
4) 염색체 마이크로어레이(chromosomal microarray)와 자궁내 감염에 대한 검사 시행함

## 6. 신생아 관리

산전에 소두증을 예측하는 것은 쉽지 않으므로, 산전 초음파 소견에서 소두증이 의심되는 경우에는 지속적으로 추적관찰하도록 해야 함

## 7. 장기 예후

1) 동반된 기형에 따라 다양. 동반 기형이 없는 경우 예후는 머리 크기에 따라 달라짐
2) 지적장애가 있는 소두증의 가족력이 있는 경우 예후가 좋지 않음

## 8. 유전상담

염색체 이상에서 소두증을 동반하기도 할 뿐 아니라, 소두증이 멘델유전방식을 취하는 유전질환인 경우도 있기 때문에 이에 대한 유전상담이 필요함(Stoler-Polria et al. 2010)

**참고문헌** ///////////////////////////////////////////////////////////////////////////////////////////////////////////////////////////////////

1. Cevenak FA et al. A prospective study of the accuracy of ultrasound in predicting fetal microcephaly. Obstet Gynecol 1987;69(6):908-10.
2. Den Hollander NS et al. Congenital microcephaly detected by prenatal ultrasound. Ultrasound Obstet Gynecol 2000;15(4):282-7.
3. Leibovitz Z et al. Diagnostic approach to fetal microcephaly. Eur J Paediatr Neurol 2018;22:935-43.
4. Seltzer LE et al. Genetic disorders associated with postnatal microcephaly. Am J Med Genet C Semin Med Nenet 2014;166(2):140-55.
5. Stoler-Poria S et al. Developmental outcome of isolated fetal microcephaly. Ultrasound Obstet Gynecol 2010;36(2):154-8.

# 15 공뇌증
Porencephaly

## 1. 개요

1) 태아 대뇌피질부에 액체를 포함하는 동공의 형태로 결함이 발생한 것을 집합적으로 일컫는 용어로 동공은 뇌실계통과 연관되어 있는 경우가 흔함
2) 원인
   (1) 정상 태아 대뇌조직이 자궁내 출혈, 감염 또는 외상 등으로 인해 이차적으 로 파괴되어 발생함
   (2) 태아 발달 단계에서 신경세포의 발달과 이동 이상으로 발생함(Eller KM et al. 1995; Leruez-Ville M et al. 2017)
4) 단일융모막성 쌍태아에서 쌍태아수혈증후군 혹은 한쪽 태아의 자궁내사망 후 발생하기도 함
5) 유사어: porencephalic cyst

## 2. 초음파 소견

1) 뇌조직 내 액체를 포함하는 낭성구조가 같은쪽(병변측)의 뇌실과 교통하고 있는 양상임(그림 15-1)
2) 대부분에서 뇌의 한쪽에 위치하지만, 양쪽으로 발생할 수 있음
3) 뇌실이나 지주막하 공간과 교통하지 않는 작은 낭성구조를 보이기도 하고, 대뇌피질 대부분을 차지하는 다낭성 병변을 보이기도 함
4) 자궁내에서 대뇌 출혈이 생긴 직후 보통 고에코성 병변으로 나타나고, 수 주 후 완전히 피덩어리가 퇴축하면 내부에 뇌척수액을 지닌 낭성구조를 이루어 완전하게 무에코성 이미지를 보이게 됨
5) 컬러 도플러가 낭성구조 주변의 혈관이상을 확인하는 데 도움이 됨
6) 한쪽에 뇌실확장증이 심하게 보이는 경우에도 공뇌증 감별진단이 필요함

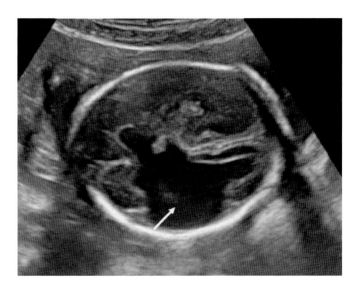

■ 그림 15-1. 공뇌증. 임신 23주 공뇌증 태아의 초음파 소견으로 한쪽 대뇌반구에 뇌척수액으로 채워진 낭성구조(화살표)를 보임(출처: 기형태아의 초음파 영상 도해 3판)

## 3. 감별진단

1) 뇌갈림증(schizencephaly), 거미막낭종(arachnoid cyst), 낭성 신생물(cystic tumor), 수두증(hydrocephalus) 등. 태아MRI가 감별진단에 도움(Pilu G et al. 1997)
2) 뇌갈림증은 무에코성 대뇌 갈라짐이 뇌실부터 거미막밑공간까지 이어지며, 머리덮개뼈쪽으로 크기가 커짐. 덩어리 효과는 보이지 않음

## 4. 임신 중 예후

1) 두개 내 혈전이나 출혈처럼 혈관 원인에 의한 경우, 손상 발생 수 주 후에 대뇌실질의 낭성 황폐화가 발생하므로 대게 임신 후기인 제3삼분기에 산전초음파에서 발견되는 것으로 알려짐
2) 그 외 임신 중 예후는 거의 알려진 바 없음

## 5. 산전관리 및 산전치료

1) 약물남용, 유전성 혈전성향증 혹은 혈관질환의 과거력 및 가족력에 대한 병력 청취가 필요함

2) 선천성 감염에 대한 모체 혈청검사

3) 태아염색체검사는 필요하지 않음

4) 공뇌증 가족력이 있는 경우 COL4A1 유전자 변이에 대한 분자유전학검사 고려됨(Gould DB et al. 2005)

5) 태아MRI가 다른 두개내낭성 병변과의 감별진단에 도움이 됨

6) 생존가능성이 없는 주수에 진단되면 임신종결 고려됨

7) 보존적 처치를 주로 하며, 혈관이상의 경우는 태아치료가 손상을 더욱 악화시킬 수 있음

8) 분만 방법은 출생 후 예후가 나빠 대게 질식분만을 시도함

9) COL4A1 변이의 경우 분만손상을 최소화하기 위해서 제왕절개술이 필요함

## 6. 신생아 관리

1) 신생아에 대한 즉각적인 평가

2) 출생 후 임상 증상은 경도의 지능저하부터 발달지체, 경련, 반불완전마비 등 다양한 증후를 보임 산전 진단된 경우 대부분 예후가 좋지 않음

3) 수두증이 심한 경우 추가적인 뇌손상을 최소화하기 위해 단락술을 시행함

## 7. 장기 예후

대뇌실질의 손상 정도에 따라 다르지만, 대부분 예후가 불량함

## 8. 유전상담

COL4A1 혹은 Factor V Leiden 변이 가족력이 있는 경우 재발에 대한 상담이 필요함(Gould DB et al. 2005)

**참고문헌**

1. Eller KM et al. Porencephaly secondary to fetal trauma during amniocentesis. Obstet Gynecol. 1995;85:865-7.

2. Gould DB et al. Mutations in Col4a1 cause perinatal cerebral hemorrhage and porencephaly. Science 2005;308:1167-71.

3. Leruez-Ville M et al. Fetal cytomegalovirus infection. Best Pract Res Clin Obstet Gynaecol. 2017;38:97-107.

4. Pilu G et al. Differential diagnosis and outcome of fetal intracranial hypoechoic lesions: report of 21 cases. Ultrasound Obstet Gynecol. 1997;9:229-36.

# III
PART

# 두개 안면

Craniofacial

# 01 구순열/구개열

Cleft Lip/Cleft Palate

## 1. 개요

1) 구순열/구개열은 가장 흔한 안면 기형으로, 한국에서는 1,000명당 약 1.81명 정도로 보고됨

2) 약 50%에서는 구순열과 구개열이 동반되어 발생하고, 20%에서 단독 구순열로, 30%에서 단독 구개열로 발생함

3) 단독 구개열과 구순구개열은 염색체 이상과 다른 기형이 잘 동반함

4) 일측성 구순구개열이 흔하며, 2:1의 비율로 왼쪽에서 많이 발생함

5) 구순구개열은 남아에서 발생 빈도가 높으나, 단독 구개열은 2:1의 비율로 여아에서 빈도가 높음

6) 구순구개열과 단독 구개열은 병인론적으로 구별됨

7) 배아발달 과정에서 얼굴은 임신 5주에서 12주 사이에 5개의 돌기가 이동하여 융합되면서 형성되는데, 구순열은 임신 7~8주에 상악돌기(maxillary processes) 및 내측, 외측비돌기(medial, lateral nasal processes)의 융합 과정에 문제가 생겨 발생함(Moore KL et al. 2013)

8) 구개열은 임신 12주에 상악돌기에서 형성된 구개돌기끼리의 융합부전 또는 비중격과 구개돌기의 융합부전으로 발생함(Moore KL et al. 2013)

9) 구순구개열은 유전적 인자와 환경적 인자의 상호 작용에 의한 복합적 요인으로 발생하며, 발생 원인으로 모체의 흡연, 음주, 임신 초기에 투여된 약물(스테로이드 호르몬, 항경련제, 탈리도마이드), 비타민 B, C나 엽산의 결핍, 풍진, 매독 등이 알려져 있음(Paula JW et al. 2016)

## 2. 초음파소견

1) 구순열/구개열은 Nyberg 등(1995)의 분류에 의하면(그림 1-1), 제1형은 단순 구순열, 제2형은 일측성 구순열과 구개열이 있는 경우, 제3형은 양측성 구순열과 구개열이 있으면서 전상악골 융기(premaxillary protrusion)가 항상 있는 경우, 제4형은 정중간 구순구개열로 가장 심한 형태이며, 제

5형은 슬래쉬(slash)형의 결손으로 발생학적 양식을 따르지 않고 양막띠(amniotic band) 등에 의해 유발되는 변칙적인 결손을 나타냄(Nyberg DA et al. 1995)

2) 초음파로 임신 13-14주부터 진단이 가능하나, 단독 구순열은 임신 20주 이전에는 진단이 쉽지 않음

3) 구순열은 관상면(coronal plane)에서 콧구멍에서 윗입술의 측면까지 연장되는 선상의 결손을 확인함으로써 진단함(그림 1-2)

4) 단독 구개열은 정확한 산전 진단이 어려우며, 대부분 연구개(soft palate)만 침범하는데, 이때 시상면(sagittal plane)에서 색도플러로 구강과 비강 사이에 양수의 움직임을 확인하는 것이 도움이 됨

5) 일측성 구순구개열은 관상면에서 윗입술의 중앙선에서 시작되는 저에코성의 병변이 비스듬하게 코까지 연결된 것을 관찰할 수 있으며, 시상면에서 갈퀴코(hooked nose)가 보이고, 구개가 침범되었는지 여부는 상악의 치아를 포함하는 치조융선(alveolar ridge)의 축면(axial plane)에서 확인해 볼 수 있음(그림 1-3)

6) 양측성 구순구개열은 관상면에서 윗입술의 중앙선 양측으로 비교적 큰 저에코성의 병변이 양측 콧구멍으로 연결된 것을 관찰할 수 있으며, 시상면이나 축면에서는 윗입술과 구개의 중앙부위가 돌출되어 전상악골 종괴(premaxillary mass)처럼 보이기도 함(그림 1-4)

7) 정중간 구순구개열은 관상면에서 윗입술과 상악골 중앙부의 결손이 관찰되고, 코가 변형된 모습을 보이며 콧구멍이 작거나 한 개처럼 보이기도 함

8) 3차원 초음파는 구순열/구개열에 대한 정확한 분류를 가능하게 해 주고, 태아의 구개를 관찰하여 치조융선(alveolar ridge)의 결손, 전상악분절의 융기(premaxillary protrusion)를 확인하는 데 도움을 줌

9) 일반적으로는 양수량에 영향을 미치지 않으나, 정상적인 연하가 어려운 경우 양수과다증의 소견이 보이기도 함

10) 단독 구개열을 초음파로 진단하기 어려운 경우에는 자기공명영상이 효과적일 수 있음


## 3. 감별진단

1) 양막띠증후군(amniotic band syndrome)으로 인해 정상 배아발달과정에 이상이 생겨 유발된 경우

2) 안면부 종양: 비강이나 구강에서 발생하는 기형종, 전방 수막류(anterior meningocele), 이마 뇌류(frontal encephalocele), 횡문근육종(rhabdomyosarcoma), 혈관종, 대설증(macroglossia)

3) 전두비골이형성증(frontonasal dysplasia), 완전전뇌증(holoprosencephaly)과 관련된 전상악골 무형성증(premaxillary agenesis)

## 4. 임신 중 예후

### 1) 동반기형

    (1) 염색체 이상이 10%에서 동반되고 다운증후군이 흔하며, 정중간 구순구개열에서 가장 흔하게 동반됨(Arosarena OA. 2007; Clementi M et al. 2000)

    (2) 구순구개열은 200개 이상의 증후군과 관련이 있고, 단독 구개열은 400개 이상의 증후군과 관련이 있으며, 특히 단독 구개열은 약 50%에서 증후군을 동반함

    (3) 구순구개열의 30%에서 동반기형이 나타날 수 있고, 중추신경계나 골격계 기형이 가장 흔하며, 심장 기형이 다음으로 흔함

    2) 다른 기형이 동반되어 있지 않다면 태아 성장제한 소견은 보이지 않음

## 5. 산전관리 및 산전치료

    1) 염색체 검사 필요함: 융모막 검사(chorionic villus sampling) 혹은 양수 검사(amniocentesis)

    2) 증후군을 동반할 경우, 심장 기형 확인을 위해 태아 심초음파를 시행함

    3) 동반 기형의 유무에 대한 정밀초음파 검사를 시행함

    4) 임신 전부터 엽산의 보충(4 mg/day)이 예방에 도움이 됨(George LW et al. 2012)

    5) 3차 병원에서의 분만이 필요함: 신생아가 구조적인 문제뿐만 아니라 발음장애, 저작장애, 연하곤란, 청각장애 등의 기능적인 문제를 가지고 있을 수 있으므로 소아과, 성형외과, 이비인후과, 구강악안면외과, 교정과, 보철과, 언어치료사 등 여러 전문 분야에서 협진 진료가 가능해야 함(다른 동반 기형이 없는 단독 구순열의 경우는 필수적인 사항은 아님)

## 6. 신생아관리

    1) 출생 시 소아과 의료진이 참여하여 기도확보에 주의를 기울여야 함

    2) 소아과적 평가가 필요함: 구순열/구개열 신생아의 25%에서 출생 후 동반기형이 발견됨

    3) 구개열이나 구순구개열이 있는 신생아는 구강이 비강과 적절하게 분리되지 않아 정상적인 수유가 어려우므로 특수한 젖병을 사용해야 함

    4) 구순열의 결손이 큰 경우 생후 2주경부터 수술적 교정 전까지 비치조 교정(nasoalveloar molding)을 유지하기도 함(Matthew RG et al. 2014; Neliigan PC. 2012)

    5) 수술적 교정의 시기는 유형에 따라 다르며, 일반적으로 구순열의 교정은 생후 3개월경에 시작하고 구개열의 복구는 언어를 습득하는 시기인 생후 12개월 이전에 시작함

6) 모든 환아는 4세 이전까지 매년 언어기능 평가가 필요함

## 7. 장기예후

1) 예후는 구순열/구개열의 유형과 동반 기형 및 염색체 이상에 따라 결정됨
2) 수술적 교정의 경과는 좋은 편이며 심미적인 회복도 만족할 만함
3) 구개열 아이는 출생 초기 기도 확보의 문제 및 수유에 대한 어려움으로 성장 속도가 늦어질 수 있고, 잦은 호흡기 감염, 만성 중이염 및 전도난청(conduction deafness)이 발생할 수 있음
4) 구개 성형술 후 약 85-90%에서 성공적인 언어 기능이 나타나지만, 증후군이 동반한 아이는 약 50-60%로 성공률이 낮음
5) 구순구개열이 있는 환아는 지속적으로 언어기능의 장애, 연하곤란, 청각장애, 심미적 불만족 등의 문제가 있을 수 있음

## 8. 유전 상담

1) 한국에서는 구순열/구개열 가족력이 7% 정도로 다른 기형의 발생률보다 높은 편이며, 단독 구순열은 염색체 이상의 빈도가 증가되지 않지만, 그 외의 경우는 염색체 이상의 빈도가 증가하고 동반 기형이 있는 경우도 있으므로 유전 상담이 필요함
2) 구순구개열 아이가 있는 경우 다음 임신에서 재발위험이 증가하지만, 단독 구개열은 그렇지 않음
3) 한쪽 부모가 이환된 경우 자손에는 대략 4%의 위험성이 있으며, 양쪽 부모가 이환된 경우에는 자손에서 35%의 위험성을 보임
4) 구순열/구개열의 2% 정도에서 발생하는 반데르우데증후군(Van der woude syndrome)은 상염색체 우성인자에 의해 유전되므로, 다음 임신에서 남녀에 상관없이 50%의 위험성을 보임

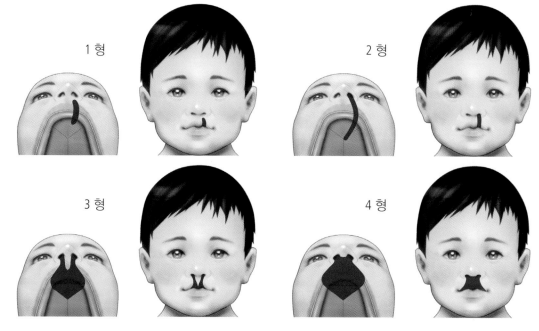

■ 그림 1-1. 구순열/구개열의 분류

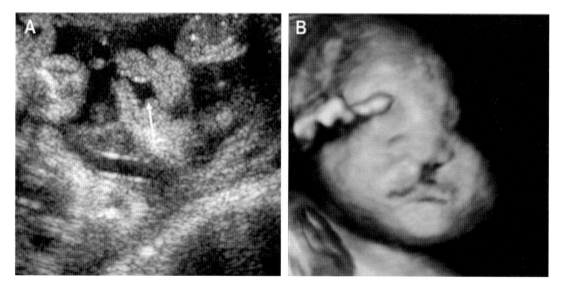

■ 그림 1-2. 구순열 **A.** 윗입술의 측면에서 콧구멍까지 갈라짐이 관찰됨(화살표), **B.** 3차원 초음파의 관상면으로 입술 갈림이 명확히 보임

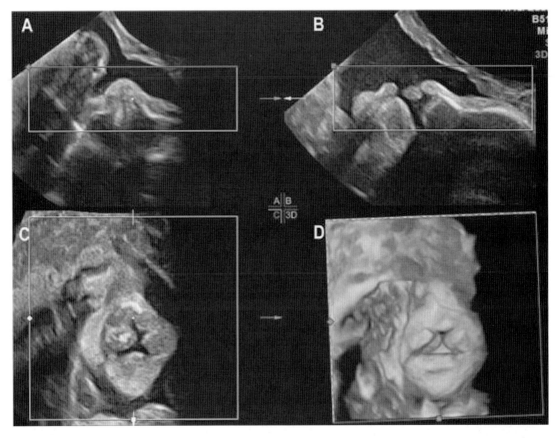

■ 그림 1-3. 일측성 구순구개열. **A.** 축면, **B.** 시상면, **C.** 관상면, **D.** 얼굴의 3차원 영상. 관상면으로 윗입술의 중앙선에서 측면으로 작고 저에코성의 병변을 관찰할 수 있으며 3차원 초음파상에서 입술의 현저한 비틀림을 관찰할 수 있음

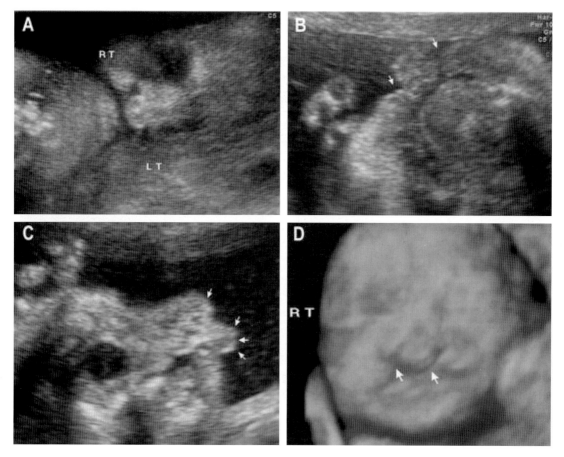

■ 그림 1-4. 양측성 구순구개열 **A.** 관상면, **B.** 축면, **C.** 시상면, **D.** 얼굴의 3차원 영상. 태아 윗입술의 중앙선 양측으로 뚜렷한 저에 코성의 병변이 양측 콧구멍과 연결되어 있는 것이 관찰됨

**참고문헌** ////////////////////////////////////////////////////////////////////////////////////////////////////////////

1. Arosarena OA. Cleft lip and palate. otolaryngol Clin North Am. 2007;40;27-60.

2. Clementi M et al. Evaluation of prenatal diagnosis of cleft lip with or without cleft palate by ultrasound: experience from 20 European registries. Prenat Diagn 2000;20;870-5.

3. George LW et al. Oral cleft prevention program(OCPP). BMC Pediatrics 2012. 12;84

4. Matthew RG et al. Evidence-Based Medicine: Unilateral cleft Lip and Nose Repair. Plast. Reconstr. Surg. 2014;134;1372-6.

5. Moore KL et al. The pharyngeal apparatus, Face and Neck In: Moore KL, Persaud TVN, editors. The developing human clinically oriented embryology. 9th ed. Philadelphia: W.B. Saunder press. 2013;159-98.

6. Neliigan PC. Plastic surgery. 2012;Vol3;23;519-48, 572-81.

7. Nyberg DA et al. Fetal cleft lip with and without cleft palate: US classification and correlation with outcome. Radiology. 1995;195;677-83.

8. Paula JW et al. : Diagnostic Imaging: Obstetrics. 3rd ed. Elsevier Salt Lake City, UT. 2016.

# 02 양안과다격리증

Hypertelorism

## 1. 개요

1) 안구사이거리(interocular distance)가 증가된 것으로, 정확한 빈도는 알려져 있지 않으나 드묾

2) 하나의 질환이라기보다는 두개안면 기형의 한 형태로 볼 수 있으며, 두개안면 기형의 33%에서 나타남

3) 얼굴 발달 과정에서 양측 눈은 측면에서 내측으로 이동하게 되는데, 이러한 이동이 불충분한 경우 내안구간 거리(interocular distance, ICD)와 외안구간 거리(binocular distance, BOD)가 증가하면서 나타남

4) 위양안과다격리증(pseudo-hypertelorism): 안구의 측면 위치는 변화가 없으면서 내안구간 거리가 넓어지는 변화는 외상이나 비안와(naso-orbital)의 종양으로 생기기도 하며, 눈구석 격리증(telecanthus)라고 함(Dollfus H et al. 2004)

5) 염색체 이상 빈도는 높지 않으며 주로 터너증후군(Turner syndrome), 18 삼염색체(trisomy 18) 등과 연관됨

6) 다양한 증후군 및 기형에 동반되기도 함: 정중입술갈림증후군(median cleft syndrome), 앞뇌탈출증(anterior cephalocele)과 같은 비염색체성 증후군, 두개골유합증후군(craniosynostosis syndromes), 디죠지증후군(DiGeorge syndrome), 누난증후군(Noonan syndrome), 오피츠증후군(Opitz syndrome) 등이 있음(Trout T et al. 1994)

## 2. 초음파소견

1) 태아에서 안와가 떨어져 있는 기준이 명확하지 않으나, 일반적으로 내안구간 거리가 해당 임신주수에서 95백분위수 이상이고 외안구간 거리가 정상이거나 95백분위수에 근접하는 경우 진단할 수 있음

2) 내안구간 거리: 양측 안와가 대칭으로 보이는 가로면에서 안와의 양쪽 광대뼈쪽 경계(malar margin)사이의 거리

3) 외안구간 거리: 안와의 양쪽 벌집뼈쪽 경계(ethmoidal margin)사이의 거리

4) 3차원 초음파가 진단에 도움이 될 수 있음

## 3. 감별진단

1) 두개골유합증후군(Craniosynostosis syndromes)
2) 전두비골이형성증(Frontonasal dysplasia)
3) 울프-허쉬호른증후군(Wolf-Hirschhorn syndrome)
4) 이마 뇌류(Frontal encephalocoeles)

## 4. 임신 중 예후

동반기형은 원인 질병에 따라 다양하게 나타남

## 5. 산전관리 및 산전치료

1) 유전적 요인이 의심될 경우 핵형분석(karyotyping), 형광제자리부합법(FISH)을 포함한 태아 염색체 검사 필요함
2) 동반 기형의 유무에 대한 정밀초음파 검사를 시행함
3) 뇌 기형을 확인하는데 자기공명영상이 효과적임
4) 산과적 적응증에 따라 분만방법을 결정함

## 6. 신생아관리

1) 동반기형 확인을 위해 소아과적 평가가 반드시 필요함
2) 안구사이거리를 측정함: 정면 머리뼈계측 방사선그림(cephalogram)상에서 양쪽 누골점(dacryon)간의 거리를 측정하며, 일반적으로 30 mm 이상이면 비정상으로 간주함
3) 수술 전 컴퓨터단층촬영(CT), 자기공명영상을 시행하기도 함

4) 수술은 전두동의 성장이 시작되기 이전인 5-7세 사이에 시행하며, 이는 심리적으로 신체상에 대한 문제를 줄여주는 것에도 도움을 줌

5) 수술 방법은 원인질환과 심한 정도에 따라 얼굴뼈를 수술하거나 두개골 안쪽으로 접근하여 안와골을 재배치하기도 함(Neliigan PC. 2012; Sharma RK. 2014)

6) 동반된 변형에 대한 수술도 단계적으로 필요하며 최종적으로 심미적 만족을 위해 비성형술을 시행하기도 함

## 7. 장기예후

1) 예후는 동반기형의 심한 정도에 따라 달라짐

2) 상악골의 가로 구조에 이상이 있어서 두개골 안으로 수술을 하게 되는 경우 시신경과 시력에 합병증이 발생하기도 함

## 8. 유전상담

양안과소격리증(hypotelorism)에 비해 단독으로 발생하는 빈도가 높고 염색체 이상 빈도는 낮으므로 유전적 요인이 의심되는 경우만 상담을 시행함

**참고문헌**

1. Dollfus H et al. Dysmorphology and the orbital region: a practical clinical approach. surv Ophthalmol. 2004;49:547-61.
2. Neliigan Peter C. Plastic surgery. 2012;Vol3;32:687-700.
3. Sharma RK. Hypertelorism Indian J Plastic Sur. 2014;47:281-94.
4. Trout T et al. Significance of orbit measurements in the fetus. J Ultrasound Med 1994;13:937-43.

# 03 양안과소격리증
Hypotelorism

## 1. 개요

1) 내안구간 거리(interocular distance)가 감소된 것으로, 양측 코 융기의 이동이 과도한 경우 얼굴의 반이 비정상적으로 근접하여 발생하게 됨

2) 단독으로 발생하는 경우는 드물고, 대개 뇌의 기형과 관련이 있으며, 80% 이상에서 완전전뇌증(holoprosencephaly)과 연관되어 있음(Mayden KL et al. 1982; Wong HS et al. 1999)

3) 그 이외에도 소두증(microcephaly), 멕켈-그루버증후군(Meckel-Gruber syndrome), 삼각머리증(trigonocephaly)에서 주로 관찰되며, 60개 이상의 증후군과 관련이 있음

4) 염색체 이상 빈도가 높으며, 13 삼염색체(trisomy 13)가 가장 흔함

## 2. 초음파소견

1) 일반적으로 내안구간 거리는 안구의 지름과 같거나 약간 큰 소견을 보이고, Mayden 등은 내안구간 거리의 표준적인 측정값을 보고하였는데, 내안구간 거리가 해당 임신주수에서 5백분위수 이하일 때 양안과소격리증으로 진단함(그림 3-1)

2) 외안구간 거리도 감소된 것을 확인할 수 있음

3) 심한 정도에 따라 외눈증(cyclopia)의 형태로 나타나기도 함(Trout T et al. 1994)

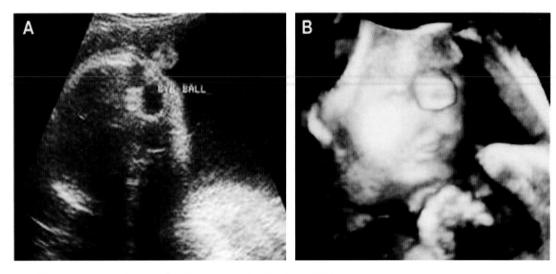

■ 그림 3-1. 양안과소격리증. **A.** 축면에서 내안구간 거리가 짧음, **B.** 관상면

## 3. 감별진단

1) 완전전뇌증(holoprosencephaly)
2) 13 삼염색체(trisomy 13)
3) 삼각머리증(trigonocephaly)
4) 밸라-제롤드증후군(Baller-Gerold syndrome)

## 4. 임신 중 예후

동반기형은 원인 질병에 따라 다양하게 나타남

## 5. 산전관리 및 산전치료

1) 핵형분석을 포함한 태아 염색체 검사가 필수적임
2) 동반 기형의 유무에 대한 정밀초음파 검사를 시행함

## 6. 신생아관리

1) 정확한 진단과 동반기형 확인을 위해 소아과적 평가가 반드시 필요함
2) 컴퓨터단층촬영(CT), 자기공명영상을 시행하기도 함
3) 이마벌집 뇌류(frontoethmoidal encephalocele)에 의한 종괴효과(mass effect)로 심한 양안과소격리증이 생긴 경우에는 성장 후 성형술 시행함

## 7. 장기예후

1) 주된 예후는 원인 질환의 예후에 좌우되고 단독으로 발생한 경우를 제외하고 일반적으로 예후가 좋지 않음
2) 완전전뇌증과 관계된 경우 사산이 되기도 하며, 출생 후에도 심각한 수유장애, 중증 정신지체(mental retardation)와 경련성 질환이 나타날 수 있고 최종 수명이 단축됨

## 8. 유전상담

염색체 이상 빈도가 높으므로 유전적 상담이 필수적임

**참고문헌** ////////////////////////////////////////////////////////////////////////////////////////////////

1. Mayden KL et al. Orbital diameters: a new parameter for prenatal diagnosis and dating. Am J Obstet Gynecol. 1982;144:289-97.
2. Trout T et al. Significance of orbit measurements in the fetus. J Ultrasound Med. 1994;13:937-43.
3. Wong HS et al. First-trimester ultrasound diagnosis of holoprosencephaly: three case reports. Ultrasound Obstet Gynecol. 1999;13:356-59.

# 04 대설증
## Macroglossia

## 1. 개요

1) 대개 돌출된 혀로 나타나며, 1/11,000-1/25,000의 빈도를 보임

2) 선천성 대설증의 주로 21 삼염색체(trisomy 21), 베크위트-비데만증후군(Beckwith-Wiedemann syndrome)에서 나타나는데, 벡위트-비데만증후군의 약 92~99%, 21 삼염색체군의 약 8.9%에서 대설증이 관찰됨(Chitayat D et al. 1990; Weissman A et al. 1995)

3) 병인론에서는 다운증후군에서는 근긴장도가 저하되어 혀가 돌출되고, 벡위트-비데만증후군에서는 혀가 너무 커서 돌출되는 차이를 보임

## 2. 초음파소견

1) 관상면과 축면에서 혀의 돌출을 관찰되며, 시상면에서 입술의 삼킴 운동과 상관없이 윗입술과 아랫입술 사이에 혀의 돌출이 확인됨(그림 4-1)

2) 3차원 초음파를 통해서 확실한 진단을 내릴 수 있음

3) 태아의 삼킴에 문제가 생기므로 양수과다증을 동반하는 경우가 많음

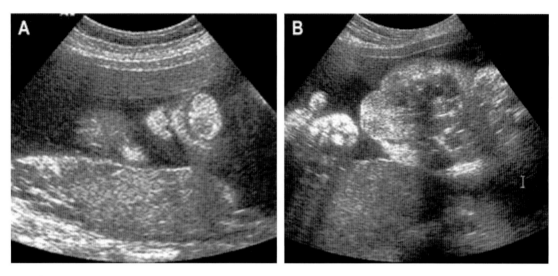

■ 그림 4-1. 대설증. **A.** 관상면에서 큰 혀가 구강 밖으로 돌출되어 있음, **B.** 축면

## 3. 감별진단

1) 염색체 이상: 21 삼염색체(trisomy 21)
2) 과도성장증후군(overgrowth syndrome): 베크위트-비데만증후군
3) 대사이상: 선천성 갑상샘기능저하증(congenital hypothyroidism)
4) 해부학적 이상: 혀갑상샘(lingual thyroid), 혀혈관종(lingual hemangioma), 혀림프관종(lingual lymphangioma)

## 4. 임신 중 예후

동반기형은 원인 질병에 따라 다양하게 나타남

## 5. 산전관리 및 산전치료

1) 태아 염색체검사를 실시하고, 베크위트-비데만증후군 가족력 조사를 시행함
2) 동반 기형의 유무에 대한 정밀초음파 검사를 시행함
3) 산모의 갑상샘 검사를 시행함
4) 대설증의 원인이 베크위트-비데만증후군인 경우 부당중량아(large for gestational age, LGA) 가능

성이 높으므로, 난산 예방을 위해 제왕절개분만 고려됨

## 6. 신생아관리

1) 출생시 소아과 의료진이 참여하여 기도 폐쇄를 예방해야 함
2) 베크위트-비데만증후군인 의심되면 저혈당에 대한 감시가 필요하고, 갑상샘저하증이 산전에 진단된 경우에는 출생 직후부터 치료를 시작해야 함
3) 정상적인 삼킴과 수유에 장애가 있을 수 있으므로 주의 깊은 관찰이 필요함
4) 외과적 절제: 기도 폐쇄, 연하곤란, 성장 부전, 치아 변형, 발음 이상 및 혀 손상이 있는 경우 생후 6개월 무렵에 부분 설절제술(patial glossectomy) 시행함(Kittur MA et al. 2013)

## 7. 장기예후

1) 주된 예후는 원인질환의 예후에 따르며 경한 대설증은 정상적인 하악골격의 발달로 호전이 가능함
2) 수술적 치료 후 경과는 좋은 편이며, 베크위트-비데만증후군 환아를 수술한 경우에도 재발은 거의 보고되지 않음

## 8. 유전상담

21 삼염색체 감별을 위해 태아 염색체 검사가 필요하며, 재발위험은 원인 질환에 따라 다르게 나타남

**참고문헌**

1. Chitayat D et al. Apparent postnatal onset of some manifestations of the Wiedemann-Beckwith syndrome. Am J Med Genet. 1990;36:434-39.
2. Kittur MA et al. Management of macroglossia in Beckwith-Wiedemann syndrome. Br J Oral Maxillofac Surg. 2013;51:e6-8.
3. Weissman A et al. Macroglossia : Prenatal ultrasonographic diagnosis and proposed management. Prenat Diagn. 1995;15:66-9.

# 05 작은턱증/무턱증
## Micrognathia/Agnathia

## 1. 개요

1) 작은턱증은 아래턱뼈의 형성 저하와 작고 뒤로 후퇴한 턱을 특징으로 함

2) 작은턱증은 설하수증(glossoptosis)을 일으키고, 구개돌기(palatine process)의 비정상적인 융합을 유발하기도 함

3) 작은턱증은 1/1600의 빈도를 보이며, 여러 종류의 염색체 이상, 증후군과 연관이 있음

4) 무턱증은 아래턱뼈가 없는 경우로 무턱 융합귀증(otocephaly)의 형태로 주로 나타남(Shermak MA et al. 1996)

5) 무턱 융합귀증은 매우 드물고 산발적임

6) 작은턱증과 무턱증은 신경능선 세포(neural crest cells)가 첫 번째 인두굽이(branchial arches)로 불완전하게 이동하여 나타남(Ibba R et al. 2000)

7) 신경능선 세포는 또한 대동맥과 폐동맥 형성에도 기여하므로 첫 번째 인두굽이 이상에 의한 몇몇 증후군은 선천성 심장 기형을 동반할 수도 있음

8) 작은턱증에 흔히 동반되는 염색체 이상 및 증후군: trisomy 13, trisomy 18과 골덴하증후군(Goldenhar syndrome), 피에르-로빈증후군(Pierre Robin syndrome), 트레처-콜린스증후군(Treacher Collins syndrome)

9) 작은턱증의 다른 발생 원인으로 이소트레티노인, 페니실라민, 항경련제(valproate), 모체의 당뇨병 등이 알려져 있음

## 2. 초음파소견

1) 작은턱증은 시상정중면에서 아래턱뼈의 크기가 작고, 턱이 뒤로 후퇴한 것이 보이며 아랫입술이 윗입술에 비해 뒤쪽에 위치해 있음(그림 5-1)

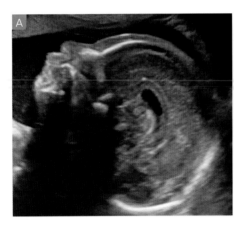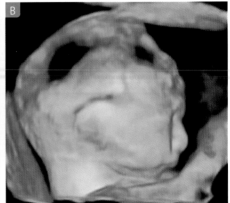

■ 그림 5-1. 작은턱증. **A.** 얼굴의 시상정중면에서 작은턱증이 관찰됨 **B.** 3차원 초음파

2) 작은턱증은 주로 임신 제2삼분기에 확인할 수 있으며, 평균 진단 임신주수는 21주임
3) 턱 지표(jaw index)
   (1) {하악골의 전후지름(anteroposterior mandibular diamater) ÷ 양두정골의 지름(biparietal diamater)} × 100
   (2) 턱 지표가 23보다 적은 경우 작은턱증으로 볼 수 있음(Paladini D et al. 1999)
4) 작은턱증의 70%에서 연하작용의 장애로 양수과다 소견이 보임
5) 3차원 초음파를 통해서 부가적인 정보를 얻을 수 있으며, 모체의 비만, 전방 태반 등으로 영상이 제한된 경우 자기공명영상을 시행하기도 함

## 3. 감별진단

1) 거짓작은턱증(pseudo-micrognathia): 치사성 이형성증(thanatophoric dysplasia), 연골무형성증(achondroplasia)
2) 양막띠증후군(amniotic band syndrome)으로 인해 유발된 경우임

## 4. 임신 중 예후

1) 작은턱증은 입-얼굴-손발가락증후군(Oral-facial-digital syndromes)과 같은 사지 기형(limb abnormality)이 동반되는 경우가 흔함
2) 무턱증은 통앞뇌증, 뇌류, 심장좌우바뀜증(situs inversus), 위장관 장기 기형, 척추와 사지 기형, 단

일탯줄동맥이 동반하여 나타날 수 있음

## 5. 산전관리 및 산전치료

1) 부모 모두의 가족력을 확인하고 유전자 검사를 시행하며, 기형유발 약물의 노출 여부를 조사함
2) 핵형분석, 형광제자리부합법(fluorescent in-situ hybridization, FISH)을 포함한 태아 염색체 검사가 필요할 수 있고, 염색체 마이크로어레이 검사(chromosomal microarray analysis, CMA)를 통해서 진단 검출률을 높일수 있음
3) 골격계와 심장기형을 중심으로 정밀초음파 시행함
4) 3차 병원에서의 분만이 필요함
    (1) 심각한 호흡기 합병증을 보일 수 있고 기도삽관이 어려울 수 있음
    (2) 산전 초음파상에서 위가 보이지 않고 양수과다가 동반되었다면, 분만 시 탯줄 결찰 전에 분만 중 자궁외 치료(ex utero intrapartum treatment:EXIT)를 고려하기도 함

## 6. 신생아관리

1) 정확한 진단, 안정적인 기도확보, 적절한 수유 등이 중요함
2) 기도확보를 위한 방법에는 비인두기도(nasopharyngeal airway), 구인두기도(oral airway), 기관절개술(tracheostomy) 등이 있음
3) 치료를 위해 굴곡 내시경(flexible endoscopy)을 시행할 수 있음

## 7. 장기예후

1) 작은턱증의 전반적인 예후는 좋지 않으며, 주된 예후는 동반된 기형의 예후에 따라 다양하게 나타남
2) 단독 작은턱증의 경우;(Vettraino IM et al. 2003)
    (1) 54%에서 기도확보에 장애
    (2) 38%에서 발달 장애
    (3) 31%에서 수유 장애를 보일 수 있음
3) 무턱증의 예후는 대부분 치명적임

## 8. 유전상담

1) 동반기형이 흔하고 여러 종류의 염색체 이상과 증후군과 연관되어 있으므로 유전적 상담이 필수적임

2) 작은턱증의 재발위험은 원인 질환에 따라 다르게 나타나고 무턱증은 재발했다는 보고가 거의 없음

**참고문헌** ///////////////////////////////////////////////////////////////////////////////////////////////

1. Ibba R et al. Otocephaly : Prenatal diagnosis of a new case and etiopathogenetic considerations. Am J Med Genet. 2000;90:427-9.

2. Paladini D et al. Objective diagnosis of micrognathia in the fetus: the jaw index. Obstet Gynecol. 1999;93:382–6.

3. Shermak MA et al. Nonlethal case of otocephaly and its implications for treatment. J Craniof Surg 1996;7:372-5.

4. Vettraino IM et al. Clinical outcome of fetuses with sonographic diagnosis of isolated micrognathia. Obstet Gynecol. 2003;102:801–5.

# 06 작은안구증/무안구증
Microphthalmia/Anophthalmia

## 1. 개요

1) 작은안구증은 한쪽 또는 양쪽 안구(globe)의 크기가 감소된 것을 말하며, 발생 4주경 눈소포(optic vesicle) 형성기에 안구의 발달이 정지되어 발생함

2) 눈소포의 형성 실패로 나타나는 무안구증은 한쪽 또는 양쪽 안구와 수정체가 없는 것으로 안와(orbit)는 흔적으로 남거나 없고 시신경은 정상임

3) 일차성 무안구증(primary anophthalmia)은 대뇌 이상과 연관되어 생존하는 경우가 드물기 때문에, 무안구증은 심한작은안구증(extreme microphthalmia)이나 임상적무안구증(clinical anophthalmia)의 의미로 사용됨

4) 작은안구증은 1/5,000-8,300 빈도로 나타나며, 모체의 나이가 40세 이상이거나, 다산부에서 호발함(Blazer S et al. 2006)

5) 작은안구증은 일차성으로 발생할 수 있고, 염색체 이상(주로 13 삼염색체), 차지증후군(CHARGE syndrome: Coloboma, Heart defects, Atresia choanae, Retardation of growth and development, Genital abnormalities, Ear abnormalities), 선천성 태아 감염(풍진, 수두, 톡소플라스마증), 고열, 알코올(fetal alcohol syndrome) 등에 의해 이차적으로 나타나기도 함(Warburg M. 1981)

6) 무안구증은 염색체 이상 및 다양한 증후군에 동반하여 나타나며 13 삼염색체, 골덴하증후군(Goldenhar syndrome), 골린증후군(Gorlin syndrome), 워커-워버그증후군(Walker-Warburg syndrome), 렌즈소안구증후군(Lenz syndrome)에서 무안구증을 보일 수 있으며, 비타민 A결핍과 연관되어 나타나기도 함(Sensi A et al. 1983)

## 2. 초음파소견

1) 작은안구증은 안와지름(orbital diamater)값이 해당 임신주수에서 5백분위수 미만인 경우 진단 할

수 있음

2) 무안구증은 관상면과 축면에서 안구 또는 안와가 관찰되지 않음(그림 6-1)

3) 작은안구증은 임신 제2삼분기에 확인할 수 있으며, 3차원 초음파가 진단에 도움이 될 수 있음

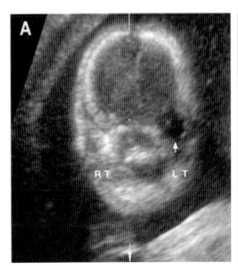 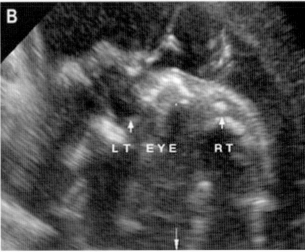

■ 그림 6-1. 무안구증.  **A.** 관상면에서 오른쪽 안구와 안쪽의 수정체가 관찰되지 않음, **B.** 축면

## 3. 감별진단

1) 잠복안구증(cryptophthalmia)

2) 선천성 백내장

3) 두개내 기형종(intracranial teratoma), 신경교종(glioma), 망막아종(retinoblastoma)의 종괴효과에 의해 안와가 왜곡된 경우임

## 4. 임신 중 예후

동반기형은 원인 질병에 따라 다양하게 나타남

## 5. 산전관리 및 산전치료

1) 부모 모두의 가족력을 확인하고 유전적 위험이 있는 경우에는 유전자 검사를 시행하며, 임신 중 감염 여부를 조사함
2) 염색체 마이크로어레이 검사(CMA, Chromosomal Microarray Analysis)를 포함한 태아 염색체 검사가 필요함
3) 두개내기형과 심장기형을 중심으로 정밀초음파 시행하고 뇌기형을 확인하기 위해 자기공명영상을 시행하기도 함
4) 3차 병원에서의 분만이 필요하며 산과적 적응증에 따라 분만방법을 결정함
5) 산전에 염색체 이상과 다른 심각한 기형이 진단된 경우, 출산 후 생존 가능성이 없는 임신주수에서는 임신종결이 고려될 수 있음

## 6. 신생아관리

1) 정확한 진단과 동반기형 확인을 위해 소아과적 평가가 반드시 필요함
2) 컴퓨터단층촬영, 자기공명영상을 시행하기도 함

## 7. 장기예후

1) 주된 예후는 발생 원인과 동반된 기형의 예후에 따라 달라짐
2) 일측성 작은안구증은 병변이 있는 눈이 실명되기도 하지만 일반적으로 가장 예후가 좋음
3) 양측성 작은안구증은 높은 빈도로 정신지체를 동반하고, 시력은 망막 발달 정도에 따라 달려 있음
4) 무안구증은 90%에서 동반기형이 관찰되는데, 단독으로 발생한 경우 안면비대칭을 막기 위해 2세 이전에 보형물 삽입을 시행함

## 8. 유전상담

염색체 이상과 다양한 증후군과 연관되어 있으므로 유전적 상담이 필수적이며, 재발위험은 동반된 증후군에 따라 다르게 나타남

**참고문헌** //////////////////////////////////////////////////////////////////////////////////////////////////////////////////////////////////////////////

1. Blazer S et al. Early and late onset fetal microphthalmia. Am J Obstet Gynecol. 2006;194:1354-9.

2. Jeanty P et al. Fetal ocular biometry by ultrasound. Radiology. 1982;143:513-6.

3. Sensi A et al. Clinical anophthalmos in a family. Clin Genet. 1983;32:156-9.

4. Warburg M. Genetics of microphthalmos. Int Ophthalmol. 1981;4:45-65.

# 07 눈물낭종

Dacryocystocele

## 1. 개요

1) 근위나 원위 눈물관의 폐쇄에 의해 이차적으로 눈물의 배수로가 확장되어 막힌 공간에 점액이나 양수가 고여 발생함

2) 신생아의 약 30%에서 막힌 눈물관을 가지지만 대개 생후 6개월 이내에 자연소멸되며, 2%에서 증상이 나타나고 종괴를 형성함

3) 25%에서 양측성으로 나타남

## 2. 초음파소견

축면에서 안구주위의 저에코성 종괴로 보이며, 눈물관이 위치한 안구의 하방 안쪽에 위치함(그림 7-1)

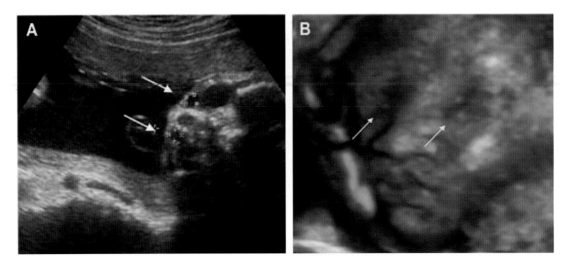

※ 그림 7-1. 눈물낭종.  **A.** 축면에서 안구의 내측으로 저에코성 종괴가 보임, **B.** 얼굴의 3D 영상에서 안와의 내측으로 눈물낭종이 보임

## 3. 감별진단

뇌류, 혈관종, 유피낭종(dermoid cyst), 신경종, 신경교종과 같은 안구주위 종괴(Schlenck B et al. 2002)

## 4. 임신 중 예후

일반적으로 단독으로 발생하지만, 드물게 동반기형이 나타나기도 함

## 5. 산전관리 및 산전치료

동반기형이 있는 경우가 드물며, 가끔씩 자궁내에서 없어지기도 함

## 6. 신생아관리

1) 눈물낭종이 눈물낭염(dacryocystitis)으로 진행된 경우 항생제 치료가 필요함(Mansour AM et al. 1991)

2) 눈물낭종이 비강내로 연장되어 하비도(inferior meatus)에 코낭종(nasal cyst)을 형성하여 신생아의 수면과 수유 시 호흡 장애를 주기도 하며, 이 경우 코 내시경이 진단과 치료에 도움을 줌(Grin TR et al. 1991)

3) 치료는 먼저 마사지, 예방적 항생제와 같은 보존적 치료를 시행하고 반응이 없는 경우 눈물관 탐침법(lacrimal probing)을 시행함(Shashy RG et al. 2003)

## 7. 장기예후

대개 자연소멸되므로 예후는 좋음

## 8. 유전상담

유전력이나 가족력과 관련 없음

**참고문헌** /////////////////////////////////////////////////////////////////////////////////////////////////////////////////////////////////////

1. Cusick W et al. Prenatal diagnosis of total arhinia. Ultrasound Obstet Gynecol. 2000;15:259-61.
2. Grin TR et al. Congenital nasolacrimal duct cysts in dacryocystocele. Ophthalmol 1991;98:1238-42.
3. Mansour AM et al. Congenital dacryocele. A collaborative review. Ophthalmol. 1991;98:1744-51.
4. Schlenck B et al. Sonographic diagnosis of congenital dacryocystocele. Ultraschall Med. 2002;23:181-4.
5. Shashy RG et al. Congenital dacryocystocele associated with intranasal cysts: diagnosis and management. Laryngoscope. 2003;113:37-40.

# IV
**PART**

# 목

Neck

# 01 선천성상기도폐쇄증후군
## Congenital High Airway Obstruction Syndrome, CHAOS

## 1. 개요

### 1) 정의 및 역학

(1) 선천성상기도폐쇄증후군(Congenital High Airway Obstruction Syndrome, CHAOS)은 산전에 임상적으로 진단되는 태아 기도의 부분적 또는 완전 폐쇄를 일컫으며(Lim FY et al. 2003) 정확한 발생률이 알려진 바가 없음

(2) 상기도폐쇄는 호흡기 계통 어디서나 발생할 수 있고, 후두폐쇄가 가장 흔함(Roybal JL et al. 2010)

(3) 선천성상기도폐쇄는 일반적으로 후두 또는 기관의 영향을 미치는 이상 소견에 의해 발생하고, 후두연화(laryngomalacia), 선천적 성대주름 비운동성(vocal fold immobility), 후두낭종, 기관지와 연결된 관에 생긴 낭종, 갑상혀관낭(thyroglossal duct cyst), 성대문밑혈관종(subglottic hemangioma), 후두폐쇄 또는 협착 등에 의해 발생함(Ahmad SM et al. 2007). 임상적으로 보고된 종류는 후두폐쇄 또는 협착, 기관지 무형성 또는 폐쇄, 성대문밑협착, 후두점액낭종이 있으며 이들이 동시에 보이기도 함(Lupariello F et al. 2019)

(4) 임신 주수가 지나도 누공이 생기지 않으면 기관지나무(bronchial tree)안에 체액이 저류되면서 폐가 증식되고 팽창되게 되며, 이렇게 팽창된 폐에 의해 주변 조직을 압박하여 횡격막이 둔마(flattening)되거나 뒤집힐 수 있음(Sharma R et al. 2016)

(5) 세로칸(mediastinum)의 압력이 증가하게 되면, 정맥 환류 시스템의 손상을 입어 심부전이 발생하게 되며, 이로 인해 피부부종, 태아수종, 다량의 복수 생성되어 사망에 이를 수 있음(Sharma R et al. 2016)

## 2. 초음파 소견

1) 선천성상기도폐쇄증후군의 전형적인 초음파 소견은 양쪽 폐음영증가, 원위부 기도 확장, 둔마된

또는 뒤집어진 횡격막, 태아 복수 등임(Hedrick MH et al. 1994)

2) 폐의 과증식으로 인해 심장 크기 감소, 심장좌측편위, 식도폐쇄로 인한 양수과나 동반됨(Gosavi M et al. 2017)(그림 1-1)

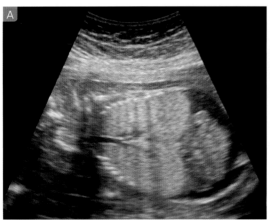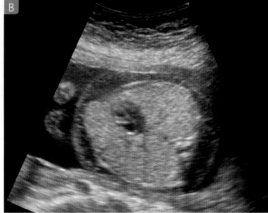

■ 그림 1-1. 선천성상기도폐쇄증후군 태아의 임신 20주 초음파 사진. **A.** 확장된 기도와 많은 복수가 관찰됨, **B.** 고에코성 폐가 커져 주변의 심장이 눌려 작아 보임. 태아수종이 관찰됨(Cho HJ et al. 2012)

## 3. 감별진단

1) 프레져증후군(Fraser's syndrome)
   FRAS1, FREM2, GRIP1 유전자와 관련된 발달 지연 장애, 잠복안구, 작은음경, 잠복고환, 거대클리토리스 등의 생식기 변형, 코, 귀, 후두, 신장계 이상, 합지증 등이 보임(Kalpana Kumari MK et al. 2008)

2) 선천성낭성샘모양기형(congenital cystic adenomatoid malformations, CCAM)
   폐의 한쪽 또는 양쪽에 다발성의 낭종

3) 고양이울음증후군(Cri-du-Chat syndrome), 짧은늑골-다지증후군(short rib polydactyly syndrome), 입천장심장얼굴증후군(velocardiofacial syndrome), Shprintzen-Goldberg omphalocoele syndrome, TACRD (tracheal agenesis, 기관지무형성; complex cardiac anomalies, 복잡심장기형; radial ray defects; duodenal atresia, 십이지장폐쇄), trisomy 9, trisomy 16, 그리고 chromosome 5p 결실과 관련되어 있다고 보고됨(Gosavi M et al. 2017)

## 4. 산전 관리 및 산전 치료

1) 임신 중 태아내시경하 기관절제술(tracheostomy), 기관식도샛길(tracheoesophageal fistula, TEF) 후두기관성형술(laryngotracheoplasty), 인두기관루(pharyngotracheal fistula) 등을 시행하거나 EXIT(ex utero intrapartum treatment)를 통해 생존률을 높일 수 있음(Lim FY et al. 2003)

## 5. 임신 중 예후 및 장기 예후

1) 매우 드물지만 치명적인 질환으로, 자궁내 태아 사망 가능성이 있으며 출생 직후 사망률이 높지만 생후 8년, 14까지 생존한 보고도 있음(Mong A et al. 2008; Saadai P et al. 2012)
2) 임신 중에 거대태반이나 임신중독증과 같은 고혈압성 질환 발생 가능함(Hedrick MH et al. 1994)

**참고문헌**

1. Ahmad SM et al. Congenital anomalies of the larynx. Otolaryngol Clin North Am 2007;40(1):177-91.

2. Cho HJ et al. Case of congenital high airway obstruction syndrome (CHAOS) caused by complete tracheal obstruction with associated anomalies. Korean J Obstet Gynecol 2012;55(2):115-8.

3. Gosavi M et al. Congenital high airway obstruction syndrome (CHAOS): a perinatal autopsy case report. Pathol Res Pract 2017;21(2):170-5.

4. Hedrick MH et al. Congenital high airway obstruction syndrome (CHAOS): a potential for perinatal intervention. J Pediatr Surg 1994;29(2):271-4.

5. Kalpana Kumari MK et al. Fraser syndrome. Indian J Pathol Microbiol 2008;51(2):228-9.

6. Lim FY et al Congenital high airway obstruction syndrome: natural history and management. J Pediatr Surg 2003;38(6):940-5.

7. Lupariello F et al. Causes of death shortly after delivery and medical malpractice claims in congenital high airway obstruction syndrome: Review of the literature. Leg Med. 2019;40:61-5.

8. Mong A et al. Congenital high airway obstruction syndrome: MR/US findings, effect on management, and outcome. Pediatr Radiol 2008; 38(11):1171-9.

9. Roybal JL et al. Predicting the severity of congenital high airway obstruction syndrome. J Pediatr Surg 2010; 45(8):1633–9.

10. Saadai P et al. Long-term outcomes after fetal therapy for congenital high airway obstructive syndrome. J Pediatr Surg 2012;47(6):1095-100.

11. Sharma R et al. A series of congenital high airway obstruction syndrome - classic imaging findings. J Clin Diagn Res 2016; 10(3):TD07–9.

# 02 림프물주머니
## Cystic Hygroma

## 1. 개요

### 1) 정의 및 역학

(1) 정맥계의 림프관 연결 이상으로 인한 림프액 저류에 의해 발생하는 낭성 종괴를 말하며, 신체 여러 부위에 발생할 수 있으나 목 뒤쪽에서 호발됨

(2) cystic lymphangioma, cystic hygroma colli, lymphatic hamartoma, jugular lymphatic obstructive sequence로 불리기도 함

(3) 출생 시 1/5,000명, 자연유산의 경우 1/750명의 빈도를 보이며, 임신 11-14주에 1/250명 정도로 발견, 중격(septum)이 존재하는 경우는 1/285명으로 보고됨(Malone FD et al. 2005; Rosati P et al. 2000)

### 2) 염색체 이상

(1) 50% 이상에서 염색체 이상 동반

(2) 림프물주머니의 진단이 비교적 명확한 임신 제 2삼분기 이후에는 터너증후군(45, X)이 가장 흔하고, 임신 제 1삼분기에는 21번 염색체를 포함한 삼염색체이상의 빈도가 상대적으로 더 높음(Ganapathy R et al. 2004)

(3) 정상 염색체 태아에서 목덜미 림프물주머니 소견이 관찰 되는 경우 유전자 열성 또는 우성 장애, 기형 발생, 심장 병리, 태아알코올증후군, 아미노프테린증후군, 염색체 10번 모자이씨즘과 관련이 있을 수 있음(Donnenfeld AE et al. 2001)

## 2. 초음파 소견

1) 후두부의 연조직에 무에코 또는 저에코의 낭 부분이 있고, 낭 중앙에 두꺼운 중격이 있어 대칭적

으로 양분. 양분된 각각의 낭에 다양한 두께의 잔기둥(trabeculae)이 보이기도 함(그림 2-1)

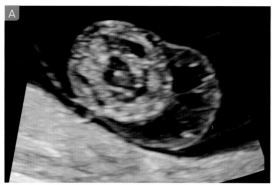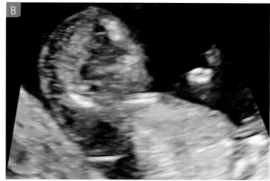

■ 그림 2-1. 임신 1삼분기 태아 림프 물주머니의 단면. **A.** 가로단면, **B.** 세로단면

2) 종종 전신 연조직 부종 및 태아수종과 연관(그림 2-2). 대개 목 뒤쪽이나 후외측에 위치하는 것이 보통이지만, 간혹 앞쪽에 위치하기도 하며 겨드랑이나 종격동, 심지어는 복강 내에까지 이르기도 함(Phillips HE et al. 1981)

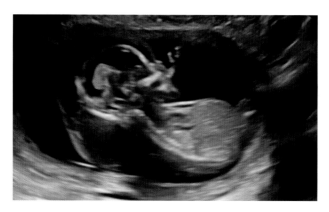

■ 그림 2-2. 태아 림프 물주머니와 동반된 태아 수종의 전신 피하조직 부종 소견

3) 가장 흔한 염색체 이상이 터너증후군이므로, 대동맥궁 등을 포함한 심장 기형, 말발굽형신장 (horseshoe kidney), 이판성 대동맥판막(bicuspid aortic valve) 등의 유무도 검사 해야 함

4) 태아수종이 40-100%에서 발생하며, 심장기형이 0-92%에서, 염색체 이상이 46-90%에서 동반됨

## 3. 감별진단

1) 양수 주머니: 중격의 유무 및 부종으로 인한 태아의 움직임 제한 관찰됨
2) 증가된 목덜미 투명대 두께(Increased nuchal translucency)
   (1) 림프물주머니: 태아 목 뒤쪽 바깥 부분이며 목 주위를 둘러싸는 낭종으로 보임
   (2) 증가된 목덜미투명대 두께: 대개 중격이 없는 단방(unilocular)의 형태와 두께 증가가 단순히 목 뒤로 국한된 공간에 액체가 축적된 소견이 보임
2) 신경관결손(Neural tube defect)
   (1) 뇌탈출증(Encephalocele), 수막탈출증(meningocele), 뇌수막탈출증(meningomyelocele): 두개골 또는 척추 결손부로 뇌 조직 또는 척수 조직이 돌출되어 있는 경우에 감별됨
   (2) 두개골 또는 척추의 결손이 매우 작아 초음파 확인이 어려운 경우, 뇌실 확장 등의 간접적인 소견이 감별에 도움이 되기도 하며, 낭종 내에 중격이 보이는지도 관찰해야 함
3) 낭성 기형종(Cystic teratoma): 물주머니 내부에 고형성 음영이 존재함
4) 혈관종(Hemangioma): 주로 중격이 없고 도플러에서 혈관 파동이 관찰됨

## 4. 산전 관리 및 산전 치료

1) 림프물주머니가 발견되는 경우 염색체 검사를 시행하며, 심장을 포함한 부위별 동반 기형 유무를 관찰해야 함
2) 정기적인 초음파 검사로 종괴의 크기 변화와 태아 수종 발생 여부를 평가해야 함
3) 작은 단독 림프물주머니의 경우에는 일반 산과적 관리와 다르지 않으나, 큰 병변의 경우 제왕절개술을 시행할 수도 있음
4) 최근 태아 수종, 염색체 이상 및 다른 구조적 기형이 없는 경우 임신 중기 이후 흡인 치료와 OK-432 등으로 경화 치료가 시도되기도 하나 임신 중기 이후 자연히 소실되는 경우도 종종 있어 논란이 있음

## 5. 임신중 예후

1) 많은 경우에서 태아수종으로 진전되면서 자궁내 태아 사망이 발생함
2) 예후는 단독 림프물주머니 여부, 염색체 이상 동반 여부, 동반 기형의 중증도에 따라 차이가 있음
3) 다중격성 낭종, 태아수종 형성, 양수 과소증 발생으로 인한 태동 감소, 목 뒤쪽에 위치한 경우 등은 예후 불량함

4) 정상염색체이면서 단독 림프물주머니인 경우 80%에서 진단 후 4주 이내에 소실되고, 이 경우 신생아의 외형(phenotype)은 정상인 경우가 많음(Johnson MP et al. 1993)

## 6. 신생아 관리

1) 임신 제 1삼분기 림프물주머니가 발견된 경우 약 17%만 정상적인 예후를 보임(Malone FD et al. 2005)
2) 크기가 큰 경우 기도 폐색을 일으키기도 함
3) 제거 수술은 기도 폐색이나 감염 등의 합병증 발생 여부에 따라 결정해야 함

## 7. 장기 예후

1) 정상 염색체인 경우에 림프물주머니가 퇴행하여 사라지는 경우도 있으며, 목둘레의 물갈퀴증(webbed neck)으로 흔적으로 남기도 함

**참고문헌** ////////////////////////////////////////////////////////////////////////////////////////////

1. Donnenfeld AE et al. Prenatal diagnosis from cystic hygroma fluid: The value of fluorescence in situ hybridization. Am J Obstet Gynecol 2001;185:1004-8.
2. Ganapathy R et al. Natural history and outcome of prenatally diagnosed cystic hygroma. Prenat Diagn 2004; 24:965-8.
3. Johnson MP et al. First-trimester simple hygroma: cause and outcome. Am J Obstet Gynecol 1993; 168:156-61.
4. Malone FD et al. First-trimester septated cystic hygroma: prevalence, natural history, and pediatric outcome. Obstet Gynecol 2005; 106:288-94.
5. Phillips HE et al. Intrauterine fetal cystic hygromas: sonographic detection. Am J Roentgenol 1981;136:799-802.
6. Rosati P et al. Prognostic value of ultrasound findings of fetal cystic hygroma detected in early pregnancy by transvaginal sonography. Ultrasound Obstet Gynecol 2000;16:245-50.

# 03 갑상샘종
Goiter, Thyromegaly

## 1. 개요

### 1) 정의 및 역학

(1) 태아갑상샘의 전반적 크기가 증가된 것으로 갑상샘 기능이 저하, 항진, 정상인 경우가 모두 가능하나 이중 갑상샘 기능의 저하가 가장 흔히 동반됨(Corbacioglu Esmer A et al. 2013)

(2) 갑상선 질환을 앓고 있는 산모의 2.6%, 그레이브병이 있는 산모의 19%에서 태아갑상샘종이 발생함(Volumenie JL et al. 2000)

(3) 선천성 갑상샘기능저하증이 1/4,000명의 빈도로 발생되는데 이 중 약 15% 정도가 갑상샘 호르몬 부족에 의한 갑상샘 자극 호르몬 과다 분비로 인해 태아갑상샘종(fetal goiter)으로 발현되며 이외 모체 갑상선 관련 약물 투여 등 다양한 원인에 의해 발생 가능함

(4) 태아의 갑상샘기능저하증(hypothyroidism)과 동반된 갑상샘종은 갑상샘기능항진증을 앓고 있는 임산부가 복용중인 항갑상샘 약제의 태반통과, 요오드결핍, 요오드중독, 항갑상샘 항체의 태반통과, 갑상샘 호르몬 합성의 선천성 대사이상, 시상하부뇌하수체성 갑상샘기능저하증(hypothalamic pituitary hypothyroidism) 등에 의하여 발생되며 대부분의 갑상샘기능저하성 갑상샘종은 신생아기에 이르러서야 발현됨(Bliddal S et al. 2011)

(5) 태아 갑상샘기능항진증(hyperthyroidisma)과 동반된 갑상샘종은 임신부로부터 갑상샘 자극 면역글로불린 G (thyroid stimulating IgG) 항체의 태반 통과에 의해 발생되며, 태아 갑상샘은 이러한 갑상샘 자극 면역글로불린 G항체에 임신 제2삼분기에만 반응하게 되어 태아 갑상샘종의 발견은 임신 20-24주 이후에야 가능함(Belfar HL et al. 1991)

## 2. 초음파 소견

1) 태아의 목 앞쪽으로 중앙부에 에코가 일정하게 증가된 대칭적으로 균일한 두엽(bilobed) 덩어리

가 발견됨(그림 3-1)

2)  갑상샘종이 식도(esophagus)나 기관(trachea)를 압박하여 양수과다증(polyhydramnios)이 흔히 동반될 수 있으며, 초음파상 원인을 알 수 없는 양수과다증이 있을 경우 목부위도 관찰됨(Figueiredo CM et al. 2018)

3)  혈관분포(vascularization, peripheral or central), 태아심박수(heart rate, tarchycardia or normal heart rate), 태아움직임(fetal movements, intense or normal), 뼈성숙도(bone maturation, early or rate)를 기준으로 점수를 측정하여 갑상샘기능저하증과 갑상샘기능항진증에 의한 갑상샘종을 분류함

4)  갑상샘기능저하증에 의한 갑상샘종은 말초혈관발달(peripheral vascularization), 태아심박수 정상, 태아움직임 증가(intense), 뼈성숙도 지연(delay) 보임(Huel C et al. 2009)

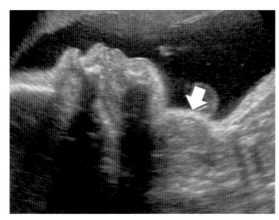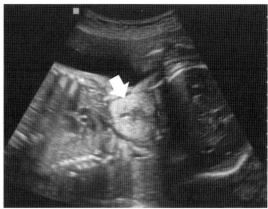

■ 그림 3-1. 태아 갑상샘종. 태아의 목 앞쪽으로 중앙부에 에코가 일정하게 증가된 균일한 두엽 덩어리(화살표)

## 3. 감별진단

1)  갑상샘낭종, 림프물주머니(cystic hygroma), 인두고랑낭종(branchial cleft cyst), 경부 수막탈출증(cervical meningocele): 무에코성 종괴가 보임

2)  혈관종: 한쪽에 치우치거나 비대칭임

3)  기형종: 복합성 종괴로 다양한 에코(heterogenesis), 고형(solid) 부분이 보이거나 석회화(calcification), 혈관 분포 감소(hypovascularization)가 보임(Taff C et al. 2016)

4)  경부 신경모세포종(cervical neuroblastoma), 이소성 흉선(ectopic tyrmus)

## 4. 산전 관리 및 산전 치료

1) 임산부에 대한 이학적 검사, 갑상샘 기능검사(TSH, free T4 등), 자세한 병력 청취, 갑상샘 기능에 영향을 줄 약물 복용여부 확인해야 함
2) 제대천자 및 양수천자로 태아 혈액 내의 갑상샘호르몬 수치를 확인해야 함
3) 태아갑상샘 기능항진증의 경우 정기적으로 전자태아심박동-자궁수축감시검사, 생물리학적계수 측정 등이 필요함
4) 자궁내 태아 치료로 프로필티오유라실(propylthiouracil, PTU), 티록신(thyroxine) 투여, 양막강 내 갑상샘호르몬(levothyrosine) 투여 등을 고려함(Figueiredo CM et al. 2018)

## 5. 임신 중 예후

1) 대개 갑상샘종은 다른 기형을 동반하지 않음
2) 갑상샘 기능저하증에 의한 경우 갑상샘종에 의한 목 주변 압박으로 양수과다증, 심장비대(cardiac hypertrophy), 상기도 압박 등이 동반됨
3) 갑상샘 기능항진증에 의한 갑상샘종의 경우 태아빈맥, 태아수종, 뼈성숙이 가속화되면서 자궁내 발육제한, 간비대, 비장비대, 인지기능 장애를 동반한 머리뼈붙음증(craniosynostosis), 심부전이나 갑상샘항진증(thyrotoxicosis)로 인한 자궁내 태아사망이 발생 가능함(Huel C et al. 2009)

## 6. 신생아 관리

1) 출산 시 갑상샘종에 의한 목의 과신전으로 난산, 상기도 압박으로 호흡곤란, 주산기 가사가 발생함(Figueiredo CM et al. 2018)
2) 치료 시 신생아기에 축소되어 대부분의 갑상샘 기능항진증에 의한 갑상샘종은 생후 첫 1개월에서 3개월 사이에 자발적으로 호전됨

## 7. 장기 예후

1) 선천성 갑상샘기능저하증은 생후 첫 3개월 이내에 치료하지 않으면 비가역적 인지기능장애, 정신지체의 원인이 될 수 있으며, 출생 후 조기 치료에도 청각, 언어, 기타 지적 능력의 저하의 원인이 됨

**참고문헌** ////////////////////////////////////////////////////////////////////////////////////////////////////////////////////////////////////////////////

1. Belfar HL et al. Sonographic findings in maternal hyperthyroidism; fetal hyperthyroidism/fetal goiter. J Ultrasound Med 1991;10;281-4.

2. Bliddal S et al. Antithyroid drug-induced fetal goitrous hypothyroidism. Nat Rev Endocrinol 2011 Mar 15;7(7);396-406.

3. Corbacioglu Esmer A et al. Intrauterine diagnosis and treatment of fetal goitrous hypothyroidism. J Obstet Gynaecol Res 2013; 39;720-3.

4. Figueiredo CM et al. Prenatal Diagnosis and Management of a Fetal Goiter Hypothyroidism due to Dyshormonogenesis. Case Rep Endocrinol 2018;19;1-4.

5. Huel C et al. Use of ultrasound to distinguish between fetal hyperthyroidism and hypothyroidism on discovery of a goiter. Ultrasound Obstet Gynecol 2009;33(4);412-20.

6. Taff C et al. Prenatal Diagnosis and Treatment of Fetal Goiter. J Diagn Med Sonogr 2016;32(1);40-3.

7. Volumenie JL et al. Management of fetal thyroid goitres: a report of 11 cases in a single perinatal unit. Prenat Diagn 2000;20;799‒806.

# V

PART

# 흉부

Thorax

# 01 기관지폐분리증
## Bronchopulmonary Sequestration

## 1. 개요

1) 폐분리증 또는 폐쐐기증(pulmonary sequestration, PS)이라는 용어로도 사용됨

2) 기관지폐전장(bronchopulmonary foregut) 기형으로 정상 기관기관지나무(tracheobronchial tree)와 연결이 없고, 기능이 없는 폐 실질의 낭성덩이를 말함(Fowler DJ et al. 2015)

3) 한 개 이상의 기형적인 전신혈관에 의해 혈액공급을 받고, 대부분 흉부하행대동맥 또는 복부대동맥에서 온 혈관으로 혈액공급을 받음(Achiron RJ et al. 2004). 80-90%가 좌측 폐 하엽에 발생하고, 10-15%는 횡격막 아래에서 발생함

4) 병리학적으로 엽내(intralobar)와 엽외(extralobar)로 나뉨(Fowler DJ et al. 2015). 엽내 기관지폐분리증은 대부분 출산 후에 발견되고, 산전에 발견되는 기관지폐분리증은 대부분 엽외임(Collin PP et al. 1987)

5) 태아 폐 덩이 중 0.15-1.8%를 차지하고 두번째로 흔한 선천성 폐기형임(Biyyam DR et al. 2010)

## 2. 초음파 소견

### 1) 진단 기준
(1) 경계가 잘 그려지는 균질한 고에코의 엽(lobar) 모양 삼각형 모양의 고형 덩이(그림 1-1 A, B)

(2) 색 도플러로 덩이에 전신혈관으로부터 연결된 영양혈관(feeding vessel) 확인(그림 1-1C)

(3) 크기가 큰 경우 종격동 이동(mediastinal shift) 또는 태아수종(fetal hydrops)이 발생될 수 있음

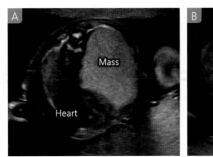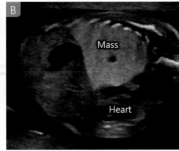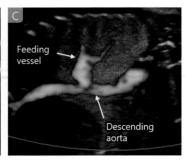

■ 그림 1-1. **A.** 태아 흉강 가로면. 좌측 폐에 균질한 고에코의 엽 모양 삼각형 모양의 고형 덩이가 관찰되고, 심장이 오른쪽으로 밀려 있음, **B.** 태아 흉강 시상면, **C.** 색 도플러에서 흉부 하행대동맥에서 기시하는 혈관이 기관지폐분리증 덩이로 혈액을 공급하고 있음

## 3. 감별진단

1) 소낭종형 선천성폐기도기형(microcystic congenital pulmonary airway malformation, CPAM), 엽기종(lobar emphysema), 기관지폐쇄(tracheal atresia), 기관지낭종(bronchogenic cyst) 등
2) 색 도플러로 영양혈관(feeding vessel)을 확인하는 것이 소낭종형 선천성폐기도기형과 감별을 위한 중요한 소견임(Oliver ER et al. 2018). 그러나 기관지폐분리증과 선천성폐기도기형이 동반된 'hybrid' 형태도 많으므로 산전에 색 도플러로만으로 명확한 감별이 어려움(Mon RA et al. 2019)
3) 횡격막 아래의 엽외 기관지폐분리증은 신경모세포종(neuroblastoma), 부신혈종, 중간콩팥모세포종(mesonephric blastoma), 혈관종, 림프관종, 기형종 등과 감별해야 함

## 4. 임신 중 예후

1) 단독 병변의 경우 예후는 좋으며, 50-75%에서 임신 26-28주 이후에 병변이 작아지거나 사라짐(Riley JS et al. 2018)
2) 종격동 이동, 태아수종 발생 유무가 예후에 중요한 인자임

## 5. 산전관리 및 산전치료

1) 동반 기형 유무에 대한 정밀초음파 검사를 시행하고, 병변의 크기를 추적관찰하면서 태아수종이 동반되는지 확인
2) 태아수종이 발생한 경우 스테로이드 치료, 태아흉강천자(thoracentesis), 흉막양막지름술(thoracoamniotic shunt), 초음파 유도하 영양혈관 레이저 치료 또는 응고술 등의 치료를 할 수 있음(Cavoretto P et al. 2008; Riley JS et al. 2018)

## 6. 신생아 관리

1) 산전에 완전 소실이 되지 않은 경우 분만 후 초음파, 컴퓨터단층촬영 또는 자기공명영상 등의 검사를 시행할 수 있음
2) 반복적인 흉부감염, 호흡곤란, 심부전 등의 증상이 있는 경우 수술을 고려함

## 7. 장기 예후

단독 병변의 경우 예후 좋음. 수술 후 폐 발달과 기능은 수술 시 폐 절제의 범위, 수술 시기에 따라 달라짐(Davenport M et al. 2012; Hall NJ et al. 2017)

## 8. 유전상담

유전력, 가족력, 재발 위험에 대해서는 잘 알려져 있지 않으나 무시할 수준임

**참고문헌**

1. Achiron RJ et al. Fetal lung lesions: a spectrum of disease. New classification based on pathogenesis, two-dimensional and color Doppler ultrasound. Ultrasound Obstet Gynecol 2004;24(2):107-14.
2. Biyyam DR et al. Congenital lung abnormalities: embryologic features, prenatal diagnosis, and postnatal radiologic-pathologic correlation. Radiographics 2010;30(6):1721-38.
3. Cavoretto P et al. Prenatal diagnosis and outcome of echogenic fetal lung lesions. Ultrasound Obstet Gynecol 2008;32(6):769-83.
4. Collin PP et al. Pulmonary sequestration. J Pediatr Surg 1987;22(8):750-3.
5. Davenport M et al. Long term respiratory outcomes of congenital thoracic malformations. Semin Fetal Neonatal Med 2012;17(2):99-104.
6. Fowler DJ et al. The pathology of congenital lung lesions. Semin Pediatr Surg 2015;24(4):176-182.
7. Hall NJ et al. Long-term outcomes of congenital lung malformations. Semin Pediatr Surg 2017;26(5):311-6.
8. Mon RA et al. Diagnostic accuracy of imaging studies in congenital lung malformations. Arch Dis Child Fetal Neonatal Ed 2019;104(4): F372-7.
9. Oliver ER et al. Going With the Flow: An Aid in Detecting and Differentiating Bronchopulmonary Sequestrations and Hybrid Lesions. J Ultrasound Med 2018;37(2): 371-83..
10. Riley JS et al. Prenatal growth characteristics and pre/postnatal management of bronchopulmonary sequestrations. J Pediatr Surg 2018;53(2):265-9.

# 02 선천성폐기도기형
## Congenital Pulmonary Airway Malformation, CPAM

## 1. 개요

1) 이전에 선천성낭성선종양폐기형(congenital cystadenomatoid malformation, CCAM)이라는 용어로 사용되었음(Stocker JT. 2009)
2) 말단세기관지의 과증식으로 인하여 다낭성 병변이 발생하고, 정상 폐포는 존재하지 않는 선천성 폐 병변임(Durell J et al. 2014)
3) 전형적으로 편측성이며, 한쪽 폐나 어느 한 엽을 침범함. 약 60%가 좌측에 존재하고, 4% 이하에서 양측성임
4) 발생률은 약 1/10,000-25,000명이고, 선천성낭성폐질환 중 가장 흔한 형태임(Leblanc CM et al. 2017)

## 2. 초음파 소견

### 1) 진단 기준

(1) 고형 또는 고형과 낭종이 섞인 형태로 눌려지지 않는 폐 덩이로 보임
(2) 조직학적 형태에 따라 이전에 3가지 형으로 분류한 Stocker 분류는 현재 0-4의 5가지 형태로 분류함(Durell J et al. 2014)
   ① 0형: Involvement of all lung lobes, stillborn (<2%)
   ② 1형: Single or multiple cysts >2 cm, pseudostratified columnar epithelium (60-70%)
   ③ 2형: Single or multiple cysts <2 cm, cuboidal or columnar epithelium (15-20%)
   ④ 3형: Predominately solid lesions, <0.5 cm cysts, cuboidal epithelium (5-10%)
   ⑤ 4형: Large air-filled cysts, flattened epithelial cells (<10%)
(3) 산전 초음파 소견으로는 낭종 크기에 따라 대낭종형(macrocystic: ≥5 mm(그림 2-1A, B) 또는 소낭

종형(microcystic: <5 mm)(그림 2-1C, D)으로 분류함

(4) 동측이나 반대측의 발달 중인 폐에 압력을 가하여 폐형성 부전, 태아의 식도를 눌러 양수과다증, 또는 저박출량 심부전으로 태아 수종을 야기할 수 있음

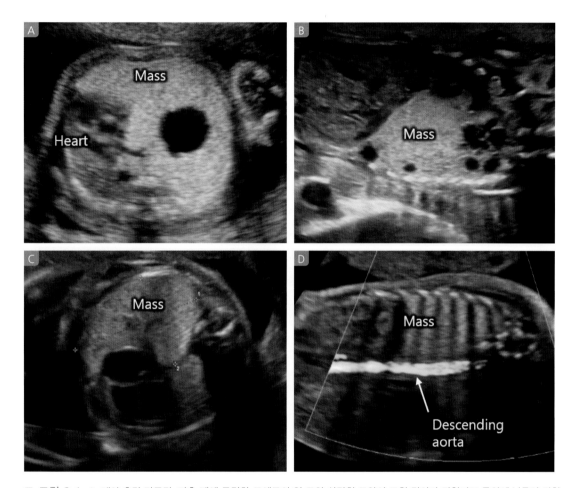

■ 그림 2-1. **A.** 태아 흉강 가로면. 좌측 폐에 균질한 고에코의 엽 모양 삼각형 모양의 고형 덩이가 관찰되고 중앙에 낭종이 관찰됨(macrocystic type). 심장이 오른쪽으로 밀려 있음, **B.** 태아 흉강 시상면. 균질한 고에코의 폐 덩이와 다양한 크기의 다수의 낭종이 관찰됨(macrocystic type), **C.** 태아 흉강 가로면. 좌측 폐에 균질한 고에코의 엽 모양 삼각형 모양의 고형 덩이(microcystic type), **D.**색 도플러에서 영양혈관은 관찰되지 않음(microcystic type)

## 3. 감별진단

1) 기관지폐분리증(bronchopulmonary sequestration, BPS), 선천성횡격막탈장(congenital diaphragmatic hernia, CDH), 기관지낭종(bronchogenic cyst), 신경장낭종(neurenteric cyst), 중복식도(esophageal du-

plication) 등

2) 색 도플러로 영양혈관(feeding vessel)이 없는 것을 확인하는 것이 기관지폐분리증과 감별을 위한 중요한 소견임(Oliver ER et al. 2018). 그러나 기관지폐분리증과 선천성폐기도기형이 동반된 'hybrid' 형태도 많으므로 신전에 색 도플러로만으로 명확한 감별이 어려움(Mon RA et al. 2019). 이 경우 자기공명영상 검사가 감별에 도움이 되긴 하지만 출생 후 치료에 큰 영향을 주진 않음

## 4. 임신 중 예후

1) 단독 병변의 경우 예후는 좋으며, 50-75%에서 임신 28주 이후에 병변이 작아지거나(18-42%) 사라지지만(11-49%), 33-44%에서는 크기가 증가하기도 함(Leblanc CM et al. 2017)

2) 병변의 크기가 작은 경우 또는 소낭종형의 경우 병변의 소실이 더 흔함(Kunisaki SM et al. 2015)

3) 종격동 이동, 태아수종 발생 유무가 예후에 중요한 인자임(Leblanc CM et al. 2017)

4) CVR (CPAM volume ratio: (CPAM length × height × width × 0.52)/head circumference)가 1.6 이상인 경우 태아수종 위험이 약 80%임(Crombleholme et al. 2002). CVR이 0.84 이상인 경우 양수과다증, 복수, 신생아호흡곤란 위험 증가함(Ruchonnet-Metrailler I et al. 2014)

## 5. 산전관리 및 산전치료

1) 동반 기형 유무에 대한 정밀초음파 검사를 시행하고, 병변의 크기를 추적관찰하면서 태아수종이 동반되는지 확인

2) 태아수종이 발생한 경우 스테로이드 치료, 태아흉강천자(thoracentesis), 흉막양막지름술(thoracoamniotic shunt), 경피적 경화요법(percutaneous sclerotherapy) 등의 치료를 할 수 있고, 태아수술(open fetal surgery)을 시행한 경우도 있음. 분만 시 ex utero intrapartum treatment (EXIT)를 고려할 수 있음(Leblanc CM et al. 2017)

## 6. 신생아 관리

1) 산전에 병변이 소실이 된 경우에도 분만 후 흉부 엑스레이 검사 또는 초음파 검사를 시행하는 것이 권장됨. 그러나 엑스레이는 민감도가 높지 않아 엑스레이가 정상이더라도 완전 소실을 확진할 수 없으므로 6개월 후 흉부 엑스레이 재검을 하거나 컴퓨터단층촬영 검사를 시행하는 것이 권장됨(Durell J et al. 2014)

2) 반복적인 흉부감염, 출혈, 기흉, 섭식장애, 호흡곤란, 악성종양 등의 증상이 있는 경우 수술을 시행함

3) 무증상의 경우 자연소실을 기대하면서 경과관찰을 할 수도 있고, 증상 또는 악성종양이 생기기 전에 수술을 할 수도 있으나 어떤 방법이 더 좋은지에 대해서는 아직 논란이 있음(Puligandla PS et al. 2012)

## 7. 장기 예후

1) 생존율은 약 82-91%임(Leblanc CM et al. 2017)

2) 약 2-4%에서 6세 이전에 악성종양(pleuropulmonary blastoma, bronchioalveolar carcinomas, rhabdomyosarcoma)이 발생한다고 알려져 있음(Leblanc CM et al. 2017). 종양의 예후는 절제 범위, 종양의 침습성, 벽측 늑막 침범 등에 따라 달라짐(Hall NJ et al. 2017)

## 8. 유전상담

유전력, 가족력, 재발 위험에 대해서는 잘 알려져 있지 않으나 무시할 수준임

**참고문헌**

1. Crombleholme TM et al. Cystic adenomatoid malformation volume ratio predicts outcome in prenatally diagnosed cystic adenomatoid malformation of the lung. J Pediatr Surg 2002;37(3):331-8.

2. Durell J et al. Congenital cystic lesions of the lung. Early Hum Dev 2014;90(12) 935-9.

3. Hall NJ et al. Long-term outcomes of congenital lung malformations. Semin Pediatr Surg 2017;26(5):311-6.

4. Kunisaki SM et al. Vanishing fetal lung malformations: Prenatal sonographic characteristics and postnatal outcomes. J Pediatr Surg 2015;50(6):978-82.

5. Leblanc CM et al. Congenital pulmonary airway malformations: state-of-the-art review for pediatrician's use. Eur J Pediatr 2017;176(12):1559-71.

6. Mon RA et al. Diagnostic accuracy of imaging studies in congenital lung malformations. Arch Dis Child Fetal Neonatal Ed 2019;104(4): F372-7.

7. Oliver ER et al. Going With the Flow: An Aid in Detecting and Differentiating Bronchopulmonary Sequestrations and Hybrid Lesions. J Ultrasound Med 2018;37(2): 371-83.

8. Puligandla PS et al. Congenital lung lesions. Clin Perinatol 2012;39(2):331-47.

9. Ruchonnet-Metrailler I et al. Neonatal outcomes of prenatally diagnosed congenital pulmonary malformations. Pediatrics 2014;133(5):e1285-91.

10. Stocker JT. Cystic lung disease in infants and children. Fetal Pediatr Pathol 2009;28(4):155-84.

# 03 선천성횡격막탈장

Congenital Diaphragmatic Hernia, CDH

## 1. 개요

1) 흉막복막관의 일부가 닫히지 않아 복강 내 장기가 횡격막 결손부를 통해 흉강 내로 탈장
2) 좌측이 75-90%, 우측이 약 10%, 양측은 5% 미만임
3) 폐 발달이 저해되어 폐형성부전(pulmonary hypoplasia)이 일어날 수 있음
4) 발생률은 약 1/2,500명이고, 남아, 여아 비슷하게 발생함(Leeuwen L et al. 2014)

## 2. 초음파 소견

### 1) 진단 기준
    (1) 배둘레 측정하는 위치에서 위가 보이지 않고(그림 3-1A), 위, 장, 간, 비장 등이 가슴에서 관찰됨
    (2) 탈장된 장기로 인하여 심장 및 종격동 이동이 관찰되고(그림 3-1B), 양수과다증이 흔히 동반됨
    (3) 좌측 횡격막 탈장에서는 위가 흉강 내에 보이고, 대개 좌심방 옆에 위치함(그림 3-1B)
    (4) 흉강 내에 창자의 연동운동이 관찰될 수 있음
    (5) 간 탈장의 경우에는 색 도플러 영상을 이용하여 문정맥(portal vein)을 흉강 내에서 관찰할 수 있음
    (6) 우측 횡격막탈장은 간은 폐 음영과 구분이 어렵기 때문에 좌측에 비해 초음파 진단이 어려움. 탈장된 간으로 인해 심장이 왼쪽으로 더 치우쳐 있음. 탈장 된 간은 고형 덩이로 보여 선천성폐기도기형으로 오인되기도 함
    (7) 양측 횡격막탈장은 드물며, 심장이나 종격동의 이동이 없기 때문에 진단이 더욱 어려움

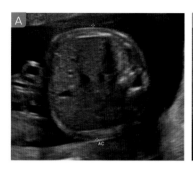
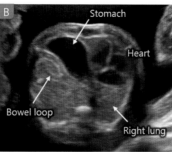
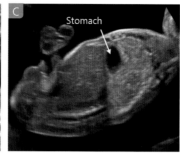

■ 그림 3-1. **A.** 태아 복부에 위장이 관찰되지 않음, **B.** 좌측 흉강에 위장이 보이고, 연동운동을 보이는 장이 관찰됨. 심장은 오른쪽으로 밀려 있고, 우측 폐는 후방으로 밀려 있음, **C.** 시상면에서 위장이 횡격막 상부 흉강에서 관찰됨

**2) 폐형성부전이 신생아 사망의 주원인이므로 산전 초음파로 태아 폐 크기를 측정하는 것이 예후를 예측하는데 중요함**(Benachi A et al. 2014)

(1) 태아 폐-머리둘레 비(lung-to-head ratio, LHR)(그림 3-2)가 1.0 미만이면 생존율이 0%, 1.4 이상이면 100%라는 연구결과가 있음

(2) 임신주수에 따라 태아 폐와 머리둘레 증가 비율이 다르기 때문에 임신 주수를 보정한 관측/예측 폐-머리둘레 비(observed-to-expected (O/E) LHR)를 계산하는 것이 예후 판정에 더 유의함(Jani J et al. 2007). Jani 등의 연구에 따르면 좌측 횡격막탈장에서 O/E LHR이 25% 이하이면 생존율은 30%, 26-35%이면 생존율은 62%, 36-45%이면 생존율은 75%, 46-55%이면 생존율은 90%, 56% 이상이면 생존율은 85%였음

(3) O/E LHR에서 폐 면적은 전후 길이 측정법(anterior–posterior method)(그림 3-2A), 장축/단축 측정법(longest diameter method)(그림 3-2B), 둘레 측정법(tracing method)(그림 3-2C), 삼차원 부피 측정법 등이 있음(Benachi A et al. 2014)

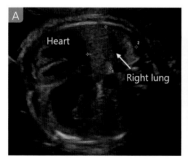
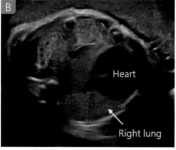
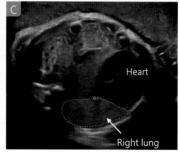

■ 그림 3-2. 태아 폐-머리둘레 비(lung-to-head ratio, LHR) 측정법. 심장 사방단면도가 보이는 위치에서 우측 폐 면적을 측정하여 태아 머리둘레로 나눔. **A.** 전후 길이 측정법(anterior-posterior method), **B.** 장축/단축 측정법(longest diameter method) **C.** 둘레 측정법(tracing method)

3) 자기공명영상 검사가 횡격막탈장의 진단 및 폐 면적 계산에 도움이 될 수 있고, 특히 간 탈장 유무와 정도를 판단하는 데 초음파보다 더 정확하다고 알려져 있음(Benachi A et al. 2014)

## 3. 감별진단

1) 선천성폐기도기형(congenital pulmonary airway malformation, CPAM), 기관지폐분리증(bronchopulmonary sequestration, BPS), 기관지낭종(bronchogenic cyst) 등
2) 창자의 연동운동, 색 도플러 영상을 이용한 문정맥(portal vein) 관찰 등이 감별에 도움이 됨

## 4. 임신 중 예후

1) 선천성 심기형을 비롯한 동반기형이 약 15-45%에서 발생하고, 염색체이상은 약 5-15%에서 발생함(Leeuwen L et al. 2014; Slavotinek AM 2014)
2) 진단 시 임신 주수, 간 탈장, 반대측 폐 크기, 동반기형, 염색체/유전자 이상 등에 따라 예후가 달라짐

## 5. 산전관리 및 산전치료

1) 선천성 심기형을 비롯한 동반기형 유무에 대한 정밀초음파 검사 시행
2) 염색체이상을 진단하기 위해 양수검사를 권장
3) 태아기관결찰(fetal tracheal occlusion, FETO) 등의 산전치료: 비디오태아관찰경검사(videofetoscopy)로 기관을 결찰하여 태아의 기도 압력을 높이고 태아의 폐를 성숙시킨 후 제왕절개수술로 분만을 하면서 ex utero intrapartum treatment (EXIT)로 클립을 제거하고 기관 삽관을 시행하는 것임. 간 탈장 또는 LHR <1.0인 경우 고려할 수 있음(McHoney M 2015)

## 6. 신생아 관리

1) 출생 직후 기관 내 삽관을 시행하고 부드러운 인공호흡("gentle" ventilation)을 시행함
2) 고빈도진동환기(high frequency oscillatory ventilation, HFOV), 체외막형산소공급(extracorporeal membrane oxygenation; ECMO), 산화질소 흡입 등의 치료로 신생아의 심폐를 안정시킨 후 수술을 시행함(McHoney M 2015)

3) 수술은 개흉 또는 흉강경수수을 할 수 있고, 최근 흉강경 수술이 점차 많아지고 있음

## 7. 장기 예후

1) 신생아 사망률은 40-90%로 다양하며, 동반기형, 간 탈장, LHR 등에 따라 예후가 달라짐
2) 생존아에서도 폐 질환, 위장관 합병증, 성장장애, 신경학적 장애, 난청 등의 장기적인 합병증이 발생할 수 있음(Leeuwen L et al. 2014)

## 8. 유전상담

유전력, 가족력, 재발 위험에 대해서는 잘 알려져 있지 않으나 무시할 수준임

**참고문헌**

1. Benachi A et al. Advances in prenatal diagnosis of congenital diaphragmatic hernia. Semin Fetal Neonatal Med 2014;19(6):331-7.
2. Jani J et al. Observed to expected lung area to head circumference ratio in the prediction of survival in fetuses with isolated diaphragmatic hernia. Ultrasound Obstet Gynecol 2007;30(1):67-71.
3. Leeuwen L et al. Congenital diaphragmatic hernia. J Paediatr Child Health 2014;50(9):667-73.
4. McHoney M. Congenital diaphragmatic hernia, management in the newborn. Pediatr Surg Int 2015;31(11):1005-13.
5. Slavotinek AM. The genetics of common disorders - congenital diaphragmatic hernia. Eur J Med Genet 2014;57(8):418-23.

# 04 가슴막삼출
## Hydrothorax

## 1. 개요

1) 가슴막삼출은 가슴막공간에 수액이 고이는 것을 의미하며, 기저 원인에 따라 일차성 및 이차성으로 분류할 수 있음(Abbasi N et al. 2019)

2) 임신 전 기간 동안 발견될 수 있으나 주로 제2삼분기 또는 제3삼분기 초반에 발견됨(Rustico MA et al. 2007)

3) 가슴막삼출의 빈도는 15,000 임신당 1예로 알려져 있음(Longaker MT et al. 1989)

4) 일차성 가슴막삼출은 일반적으로 림프계 기형에 의해 발생하며 이러한 경우 출생 후 진단 명은 암죽가슴증(chylothorax)이라 칭함(Abbasi N et al. 2019)

5) 초음파에서 단독, 일측성으로 발견되는 경우 일차성 가슴막삼출일 가능성이 높음(Abbasi N et al. 2019)

6) 선천성 감염, 선천성 기형 및 여러 원인에 의한 태아수종에 의한 가슴막삼출은 이차성으로 분류되지만 다량의 일차성 가슴막삼출이 태아수종으로 진행되기도 함(Abbasi N et al. 2019)

7) 이미 태아수종이 합병된 경우, 일차성과 이차성을 감별하기는 어려우나 진행성(progressive) 가슴막삼출이면서 주로 수액이 흉강에 국한되어 있고, 태반 두께 증가나 다른 동반된 기형이 없는 경우, 일차성 가슴막삼출에 의한 태아수종을 의심할 수 있음(Aubard Y et al. 1998)

## 2. 초음파 소견

1) 진단 기준
   (1) 가슴막삼출은 초음파에서 태아 가슴막공간에 무에코성 병변으로 보임(그림 4-1)
   (2) 다량의 수액이 일측 흉강에 고이는 경우 종격동 이동이 발생할 수 있음(그림 4-1A)

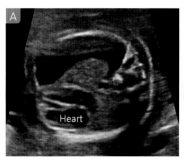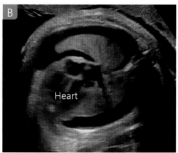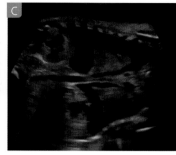

■ 그림 4-1. **A.** 태아 흉강 가로면. 일측성 가슴막삼출로 종격동 이동이 발생함, **B.** 다량의 무에코성 병변이 양측 가슴막공간에 관찰됨. 폐가 물에 떠 있어 특징적인 박쥐 날개(bat wing) 모양이 관찰됨, **C.** 태아 흉강 관상면. 다량의 양측성 가슴막삼출로 폐조직이 물에 떠있는 양상임.

## 3. 감별진단

1) 10-15%에서 동반 기형이 있을 수 있음(Yinon Y et al. 2010)
2) 특히 동반된 폐기형(선천성폐기도기형, 기관지폐분리증), 종격동종양, 선천성갑상선종은 가슴막삼출의 원인이 될 수 있음(Abbasi N et al. 2019)
3) 선천성 감염은 가슴막삼출의 원인이 될 수 있으므로 고음영발생창자(hyperechogenic bowel), 복강 또는 두개 내 석회화와 같은 선천성 감염의 초음파 소견 여부 확인이 권장됨(Abbasi N et al. 2019)
4) 선천성 심기형은 비면역성 태아수종을 일으켜 가슴막삼출의 원인이 될 수 있으므로 선천성 심기형 여부 확인이 권장됨(Bellini C et al. 2015)
5) 태아 빈혈을 배제하기 위한 중대뇌동맥 도플러 검사 및 산모의 혈액형 및 항체에 대한 검사가 권장됨(Abbasi N et al. 2019)

## 4. 임신 중 예후

1) 가슴막삼출에 따른 폐형성부전과 태아수종이 중요한 신생아 예후 인자이며 기형, 양측성, 종격동 이동이 동반된 경우 예후가 불량함(Abbasi N et al. 2019)
2) 기도 분화(airway differentiation)가 일어나는 16-24주에 다량의 가슴막삼출이 발생하는 경우 폐형성부전으로 인해 예후가 불량함(Inselman LS et al. 1981)
3) 양수과다증이나 태아수종이 동반되지 않는 경우 22%에서 자연소실되나 40% 정도에서는 임신 중 진행되는 양상을 보임(Aubard Y et al. 1998)

## 5. 산전관리 및 산전치료

1) 이차성 가슴막삼출의 원인에 대한 검사가 권장됨(Abbasi N et al. 2019)

| 모체측 검사 | 태아측 검사 |
|---|---|
| 전혈구검사(complete blood cell count)<br>혈액형 및 항체(Group and screen)<br>Kleihauer-Betke<br>TORCH*<br>Parvovirus B19 | 정밀초음파<br>심장초음파<br>중대뇌동맥 도플러<br>태아핵형검사, 염색체 마이크로어레이검사<br>흉곽천자 |

*TORCH; toxoplasmosis, rubella, cytomegalovirus, herpes

2) 태아 염색체이상의 위험성이 증가하므로 양수천자, 융모막검사, 또는 가슴막삼출액 흉강천자(thora-centesis)를 통한 유전자검사를 권장할 수 있으며 이러한 검사를 시행 시 염색체 마이크로어레이(chromosomal microarray) 또한 고려될 수 있음

3) 임신 제1삼분기에 발견되거나 동반기형이 있는 경우 염색체이상의 위험이 더욱 증가하는 것으로 알려져 있음

4) 단독으로 발생한 소량의 가슴막삼출은 1-2주 간격으로 추적관찰이 권장됨

5) 양이 빠르게 증가하거나, 양측성, 종격동 이동, 양수과다증, 태아수종이 발생한 경우 가슴막삼출액 배액의 적응증이 되며 배액의 방법은 태아흉강천자(thoracentesis), 흉막양막지름술(thoracoamniotic shunt) 등이 있으며, 그 외 흉막유착술(pleurodesis)을 할 수도 있음

6) 배액술 후에는 주로 1주일 간격의 추적관찰이 권장되며, 조기진통, 조기양막파수, 조산, 카테터 막힘 또는 이동, 감염 등의 합병증이 발생할 수 있음

## 6. 신생아 관리

1) 출생 직후 흉관 삽관 및 호흡기 관리를 위해 3차 의료기관에서의 분만이 권장됨

2) 가슴막삼출액 양이 많다면 흉강천자를 분만 직전에 시행하는 것이 신생아 소생술에 도움이 될 수 있으므로 시술을 고려할 수 있음(Abbasi N et al. 2019)

3) 분만 방법은 산과적 적응증을 따름

## 7. 장기 예후

호흡기와 신경 발달에 대한 추적관찰이 필요함(Abbasi N et al. 2019)

## 8. 유전상담

유전력이나 가족력과 관련 없음. 재발 위험은 무시할 수준임

**참고문헌** ///////////////////////////////////////////////////////////////////////////////////////////////////////////////////////////////

1. Abbasi N et al. Fetal pleural effusions: prenatal diagnosis and management. Best Pract Res Clin Obstet Gynaecol 2019;58:66-77.

2. Aubard Y et al. Primary fetal hydrothorax: A literature review and proposed antenatal clinical strategy. Fetal Diagn Ther 1998;13:325-33.

3. Bellini C et al. Etiology of non-immune hydrops fetalis: An update. Am J Med Genet A 2015;167A:1082-8.

4. Inselman LS et al. Growth and development of the lung. J Pediatr 1981;98:1-15.

5. Longaker MT et al. Primary fetal hydrothorax: natural history and management. J Pediatr Surg 1989;24:573-6.

6. Rustico MA et al. Fetal pleural effusion. Prenatal Diagn 2007;27:793-9.

7. Yinon Y et al. Perinatal outcome following fetal chest shunt insertion for pleural effusion. Ultrasound Obstet Gynecol 2010;36:58-64.

# 05 기관지낭종
Bronchogenic Cyst

## 1. 개요

1) 기관지낭종은 식도 또는 기관기관지나무(tracheobronchial tree)의 비정상적인 발아나 분지에서 기원하는 단방성(unilocular) 낭종으로 수액 또는 점액으로 차있는 병변임(Kumar AN. 2008)

2) 태아 발생 초기에 낭종이 생기는 경우에는 종격동에 위치하며(30%), 후기에 생기는 경우는 폐 내부(70%)에 생김(Parikh D et al. 2005)

3) 기관지낭종은 정상적인 기관과 연결되지 않고, 낭종 내부에 연골, 평활근, 호흡기 상피 등이 포함될 수 있음(Kumar AN. 2008)

## 2. 초음파 소견

1) 진단 기준
   (1) 주로 단일의 무에코성 낭종으로 폐 중앙에 위치하는 경우가 많음(그림 5-1)
   (2) 우측에 호발하며 기관기관지나무 근처에 위치하는 경우가 많음

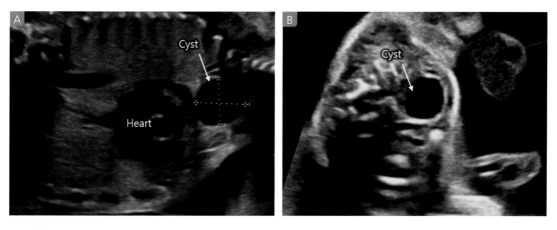

■ 그림 5-1. **A.** 태아 폐의 시상면. 중앙 상부에 1.6X1.5 cm 크기의 무에코성 병변이 관찰됨, **B.** 태아 폐의 가로면. 태아 폐의 상방에 에코성 경계를 가지는 낭종이 관찰됨

## 3. 감별진단

1) 단일성 낭종 타입의 선천성폐기도기형: 주로 말단부에 위치, 에코성 경계가 있음
2) 신경장낭종: 우측 후방 종격동에 호발하며 척추기형과 동반되는 경우가 많음(Uludag S et al. 2001)

## 4. 임신 중 예후

임신이 진행될수록 크기가 증가할 수 있으며, 주위 정상 폐조직을 누르는 경우 태아수종이나 폐형성부전을 일으킬 수 있음(Kumar AN. 2008)

## 5. 산전관리 및 산전치료

태아수종이나 폐형성부전이 발생한 경우 태아흉강천자술을 시행할 수 있으나 산전치료가 요구되는 경우는 드묾(Zobel M et al. 2019)

## 6. 신생아 관리

1) 대부분은 무증상이지만 반복적인 호흡기 감염의 원인이 될 수 있음(Kumar AN. 2008)

2) 크기가 크고 위치가 기도 근처인 경우에는 호흡곤란의 원인이 될 수 있음
3) 출생 후 컴퓨터단층촬영이나 자기공명영상으로 확진

## 7. 장기 예후

1) 출생 후 크기가 증가하여 종괴 효과를 일으키거나, 감염, 출혈 등의 원인이 될 수 있으므로 수술적 제거가 권장됨(Kumar AN. 2008)
2) 드물지만 성인기에 악성종양으로 발견되는 경우가 있음(Kimura K et al. 2020)
3) 조기 외과적 절제가 폐기능 보전에 도움이 된다는 연구가 있음(Fievet L et al. 2012)

## 8. 유전상담

유전력이나 가족력과 관련 없음. 재발 위험은 무시할 수준임

**참고문헌**

1. Fievet L et al. Bronchogenic cyst: best time for surgery? Ann Thorac Surg 2012;94:1695-9.
2. Kimura K et al. A case of leiomyosarcoma originating from a bronchogenic cyst: A case report. Mol Clin Oncol 2020;12:244-46.
3. Kumar AN. Perinatal management of common neonatal thoracic lesions. Indian J Pediatr 2008;75:931-7.
4. Parikh D et al. Congenital cystic lesions: is surgical resection essential? Pediatr Pulmonol 2005;40:533-7.
5. Uludag S et al. A case of prenatally diagnosed fetal neuroenteric cyst. Ultrasound Obstet Gynecol 2001;18:277-9.
6. Zobel M et al. Congenital lung lesions. Semin Pediatr Surg 2019;28:150821.

# 06 선천성상기도폐쇄증후군
## Congenital High Airway Obstruction Syndrome, CHAOS

## 1. 개요

1) 후두나 기도의 폐쇄, 협착 또는 입인두(oropharynx)나 경부의 종양으로 인한 상기도의 폐쇄로 태아의 폐와 기도가 확장되고 횡격막이 편평해지며 복수 또는 태아수종을 동반하는 질환
2) 기도폐쇄로 인해 태아의 폐 내 체액이 저류 되고 기도 내 압력이 증가하고 폐가 확장됨
3) 아주 드물게 발생하며 원인은 모름
4) 약 50%에서 동반 기형이 발견됨
5) 가장 흔하게 연관된 유전질환은 상염색체 열성 유전을 보이는 Fraser's syndrome으로 기도나 후두 폐쇄, 신장 무형성증, 소안구증, 합지증, 다지증을 보임(Mesens T et al. 2013)

## 2. 초음파 소견

1) 진단 기준
    (1) 양측 폐의 크기가 대칭적으로 커져 있고 고에코성으로 보이며 횡격막이 편평해져 있거나 복부 쪽으로 밀려 있음(그림 6-1A)
    (2) 심장이 양측 폐에 눌려 작아 보이고 흉부 중앙에 위치함(그림 6-1B)
    (3) 폐쇄 부위의 말단으로 체액이 차있고 확장되어 있는 기도와 기관지를 관찰할 수 있음
    (4) 복수가 흔하게 관찰되며 대량으로 관찰되기도 하고, 태아수종이 발생할 수 있음
    (5) 주로 양수과다증과 관련이 있고 양수과소증을 보이기도 함
    (6) 관상면에서 도플러를 이용하여 후두 쪽에서 태아가 호흡할 때 체액이 이동하는지 관찰하고, 성대의 열리고 닫힘이 확인되면 폐쇄의 정도가 덜 심하다고 볼 수 있음
    (7) 50%에서 동반기형이 보고됨. VACTERL association (vertebral anomalies, anal atresia, cardiac malformation, tracheoesophageal fistula/esophageal atresia, renal anomalies, limb anomalies) 중 1개 이상

의 소견을 보일 수 있고 주로 신장, 심장 이상이 흔함. 식도 샛길이 있을 경우 폐 감압이 일어나 기도폐쇄가 출산 전까지 진단되지 않을 수 있음

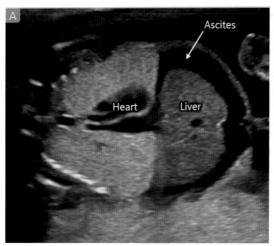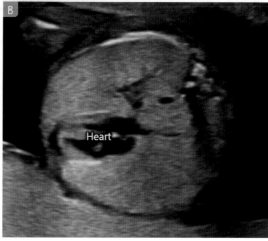

■ 그림 6-1. 임신 18주 4일 선천성 상기도폐쇄증후군 태아의 산전 초음파 사진. **A.** 양측 폐가 대칭적으로 커져 있고 고에코성으로 보임. 커진 폐로 인해 횡격막이 편평해져 있거나 복부 쪽으로 밀려 있으며, 다량의 복수가 관찰됨, **B.** 심장이 양측 폐에 눌려 작아 보이고 흉부 중앙에 위치하고 있음

2) 태아 자기공명영상(MRI): 산전 초음파로 진단된 경우 정확한 폐쇄 위치 파악 및 다른 선천성 폐기형과의 감별진단을 위해 MRI 검사를 할 수 있음(그림 6-2)

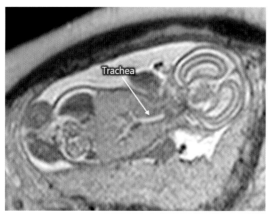

■ 그림 6-2. 임신 18주 4일 선천성 상기도폐쇄증후군 태아의 MRI. 양측 폐의 크기가 대칭적으로 커져 있고 횡격막이 편평해져 있음. 기도와 기관지가 확장되어 있으며 내부에 체액이 차 있고, 소량의 복수가 관찰됨

## 3. 감별진단

양측성 선천성폐기도기형(congenital pulmonary airway malformation, CPAM): 기도와 기관지에 체액이 차 있지 않음

## 4. 임신 중 예후

1) 출생과 동시에 기도를 확보하지 못하면 수 분만에 사망하는 치명적인 질환이므로 산전 진단이 중요하고, 계획적 분만이 필요함
2) 완전 폐쇄가 아닌 막구조(web)이거나 협착일 경우 예후가 더 좋음
3) 자궁 내에서 기도의 자발적인 천공이나 샛길 형성이 발생하여 좋아지는 경우도 있음(Guimaraes CV et al. 2009)

## 5. 산전관리 및 산전치료

1) 50%에서 동반기형이 발생하므로 정밀초음파 검사가 필요하고, 심장기형이 동반될 경우 예후가 좋지 않을 수 있으므로 심장초음파검사를 시행할 수 있음
2) 태아내시경을 이용하여 기도 감압술을 시행하여 태아수종을 완화하여 임신기간 연장 후 출산한 사례가 있음(Nicolas CT et al. 2019)
3) 태아내시경으로 레이저 후두절개술(laser laryngotomy)을 통해 폐쇄된 부위를 천공하여 기도감압 및 태아수종이 완화된 보고가 있음(Nolan HR et al. 2019)

## 6. 신생아 관리

1) 계획적인 분만이 반드시 필요함
2) 동반 기형이 없고 폐쇄 부위가 기도확보가 가능한 위치라면, 출생 후 기관절개(tracheostomy) 전까지 Ex Utero Intrapartum Treatment (EXIT) procedure를 할 수 있음(Crombleholme TM et al. 2000)
3) 출생 후 태반관류를 유지하며 신생아에게 기관지내시경을 시행하여 상기도 폐쇄를 확인한 후, 기관절개를 하여 기도를 확보한 이후 탯줄을 결찰하고, 이후 기계환기를 유지함

## 7. 장기 예후

1) 상기도 폐쇄로 인한 횡격막 기능부전, 기관기관지연화, 미세혈관의 삼출이 발생하여 출생 후 장기간 의 보조 호흡을 요히는 상태가 됨
2) 출생 직후 EXIT로 기도확보 후 기관절개를 시행하여 기계환기를 유지하고, 기도재건술을 통해 8세 까지 생존한 보고가 있음(Mong A et al. 2008)
3) 상기도의 완전 폐쇄가 아닌 막구조 또는 협착만 있는 경우 비교적 좋은 예후를 보임

## 8. 유전상담

유전력이나 가족력과 관련 없음. 대부분 산발적으로 발생하나 일부에서 상염색체 우성 유전을 보이 기도 함

**참고문헌** ////////////////////////////////////////////////////////////////////////////////////////////////////////////////////////////

1. Crombleholme TM et al. Salvage of a fetus with congenital high airway obstruction syndrome by ex utero intrapartum treatment (EXIT) procedure. Fetal Diagn Ther. 2000;15(5):280-2.
2. Guimaraes CV et al. Prenatal MRI findings of fetuses with congenital high airway obstruction sequence. Korean J Radiol. 2009;10(2):129-34.
3. Mesens T et al. Congenital High Airway Obstruction Syndrome (CHAOS) as part of Fraser syndrome: ultrasound and autopsy findings. Genet Couns. 2013;24(4):367-71.
4. Mong A et al. Congenital high airway obstruction syndrome: MR/US findings, effect on management, and outcome. Pediatr Radiol. 2008;38(11):1171-9.
5. Nicolas CT et al. Fetoscopy-Assisted Percutaneous Decompression of the Distal Trachea and Lungs Reverses Hydrops Fetalis and Fetal Distress in a Fetus with Laryngeal Atresia. Fetal Diagn Ther. 2019;46(1):75-80.
6. Nolan HR et al. Congenital high airway obstruction syndrome (CHAOS): Natural history, prenatal management strategies, and outcomes at a single comprehensive fetal center. J Pediatr Surg. 2019;54(6):1153-8.

# 07 식도폐쇄 및 기관식도샛길
## Esophageal Atresia, Tracheoesophageal Fistula, EA, TEF

## 1. 개요

1) 식도폐쇄는 기관 갈림 직전에 상부 식도가 막혀서 맹관을 형성하는 것을 말함
2) 식도와 기관의 발생과 분리 과정의 이상으로 기관식도샛길이 생기면서 식도가 막히거나, 혈류 부전에 의해 식도폐쇄가 생기는 것으로 알려져 있으나 정확한 기전은 밝혀지지 않음
3) 출생아 2,000-3,000명 중 1명의 빈도로 나타나며 남아에서 더 흔함(Nassar N et al. 2012)
4) 기관식도샛길이 90% 이상에서 동반되며 하부 기관식도샛길을 동반한 상부 식도폐쇄가 가장 흔함
5) 90% 이상에서 생후 첫 날 이내에 진단됨

## 2. 초음파 소견

1) 진단 기준
   (1) 위의 크기가 작거나 위가 관찰되지 않음(그림 7-1A)
   (2) 태아가 양수를 삼킬 때 상부 식도에 일시적으로 양수가 차는 pouch sign을 보이지만, 정상에서도 보일 수 있으므로 이것만으로 진단할 수는 없음(그림 7-1B)(Centini G et al. 2003)
   (3) 약 40%에서 자궁내태아발육지연이 동반되고, 임신 제2삼분기 후반 또는 제3삼분기에 나타남
   (4) 양수과다증이 임신 20주 이후부터 나타남
   (5) VACTERL (vertebral anomalies, anal atresia, cardiac malformation, tracheoesophageal fistula/esophageal atresia, renal anomalies, limb anomalies) association의 일환으로 나타나기도 함

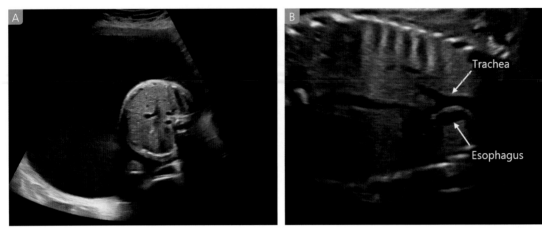

■ 그림 7-1. 식도폐쇄가 있는 태아의 초음파 소견. **A.** 위가 관찰되지 않고, 양수과다증이 동반됨, **B.** 태아가 양수를 삼키면 일시적으로 상부 식도에 양수가 차는 pouch sign을 기관 후방으로 관찰할 수 있음

## 2) 분류

(1) 기관식도샛길 유무 및 위치에 따라 5가지 종류로 구분함(그림 7-2)

① 샛길을 동반하지 않은 상부 및 하부 식도폐쇄(9%)

② 상부 기관식도샛길을 동반한 하부 식도폐쇄(1%)

③ 하부 기관식도샛길을 동반한 상부 식도폐쇄(82%)

④ 상부 및 하부 기관식도샛길을 동반한 식도폐쇄(2%)

⑤ 식도폐쇄가 없는 H 모양 기관식도샛길(6%)

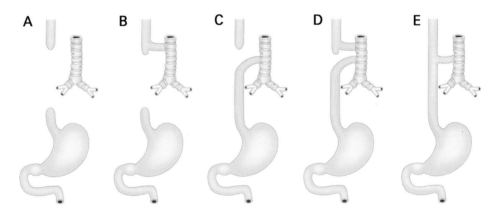

■ 그림 7-2. 식도폐쇄와 기관식도샛길의 분류. **A.** 샛길을 동반하지 않은 상부 및 하부 식도폐쇄(9%), **B.** 상부 기관식도샛길을 동반한 하부 식도폐쇄(1%), **C.** 하부 기관식도샛길을 동반한 상부 식도폐쇄(82%), **D.** 상부 및 하부 기관식도샛길을 동반한 식도폐쇄(2%), **E.** 식도폐쇄가 없는 H 모양 기관식도샛길(6%).

## 3. 감별진단

1) 선천성횡격막탈장: 위 또는 작은창자, 간이 흉곽 내에 위치하고, 종격동 이동(mediastinal shift)을 보이며, 태아 배둘레가 작게 보이며 양수과다증이 보임
2) 비정상 삼킴현상(abnormal swallowing): 중추신경계이상, 신경근육질환, 구순/구개열 등으로 인해 발생함

## 4. 임신 중 예후

1) 동반기형: 약 50%에서 다음 중 1개 이상의 동반기형이 있음. 심장기형, 다발성 장폐쇄, 장회전이상, VACTERL association, 중추신경계이상 등
2) 약 30%에서 VACTERL association을 보임
3) 모체의 당뇨병이 위험인자임

## 5. 산전관리 및 산전치료

1) 염색체 검사 및 가족 유전상담이 권장됨
2) 위의 크기는 삼킴, 연동운동으로 인해 일시적으로 작게 보일 수 있으므로 반드시 추적검사가 필요하며, 반복적으로 위가 작게 보일 경우 식도폐쇄를 감별해야 함
3) 태아발육지연과 양수과다증이 동반되면 반드시 식도폐쇄를 감별해야 함
4) 동반기형 확인을 위한 정밀초음파 및 태아심초음파를 시행해 볼 수 있음
5) 산전에 소아외과 협진을 하는 것이 좋으며, 신생아의 조기 수술적 치료가 가능한 3차 병원에서 분만하는 것이 권고됨
6) 심한 양수과다증에서는 양수감압술(amnioreduction)을 시행할 수 있음

## 6. 신생아 관리

1) 출생 후 수유를 미루고 카테터를 위에 삽입하면서 영상검사를 하여 식도폐쇄를 진단함
2) 개흉술 또는 흉강경을 통해 수술적 치료를 하며, 단계적 수술이 필요한 경우에는 장기 입원을 요함 (Roberts K et al. 2016)
3) 동반기형이 없는 만삭 출생아에서는 생존율이 매우 높으나, 패혈증 또는 동반된 심장기형의 영향으

로 출생아에서 최대 24%의 사망률을 보임(Kunisaki SM et al. 2014; Peters RT et al. 2017)

4) 기침, 침흘림, 실식 증상이 있을 수 있고, H 모양 기관식도샛길에서는 반복적인 폐렴이 나타날 수 있음

## 7. 장기 예후

동반기형이 없는 경우에도 식도 운동장애(dysmotility)가 흔하며, 소화장애, 식도협착, 위식도 역류, 흡인, 기관식도샛길의 재발, 기관연화, 성대 기능부전, 호흡기 문제 등이 나타날 수 있음(Kovesi T et al. 2004)

## 8. 유전상담

대부분 산발적으로 발생하나 약 5-44%에서 염색체이상이 동반됨. 18세염색체(trisomy 18)가 가장 흔하며, 기도식도샛길이 없는 식도폐쇄에서는 21세염색체(trisomy 21)가 더 흔하게 나타남 약 10%에서는 유전적 이상에 따른 증후군이 나타남. 따라서 모든 식도폐쇄 태아에서 염색체 검사가 필요하고 가족의 유전상담이 필요함. 나타날 수 있는 증후군은 Feingold syndrome, CHARGE syndrome, AEG syndrome, Pallister-Hall syndrome 등이 있음

**참고문헌**

1. Centini G et al. Prenatal diagnosis of esophageal atresia with the pouch sign. Ultrasound Obstet Gynecol. 2003;21(5):494-7.

2. Kovesi T et al. Long-term complications of congenital esophageal atresia and/or tracheoesophageal fistula. Chest. 2004;126(3):915-25.

3. Kunisaki SM et al.The diagnosis of fetal esophageal atresia and its implications on perinatal outcome. Pediatr Surg Int. 2014;30(10):971-7.

4. Nassar N et al. Prevalence of esophageal atresia among 18 international birth defects surveillance programs. Birth Defects Res A Clin Mol Teratol. 2012;94(11):893-9.

5. Peters RT et al. Mortality and morbidity in oesophageal atresia. Pediatr Surg Int. 2017;33(9):989-94.

6. Roberts K et al. Outcomes of oesophageal atresia and tracheo-oesophageal fistula repair. J Paediatr Child Health. 2016;52(7):694-8.

# 심혈관

Cardiovascular

# 01 심방중격결손

## Atrial Septal Defect, ASD

## 1. 개요

1) 심방중격에 결손이 있는 경우를 일컬으며 다음의 4개의 형태로 구분함
   (1) 이차공결손(secundum defect): 80%
   (2) 일차공결손(primum defect): 심방중격에 결손이 있으면서 승모판과 삼첨판이 분리되어 각각 존재하는 형태로 부분형 방실중격결손(partial atrioventricular septal defect)과 의미가 같음(Paladini D et al. 2009)
   (3) 정맥동결손(sinus venosus defect): 5-10%
   (4) 관상정맥동결손(coronary sinus defect)
2) 2/1,000명 출생아(대한산부인과초음파학회. 2015)

## 2. 초음파 소견

1) 일차공결손은 늑골하사방단면도(subcostal four-chamber view)에서 심방중격의 하부에서 관찰됨
2) 두개의 방실판막이 심실중격에 같은 높이로 부착됨
3) 색 도플러를 통해 혈류 방향을 확인하여 결손 부위를 진단하는 데 도움이 될 수 있음

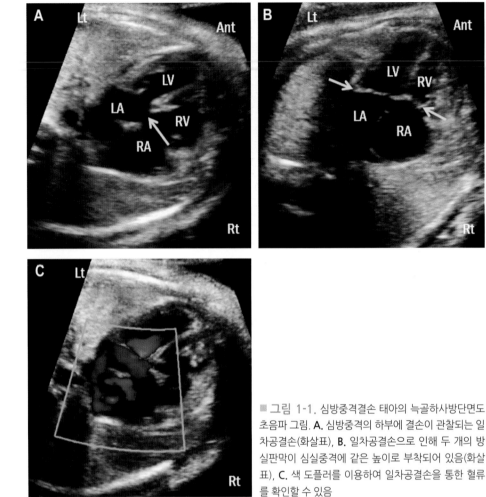

■ 그림 1-1. 심방중격결손 태아의 늑골하사방단면도 초음파 그림. **A.** 심방중격의 하부에 결손이 관찰되는 일차공결손(화살표), **B.** 일차공결손으로 인해 두 개의 방실판막이 심실중격에 같은 높이로 부착되어 있음(화살표), **C.** 색 도플러를 이용하여 일차공결손을 통한 혈류를 확인할 수 있음

## 3. 감별진단(Abuhamad A et al. 2015)

1) 일차공 심방중격결손과 방실중격결손(atrioventricular septal defect)의 감별을 요함
2) 좌상대정맥존속(persistent left superior vena cava)의 경우 혈류가 좌심방 뒤에서 관상정맥동(coronary sinus)을 통해 우심방으로 유입되므로 확장된 관상정맥동과 심방중격결손을 감별해야 함
3) 단순히 큰 난원공과 감별을 요함
4) 이차공 심방중격결손은 난원공으로 인해 산전 진단이 어려움

## 4. 임신 중 예후

1) 특히 이차공 심방중격결손의 경우 산전 진단이 어려우나 임신 중 태아의 건강상태에 영향이 없음

2) 산전에서 중간크기의 심방중격결손이 진단되더라도 생후 자연 소실의 경향이 있음

## 5. 산전관리 및 산전치료

일차공 심방중격결손의 경우 다른 기형 및 염색체 이상을 동반하기도 하여 예후에 영향을 미치므로 산전 상담과 추가적 검사가 필요함

## 6. 신생아관리(Park IS et al. 2019)

1) 폐정맥(pulmonary veins) 또는 다른 심장기형을 평가하기 위해 심장 컴퓨터단층촬영(computed tomography)이 필요할 수 있음

2) 모든 심방중격결손은 학령기 전에 시술 또는 수술이 필요할 수 있음. 그러나 작은 결손의 경우 자연폐쇄가 가능하므로 폐동맥고혈압 및 우심실 용적과부하가 없으면 기다려 볼 수 있음

3) 큰 결손이나 부분폐정맥환류이상(partial anomalous pulmonary venous connection) 등과 같은 동반 결손 있을 시 일차적으로 수술이 고려됨

## 7. 장기예후

1) 수술을 시행하지 않았을 경우

　(1) 대부분 1세 이전에 자연 폐쇄가 있을 수 있으며, 특히 <7-8 mm은 자연폐쇄 가능성이 높음(Park IS et al. 2019)

　(2) 큰 결손을 교정해주지 않았을 경우, 다음과 같은 합병증이 나타날 수 있음

　　① 말초 폐혈관의 폐쇄성 병변이 동반된 폐동맥고혈압(Eisenmenger syndrome)

　　② 부정맥

　　③ 승모판탈출, 승모판역류

　　④ 우심실기능부전

　　⑤ 뇌경색, 뇌졸중

　　⑥ 임신, 출산 시의 합병증: 다리의 혈전이나 그 밖의 고형 물질들이 우심방에서 좌심방으로 통

과하여 뇌혈관으로 이동하여 뇌경색과 뇌졸중을 일으킬 위험이 있으므로 심방중격결손을 가진 여자 환자는 성인이 되기 전에 수술을 권장함

2) 수술을 시행했을 경우
    (1) 수술 후 합병증은 드묾
    (2) 40세 이후에 수술을 한 경우, 수술 후 합병증으로 부정맥, 심실기능이상(ventricular dysfunction), 삼첨판역류(tricuspid regurgitation), 승모판역류(mitral regurgitation), 폐고혈압 등이 나타날 수 있음(Park IS et al. 2019)

## 8. 유전상담

1) 다운증후군을 포함한 염색체 이상이 약 30%에서 동반됨(Paladini D et al. 2009)
2) 홀트-오람증후군(Holt-Oram syndrome, 12번 염색체의 장완(12q24)에 위치하는 TBX5 유전자의 돌연변이에 의해 발생, 상염색체 우성유전, 대부분 새롭게 발생한 돌연변이(de novo mutation))에서는 주로 이차공 심방중격결손과 근성부 심실중격결손이 동반됨(Bossert T et al. 2002)

**참고문헌** ////////////////////////////////////////////////////////////////////////////////////////////////////////////////////////////////////////

1. 대한산부인과초음파학회. 기형태아의 초음파영상 도해. 제 3판. 서울: 도서출판 구암; 2015.
2. Abuhamad A et al. A Practical Guide to Fetal Echocardiography: Normal and Abnormal Hearts. 3rd ed. Philadelphia: Wolters Kluwer Health; 2015.
3. Bossert T et al. Cardiac malformations associated with the Holt-Oram syndrome-report on a family and review of the literature. Thorac Cardiovasc Surg. 2002;50:312-314.
4. Csaba E et al. Holt-Oram syndroma. Orv Hetil. 1991;132:73-8.
5. Park IS et al. An Illustrated Guide to Congenital Heart Disease: From Diagnosis to Treatment - From Fetus to Adult: 1st ed. Singapore: Springer; 2019.
6. Paladini D et al. Partial atrioventricular septal defect in the fetus: diagnostic features and associations in a multicenter series of 30 cases. Ultrasound Obstet Gynecol. 2009;34:268-273.

# 02 방실중격결손
## Atrioventricular Septal Defect, AVSD

## 1. 개요

1) 동의어로 방실관결손(atrioventricular canal defect), 심내막융기결손(endocardial cushion defect)가 있음
2) 다음의 2개의 형태로 구분함
   (1) 완전형(complete): 심방과 심실 사이에 1개의 방실판막으로 연결되어 있으며, 심방과 심실 사이의 중격결손을 가지고 있는 형태로 이성체(isomerism)에서도 흔히 동반됨
   (2) 부분형(partial): 일차공 심방중격결손과 동일함
3) 0.36/1,000명 출생아, 선천심장병의 약 4-7.4%임(Abuhamad A et al. 2015)

## 2. 초음파 소견

1) 사방단면도에서 쉽게 관찰되며, 하나의 판막이 열릴 때 심장의 중심부위가 넓게 열려 있음
2) 부분형 방실중격결손은 두 개의 방실판막이 각각 존재하므로 사방단면도에서 확실히 관찰되지 않기도 함
3) 판막이 부착되는 부위가 같은 높이로 관찰되면 방실중격결손을 의심해볼 수 있음
4) 색 도플러로 방실판막의 역류 정도를 평가할 수 있음

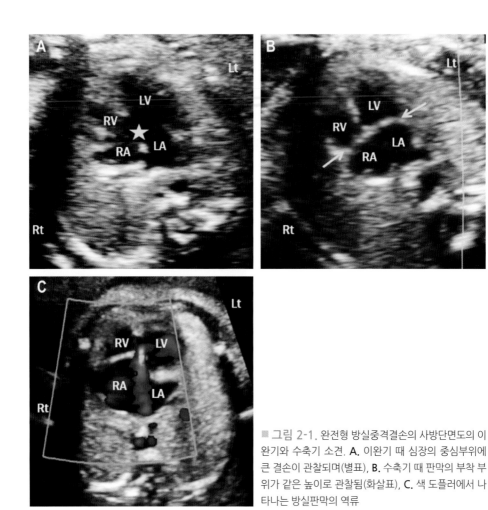

■ 그림 2-1. 완전형 방실중격결손의 사방단면도의 이완기와 수축기 소견. **A.** 이완기 때 심장의 중심부위에 큰 결손이 관찰되며(별표), **B.** 수축기 때 판막의 부착 부위가 같은 높이로 관찰됨(화살표), **C.** 색 도플러에서 나타나는 방실판막의 역류

## 3. 감별진단(Abuhamad A et al. 2015)

1) 단독 입구 심실중격결손(isolated inlet VSD)과의 감별이 필요함
2) 단심실(single ventricle)에서 큰 방실중격결손과 불균형 방실중격결손(unbalanced AVSD)을 감별하는 것은 쉽지 않음
3) 불균형 방실중격결손(unbalanced AVSD)은 좌심형성저하증후군(hypoplastic left heart syndrome) 또는 삼첨판폐쇄(tricuspid atresia)와 감별이 어려움

## 4. 임신 중 예후

완전방실중격결손의 임신 중 사망률은 따로 보고된 바 없으나 복잡 심기형 또는 심장 외 기형을 동반하는 경우가 있기 때문에 전체 주산기 사망률(perinatal overall survival rate)은 32%으로 보고됨(Abuhamad A et al. 2015)

## 5. 산전관리 및 산전치료

1) 동반 기형 및 염색체 이상 유무가 예후에 영향을 미치므로 산전 상담과 추가적 검사가 필요함
2) 전문적인 신생아 심장 처치가 가능한 의료기관에서 분만이 필요함

## 6. 신생아관리

1) 진단은 심초음파로 충분하나 다른 동반기형의 유무를 파악하기 위해서는 컴퓨터단층촬영술(computed tomography)이 도움이 됨(Park IS et al. 2019)
2) 완전방실중격결손
    (1) 큰 심실중격결손과 비슷하며 폐혈류가 많아 심부전증, 폐동맥고혈압(pulmonary hypertension)이 일찍 나타나고 점차 심해지면서 결국 말초 폐동맥이 막히는 Eisenmenger syndrome이 생기면 수술이 불가능해지며 이로 인해 사망함
    (2) 따라서 생후 6개월 이내에 수술적 치료가 필요함(Park IS et al. 2019)
3) 부분방실중격결손
    (1) 단순 심방중격결손과 비슷하며 어릴 때는 증상이 없는 경우가 많음. 심방빈맥(atrial tachycardia)과 같은 부정맥이 나타날 수 있으며 폐동맥고혈압도 생길 수 있음
    (2) 결손이 작고 판막 역류가 없으면 수술이 급하지는 않으나 학령기 전에 수술해주는 것이 좋음. 결손이 크거나 판막역류가 있으면 더 일찍 수술해주어야 함
4) 다운증후군에서는 Eisenmenger syndrome이 더 빨리 생길 수 있으므로 수술시기를 앞당겨야 할 수 있음
5) 수술 사망률: 3% 이하(Park IS et al. 2019)

## 7. 장기예후

1) 수술을 시행했을 경우
   (1) 단독 질환에서의 수술 후 장기 예후는 좋음(20년 생존율: 95%)(Laura S. Fong et al. 2020)
   (2) 수술 후 부정맥이 나타날 수 있음
   (3) 장기적으로 승모판기능부전(mitral insufficiency), 좌심실유출로협착 등으로 재수술을 필요로 할 수 있음
   (4) 다른 기형이 동반된 경우의 예후는 더욱 불량함

## 8. 유전상담

1) 염색체 이상이 절반 이상에서 동반될 수 있으며, 다운증후군의 빈도가 가장 높음(Delisle MF et al. 1999)
2) CHARGE syndrome(대부분 8번 염색체 장완(8q12)에 위치한 CHD7 유전자의 돌연변이로 인해 발생, 상염색체 우성유전, 대부분 자연발생) 등이 동반될 수 있음(Corste-Janssen N et al. 2013)
3) 동반 심기형이 있을 경우에는 홀배수체의 위험이 증가하나 이성체에서 동반된 경우에는 염색체 이상이 적음(Delisle MF et al. 1999)

**참고문헌**

1. 대한산부인과초음파학회. 기형태아의 초음파영상 도해. 제 3판. 서울: 도서출판 구암; 2015.
2. Abuhamad A et al. A Practical Guide to Fetal Echocardiography: Normal and Abnormal Hearts. 3rd ed. Philadelphia: Wolters Kluwer Health; 2015.
3. Corste-Janssen N et al. The cardiac phenotype in patients with a CHD7 mutation. Circ Cardiovasc Genet. 2013;6:248-254.
4. Delisle MF et al. Outcome of fetuses diagnosed with atrioventricular septal defect. Obstet Gynecol. 1999;94:763-767.
5. Laura S. Fong et al. Complete atrioventricular septal defect repair in Australia: Results over 25 years. J Thorac Cardiovansc Surg. 2020;159:1014-25.
6. Park IS et al. An Illustrated Guide to Congenital Heart Disease: From Diagnosis to Treatment - From Fetus to Adult: 1st ed. Singapore: Springer; 2019.
7. Riku A et al. Complete Atrioventricular Septal Defect: Evolution of Results in a Single Center During 50 Years. Ann Thorac Surg. 2019;107:1824-30.

# 03 심실중격결손
## Ventricular Septal Defect, VSD

## 1. 개요(대한산부인과초음파학회, 2015)

1) 가장 흔한 심장기형으로 선천심장병의 20-30%를 차지함
2) 심실중격결손은 복잡심기형에서 흔히 동반됨
3) 결손의 위치에 따라 다음과 같이 분류
    (1) 막양부(perimembranous) 결손: 80%
    (2) 대동맥판막하(subarterial) 결손: 5%(동양인에서는 비율이 높음)
    (3) 입구(inlet) 결손: 5%
    (4) 근성부(muscular) 결손: 10-20%. 다발성인 경우가 많음
4) 2/1,000명 출생아

## 2. 초음파 소견

1) 심실중격에 중단이 생기면서 결손 부위의 변연부는 밝은 에코를 나타냄
2) 초음파 광선 방향과 중격이 평행한 경우 위양성을 보일 수 있음
3) 사방단면도는 일부 심실중격결손의 진단에 제한적이므로 다른 심장단면도 함께 관찰해야 함
4) 색 도플러로 결손 부위를 지나가는 혈류를 확인할 수 있음

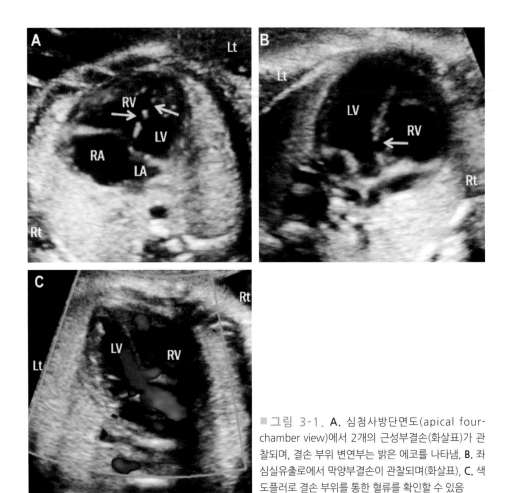

■그림 3-1. **A.** 심첨사방단면도(apical four-chamber view)에서 2개의 근성부결손(화살표)가 관찰되며, 결손 부위 변연부는 밝은 에코를 나타냄, **B.** 좌심실유출로에서 막양부결손이 관찰되며(화살표), **C.** 색도플러로 결손 부위를 통한 혈류를 확인할 수 있음

## 3. 감별진단

막양부에 생기는 인공음영(artifact)으로 인해 위양성이 있을 수 있음. 따라서 심첨장축도(apical long axis view) 및 늑골하사방단면도(subcostal four-chamber view) 등 여러 각도에서 색 도플러를 이용하는 것이 정확한 진단에 도움이 됨(Abuhamad A et al. 2015)

## 4. 임신 중 예후

작은 근성부 또는 막양부결손은 출생 또는 생후 2년 안에 약 80%에서 자연폐쇄가 되어 예후가 좋음 (Abuhamad A et al. 2015)

## 5. 산전관리 및 산전치료

1) 근성부결손이 제2삼분기에 진단되었을 때는 제3삼분기에 심초음파를 통해 결손의 크기 및 다른 결손의 여부를 재확인해야 함
2) 2-3 mm 이상의 큰 심실중격결손을 보일 경우, 뿔줄기이상(conotruncal anomaly)의 동반여부를 확인하여야 함
3) 여러 염색체 이상에서 심실중격결손을 보이는 경우가 있으므로 동반 심기형 및 심장 외 기형을 확인하여야 함

## 6. 신생아관리

1) 가슴 X-선 검사로 심장 크기를 확인하고 심장초음파 검사를 통해 결손을 확인함. 때로는 동반기형을 정확히 확인하기 위해 심장 컴퓨터단층촬영(computed tomography)과 같은 추가 영상검사가 필요할 수 있음
2) 작은 심실중격결손에서는 대개 증상이 없으므로 우연히 심잡음이 들려서 발견하게 됨
3) 큰 심실중격결손에서는 어릴 때부터 심부전증으로 인한 증상이 심함. 땀을 많이 흘리고 숨을 빨리 쉬고 숨이 차서 우유나 모유를 먹을 때 힘들어하며 체중도 잘 늘지 않고 잦은 호흡기 감염, 폐렴 등의 합병증이 생김
4) 큰 결손으로 심부전이 있고 폐동맥고혈압이 심한 영유아에서는 진단 즉시 "나이나 체중에 상관없이" 수술해 주어야 함. 중간 정도 크기의 결손은 위치가 막양부인 경우에는 약물치료를 하면서 어느 정도 관찰해 보다가 증상의 호전이 없으면 수술함. 대동맥판막하결손도 크기가 작고 대동맥판탈출(aortic valve prolapse)이나 대동맥판역류(aortic regurgitation) 등의 합병증이 없으면 계속 관찰해 보거나 1-2세 이후에 수술함
5) 대부분의 결손에서는 첩포폐쇄술(patch closure)을 시행함
6) 수술 성공률은 100%에 가까움(Brandi BS et al. 2016; Park IS et al. 2019)

## 7. 장기예후

1) 수술을 시행하지 않았을 경우
   (1) 단독 심실중격결손의 경우 예후가 좋고, 작은 결손이 잘 막히며 드물게는 큰 결손도 작아지거나 자연 폐쇄되기도 함
   (2) 자연 폐쇄의 확률은 어릴수록 높고 나이가 많아질수록 자연 폐쇄의 가능성은 점차로 감소하나

완전히 없지는 않아서 평생 자연 폐쇄의 가능성이 있음

(3) 막양부결손이나 근성부결손은 1세 이전에 저절로 막힐 가능성이 높음

(4) 대동맥판막하결손과 anterior malalignment VSD는 자연 폐쇄가 거의 일어나지 않음

(5) 심실중격결손을 교정하지 않는 경우 나음과 같은 합병증이 생길 수 있음

    ① 폐렴, 기관지염 증의 호흡기 감염

    ② Eisenmenger syndrome

    ③ 심내막염

    ④ 대동맥판탈출 및 대동맥판역류

    ⑤ 대동맥판막하협착

    ⑥ 좌심실에서 우심방으로 직접 혈류가 새는 경우(LV-RA shunt)

    ⑦ 우심실유출로협착

2) 수술을 시행했을 경우

(1) 적절한 시기에 수술해주면 수술 후 장기적으로 후유증 없이 평생 정상생활이 가능한 선천심장병임(Bang JH et al. 2016)

(2) 수술 후 방실차단(atrioventricular block)이 나타날 수 있으나 드묾(Brandi BS et al. 2016)

# 8. 유전상담

1) 염색체 이상(다운증후군, 에드워드증후군, 22번염색체장완미세결실증후군 등)이 20-40%에서 동반됨(Paladini D et al. 2007; Rubio AE et al. 2012)

2) 심장 외 기형이 동반될 경우에 위험이 증가함

3) 염색체 이상에서 가장 흔하게 관찰되는 심장 기형임

**참고문헌**

1. 대한산부인과초음파학회. 기형태아의 초음파영상 도해. 제 3판. 서울: 도서출판 구암; 2015.

2. Abuhamad A et al. A Practical Guide to Fetal Echocardiography: Normal and Abnormal Hearts. 3rd ed. Philadelphia: Wolters Kluwer Health; 2015.

3. Brandi BS et al. Current Expectations for Surgical Repair of Isolated Ventricular Septal Defects. Ann Thorac Surg. 2010;89:544-51.

4. Bang JH et al. Detachment of the tricuspid valve for ventricular septal defect closure in infants younger than 3 months. J Thorac Cardiovasc Surg 2016;152:491-6.

5. Paladini D et al. Ultrasound of Congenital Fetal Anomalies. Informa Healthcare; London; 2007.

6. Park IS et al. An Illustrated Guide to Congenital Heart Disease: From Diagnosis to Treatment - From Fetus to Adult: 1st ed. Singapore: Springer; 2019.

7. Rubio AE et al. Ventricular septal defects. In: Allen HD et al. Moss and Adams' Heart Disease in Infants, Children, and Adolescents. 8th ed. Baltimore, MD: Williams & Wilkins; 2012:713-721.

# 04 앱스타인기형
## Ebstein's Anomaly

## 1. 개요

1) 삼첨판엽(tricuspid leaflet)이 삼첨판륜(tricuspid annulus)에 붙지 않고 우심실 첨부로 내려가 붙는 경우임
2) 우심실의 심방화(atrialization)로 우심실의 기능적 크기 감소됨
3) 선천심장병의 0.5-1%임(Park IS et al. 2019)

## 2. 초음파 소견

1) 저명한 우심방비대가 보임
2) 좌심실의 승모판 위치에 비해 우심실의 삼첨판 위치가 첨부쪽으로 비정상 전위가 보임
3) 대부분 삼첨판부전 동반: 색 도플러나 간헐파형 도플러로 확인함
4) 삼혈관단면도(three-vessel view)에서 폐동맥이 매우 작음(폐동맥으로 가는 혈류 감소, 폐동맥판협착)

171

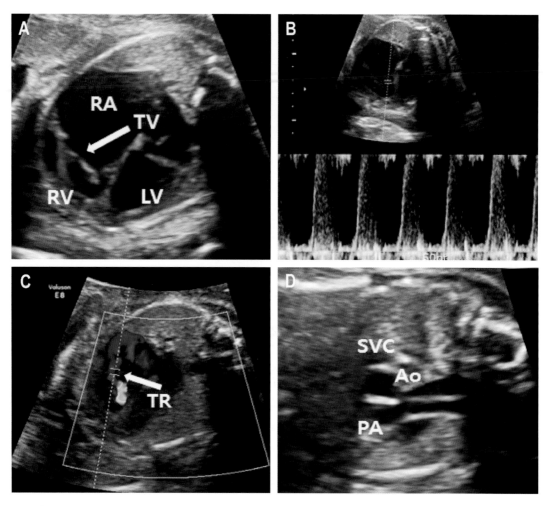

■ 그림 4-1. **A.** 앱스타인기형의 늑골하사방단면도(subcostal four-chamber view). 삼첨판의 위치가 첨부 쪽으로 비정상적 하향 전위되어 있으며(화살표), **B,C.** 간헐파형 도플러에서 삼첨판역류와 색 도플러에서 와류가 관찰됨, **D.** 삼혈관단면도에서 폐동맥의 크기가 대동맥보다 작음

## 3. 감별진단

1) 삼첨판이형성증(tricuspid valve dysplasia) 혹은 폐쇄와 감별이 필요함. 삼첨판이형성증의 경우 역류성분출(regurgitant jet)이 정상 삼첨판 판막 위치에서 관찰되나, 앱스타인기형의 경우 삼첨판 판막의 위치가 심첨부 쪽으로 가깝기 때문에 역류성분출(regurgitant jet)이 더 아래쪽에서 관찰됨
2) 특발성 우심방비대증이 있음
3) 온전한 심실중격을 가진 폐동맥판폐쇄가 있음(pulmonary atresia with intact ventricular septum)

## 4. 임신 중 예후

임신 중 심장비대, 심부전, 태아수종, 부정맥으로 진행될 수 있음. 특히 태아수종이 있는 경우 사망률이 매우 높음(Abuhamad A et al. 2015)

## 5. 산전관리 및 산전치료

전문적인 신생아 심장 처치가 가능한 의료기관에서 분만이 필요함

## 6. 신생아관리(Park IS et al. 2019)

1) 심초음파 검사를 통해 자세한 구조를 확인함
2) 신생아에서 청색증이 있으나 심하지 않고 증상이 없으면 별 치료 없이 폐혈관 저항이 감소되기까지 기다리는 것이 가장 좋음
3) 청색증이 심하면 산소를 주면서 프로스타글란딘 E1 (prostaglandin E1)을 주사하여 동맥관을 열어주며 동시에 폐혈관 저항을 떨어뜨림으로써 폐혈류량을 적절하게 유지하도록 함. 또한 폐혈관저항이 감소하기 시작하는 시기를 파악하여 프로스타글란딘 E1을 적기에 중단하여 동맥관을 줄여서 우심실의 전향적혈류(antegrade flow)가 생성되는 것을 확인하여 교정 전략을 결정함
4) 앱스타인기형은 심한 정도가 매우 다양하며 증상도 환자마다 다르므로 언제 어떠한 수술을 해 주는 것이 좋은지에 대해서는 각각의 환자의 상태에 따라서 결정해야 함

## 7. 장기예후

1) Great Ormond Street Echocardiography (GOSE) score: 확장기 말(end diastole)에 사방단면도에서 각각의 면적을 구하여 다음의 공식에 적용하면 비율에 따라 주산기 예후를 예측할 수 있음

**표 4-1. 신생아 앱스타인기형의 중증도 지수**(Park IS et al. 2019)

| GOSE score = Areas RA + aRV / (Areas RV + LV + LA) | | |
|---|---|---|
| Grade | Ratio | Neonatal mortality |
| 1 | <0.5 | 0% |
| 2 | 0.5–0.99 | 10% |
| 3 | 1–1.49 | 44–100% |
| 4 | >1.5 | 100% |

RA, right atrium; aRV, atrialized right ventricle; RV, right ventricle; LA, left atrium; LV, left ventricle

2) 수술을 시행하지 않았을 경우

(1) 신생아기에 증상이 있는 경우 18%에서 사망함

(2) 1세까지 증상이 없는 경우는 경한 앱스타인기형이 대부분으로 성인이 되기까지 증상이 거의 없이 지내는 경우가 많으나 점차 나이가 많아지면서 다음과 같은 문제들이 생김(Yu JJ et al. 2013)

① 삼첨판폐쇄부전과 우심실기능부전으로 인한 증상이 있음

② 간혹 우심실기능부전뿐만 아니라 좌심실 기능부전도 심해지면서 증상이 나타나기도 함

③ 심방중격을 통한 우좌단락으로 인한 합병증(뇌종양, 뇌혈전 등)이 생길 수 있음

④ Wolff-Parkinson-White 증후군에서 부전도로를 이용한 상심실성빈맥, 또는 심방확장에 의해 심방조동이나 심방세동과 같은 심방빈맥이 생길 수 있음

3) 수술을 시행했을 경우

(1) 전통적인 삼첨판막 성형술에 비해 최근 도입된 cone repair는 높은 재수술자유율(freedom from reoperation)을 보임(8년 재수술자유율 84%)(Holst KA et al. 2018)

(2) 수술 후 10년 생존율: 90% 이상(Brown ML et al. 2008)

# 8. 유전상담

드물지만 다운증후군, 에드워드증후군 등의 염색체 수적 이상 및 14번 염색체의 장완(14q11.2)에 위치하는 MYH7 유전자 돌연변이(상염색체 우성유전) 등이 보고됨(Balaji S et al. 1991; Siehr SL et al. 2014)

**참고문헌**

1. 대한산부인과초음파학회. 기형태아의 초음파영상 도해. 제3판. 서울: 도서출판 구암; 2015.

2. Abuhamad A et al. A Practical Guide to Fetal Echocardiography: Normal and Abnormal Hearts. 3rd ed. Philadelphia:

Wolters Kluwer Health; 2015.

3. Balaji S et al. Familial Ebstein's anomaly: a report of six cases in two generations associated with mild skeletal abnormalities. Br Heart J. 1991;66(1):26-8.

4. Brown ML et al. The outcomes of operations for 539 patients with Ebstein anomaly. J Thorac Cardiovasc Surg. 2008;135:1120-36.

5. Holst KA et al. Improving Results of Surgery for Ebstein Anomaly: Where Are We After 235 Cone Repairs?. Ann Thorac Surg. 2018;105:160-8.

6. Park IS et al. An Illustrated Guide to Congenital Heart Disease: From Diagnosis to Treatment – From Fetus to Adult: 1st ed. Singapore: Springer; 2019.

7. Siehr SL et al. Ebstein anomaly and Trisomy 21: A rare association. Ann Pediatr Cardiol. 2014;7(1):67–69.

8. Yu JJ et al. Outcome of Neonates with Ebstein's Anomaly in the Current Era. Pediatr Cardiol. 2013;34:1590-1596.

# 05 좌심형성저하증후군
## Hypoplastic Left Heart Syndrome, HLHS

## 1. 개요

1) 좌측 심장 폐쇄 병태의 가장 심한 형태임
2) 좌심실과 좌심방의 크기가 작고, 승모판폐쇄나 형성저하, 대동맥판폐쇄, 대동맥궁형성저하를 동반함
3) 폐정맥 → 좌심방 → 난원공 → 우심방으로 유입된 혈액은 폐동맥 → 동맥관 → 하행대동맥으로 순환하게 되며, 동맥관을 통한 혈류가 거꾸로 동맥관 → 대동맥궁 → 상행대동맥으로 흐름
4) 초기 신생아기 사망의 가장 흔한 원인으로 모든 심장관련 사망의 약 25% 차지함(대한산부인과초음파학회. 2015)
5) 선천심장병의 약 1%임(서양 7-9%)(Park IS et al. 2019)

## 2. 초음파 소견

1) 사방단면도(four-chamber view)에서 좌심실의 크기가 매우 작으며, 색 도플러 초음파로 좌심실 내 혈류 흐름이 관찰되지 않음
2) 난원공(foramen ovale)을 통한 좌우단락 확인됨
3) 좌심실의 장축단면도에서 좌심실에서 기시하는 매우 작은 크기의 상행대동맥이 관찰됨
4) 우심실에서 동맥관을 경유하여 하행대동맥으로 가는 혈류와 동맥관에서 동맥궁으로 역류하는 혈류 관찰됨

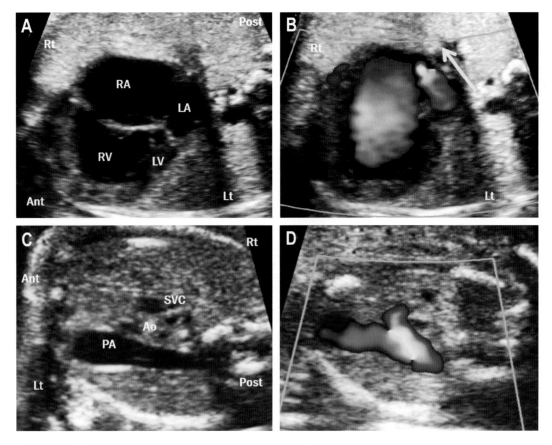

■ 그림 5-1. **A.** 심첨사방단면도에서 좌심실이 거의 관찰되지 않음, **B.** 색 도플러에서 난원공을 통한 좌우단락이 확인됨(화살표), **C.** 삼혈관단면도에서 대동맥이 거의 보이지 않고, **D.** 색 도플러에서 역류하는 혈류가 보임

## 3. 감별진단(Abuhamad A et al. 2015)

1) 대동맥축착(coarctation of the aorta): 작고 좁아진 좌심실의 모양으로는 감별이 어려움

2) 극한 상태의 대동맥판협착증(critical aortic stenosis): HLHS으로 진행할 수 있음

3) 그 외 심실중격결손을 동반한 승모판폐쇄(mitral atresia with a ventricular septal defect), 불균형 방실중격결손(unbalanced atrioventricular septal defect), 양대혈관우심실기시(double outlet right ventricle), 수정대혈관전위(congenitally corrected transposition of the great vessels)와 감별이 필요함

## 4. 임신 중 예후

태아에서는 동맥관(ductus arteriosus)과 난원공(foramen ovale)이 크게 열려 있으며 또한 폐혈관 저항

이 체저항보다 높으므로 태아에서의 체혈류에는 아무런 문제가 없어 대부분의 HLHS 신생아는 출생 시 체중과 발육이 정상임(Park IS et al. 2019)

## 5. 산전관리 및 산전치료

전문적인 신생아 심장 처치가 가능한 의료기관에서 분만이 필요함

## 6. 신생아관리

1) 심초음파 검사로 진단 가능하나 수술 전에 대동맥의 구조를 파악하기 위해 심장 컴퓨터단층촬영 (computed tomography)과 같은 추가영상검사가 필요할 수 있음
2) 출생 후 동맥관을 통한 체순환 혈류를 유지하기 위하여 프로스타글란딘 E1 (prostaglandin E1)을 사용함
3) 출생 후 폐혈관저항이 떨어지면서 폐혈류가 늘고 동맥관을 통한 체순환 혈류가 급격히 감소하여 주요장기의 허혈 및 괴사가 일어나는 등 심각한 혈역학적 문제들이 발생하므로 즉시 적극적인 치료가 필요함
4) 수술적 치료를 위해 전신 상태를 좋게 해준 후 단계적 수술을 시행(James ST et al. 2002; Jane WN et al. 2018)
   (1) 신생아기에 첫 단계로 Norwood 수술을 시행하게 되는데 안정적인 수술 후 경과를 위해 Norwood 수술 전 양측 폐동맥교약술(pulmonary artery banding)을 먼저 시행하는 단계적 Norwood 수술을 시행하기도 함
   (2) 생후 4-6개월경에 이차수술로 양방향 대정맥폐동맥단락술(bidirectional cavopulmonary shunt, BCPS)을 시행함
   (3) 2-4세경에 Fontan 수술을 시행함
   (4) 단계적 수술을 통해 최종단계인 Fontan 수술까지 성공적으로 마칠 가능성이 낮은 경우 심장 이식을 고려함

## 7. 장기예후

1) 수술을 시행하지 않았을 경우
   거의 대부분 생후 1주일 이내에 심한 심부전, 폐부종, 저심박출량, 급성심부전, 대사성산증이 나타

나고 생후 1달 이내에 사망하게 됨(Park IS et al. 2019)

2) 수술을 시행했을 경우

단계적 수술 시 첫 수술 후 생존율은 최근 90% 가까이 보고되며, 60-70%의 환자가 Fontan 수술까지 성공적으로 마치게 되며, 5년 생존율은 60-70%임(Jane WN et al. 2018)

## 8. 유전상담

1) 염색체 이상이 4-5%에서 동반됨(Allan LD et al. 1994)
2) 터너증후군, 다운증후군, 에드워드증후군 외에도 Noonan 증후군, Smith-Lemli-Opitz 증후군, Holt-Oram증후군 등이 보고됨(Raymond FL et al. 1997)

**참고문헌** ////////////////////////////////////////////////////////////////////////////////////////////

1. 대한산부인과초음파학회. 기형태아의 초음파영상 도해. 제 3판. 서울: 도서출판 구암; 2015.
2. Abuhamad A et al. A Practical Guide to Fetal Echocardiography: Normal and Abnormal Hearts. 3rd ed. Philadelphia: Wolters Kluwer Health; 2015.
3. Allan LD et al. Prospective diagnosis of 1,006 consecutive cases of congenital heart disease in the fetus. J Am Coll Cardiol. 1994;23:1452-1458.
4. James ST et al. Improved Survival of Patients Undergoing Palliation of Hypoplastic Left Heart Syndrome: Lessons Learned From 115 Consecutive Patients. Circulation. 2002;106:I-82-I-89.
5. Jane WN et al. Transplant-Free Survival and Interventions at 6 Years in the SVR Trial. Circulation. 2018;137:2246-53.
6. Park IS et al. An Illustrated Guide to Congenital Heart Disease: From Diagnosis to Treatment – From Fetus to Adult: 1st ed. Singapore: Springer; 2019.
7. Raymond FL et al. Fetal echocardiography as a predictor of chromosomal abnormality. Lancet. 1997;350:930.

# 06 폐동맥판협착
## Pulmonary Stenosis, PS

## 1. 개요

1) 폐동맥판막(valvular)의 협착이나 우심실 누두부(infundibulum) 협착으로 우심실 유출로가 좁아짐

2) 폐동맥판협착(valvular PS)은 판막 연결부(valve commissure)가 융합되어 나타나는 형태로 우심실 누두부협착(infundibulum PS)보다 흔함

3) 협착의 정도는 산전 진단이 어려운 경증에서부터 우심실비대 및 삼첨판역류를 동반하는 중증까지 다양함

4) 폐동맥판협착이 심하여 우심실 압력이 좌심실과 같거나 오히려 더 높은 경우를 극한 상태의 폐동맥판협착(critical PS)이라고 부르며 이런 경우 청색증과 심한 저산소증으로 인한 대사성산증이 나타나는 등 폐동맥판폐쇄(pulmonary atresia)와 비슷한 양상을 나타냄

5) 1/1,500명 출생아. 선천심장병의 약 8-12%%임(Abuhamad A et al. 2016; Park IS et al. 2019)

## 2. 초음파 소견

1) 폐동맥판막이 두꺼워져 있으며, 판막을 지나는 혈류의 속도가 증가되어 있고 색 도플러에서 와류가 보임

2) 사방단면도에서 우심실의 크기는 작으면서 우심실비대를 보이고, 이차성 삼첨판역류에 의해 우심방은 종종 커져 있음

3) 협착이 심할 경우에 자궁 내 울혈심부전과 태아수종이 발생하기도 함

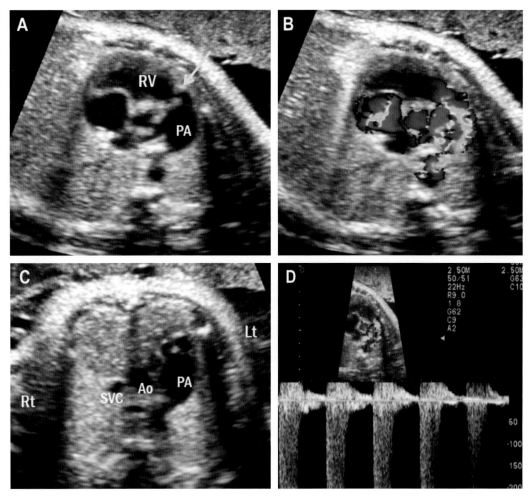

■ 그림 6-1. **A.** 우측 유출로 단면도 폐동맥판막이 두꺼워져 있으며(화살표), **B.** 색 도플러에서 소용돌이 흐름을 보임, **C.** 삼 혈관단면도에서는 협착후확장(poststenotic dilatation)이 관찰됨, **D.** 간헐파형 도플러에서 폐동맥 판막을 지나는 혈류의 속 도가 증가되어 있음

## 3. 감별진단

폐동맥판폐쇄(pulmonary atresia)

## 4. 임신 중 예후

산전진단을 받은 경우가 출생 후 진단을 받았을 때보다 예후가 안 좋음

181

## 5. 산전관리 및 산전치료

1) 출생 전에 폐동맥판폐쇄로 진행할 수도 있으므로 주기적인 추적관찰이 필요함
2) 울혈심부전 또는 태아수종의 발생 여부를 확인함
3) 폐동맥판협착에서 진행되어 극한 상태의 폐동맥판협착 또는 폐동맥판폐쇄를 보일 시 태아의 풍선확장술(balloon valvuloplasty)이 혈류역학을 향상시킨다는 보고가 있음(Park IS et al. 2019)

## 6. 신생아관리

1) 심초음파로 진단함
2) 경미한 폐동맥판협착은 증상이 대개 없으며 수술적인 치료가 필요 없음
3) 중등도 이상에서는 협착의 정도와 우심실비대가 진행하므로 풍선확장술 또는 판막절개술이 필요함. 특히 폐동맥 판막이 두껍고 형성이상을 같이 보일 시에는 풍선확장술이 아닌 개심술을 통한 치료가 필요할 수도 있음

## 7. 장기예후

1) 수술을 시행하지 않았을 경우
   (1) 경증은 나이가 많아져도 협착이 진행하지 않고 건강하게 잘 지낼 수 있음
   (2) 심한 협착을 가진 환아에서 치료를 하지 않은 상태가 오래 지속되면 우심실비대와 섬유화가 진행하여 심부전이 생길 수 있으며 운동 시에 돌연사의 가능성이 있음
2) 수술을 시행했을 경우
   (1) 일반적으로 풍선확장술 또는 수술을 성공적으로 받은 대부분의 환아에서 후유증 또는 재협착이 보이지 않으나 폐동맥판막의 상태에 따라 결과는 상이함

## 8. 유전상담

1) 폐동맥판협착이 단독으로 존재하는 경우에는 염색체이상의 빈도가 높지 않음(Digilio M et al. 2001)
2) Noonan, Beckwith-Wiedemann, Alagille, Williams-Beuren 증후군 등에서는 심장 외 기형과 동반하는 경우가 많음(Pierpont ME et al. 2007)

3) 특히, Noonan 증후군(12번 염색체의 장완(12q24.1)에 위치하는 PTPN11 유전자 등의 돌연변이에 의해 발생, 대부분 상염색체 우성유전, 2/3가 de novo mutation)에서 가장 많이 동반되는 심장 기형임(Tartaglia M et al. 2004)

**참고문헌** ////////////////////////////////////////////////////////////////////////////////////////////////////////////////////////////////

1. 대한산부인과초음파학회. 기형태아의 초음파영상 도해. 제 3판. 서울: 도서출판 구암; 2015.

2. Abuhamad A et al. A Practical Guide to Fetal Echocardiography: Normal and Abnormal Hearts. 3rd ed. Philadelphia: Wolters Kluwer Health; 2015.

3. Digilio M et al. Clinical manifestations of Noonan syndrome. Images Paediatr Cardiol. 2001 Apr;3(2):19-30.

4. Park IS et al. An Illustrated Guide to Congenital Heart Disease: From Diagnosis to Treatment – From Fetus to Adult: 1st ed. Singapore: Springer; 2019.

5. Pierpont ME et al. Genetic basis for congenital heart defects: current knowledge. Circulation. 2007;115(23):3015-38.

6. Tartaglia M et al. Paternal germline origin and sex-ratio distortion in transmission of PTPN11 mutations in Noonan syndrome. Am J Hum Genet. 2004;75(3):492.

# 07 대동맥판협착
## Aortic Stenosis, AS

## 1. 개요

1) 선천적으로 좌심실 유출로가 좁아진 경우
2) 병변의 위치에 따라 3가지로 나눔
   (1) 대동맥판협착(valvular AS): 대동맥판막 첨판에 이상이 있는 형태로, 대동맥판협착 중 가장 흔한 형태임. 선천 대동맥이첨판 또는 대동맥 첨판의 형성이상이나 첨판간의 비정상적인 융합에 의하여 발생함
   (2) 대동맥판막하협착(subvalvular AS): 판막 아랫부분에 협착이 있음
   (3) 대동맥판막상협착(supravalvular AS): 관상동맥이 기시하는 바로 윗부분 오름대동맥이 좁아져 있음
3) 서양인에서는 신생아 선천심장병의 약 3-5%을 차지하나, 동양인에서는 빈도가 훨씬 낮음(Park IS et al. 2019)

## 2. 초음파 소견

1) 대동맥판막이 두껍게 보이고, 대동맥의 협착후확장(poststenotic dilatation) 소견이 진단의 단서임
2) 대동맥판막 원위부의 혈류가 증가되어(200 cm/sec 이상) 있거나 와류를 보이는 경우가 있음
3) 심한 승모판협착(mitral stenosis), 심장내막탄력섬유증(endocardial fibroelastosis), 좌심형성저하증후군(hypoplastic left heart syndrome), 대동맥축착(coarctation of the aorta) 등과 동반될 수 있음
4) 대동맥판협착에서는 대동맥판 협착의 정도를 혈류의 속도로 알 수 없기 때문에 산전진단이 어려움

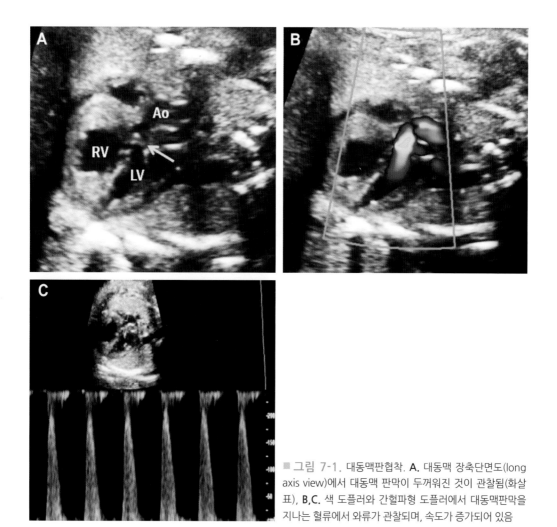

■ 그림 7-1. 대동맥판협착. **A.** 대동맥 장축단면도(long axis view)에서 대동맥 판막이 두꺼워진 것이 관찰됨(화살표), **B,C.** 색 도플러와 간헐파형 도플러에서 대동맥판막을 지나는 혈류에서 와류가 관찰되며, 속도가 증가되어 있음

## 3. 감별진단

1) 팔로네증후(tetralogy of Fallot), 심실중격결손을 동반한 폐동맥판폐쇄(pulmonary atresia with ventricular septal defect), 총동맥줄기(truncus arteriosus)와 같은 질환에서 빠른 혈류 속도 또는 와류로 인해 감별이 어려울 수 있음(Abuhamad A et al. 2016)

2) 임신 제2삼분기에 나타나는 경증의 대동맥판협착은 도플러 검사에서 정상으로 보일 수 있어 감별이 어려움

## 4. 임신 중 예후

태아수종이 있는 경우 예후는 불량함

## 5. 산전관리 및 산전치료

1) 경증의 경우 예후는 좋으며 출생 시까지 진행되지 않음
2) 진행이나 악화 여부를 확인하기 위해 주기적인(2-4주 간격) 검사가 필요함
3) 심한 대동맥판협착의 경우 좌심형성저하로의 진행을 막기 위해 태아에게 풍선확장술을 시행할 수 있음(Yoon SY et al. 2017)

## 6. 신생아관리

1) 심초음파로 진단함
2) 판막협착은 협착의 정도에 따라 출생 직후에 증상이 발현될 수 있음
3) 풍선확장술 또는 개심술을 시행할 수 있음

## 7. 장기예후

1) 수술을 시행하지 않았을 경우(Park IS et al. 2019)
    (1) 협착의 정도가 성장함에 따라서 심해짐
    (2) 심한 협착을 가진 소아의 1-2%에서는 돌연사하기도 함
    (3) 세균성심내막염이 발생할 수 있으므로 예방을 위한 내과적 치료와 판막 기능이상을 평가하기 위한 추적관찰이 필요함
2) 수술을 시행했을 경우(Saung MT et al. 2019)
    (1) 대동맥판막 수술의 사망률은 10%로 보고되며, 장기적으로 재수술이나 시술은 25% 환자에서 필요하며 17%의 환자에서는 판막치환술을 필요로 하는 것으로 알려져 있음
    (2) 대동맥판막에 대한 수술적 치료는 풍선확장술에 비해 재수술이나 재시술의 확률은 낮지만, 장기적인 생존이나 판막치환술의 필요성, 대동맥판폐쇄부전의 발병에 있어서는 차이가 없다고 알려져 있음

## 8. 유전상담

1) 염색체 이상은 드물게 동반됨
2) 심장 외 기형이 동반된 경우에는 터너증후군, Williams-Beuren 증후군(7번 염색체 장완(7q11.23)의 미세결실에 의해 발생, 상염색체 우성유전, 대부분 de novo mutation, 대동맥판막상협착에 대동맥축착이 동반될 수 있음) 등의 가능성을 고려해야 함

**참고문헌**

1. 대한산부인과초음파학회. 기형태아의 초음파영상 도해. 제 3판. 서울: 도서출판 구암; 2015.
2. Abuhamad A et al. A Practical Guide to Fetal Echocardiography: Normal and Abnormal Hearts. 3rd ed. Philadelphia: Wolters Kluwer Health; 2015.
3. Park IS et al. An Illustrated Guide to Congenital Heart Disease: From Diagnosis to Treatment - From Fetus to Adult: 1st ed. Singapore: Springer; 2019.
4. Saung MT et al. Outcomes Following Balloon Aortic Valvuloplasty Versus Surgical Valvotomy in Congenital Aortic Valve Stenosis: A Meta-Analysis. 2019;31:E133-E142.
5. Yoon SY et al. First reported case of fetal aortic valvuloplasty in Asia. Obstet Gynecol Sci. 2017;60(1):106-9.

# 08 대동맥축착과 대동맥궁단절

Coarctation of the Aorta, COA/Interrupted Aortic Arch, IAA

## 1. 개요

1) 대동맥축착
   (1) 대동맥궁이 부분적으로 좁아져 있는 경우로, 주로 좌측 빗장밑동맥 기시부와 동맥관 사이가 좁아져 있음
   (2) 선천심장병의 5-8%(Abuhamad A et al. 2015)
   (3) 대동맥이첨판, 심실중격결손, 대동맥판협착, 승모판협착 등 다른 심장기형을 동반하는 경우가 많음
3) 대동맥궁단절
   (1) 대동맥축착의 가장 심한 형태로 상행대동맥과 하행대동맥의 단절이 특징적이며 다음과 같은 세가지 형태로 나눌 수 있음
      ① A형: 좌측 빗장밑동맥(left subclavian artery)분지 이후 단절. 동양인에서 흔히 발생함
      ② B형: 좌측 빗장밑동맥과 좌측 경동맥(left common carotid artery) 사이의 단절. 가장 흔함
      ③ C형: 좌측 경동맥과 우측 무명동맥(right innominate artery) 사이의 단절. 가장 드묾

## 2. 초음파 소견

1) 대동맥축착의 산전 진단은 상당히 어려우며, 축착이 있더라도 대동맥궁은 정상으로 보일 수 있음. 따라서 다른 간접적인 징후들로 짐작하여 진단하게 됨
   (1) 사방단면도에서 우심장 우세: 심실 직경이 좌심실 직경보다 1.5배 이상 큰 경우에 대동맥협착을 의심. 하지만 임신 28주 이후에는 정상적으로도 우심실/좌심실 비가 증가할 수 있어 진단을 더욱 어렵게 함
   (2) 삼혈관단면도에서 대동맥이 상대정맥과 비슷한 정도로 작아진 경우 대동맥축착을 의심

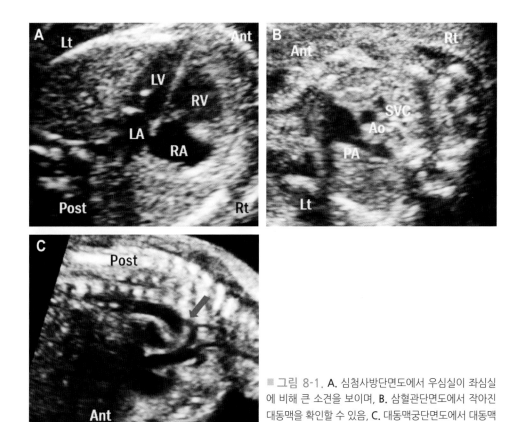

■ 그림 8-1. **A.** 심첨사방단면도에서 우심실이 좌심실에 비해 큰 소견을 보이며, **B.** 삼혈관단면도에서 작아진 대동맥을 확인할 수 있음, **C.** 대동맥궁단면도에서 대동맥궁이 좁아진 소견(화살표)이 관찰됨

2) 대동맥궁단절은 오히려 진단이 간단함

   (1) 심실중격결손이 크지 않으면 사방단면도는 정상으로 보임

   (2) 대부분 심실중격결손이 존재: A형(좌측 빗장밑동맥 분지 이후 단절)의 약 50%, B형(좌측 빗장밑동맥과 좌측 경동맥 사이의 단절)의 약 90% 이상에서 존재(Abuhamad A et al. 2015)

   (3) 대동맥궁이 끊어져 있으며, 상행대동맥이 직선으로 주행함

   (4) 상행대동맥과 대동맥 뿌리의 크기가 작음

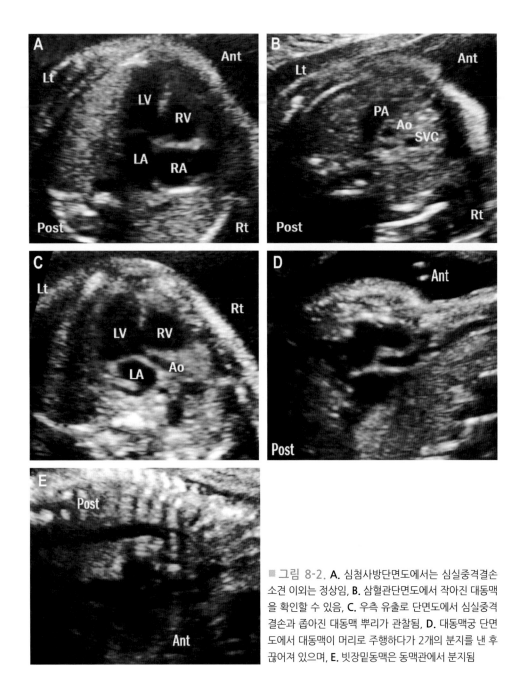

■ 그림 8-2. **A.** 심첨사방단면도에서는 심실중격결손 소견 이외는 정상임, **B.** 삼혈관단면도에서 작아진 대동맥을 확인할 수 있음, **C.** 우측 유출로 단면도에서 심실중격 결손과 좁아진 대동맥 뿌리가 관찰됨, **D.** 대동맥궁 단면도에서 대동맥이 머리로 주행하다가 2개의 분지를 낸 후 끊어져 있으며, **E.** 빗장밑동맥은 동맥관에서 분지됨

## 3. 감별진단(Abuhamad A et al. 2015)

1) 동맥관궁(ductal arch)의 위치 때문에 대동맥축착 또는 대동맥궁단절의 진단이 어려울 수 있음

2) 대동맥축착은 좌심형성저하증후군(hypoplastic left heart syndrome)과 A형 대동맥궁단절과의 감별

이 어려움

3) 대동맥궁단절은 각 세 가지 형태를 구별하기 어려움

4) 심실중격결손을 동반한 B형 대동맥궁단절의 경우 심실중격결손을 동반한 대동맥축착과 감별을 요하며 이 때 심실 간의 크기 차이가 있을 때는 대동맥축착으로, 차이가 없을 때는 대동맥궁단절로 감별을 할 수 있음

## 4. 임신 중 예후

대동맥축착과 대동맥궁단절은 일반적으로 임신 중 예후에 영향이 없음

## 5. 산전관리 및 산전치료

1) 가로대동맥궁(transverse arch)의 발달과 대동맥축착의 진행 정도를 파악하기 위해 매 4-6주간격의 심초음파가 도움됨(Abuhamad A et al. 2015)

2) 전문적인 신생아 심장 처치가 가능한 의료기관에서 분만이 필요함

## 6. 신생아관리

1) 심초음파로 진단 가능하나 심장 컴퓨터단층촬영(computed tomography)을 통해 대동맥궁 및 인접한 구조물의 형태학적인 특징을 파악하여 정확히 진단한 후 적절한 수술 방법을 계획하도록 함

2) 대동맥축착: 단순 대동맥축착은 신생아기에 대부분 좌심실기능부전, 또는 심한 폐동맥고혈압에 의한 증상으로 발견되어 치료를 받게 됨

    (1) 주로 개심술을 통해 교정을 시행함

    (2) 대동맥축착의 신생아기 교정술 사망률은 1% 전후로 낮으며 수술 후 재협착도 매우 드묾(Park IS et al. 2019)

3) 대동맥궁단절: 심한 대동맥축착과 비슷하나 증상이 너 심하고 너 어릴 때에 나타나며 즉시 적극적인 치료를 해주지 않으면 급속히 악화하여 일찍 사망하게 됨

    (1) 내과적치료: 프로스타글란딘 E1 (prostaglandin E1)

    (2) 수술적치료: 나이나 체중과 상관없이 즉시 개심 수술

    (3) 심실중격결손과 좌심실유출로협착이 동반된 대동맥궁단절에서의 완전 교정술은 통상적인 교정술이 아닌 좌심실유출로 우회로를 통한 교정술이 필요할 수 있으며, 단계적인 교정이 필요할

191

수 있음

# 7. 장기예후

1) 수술을 시행하지 않았을 경우
   (1) 대동맥축착
      ① 출생 전이나 유아기 초기에 진단될 경우에는 교정이 가능하지만, 진단되지 않은 경우에 심장기능상실을 초래함
      ② 간혹 영·유아기에 발견되지 못한 채 청소년이나 성인나이까지 생존한 환자들에서는 거의 모든 환자들에서 상지의 심한 고혈압이 생기며 이로 인한 좌심실기능부전, 관상동맥질환, 고혈압성뇌증, 뇌출혈, 심내막염, 대동맥벽의 박리, 대동맥파열 등의 여러 합병증들이 생김
2) 수술을 시행했을 경우
   (1) 대동맥축착
      ① 수술 후 10년 생존율 90% 이상(Park IS et al. 2019)
      ② 풍선확장술 후 재발 또는 잔존 대동맥축착이 나타날 수 있으며, 성공적인 치료 후에도 고혈압이 지속되어 항고혈압제를 복용해야 할 수 있음
   (2) 대동맥궁단절
      ① 대동맥궁단절에 동반될 수 있는 좌심실유출로협착에 따른 선택적 치료방침의 적용을 통해 수술적 교정 후 사망 및 재수술의 빈도를 현저히 낮출 수 있었음(10년 생존율 86%, 10년 재수술자유율 76%) (Bahaaldin A et al. 2016)
      ② 수술 후 재건부위에 재협착이 일어날 수 있으며 이 경우 대개 풍선확장술로 치료가 가능함

# 8. 유전상담

1) 대동맥축착의 약 35%에서 터너증후군(가장 흔함), 다운증후군, 에드워드증후군, 파타우증후군 등의 홀배수체와 22번염색체장완미세결실증후군(상염색체 우성유전, 약 90%가 de novo mutation), 불균형 전위 등의 염색체 이상이 보고되었으며, 심장 외 기형이 동반된 경우에서 위험이 증가됨(Paladini D et al. 2004)
2) 대동맥궁단절의 약 절반에서 22번염색체장완미세결실증후군이 동반되며 특히 B형 대동맥궁단절과의 연관성이 높음. 드물게 터너증후군이 동반될 수 있음(Genetics Home Reference, 2020)

**참고문헌** /////////////////////////////////////////////////////////////////////////////////////////////////////////////////////////////////////

1. 대한산부인과초음파학회. 기형태아의 초음파영상 도해. 제 3판. 서울: 도서출판 구암; 2015.

2. Abuhamad A et al. A Practical Guide to Fetal Echocardiography: Normal and Abnormal Hearts. 3rd ed. Philadelphia: Wolters Kluwer Health; 2015.

3. Bahaaldin A et al. Selective management strategy of interrupted aortic arch mitigates left ventricular outflow tract obstruction risk: J Thoracic Cardiovasc Surg. 2016;151:142-21

4. Paladini D et al. Aortic coarctation: prognostic indicators of survival in the fetus. Heart. 2004;90:1348-1349.

5. Park IS et al. An Illustrated Guide to Congenital Heart Disease: From Diagnosis to Treatment – From Fetus to Adult: 1st ed. Singapore: Springer; 2019.

6. Volpe P et al. Prenatal diagnosis of interruption of the aortic arch and its association with deletion of chromosome 22q11. Ultrasound Obstet Gynecol. 2002;20:327

7. "22q11.2 deletion syndrome". Genetics Home Reference. December 2019. Archived from the original on 19 April 2020.

# 09 총폐정맥환류이상
### Total Anomalous Pulmonary Venous Return, TAPVR

## 1. 개요

1) 4개의 폐정맥이 좌심방으로 연결되지 않고 우심방 또는 우심방으로 유입되는 혈관(또는 통로)에 연결되어 있음

2) 4가지 유형

   (1) 제1형, supracardiac type: 4개의 폐정맥이 좌심방 후방에 하나의 혈관으로 합류(confluent vein) 하며, 이 합류혈관에서 비정상적인 혈관이 기시하여 좌상대정맥을 따라 우상대정맥과 연결되어 우심방으로 유입되거나, 직접 상대정맥과 연결되어 상대정맥으로 폐순환이 유입됨

   (2) 제2형, cardiac type: 비정상적인 폐정맥이 우심방의 관상정맥동(coronary sinus)이나, 우심방의 후면으로 유입됨

   (3) 제3형, infracardiac type: 비정상적인 폐정맥이 식도구멍을 통하여 횡격막 하측의 복강으로 주행하며 문맥순환계, 간정맥, 정맥관, 하대정맥 등으로 유입됨. 식도구멍이나 문맥순환계의 연결 부위 등에서 폐쇄가 흔히 일어나 출생 후 치료가 안될 시 사망할 수 있음

   (4) 제4형, mixed type: 주로 좌폐정맥들은 무명정맥(innominate vein)으로, 우폐정맥들은 심장정맥굴 또는 우심실로 직접 유입됨

3) 2012년에 보고된 논문에 따르면 424명 케이스에서 8명(1.9%)만 진단될 만큼 산전진단이 어려운 질환임(Seale AN et al. 2012)

4) 선천심장병의 약 2%임(Abuhamad A et al. 2015)

## 2. 초음파 소견

1) 좌심방 뒤쪽의 비정상 혈관이 관찰됨

2) 사방단면도에서 적어도 1개의 폐정맥이 좌심방으로 유입되는 것을 확인하면 총폐정맥환류이상

배제 가능함

3) 우측 상대정맥의 비대, 경미한 우심실비대 또는 폐동맥확장이 관찰되기도 함

4) 태아 시상면에서 혈관이 흉곽에서 횡격막 아래쪽으로 길게 내려오면 제3형을 의심해야 함

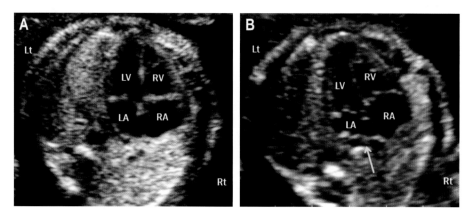

■ 그림 9-1. 총폐정맥환류이상의 심첨사방단면도 초음파사진 **A.** 좌심방 내로 유입되는 폐정맥이 관찰되지 않음 **B.** 좌심방 뒤로 비정상혈관(화살표)이 지나감

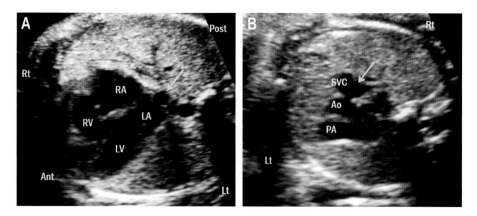

■ 그림 9-2. **A.** 심첨사방단면도 초음파에서 좌심방으로 유입되는 폐정맥이 관찰되지 않고, 좌심방 상부로 비정상 혈관이 관찰됨(화살표) **B.** 비정상 혈관은 상대정맥으로 유입되어 정상보다 비대되어 있음(화살표)

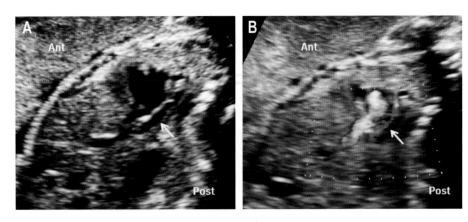

■ 그림 9-3. **A, B.** 시상면도. 심장 위에서 시작된 비정상 혈관이 관찰됨(화살표)

## 3. 감별진단

1) 대동맥 옆 뒤에 위치한 홀정맥(interrupted IVC with azygous continuation)이 있을 경우 합류정맥(confluent vein)과 감별을 요함

2) 세혈관기도단면도(three-vessel-trachea view)에서 좌상대정맥존속(persistent left superior vena cava)이 관찰될 경우 supracardiac TAPVR과 감별을 요함

3) 우측 이성체(right atrial isomerism)에서 동반되는 선청심장병일 가능성이 있으니 면밀한 관찰이 필요함

## 4. 임신 중 예후

단독질환의 경우 임신 중 예후에는 영향을 미치지 않음

## 5. 산전관리 및 산전치료

1) 폐정맥의 정확한 위치를 파악하여 출생 후 치료에 대한 대비를 하는 것이 중요함

2) 전문적인 신생아 심장 처치가 가능한 의료기관에서 분만이 필요함

## 6. 신생아관리

1) 최근에는 정확한 진단과 수술 방법을 계획하는 데에 심장 컴퓨터단층촬영(computed tomography) 또는 자기공명영상(magnetic resonance imaging)이 중요함

2) 폐정맥혈류가 막히지 않은 총폐정맥환류이상의 경우 증상이 없으면 신생아기에 계획 수술을 하고, 폐정맥혈류가 막힌 총폐정맥환류이상의 경우에는 응급수술 시행함

3) 수술 사망률은 보통 5-10% 이하로 보고되고 있으나 심한 폐동맥고혈압이 있으면 20% 정도까지 올라감(Park IS et al. 2019)

## 7. 장기예후

1) 수술을 시행하지 않았을 경우
   (1) 제3형(infracardiac type)은 생후 2개월 이내 일찍 사망할 수 있어 가장 예후가 안 좋음
   (2) 그 외 형태에서도 심부전, 폐동맥고혈압 및 Eisenmenger syndrome이 나타날 수 있어 예후가 안 좋음

2) 수술을 시행했을 경우
   수술 후 2년 내에 폐정맥협착과 같은 합병증이 발생하지 않으면 그 이후에 합병증이 나타날 확률은 거의 없음(Hickey EJ et al. 2011)

## 8. 유전상담

1) 염색체 이상은 드물게 동반됨

2) Scimitar 증후군(우측 폐정맥의 일부 혹은 전부가 하대정맥으로 유입되고 우측폐의 발달 이상을 동반함), 묘안증후군(cat eye syndrome, 22번 염색체의 단완과 장완의 일부분의 중복에 의해 발생), Holt-Oram 증후군 등에서 동반될 수 있음

참고문헌

1. 대한산부인과초음파학회. 기형태아의 초음파영상 도해. 제 3판. 서울: 도서출판 구암; 2015.

2. Abuhamad A et al. A Practical Guide to Fetal Echocardiography: Normal and Abnormal Hearts. 3rd ed. Philadelphia: Wolters Kluwer Health; 2015.

3. Hickey EJ et al. Surgical management of post-repair pulmonary vein stenosis. Semin Thorac Cardiovasc Surg Pediatr Card Surg Ann. 2011;14:101-8.

4. Park IS et al. An Illustrated Guide to Congenital Heart Disease: From Diagnosis to Treatment – From Fetus to Adult: 1st ed. Singapore: Springer; 2019.

5. Seale AN et al. Total anomalous pulmonary venous connection: impact of prenatal diagnosis. Ultrasound Obstet Gynecol. 2012;40:310-318.

# 10 팔로네증후

Tetralogy of Fallot, TOF

## 1. 개요

1)  네 가지 특징: 심실중격결손, 대동맥기승(overriding aorta), 폐동맥판협착, 우심실 비대
2)  산전에는 우심실 비대는 뚜렷하지 않음
3)  선천심장병의 7-10%, 1/1,000명 출생아(대한산부인과초음파학회. 2015)

## 2. 초음파 소견

1)  대부분 정상 사방단면도를 보임
2)  심실중격결손: 심실중격과 대동맥유출로 간에 연결이 끊어진 것으로 확인. 색 도플러가 도움이 됨
3)  대동맥기승
    ① 사방단면도에서 탐색자를 태아의 우측 어깨 쪽으로 약간 꺾으면 대동맥기승을 확인 가능함
    ② 출생 전에는 우심실비대가 저명하지 않고 임신초기에는 폐동맥 깔때기 협착이 명확하지 않을 수 있어 대동맥기승이 팔로네증후의 산전 진단에 중요함
4)  대동맥보다 작은 크기의 폐동맥
    ① 세혈관단면도에서 대동맥이 폐동맥보다 크기가 크고 앞쪽에 있어 폐동맥-대동맥-상대정맥의 정렬이 흐트러짐
    ② 폐동맥형성저하(pulmonary hypoplasia) 및 폐동맥판륜 크기는 주산기 예후와 관련이 있음.(백수진 외. 2009) 색 도플러를 이용한 와류(turbulent flow)의 정도가 폐동맥협착 평가에 도움이 됨. 심한 경우 우심실에서 폐동맥으로 나가는 혈류 없이 동맥관에서 주폐동맥(main pulmonary artery)으로 역류하는 혈류가 색 도플러로 보임

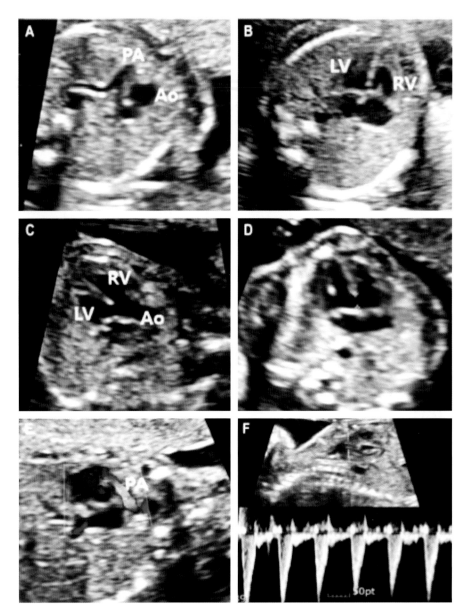

■ 그림 10-1. A. 팔로네증후의 삼혈관단면도 초음파 그림.폐동맥보다 대동맥의 크기가 더 커 보임, B. 심첨 사방단면도에서 정상소견을 보이나 심장의 축이 왼쪽으로 많이 돌아가 있음, C,D. 대동맥 장축단면도와 심첨 사방단면도에서 심실중격결손 소견과 함께 대동맥기승 소견이 함께 관찰됨, E,F. 색 도플러와 펄스 도플러에서 우심실유출로 협착 소견을 보임

## 3. 감별진단

1) 양대혈관우심실기시: 대동맥이 50% 미만으로 좌심실에 걸쳐져 있으면 팔로네증후, 50% 이상 우

심실에 걸쳐져 있으면 팔로네증형(Fallot type)의 양대혈관우심실기시로 진단함

2) 심실중격결손을 동반한 폐동맥판폐쇄(pulmonary atresia with ventricular septal defect)

3) 총동맥줄기(truncus arteriosus)

## 4. 임신 중 예후

1) 전형적인 팔로네징후의 주산기 예후는 양호하며 과거 팔로네증후의 아형으로 분류되었던 폐동맥판막이 없는 경우(absent pulmonary valve syndrome)와 심실중격결손을 동반한 폐동맥판폐쇄(pulmonary atresia with ventricular septal defect)의 경우 주산기 예후가 매우 나빠 현재는 예후에서 따로 분류함

2) 팔로네증후에 동반된 폐동맥판막이 없는 경우(absent pulmonary valve syndrome): 드문 질환으로 임상양상이 전형적인 팔로네증후와 다르며 폐동맥에서 우심실로 심각한 역류가 나타나서 울혈심부전과 태아수종이 발생 가능함(Abuhamad A et al. 2015)

3) 산전 진단된 팔로네증후의 예후는 대부분 좋으나 산전 관찰되는 폐동맥 성장저하, 오름대동맥의 과성장, 폐동맥판을 통한 혈류 중단, 동맥관에서 역류 소견 및 폐동맥판폐쇄로 진행은 출생 후 나쁜 예후를 보임

## 5. 산전관리 및 산전치료

1) 주기적인 추적관찰로 폐동맥 성장 및 혈류를 관찰하는 것이 중요함

2) 동반 심장기형이 흔하며(25%에서 우측 대동맥궁 동반), 염색체 이상, 심장 외 기형도 흔하게 동반되므로 산전상담과 추가검사가 필요함(Abuhamad A et al. 2015)

3) 출생 후에 동맥관이 닫히면 심한 우심실유출로(right ventricular outflow tract, RVOT) 협착이 있는 경우 저산소증이 발생 할 수 있으므로 전문적인 신생아 심장 처치가 가능한 의료기관에서 분만 필요함(Park IS et al. 2019)

## 6. 신생아 관리

1) 심초음파 및 심장 컴퓨터단층촬영(computed tomography)이 진단과 수술방법을 계획하는 데 중요함

2) 수술을 기다릴 때 propranolol은 무산소 발작을 방지하기 위해 흔히 사용됨. 폐동맥판폐쇄가 동반

됐을 때는 프로스타글란딘 E1 (prostaglandin E1) 주입이 반드시 필요함(Park IS et al. 2019)

3) 만약 환아가 반복적인 무산소 발작, 심한 청색증과 같은 증상이 보인다면 조기 수술을 고려함

4) 심한 청색증과 같은 증상이 없을 때에는 정상 산소포화도를 보일 때는 생후 6개월 완전교정수술 (total correction)을 시행함

5) 작은 폐동맥, 관상동맥의 이상, 저체중출생아, 조산아, 다른 동반 심장 기형이 있을 시에는 완전교 정수술 전 단락술(shunt) 등의 완화시술(palliative procedure)을 시행할 수 있음

6) 다른 동반 기형이 없는 환아가 2세 전에 완전교정수술을 받을 때 수술 사망률은 2-3% 미만임 (Charles D et al. 2001)

## 7. 장기 예후

1) 수술을 한 환아에서 단기, 장기 생존율은 95%까지 보고됨(Abuhamad A et al. 2015)

2) 수술하지 않으면 처음에는 청색증이 없거나 심하지 않더라도 점차 우심실 유출로의 협착이 진행 되며, 무산소 발작이 발생. 심할 때 허혈성뇌병변(hypoxic encephalopathy)이 생길 수도 있음

3) 교정 수술 이후에 후유증으로 폐동맥판역류(pulmonary regurgitation), 우심실 유출로의 잔류 협착 (residual RVOT obstruction), 우심실 유출로 동맥류(RVOT aneurysm), 대동맥분지확장 및 대동맥 판역류(aortic root dilatation and aortic regurgitation), 폐동맥분지협착, 우심실 유출로 확장, 좌심실 기능부전(LV dysfunction), 부정맥(arrhythmia) 등이 있음(Park IS et al. 2019)

## 8. 유전상담

1) 다운증후군, 22번염색체장완미세결실증후군, 에드워드증후군, 파타우증후군 등의 염색체 이상이 30% 이상에서 동반됨(Poon LC et al. 2007)

2) 흉선저형성 또는 무형성증, 우측대동맥궁, 심장외 기형, 양수과다증이 동반된 경우에 22번염색체 장완미세결실증후군의 위험이 증가함(Chaoui R et al. 2002)

3) 그 외에도 20번염색체단완(20p11.2)에 위치하는 JAG1 유전자의 돌연변이에 의해 Alagille 증후군 에서 동반되거나 CHARGE 증후군 등에서 동반될 수 있음(Besseau-Ayasse J et al. 2014)

**참고문헌**

1. 대한산부인과초음파학회. 기형태아의 초음파영상 도해. 제3판. 서울: 도서출판 구암; 2015.
2. 백수진 외. 팔로네징후의 예후인자로서 태아 심초음파의 지표. 대한산부인과초음파학회지 2009;11:119-30.

3. Abuhamad A et al. A Practical Guide to Fetal Echocardiography: Normal and Abnormal Hearts. 3rd ed. Philadelphia: Wolters Kluwer Health; 2015.

4. Besseau-Ayasse J et al. A French collaborative survey of 272 fetuses with 22q11.2 deletion: ultrasound findings, fetal autopsies and pregnancy outcomes. Prenat Diagn. 2014;34:424-430.

5. Chaoui R et al. Absent or hypoplastic thymus on ultrasound: a marker for deletion 22q11.2 in fetal cardiac defects. Ultrasound Obstet Gynecol. 2002;20:546-552.

6. Charles D et al. Tetralogy of Falllot: Surgical Management Individualized to the Patient. Ann Thorac Surg 2001;71:1556-63

7. Park IS et al. An Illustrated Guide to Congenital Heart Disease: From Diagnosis to Treatment – From Fetus to Adult: 1st ed. Singapore: Springer; 2019.

8. Poon LC et al. Tetralogy of Fallot in the fetus in the current era. Ultrasound Obstet Gynecol. 2007;29:625-627.

# 11 양대혈관우심실기시

## Double Outlet Right Ventricle, DORV

## 1. 개요

1) 대동맥과 폐동맥의 50% 이상이 해부학적 우심실에서 함께 기시함
2) 양대혈관의 기시부에서 두 혈관의 위치관계에 따라 4가지 형으로 분류함
   (1) 정상 혹은 팔로네증형(Fallot type): 대동맥은 폐동맥 우측 뒤 위치
   (2) 병행형(side-by-side type): 대동맥은 폐동맥 우측 옆 위치
   (3) 우위치이상형(D-transposition type): 대동맥은 폐동맥 우측 앞 위치
   (4) 좌위치이상형(L-transposition type): 대동맥은 폐동맥 좌측 앞 위치
3) 대부분 심실중격결손이 동반, 심실중격결손의 위치에 따라 4가지 형으로 분류함
   (1) 대동맥하 심실중격결손(subaortic VSD)
   (2) 폐동맥하 심실중격결손(subpulmonary VSD)
   (3) 이중예탁 심실중격결손(doubly committed VSD)
   (4) 원격 심실중격결손(remote VSD)
      * ventricular septal defect, VSD
4) 현성 당뇨 산모의 태아에서 발생하는 가장 흔한 심기형임

## 2. 초음파 소견

1) 우심실유출로에서 대동맥과 폐동맥이 함께 기시함
   (1) 우심에서 기시하는 대동맥이나 폐동맥의 장축단면도가 유용함
   (2) 팔로네증형: 폐동맥과 대동맥 각각의 기시부가 50% 이상 우심실에 걸쳐 있고 우심실유출로협착이 있는 것으로 진단함
2) 심실중격결손의 위치와 크기, 대혈관들의 상호 위치관계, 대혈관유출로의 협착이나 폐쇄 유무 확인이 필요함

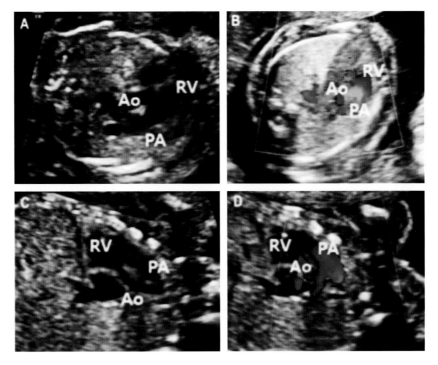

■ 그림 11-1. A. 장축단면도에서 우심실에서 대동맥과 폐동맥이 함께 기시하는 것이 관찰됨, B. 색도플러에서 다시 확인할 수 있음, C,D. 대동맥궁단면도와 동맥관궁단면도에서 우심실에서 대동맥과 폐동맥이 모두 기시함

## 3. 감별진단

1) 팔로네증후(tetralogy of Fallot)
2) 완전대혈관전위(complete transposition of the great arteries): 대혈관들이 나란히 위치하는 경우 진단이 어려움

## 4. 임신 중 예후

1) 방실판막부전(atrioventricular valve insufficiency), 전도장애가 있는 좌측 이성체(left atrial isomerism)에서 동반될 때 심부전, 태아수종, 자궁내 사망이 발생할 수 있음(Abuhamad A et al. 2015)
2) 산전 관찰되는 대동맥궁형성부전(tubular aortic arch hypoplasia), 폐동맥판폐쇄, 좌심형저하(hypooplastic left ventricle), 단심실(single ventricle), 승모판폐쇄, 방실중격결손, 불분명위치(situs ambiguous)은 출생 후 나쁜 예후와 연관됨(Abuhamad A et al. 2015)

205

## 5. 산전관리 및 산전치료

1) 22번염색체장완미세결실증후군(22q11.2 microdeletion syndrome) 가능성이 있기에 흉선의 유무와 크기가 중요함
2) 동반 기형 및 염색체 이상 유무가 예후에 영향을 미치므로 산전 상담과 추가검사가 필요함
3) 출생 후 청색증이 발생할 수 있고 수술적인 치료가 필요하므로 전문적인 신생아 심장 처치가 가능한 의료기관에서 분만 필요함

## 6. 신생아 관리

1) 심초음파 및 심장 컴퓨터단층촬영(computed tomography)이 진단과 수술방법을 계획하는 데 중요함
2) 모든 DORV 환아는 수술적 치료가 필요함. 분류에 따라 수술 방법 및 시기가 다름
   (1) 대동맥하 심실중격결손: 한 단계 완전교정수술(one-stage total correction)
   (2) 폐동맥판협착 동반: 팔로네증후군 수술과 수술 전략이 동일함
   (3) 폐동맥하 심실중격결손: 동맥치환술 및 심실중격결손의 교정
   (4) 원격 심실중격결손 시: 양심실 교정(biventricular repair)이 모든 경우에 가능한 것은 아님
3) 수술 사망률은 4-8%로 보고됨(Abuhamad A et al. 2015)

## 7. 장기 예후

1) 10년 장기 생존율이 90%까지 보고됨(Abuhamad A et al. 2015). 심실 중격결손의 위치에 따라 예후가 다름
2) 수술하지 않으면 분류에 따라 차이는 있으나 심한 심부전과 호흡곤란으로 인한 합병증으로 조기 사망하거나 또는 일찍 Eisenmenger syndrome이 생기면 수술의 위험이 높아지거나 불가능하게 됨(Park IS et al. 2019)
3) 수술 후 후유증으로 좌심실 유출로 폐쇄가 발생할 수 있음(Park IS et al. 2019)

## 8. 유전상담

1) 22번염색체장완미세결실증후군, 에드워드증후군, 파타우증후군과 결실/중복 등의 염색체 이상이

12-40%에서 동반됨(Allan LD et al. 1994; Obler D, et al. 2008)

2) 방실판막 이상의 동반된 경우에 염색체 수적 이상의 위험이 증가함

3) 이성체와 동반된 경우에는 염색체 이상 위험이 낮음

**참고문헌** ////////////////////////////////////////////////////////////////////////////////////////////////////////////////////////////

1. 대한산부인과초음파학회. 기형태아의 초음파영상 도해. 제3판. 서울: 도서출판 구암; 2015.

2. Abuhamad A et al. A Practical Guide to Fetal Echocardiography: Normal and Abnormal Hearts. 3rd ed. Philadelphia: Wolters Kluwer Health; 2015.

3. Allan LD et al. Prospective diagnosis of 1,006 consecutive cases of congenital heart disease in the fetus. J Am Coll Cardiol. 1994;23:1452-8.

4. Obler D et al. Double outlet right ventricle: etiologies and associations. J Med Genet. 2008;45:481-97.

5. Park IS et al. An Illustrated Guide to Congenital Heart Disease: From Diagnosis to Treatment – From Fetus to Adult. 1st ed. Singapore: Springer; 2019.

# 12 총동맥줄기/동맥간증
## Truncus Arteriosus

## 1. 개요

1) 총동맥줄기가 심실중격 위로 나오면서 좌심실과 우심실에서 동시에 기시. 총동맥줄기에는 상행 대동맥과 주폐동맥(main pulmonary artery) 사이를 분리하는 칸막이가 없이 동맥줄기판(truncal valve)이 존재함

2) 폐동맥이 나오는 위치에 따라 분류할 수 있고 두 종류의 분류법이 있음
   (1) Van Praagh 분류: A형은 심실중격결손이 동반되나 B형은 온전한 심실중격을 가짐
      ① A1형: truncal valve 이후 바로 대동맥과 주폐동맥이 분지함(Collet and Edwards 분류 제1형)
      ② A2형: 두개의 폐동맥이 총동맥줄기에서 직접 나옴(Collet and Edwards 분류 제2형)
      ③ A3형: 하나의 폐동맥은 총동맥줄기에서, 다른 하나는 동맥관 혹은 내림대동맥(descending aorta)에서 나오는 곁동맥(collateral artery)들에 의해 공급받음
      ④ A4형: 대동맥궁단절(interruption of aorta arch) 또는 대동맥궁협부형성저하(aortic isthmus hypoplasia)이 동반된 경우
      ⑤ B형: 온전한 심실중격을 가지며 매우 드묾
   (2) Collett and Edwards 분류
      ① 제1형: truncal valve 이후 바로 대동맥과 주폐동맥이 분지함
      ② 제2형: 두개의 폐동맥이 총동맥줄기에서 직접 나오며 서로 가깝게 위치함
      ③ 제3형: 두개의 폐동맥이 총동맥줄기에서 직접 나오나 서로 떨어져 있음

3) 드문 심장기형으로 전체 선천심장병의 약 1% 정도임(Park IS et al. 2019)

4) 0.3-2.1/10,000명 출생아(대한산부인과초음파학회. 2015)

## 2. 초음파 소견

1) 대부분에서 심실중격결손을 동반하며, 심실중격결손 위로 하나의 총동맥줄기가 기승하는 소견
2) 사방단면도는 정상으로 보일 수 있음
3) 동맥줄기판 부전이나 협착이 흔히 동반되며, 이를 확인하는 데 색 도플러 초음파가 도움이 됨
4) 약 50-70%에서 동맥관(ductus arteriosus)이 없고, 약 15-30%에서 우측 대동맥궁 동반됨(Abuhamad A et al. 2015)

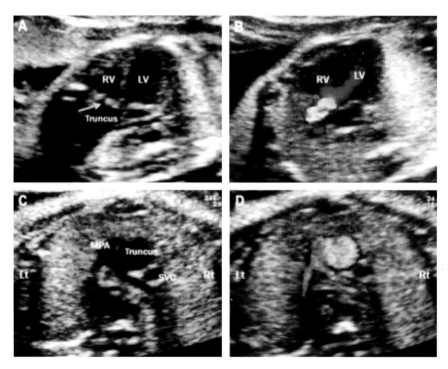

■ 그림 12-1. **A.** 장축단면도에서 보이는 심실중격결손 및 하나의 큰 동맥 및 두꺼워진 판막(화살표), **B.** 색 도플러를 이용하여 판막의 협착을 확인할 수 있음, **C,D.** 삼혈관단면도에서 큰 동맥에서 기시되는 폐동맥

## 3. 감별진단

1) 팔로네증후 및 심실중격결손을 동반한 폐동맥폐쇄(pulmonary atresia with ventricular septal defect)
2) 대동맥과 폐동맥이 총동맥줄기에서부터 시작되어 공통기원하는 것이 감별진단에 중요하며 색 도플러가 도움이 됨. 판막이형성 및 기능부전(dysplastic valve with insufficiency)은 총동맥줄기에서 흔함(Abuhamad A et al. 2015)

## 4. 임신 중 예후

1) 동맥줄기판의 협착, 부전 및 다른 심기형과 동반 시 심부전, 태아수종, 태아사망의 위험이 높아 산전 경과관찰이 중요함
2) 국내 보고에서는 산전 사망은 3% 미만임(Lee MY et al. 2013)

## 5. 산전관리 및 산전치료

1) 여러 증후군과 염색체 이상, 특히 22번염색체장완미세결실증후군에서 흔히 동반됨
2) 동반 기형 및 염색체 이상 유무가 예후에 영향을 미치므로 산전 상담과 추가검사가 필요함
3) 전문적인 신생아 처치가 가능한 의료기관에서 분만 필요함

## 6. 신생아 관리

1) 심초음파 및 심장 컴퓨터단층촬영(computed tomography)이 진단과 수술방법을 계획하는 데 중요함
2) 일반적으로 신생아기에 교정 수술을 시행함
3) 수술은 세 부분으로 심실중격결손의 교정, 대동맥근으로부터 폐동맥 분리 및 우심실에 부착으로 이루어짐
4) 완전 교정수술이 가능하다면 Rastelli 수술을 시행하고 불가능하다면 폐동맥 교약술(banding)이나 우심실-폐동맥 관(RV-PA graft) 삽입 등을 시행할 수 있음

## 7. 장기 예후

1) 수술 사망률은 약 10%로 보고됨(Abuhamad A et al. 2015)
2) 수술하지 않으면 대부분 생후 6개월-2세 이전에 심부전, Eisenmenger syndrome 및 이로 인한 호흡기 합병증으로 사망함(Park IS et al. 2019)
3) 수술 후 우심실-폐동맥 관의 교체를 위한 재수술이 필요함

## 8. 유전상담

1) 22번염색체장완미세결실증후군이 약 30%에서 동반됨(Boudjemline Y et al. 2001)
2) 다운증후군, 에드워드증후군, 파타우증후군 등의 염색체 수적 이상이 약 9%에서 보고됨(Volpe P et al. 2003)

**참고문헌** ////////////////////////////////////////////////////////////////////////////////////////////////////////////////////////////////

1. 대한산부인과초음파학회. 기형태아의 초음파영상 도해. 제 3판. 서울: 도서출판 구암; 2015.
2. Abuhamad A et al. A Practical Guide to Fetal Echocardiography: Normal and Abnormal Hearts. 3rd ed. Philadelphia: Wolters Kluwer Health; 2015.
3. Boudjemline Y et al. Prevalence of 22q11 deletion in fetuses with conotruncal cardiac defects: a 6-year prospective study. J Pediatr. 2001;138:520-4.
4. Lee MY et al. Prenatal diagnosis of common aterial trunk: a single-center experience. Fetal Diagn Ther. 2013;34:152-7.
5. Park IS et al. An Illustrated Guide to Congenital Heart Disease: From Diagnosis to Treatment – From Fetus to Adult: 1st ed. Singapore: Springer; 2019.
6. Volpe P et al. Common arterial trunk in the fetus: characteristics, associations, and outcome in a multicenter series of 23 cases. Heart. 2003;89:1437-41.

# 13 완전대혈관전위
Complete Transposition of the Great Arteries, d-TGA

## 1. 개요

1) 심방과 심실의 연결은 정상, 심실과 대혈관 연결은 불일치함(discordance)
2) 대동맥이 우심실에서 나오고, 폐동맥이 좌심실에서 기시함
3) 온전한 심실중격(intact ventricular septum)을 가진 형과 심실중격결손이 동반된 형이 있음
4) 전체 선천심장병의 약 5-7%으로 2-4/10,000명 출생아, 전체 대혈관전위의 약 80%가 완전 대혈관전위임

## 2. 초음파 소견

1) 사방단면도는 대부분 정상임
2) 심실유출로에서 대동맥과 폐동맥은 서로 교차하지 않고 평행하게 위치함
3) 해부학적 좌심실에서 폐동맥이, 해부학적 우심실에서 대동맥이 기시함
   (1) 폐동맥은 좌우 폐동맥이 분지하는 것으로 확인하며, 대동맥은 대동맥궁에서 머리와 상지로 가는 혈관이 분지하는 것으로 확인함
   (2) 좌심실과 우심실의 구별은 심첨사방단면도에서 승모판 보다 삼첨판이 약간 더 심장 첨부쪽으로 부착되어 있는 소견으로 구별. 또한 우심실은 조종띠(moderate band)로 인해 좌심실에 비해 심실내벽이 약간 거칠게 보임
4) 20%에서 심실중격결손과 동반되며, 온전한 심실중격을 가진 완전대혈관전위는 약 5-40%에서 좌심실유출로 협착 동반함(대한산부인과초음파학회. 2015)

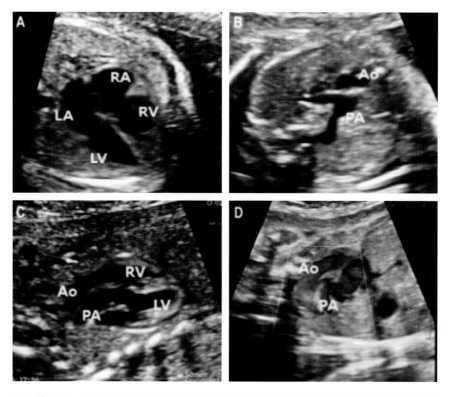

■ 그림 13-1. **A.** 정상 심첨 사방단면도, **B.** 삼혈관단면도에서 대동맥이 폐동맥의 오른쪽 앞에 위치, **C.** 장축단면도에서 대동맥과 폐동맥은 서로 교차하지 않고 평행하게 주행함, **D.** 색 도플러에서도 확인할 수 있음

## 3. 감별진단

1) 양대혈관우심실기시증(double outlet right ventricle)
2) 수정대혈관전위(congenitally corrected transposition of the great arteries)

## 4. 임신 중 예후

산전 관찰되는 동맥관(ductus arteriosus)과 난원공(foramen ovale)의 조기폐쇄 및 협착은 출생 후 응급 풍선심방중격절개술(balloon atrial septostomy)의 적응증임

## 5. 산전관리 및 산전치료

1) 주기적인 추적관찰로 심실중격결손 유무 및 폐동맥판협착 발생여부를 확인이 필요함
2) 단독으로 있는 경우 심장 외 기형이나 염색체 이상의 동반은 드묾
3) 사방단면도가 정상으로 보여 산전 진단을 놓치는 경우가 있으나, 온전한 심실중격을 가진 완전대혈관전위의 경우 출생 후 수시간내에 응급 풍선심방중격절개술 및 약물치료가 필요하므로 산전 진단이 무엇보다 중요함
4) 위와 같은 이유로 전문적인 신생아 심장 처치가 가능한 의료기관에서 분만해야 하며 계획분만이 필요함

## 6. 신생아 관리

1) 심초음파 및 심장 컴퓨터단층촬영(computed tomography)이 진단과 수술방법을 계획하는 데 중요함
2) 진단을 받은 모든 환아에서 수술적 치료 필요함
   (1) 온전한 심실중격을 가진 완전대혈관전위
      ① 수술 시행 전 응급치료가 반드시 필요함. 수술 하지 않으면 1년 내에 사망함(Park IS et al. 2019)
      ② 응급치료로 동맥관을 유지하기 유해 프로스타글란딘 E1 (prostaglandin E1) 주입이 필요하며 동맥혈의 산소량을 높이기 위해 풍선심방중격절개술(balloon atrial septostomy)을 시행함
      ③ 생후 1-2주 이내에 동맥치환술(arterial switch operation, Jatene operation) 시행함
   (2) 심실중격결손이 동반된 완전대혈관전위
      ① 신생아기, 늦어도 생후 3개월 이전에 동맥치환술 및 심실중격결손 교정함
      ② 폐동맥판협착이 동반된 경우에는 청색증이 심하다면 단락술을 시행하고, 추후 완전교정술을 시행함
3) 수술 후 사망률은 2-3%임(Park IS et al. 2019)

## 7. 장기 예후

1) 수술을 받은 환아의 예후는 매우 좋으며 수술 후 10년간의 누적 생존율은 95% 이상임(대한산부인과초음파학회. 2015)
2) 심실중격결손이 동반된 경우에는 청색증이 심하지 않으므로 간혹 진단을 놓치고 영·유아기 이후

까지 생존하는 경우가 있으나 Eisenmenger syndrome이 빨리 진행하여 사망하거나 수술이 불가능해짐(Park IS et al. 2019)

3) 동맥치환술 시 합병증으로 경증의 우심실 유출로 협착이나 폐동맥 가지의 협착이 동반될 수 있으며 Rastelli 수술의 경우 추후 환아가 성장함에 따라 우심실-폐동맥 관(RV-PA graft)의 교환 수술이 필요함(Park IS et al. 2019)

## 8. 유전상담

1) 염색체의 수적 이상은 거의 보고되지 않음
2) 심장 외 기형이 동반되거나 복잡 완전대혈관전위일 경우에는 22번염색체장완미세결실증후군이 동반될 수 있음(Peyvandi S et al. 2013; Melchionda S et al. 1995)

**참고문헌** ////////////////////////////////////////////////////////////////////////////////////////////////////

1. 대한산부인과초음파학회. 기형태아의 초음파영상 도해. 제 3판. 서울: 도서출판 구암; 2015.

2. Abuhamad A et al. A Practical Guide to Fetal Echocardiography: Normal and Abnormal Hearts. 3rd ed. Philadelphia: Wolters Kluwer Health; 2015.

3. Melchionda S et al. Transposition of the great arteries associated with deletion of chromosome 22q11. Am J Cardiol. 1995;75:95-8.

4. Park IS et al. An Illustrated Guide to Congenital Heart Disease: From Diagnosis to Treatment – From Fetus to Adult: 1st ed. Singapore: Springer; 2019

5. Peyvandi S et al. 22q11.2 deletions in patients with conotruncal defects: data from 1,610 consecutive cases. Pediatr Cardiol. 2013;34:1687-94.

# 14 수정대혈관전위

Congenitally Corrected Transposition of the Great Arteries, cc-TGA

## 1. 개요

1) 심방과 심실의 연결, 심실과 대혈관의 연결 모두 불일치함(discordance)
2) 좌심방 → 해부학적 우심실 → 대동맥, 우심방 → 해부학적 좌심실 → 폐동맥(체순환과 폐순환은 정상)
3) 전체 선천심장병의 0.5-1.4%, 전체 대혈관전위의 약 20%임(대한산부인과초음파학회. 2015; Abu-hamad A et al. 2015)

## 2. 초음파 소견

1) 사방단면도는 정상으로 보일 수 있으나 대부분 심장의 축이 가운데에 위치함(mesocardia)
2) 두 심실의 위치가 서로 바뀌어 있음
    (1) 왼쪽에 위치한 심실에서 조종띠(moderate band)가 있고 방실판막이 더 심장 첨부에 부착함
    (2) 좌심방 → 해부학적 우심실(위치는 왼쪽에 위치한 심실) → 대동맥
        우심방 → 해부학적 좌심실(위치는 오른쪽에 위치한 심실) → 폐동맥
3) 대동맥과 폐동맥이 서로 교차하지 않고 평행하게 주행함

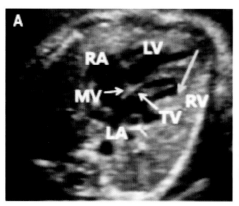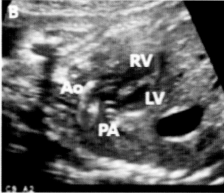

■ 그림 14-1. **A.** 심첨 사방단면도에서 좌측에 있는 판막이 우측 판막보다 더 심장 첨부 쪽에 위치해 있으며(흰색 화살표) 좌측 심실의 벽에 조종띠(노란색 화살표)가 관찰됨 **B.** 장축단면도의 색 도플러 초음파상 양대혈관이 나란히 주행하고 있음

## 3. 감별진단

1) 완전대혈관전위(complete transposition of the great arteries)
2) 양대혈관우심실기시증(double outlet right ventricle)

## 4. 임신 중 예후

임신 중 예후는 좋으나 삼첨판이형성증(tricuspid dysplasia), 역류(regurgitation) 혹은 완전방실차단이 동반된다면 태아수종이나 태아 사망 발생가능함

## 5. 산전관리 및 산전치료

1) 대부분에서 다른 심장기형을 동반하며 이성체에서 동반되기도 함: 심실중격결손(50-80%), 폐동맥협착(50%), 삼첨판 이상(82-90%), 방실차단(atrioventricular block)(Park IS et al. 2019)
2) 삼첨판 이상, 기능적 우심실기능부전(functional right ventricular dysfunction) 및 부정맥(완전방실차단) 여부가 산후 나쁜 예후를 보이므로 면밀히 관찰 해야함(Abuhamad A et al. 2015)
3) 심장기형에 따라 전문적인 신생아 심장 처치가 가능한 의료기관에서 분만해야 함

## 6. 신생아 관리

1) 동반 심기형이 없다면 출생 후 수술 없이 경과 관찰할 수 있음
2) 심초음파 및 심장 컴퓨터단층촬영(computed tomography)이 동반 심기형의 진단과 수술방법을 계획하는데 중요함
3) 동반 기형이 없는 환자가 30대가 되면, 반 이상에서 울혈심부전이 발생한다고 보고됨. 울혈심부전은 삼첨판막 역류와 복잡하게 관련되어 있음(Park IS et al. 2019)
4) 심실중격결손으로 인한 좌우 단락으로 폐혈류가 증가한 경우에는 수술적 교정 고려됨
5) 수술방법은 생리학적 교정(physiologic repair), 해부학적 교정(anatomical repair) 및 Fontan 술식 등이 있으며, 이 가운데 해부학적 교정을 점차 많이 해주는 경향이 있음
   (1) 생리학적 교정: 체순환을 담당하는 해부학적 우심실은 그대로 두고, 동반된 기형만을 교정 예) 심실중격결손 교정, 폐동맥협착 교정
   (2) 해부학적 교정: 심방 치환술을 하여 양 심방에서의 정맥혈과 동맥혈의 흐름을 바꾸어 주면서 동시에 대동맥치환술(arterial switch) 또는 Rastelli 수술을 시행하여 대동맥과 폐동맥의 위치를 바꿈

## 7. 장기 예후

1) 10년 생존율은 이중치환술(double switch, atrial+arterial switch)의 경우 84%, 심방치환술(atrial switch) 혹은 Rastelli 수술의 경우 77% 보고됨(Christian PB et al. 2017)
2) 폐동맥판막협착은 시간이 경과함에 따라 심해지는 경향이 있어 추후 수술이 필요할 수 있음
3) 심방 전도계의 이상으로 부정맥이 발생하여 인공심박동기 삽입이 필요할 수 있음

## 8. 유전상담

1) 염색체 이상 및 증후군은 거의 보고되지 않음
2) 이성체와 동반되거나 상염색체 열성유전의 가족력이 보고되기도 하여, 향후 병인에 대한 연구가 더욱 필요함(Al-Zahrani RS et al. 2018)
3) 복잡 수정대혈관전위 또는 심장 외 기형이 동반될 경우에는 검사를 고려할 수 있음(Piacentini G et al. 2005)

**참고문헌** ////////////////////////////////////////////////////////////////////////////////////////////////////////////

1. 대한산부인과초음파학회. 기형태아의 초음파영상 도해. 제 3판. 서울: 도서출판 구암; 2015.

2. Abuhamad A et al. A Practical Guide to Fetal Echocardiography: Normal and Abnormal Hearts. 3rd ed. Philadelphia: Wolters Kluwer Health; 2015.

3. Al-Zahrani RS et al. Transposition of the great arteries: A laterality defect in the group of heterotaxy syndromes or an outflow tract malformation? Ann Pediatr Cardiol. 2018;11:237-249.

4. Christian PB et al. Long-term results of anatomic correction for congenitally corrected transposition of the great arteries: A 19-year experience. J Thorac Cardiovasc Surg. 2017 Jul;154:256-65.

5. Park IS et al. An Illustrated Guide to Congenital Heart Disease: From Diagnosis to Treatment – From Fetus to Adult: 1st ed. Singapore: Springer; 2019.

6. Piacentini G et al. Familial recurrence of heart defects in subjects with congenitally corrected transposition of the great arteries. Am J Med Genet A. 2005;137:176-80.

# 15 우측 이성체
## Right Atrial Isomerism

## 1. 개요

1) 흉부의 양쪽 구조들이 모두 오른쪽 구조의 형태를 가짐
2) 무비증이 동반되는 경우가 많음. 국내 보고로 가장 많이 동반되는 심기형은 완전방실중격결손, 총
   폐정맥환류이상 등이 있음
3) 선천심장병의 0.8%, 국내 보고로 산전진단 정확도는 93% 임(대한산부인과초음파학회. 2015)

## 2. 초음파 소견

1) 특징적 복잡 심기형세증후(triad)
   (1) 완전방실중격결손(complete atrioventricular septal defect) or 단심실(functional single ventricle)
   (2) 폐동맥판협착 또는 폐쇄(pulmonary stenosis or atresia)
   (3) 총폐정맥환류이상(total anomalous pulmonary venous return)
2) 특징적으로 상복부에서 복부 중앙간(midline liver)이 흔하고 위는 작고 뒤쪽으로 위치함
3) 비장은 대부분에서 없는 경우가 많고 상복부 혈관에서 대동맥과 하대정맥이 척추의 같은 쪽에 나
   란히 있음(juxtaposition of aorta and inferior vena cava)

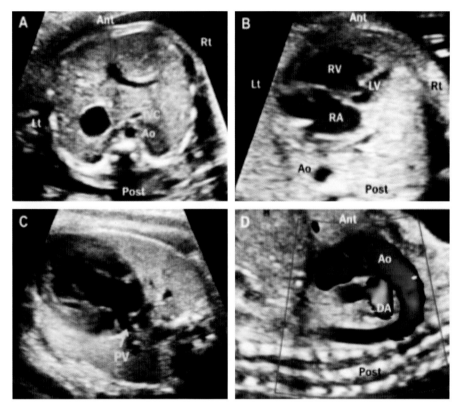

■ 그림 15-1. A. 복부 횡단면에서 중앙간이 관찰되며, 대동맥과 하대정맥이 척추의 오른쪽에 나란히 있는 것이 관찰됨 B, C. 방실중격결손 소견과 함께 총폐정맥환류이상 소견(화살표)이 관찰됨 D. 대동맥궁단면도에서 내림대동맥에서 동맥관으로 역류되는 혈류가 관찰됨

## 3. 감별진단

1) 내장 역위와 동반된 우심증(situs inversus with dextrocardia)
2) 내장 역위와 동반된 좌심증(situs inversus with levocardia)

## 4. 임신 중 예후

임신 중 진단된 경우 심각한 복잡 심기형이 동반됨으로 예후가 나쁨

## 5. 산전관리 및 산전치료

1) 염색체 이상과는 관련 적음
2) 25%에서 미끄럼틈새탈장(sliding hiatal hernia)으로 인해 위는 흉강안에서 관찰되었다가 횡격막 뒤쪽 아래쪽에서 관찰되기도 함(Abuhamad A et al. 2015)
3) 동반된 복잡한 심기형으로 인해, 전문적인 신생아 심장 처치가 가능한 의료기관에서 분만이 필요함

## 6. 신생아 관리

1) 동반된 심기형에서 심초음파 및 심장 컴퓨터단층촬영(computed tomography)가 진단과 수술방법을 계획하는데 중요함(Park IS et al. 2019)
2) 비장이 없는 경우가 많기 때문에 세균 감염의 위험이 높아서 감염 예방이 필수적임(Park IS et al. 2019)
3) 출생 후 심기형에 대한 단계적 교정수술이 필수적이며, 대부분 Fontan 수술만이 가능함
4) Fontan 수술 후 10년 생존율은 과거 70%미만에서 최근 92%까지 보고되며 일상 활동에 제한이 없는 상태는 95%로 보고됨(Kim SJ et al. 2006)

## 7. 장기 예후

1) 치료하지 않을 경우 1세 이전 사망률 80-95%임(Park IS et al. 2019)
2) 예후는 좌측 이성체에 비해 나쁨. 그러나 최근 적극적치료로 생존율이 증가됨(Lee MY et al. 2014)
3) 좋지 않은 해부학적 구조 및 기능부전으로 심장이식을 고려하기도 함
4) 폐동맥형성저하 및 부재(hypoplastic or absent true pulmonary artery), 폐정맥의 협착은 더 나쁜 예후를 보임(Abuhamad A et al. 2015)

## 8. 유전상담

1) 삼염색체는 거의 보고되지 않음
2) 그 외의 염색체 이상 또는 22번염색체장완미세결실증후군은 동반될 수 있음(Zhu L et al. 2006)
3) 20개 이상의 관련 유전자의 돌연변이가 확인되었으나 원인이 명확하지 않은 경우들도 있음(Na-

tional Institutes of Health. 2020)

4) 원발섬모운동이상증(primary ciliary dyskinesia)경우 다양한 원인유전자의 돌연변이에 의해 발생하며 상염색체 열성유전을 보임. 이 경우 운동섬모의 선천적인 구조적 결함으로 인한 기능 장애로 인해 출생 후 반복되는 호흡기 감염증이 나타날 수 있음(Nakhleh N et al. 2012)

**참고문헌** ///////////////////////////////////////////////////////////////////////////////////////////////////////////////////////

1. 대한산부인과초음파학회. 기형태아의 초음파영상 도해. 제 3판. 서울: 도서출판 구암; 2015.

2. Abuhamad A et al. A Practical Guide to Fetal Echocardiography: Normal and Abnormal Hearts. 3rd ed. Philadelphia: Wolters Kluwer Health; 2015.

3. Kim SJ et al. Improving results of the Fontan procedure in patients with heterotaxy syndrome. Ann Thorac Surg. 2006 Oct;82:1245-51

4. National Institutes of Health. Heterotaxy syndrome [Internet]. c2020 [cited 2020 Apr 19]. Available from: https://ghr.nlm.nih.gov/condition/heterotaxy-syndrome

5. Lee MY et al. Prenatal diagnosis of atrial isomerism in the Korean population. Obstet Gynecol Sci. 2014;57(3):193-200.

6. Park IS et al. An Illustrated Guide to Congenital Heart Disease: From Diagnosis to Treatment – From Fetus to Adult: 1st ed. Singapore: Springer; 2019.

7. Nakhleh N et al. High prevalence of respiratory ciliary dysfunction in congenital heart disease patients with heterotaxy. Circulation. 2012;125:2232-42.

8. Zhu L et al. Genetics of human heterotaxias. Eur J Hum Genet. 2006;14:17-25.

# 16 좌측 이성체
## Left Atrial Isomerism

## 1. 개요

1) 흉부의 양쪽 구조들이 모두 왼쪽 구조의 형태를 가짐
2) 다비증이 동반되는 경우가 많음. 국내 보고에 따르면 71%에서 동반됨
3) 동기능부전(sinus node dysfunction)이 흔하며, 방실전도 이상으로 완전방실전도차단(complete atrioventricular block)이 동반되기도 함(40-70%) (Abuhamad A et al. 2015)
4) 25%에서 심장은 정상이거나 단순한 기형임(Park IS et al. 2019)

## 2. 초음파 소견

1) 심장 기형의 빈도는 75% 정도이며, 기형의 종류가 매우 다양하나 우측 이성체에 비해 복잡 심기형은 드묾(대한산부인과초음파학회. 2015)
2) 특징적으로 정상위치의 하대정맥이 우심방으로 들어가는 것이 보이지 않고, 대신 대동맥 옆 뒤에 위치한 홀정맥(azygos vein)이 늘어나 보임
3) 복부 중앙간(midline liver)은 덜 흔하며, 담도폐쇄(biliary atresia)가 동반될 수 있음(Lee MY et al. 2014)

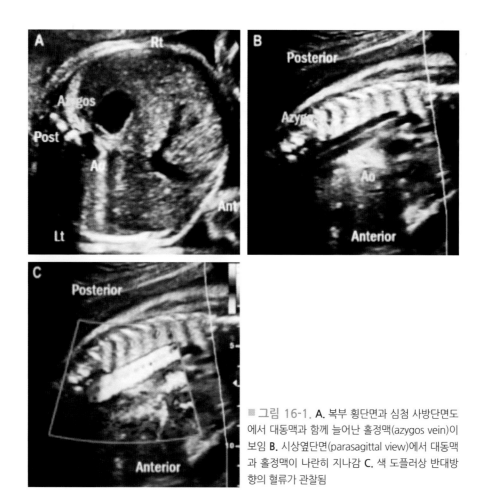

■ 그림 16-1. **A.** 복부 횡단면과 심첨 사방단면도에서 대동맥과 함께 늘어난 홀정맥(azygos vein)이 보임 **B.** 시상옆단면(parasagittal view)에서 대동맥과 홀정맥이 나란히 지나감 **C.** 색 도플러상 반대방향의 혈류가 관찰됨

## 3. 감별진단

　1)　내장 역위와 동반된 우심증(situs inversus with dextrocardia)
　2)　내장 역위와 동반된 좌심증(situs inversus with levocardia)

## 4. 임신 중 예후

　좌측 이성체만으로 임신 중 예후가 변하지 않지만 동반된 완전방실차단에 의해 태아수종이 발생 가능

## 5. 산전관리 및 산전치료

1) 심장외 기형 유무가 산후 예후에 영향을 미치므로 산전 면밀한 관찰이 필요함
2) 완전방실차단이 동반되었을 때 태아수종의 징후가 보이면 태아치료나 주수에 따라 분만 고려됨 (Abuhamad A et al. 2015)
3) 소장, 대장의 이상회전(malrotation)이 흔하며 장폐쇄나 중장염전(midgut volvulus)가 발생할 수 있음(Park IS et al. 2019)

## 6. 신생아 관리

1) 출생 후 심장 및 심장 이외 장기의 기형에 대한 처치 필요함
2) 동반된 심장기형의 치료는 좌측 이성체 아닌 다른 환아와 다르지 않음
3) 심장기형과 동반된 증상 있는 서맥(bradycardia)일 때 인공심박동기를 고려함

## 7. 장기 예후

1) 우측 이성체에 비해 대개 예후는 좋음
2) 우측 이성체와 달리 비장기능은 정상임으로 면역에 이상이 없고 감염에 취약하지 않음
3) 예후는 다양하며, 동반되는 심장과 심장 이외 장기의 기형(장 폐쇄, 담도계 이상 등), 심각한 부정맥의 유무에 의해 결정됨(Park IS et al. 2019)

## 8. 유전상담

우측 이성체와 동일함

**참고문헌** ////////////////////////////////////////////////////////////////////////////////////////////////////////////////////////////////

1. 대한산부인과초음파학회. 기형태아의 초음파영상 도해. 제3판. 서울: 도서출판 구암; 2015.

2. Abuhamad A et al. A Practical Guide to Fetal Echocardiography: Normal and Abnormal Hearts. 3rd ed. Philadelphia: Wolters Kluwer Health; 2015.

3. Lee MY et al. Prenatal diagnosis of atrial isomerism in the Korean population. Obstet Gynecol Sci. 2014;57:193-200.

4. Park IS et al. An Illustrated Guide to Congenital Heart Disease: From Diagnosis to Treatment - From Fetus to Adult: 1st ed. Singapore: Springer; 2019.

# 17 빈맥
## Tachyarrhythmia

## 1. 개요

1) 태아의 정상 심박동수
    (1) 임신 6주경 분당 100-110회
    (2) 임신 9주경 분당 150회
    (3) 임신 20주경 분당 120-160회
    (4) 임신 말기 분당 110-150회로 감소
2) 태아 부정맥은 크게 세 가지로 분류함
    (1) 불규칙 박동: 심박수는 정상이지만 심박수의 변이도가 심하여 불규칙한 경우
    (2) 빈맥: 분당 태아 심박수가 분당 180회 이상인 경우
    (3) 서맥: 분당 태아 심박수가 분당 100회 이하인 경우
3) 태아 부정맥은 전체 임신의 약 1%에서 관찰됨
4) 빈맥은 상실성빈맥(supraventricular tachycardia, SVT), 심방조동(atrial flutter, AF), 동성빈맥(sinus tachycardia), 심실성빈맥(ventricular tachycardia)로 분류

## 2. 초음파 소견

1) 상실성빈맥
    ① 심박수가 분당 180-280회 정도이며 1:1의 방실전도(atrioventricular conduction)를 함
2) 심방조동
    ① 분당 300-600회의 심방수축을 보이며 다양한 방실차단이 존재하여 심실 박동수는 200-300회, 대부분 2:1 방실 차단을 보임. 상실성빈맥과 심실 수축 횟수가 유사하기 때문에 심방 수축의 확인이 정확한 진단에 필수적임

3) 동성빈맥
　① 심박수가 분당 180-200회 정도로 정상적인 심방, 심실의 기능을 유지함
4) 심실성빈맥
　① 심실박동수가 분당 170-400회로 심실의 박동수가 심방의 박동수보다 많아 방실전도해리
　　(atrioventricular dissociation)가 생김

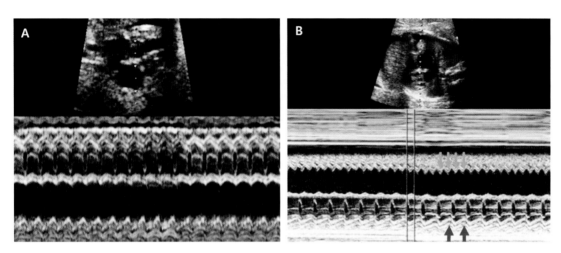

■ 그림 17-1. A. 심실상성빈맥 초음파 그림으로 분당 심박수 222회의 1:1 방실전도를 보이고 있음, B. 심방조동의 초음파그림으로 462회의 규칙적이고 빠른수축(위 화살표)과 약 230회의 심실 수축(아래 화살표)이 나타나고 있음

## 3. 감별진단

부정맥이 아닌 모체의 감염, 약물사용, 태아 빈혈로 인한 빈맥을 감별해야 함(대한산부인과초음파학회. 2015)

## 4. 임신 중 예후

1) 상실성빈맥의 경우 분당 240-260회 지속되면 태아수종이 발생 가능함
2) 심방조동의 경우 50%에서 태아수종이 동반되며 2/3에서는 자궁내 치료가 효과적이지만 1/3에서 자궁내 사망이 보고됨(정의 외. 2005)
3) 심실빈맥은 대부분의 경우 일시적이며 특별한 치료가 필요하지 않음
4) 태아수종은 항부정맥제에 대한 효과를 떨어뜨리며 주산기 나쁜 예후와 연관됨

## 5. 산전관리 및 산전치료

1) 일시적이면서 혈역학적으로 안정적인 빈맥은 경과관찰함
2) 상실성빈맥이나 심방조동은 자궁내 치료 여부가 주산기 예후 향상에 영향을 미치므로 정확한 진단과 치료의 필요성 여부의 판단이 중요함
3) 약물치료시에는 치료 전과 후 산모의 심전도, 약물 혈청 농도, 부작용 발생여부를 면밀히 관찰 해야함
4) 상실성빈맥이 지속되거나 태아수종이 동반될 경우 일차치료제로 디곡신(digoxin)을 고려할 수 있으며 반응이 없을 때에는 flecainide나 amiodarone이 이차치료제로 사용됨(Abuhamad A et al. 2015)
5) 심방조동에서 태아수종이 동반되면 디곡신을 사용하나 일차치료제로 소타롤(sotalol)을 추천 하기도 함(Jaeggi E et al. 2016)

## 6. 신생아 관리

1) 출생 후 심전도를 통해 정확한 진단 가능함
2) 출생 후 정상 리듬이라면 항부정맥제가 필요하지 않고 재발을 확인하기 위한 일정기간 동안 면밀히 관찰을 요함
3) 심장율동전환(cardioversion)이나 예방적 항부정맥제 사용이 필요할 때도 있음

## 7. 장기 예후

신생아의 심방조동의 재발은 흔하지 않고 장기약물 치료도 드묾

## 8. 유전상담

선천성QT연장증후군(심실빈맥, 상염색체 우성 또는 열성 유전), 짧은QT증후군(심방 및 심실세동, 상염색체 우성유전), 브루가다(Brugada)증후군(심실세동, 상염색체 우성유전), 카테콜아민 유발 다형성 심실빈맥(상염색체 우성 또는 열성), 가족성 심방세동(상염색체 우성유전) 등의 관련 유전자 돌연변이가 보고되고 있음(Wilde AA et al. 2005)

**참고문헌** ////////////////////////////////////////////////////////////////////////////////////////////////////////////////////////////////////////////////////////

1. 대한산부인과초음파학회. 기형태아의 초음파영상 도해. 제3판. 서울: 도서출판 구암; 2015.

2. 정의 외. 태아의 빈맥: 산전 진단과 치료 및 주산기 예후. 대한주산회지 2005;6:230-6.

3. Abuhamad A et al. A Practical Guide to Fetal Echocardiography: Normal and Abnormal Hearts. 3rd ed. Philadelphia: Wolters Kluwer Health; 2015.

4. Jaeggi E et al. Fetal and neonatal arrhythmias. Clin Perinatol. 2016;43:99－112.

5. Wilde A A et al. Genetics of cardiac arrhythmias. Heart. 2005;91:1352-8.

# 18 서맥
### Bradyarrhythmia

## 1. 개요

1) 일시적인 서맥: 초음파를 시행하면서 흔히 볼 수 있는데, 압력을 제거할 경우 1-2분 이내에 회복되는 정상적인 태아반응임
2) 방실전도장애로 인한 서맥 중 완전방실차단(complete atrioventricular block)의 경우가 문제가 됨
   (1) 완전방실차단
      ① 40%는 좌측 이성체(left atrial isomerism), 수정대혈관전위(congenitally corrected transposition of the great arteries) 등의 심각한 심장의 구조적 이상에서 동반됨(Abuhamad A et al. 2015)
      ② 60%는 모체의 자가면역질환과의 연관성이 높아 완전방실차단이 진단되면 모체 혈청 anti-Ro (SSA), anti-LA (SSB)를 측정함. 대개 18주 이후에 전도장애를 초래함(대한산부인과초음파학회. 2015; Jaeggi E et al. 2016)
   (2) 동서맥(sinus bradycardia)
      ① 동기능부전(sinus node dysfunction), 태아산증(fetal acidemia), 선천성QT연장증후군(congenital long QT syndrome)으로 인해 발생함

## 2. 초음파 소견

1) 완전방실차단: 방실전도는 완전히 차단되어 심방과 심실의 수축이 서로 독립적인 소견
2) 동서맥: 대부분 심박수가 분당 80-100회 정도

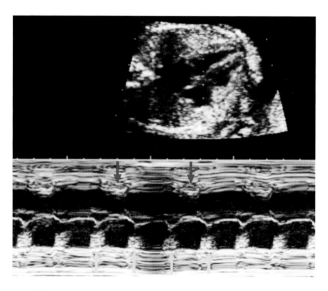

■ 그림 18-1. 방실전도는 완전히 차단되어 심방과 심실이 서로 독립적으로 수축하는 소견

## 3. 감별진단

일시적인 서맥, 약물, 저산소증으로 인한 서맥을 감별해야 함

## 4. 임신 중 예후

1) 대부분은 태아수종의 증후가 없으면 추적 관찰이 가능하지만 전문가와의 상의가 반드시 필요함
2) 심실의 박동수가 분당 50회 미만일 때 태아수종의 발생 위험이 증가함

## 5. 산전관리 및 산전치료

1) 동반되는 심기형이나 이성체 여부를 확인해야함
2) 태아수종이 보이면 임신 주수를 고려하여 태아치료나 분만 여부를 결정함
3) 산모의 anti-Ro (SSA), anti-LA (SSB) 수치가 높은 경우 betamethasone이나 dexamethasone 고려됨
4) 구조적 이상이 없는 경우 7-10일간 지속적으로 완전방실차단이 관찰되면서 태아수종이 발생한 경우 베타-아드레날린 작용제(beta-adrenergic agonist)투여를 고려해 볼 수 있음(Abuhamad A et al. 2015)

## 6. 신생아 관리

1) 다음과 같을 때 출생 후 인공심박동기 삽입 고려됨
    (1) 증상 있는 서맥, 심실부전, 낮은 심박출량
    (2) 넓은QRS탈출박동(wide-complex QRS escape rhythm)
    (3) 영아에서 심박수가 분당 55회 미만 혹은 심기형 동반 시 분당 70회 미만

## 7. 장기 예후(Abuhamad A et al. 2015)

1) 심기형 동반 시 완전방실차단의 사망률은 70%까지 보고됨
2) 면역 관련 완전방실차단은 이해 비해 19%의 사망률을 보임
3) 산모가 자가면역질환이 있었을 경우 완전방실차단의 반복 위험도는 14-17%로 보고됨

## 8. 유전상담

상염색체 열성유전인 동기능부전증후군(sick sinus syndrome)에서 동서맥, 동정지, 동방 차단, 빈맥-서맥 형태로 부정맥이 나타날 수 있고, 홀트-오람(Holt-Oram)증후군에서 방실 차단이 동반될 수 있음 (Sivasankaran S et al. 2005)

**참고문헌**

1. 대한산부인과초음파학회. 기형태아의 초음파영상 도해. 제 3판. 서울: 도서출판 구암; 2015.
2. Abuhamad A et al. A Practical Guide to Fetal Echocardiography: Normal and Abnormal Hearts. 3rd ed. Philadelphia: Wolters Kluwer Health; 2015.
3. Jaeggi E et al. Fetal and neonatal arrhythmias. Clin Perinatol. 2016;43:99–112.
4. Sivasankaran S et al. Dilated cardiomyopathy presenting during fetal life. Cardiol Young. 2005;15:409-16.
5. Weber R et al. Spectrum and outcome of primary cardiomyopathies diagnosed during fetal life. JACC Heart Fail. 2014;2:403-11.

# 19 심장내 종양
## Intracardiac Tumor

## 1. 개요

1) 심초음파에서 발견되는 비정상적인 덩어리로 대부분 양성(benign)이나 악성 혹은 전이성 종양도 보고됨. 이 중 가장 흔한 것은 횡문근종(rhabdomyoma)임

2) 태아심장 초음파 검사 중 0.1-0.2%의 빈도로 발견되며, 이들 중 50-90%가 횡문근종임(대한산부인과초음파학회. 2015)

3) 그 외 기형종(teratoma), 섬유종(fibroma), 점액종(myxoma), 혈관종(hemangioma) 등이 있음

## 2. 초음파 소견

횡문근종은 임신 20주 이후에 원형 또는 타원형의 에코성 종양이 대개 다발성으로 나타남

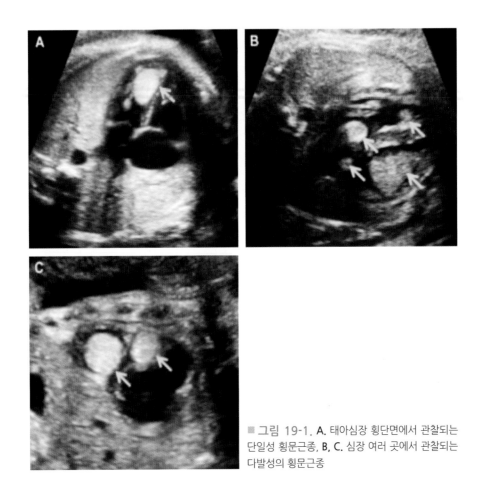

■ 그림 19-1. **A.** 태아심장 횡단면에서 관찰되는 단일성 횡문근종, **B, C.** 심장 여러 곳에서 관찰되는 다발성의 횡문근종

## 3. 감별진단

색 도플러를 이용하여 혈관종을 감별할 수 있으며 횡문근종은 에코성 종괴가 뚜렷한 경계를 보이며 섬유종은 대부분 비균질한 종양 형태임

## 4. 임신 중 예후

1) 횡문근종은 임신 주수 22주까지 크기가 증가하다가 이후 줄어들거나 없어질 수 있음. 국내 보고에서는 약 50%에서 크기가 줄어듦(Lee KA et al. 2013)
2) 심장 내 혈류를 막거나 부정맥, 태아수종, 심낭수종 등이 동반되면 예후가 좋지 않음(Abuhamad A et al. 2015)

3) 크기가 작고 태아수종이 동반되지 않은 경우, 성장함에 따라 종양이 작아지므로 예후가 비교적 좋음

## 5. 산전관리 및 산전치료

1) 횡문근종의 경우 결절성경화증(tuberous sclerosis) 동반 유무 확인이 필요함
   (1) 결절성경화증 가족력 확인, 횡문근종의 50-80%에서 결정성 경화증 동반됨
   (2) TSC 1 (tuberous sclerosis complex 1), TSC 2 유전자 검사: 산전 또는 출생 후 시행함
2) 산전에 부정맥이나 태아수종이 없으면 추적 관찰함

## 6. 신생아 관리

1) 출생 후 증상이 없다면 치료가 필요하지 않음. 주기적으로 심초음파 검사 필요함
2) 종양이 커서 혈류장애를 유발한다면 수술적 치료 고려됨

## 7. 장기 예후

1) 예후는 종양의 크기, 위치 및 부정맥 동반 유무에 따라 다름
2) 종양이 심장 벽이나 심실 안으로 침투한다면 심부전을 유발할 수 있고 이때는 수술적 치료가 어려워 심장 이식 고려됨
3) 부정맥이 동반된다면 내과적 치료에 반응하지 않으므로 수술적 치료가 필요함(Abuhamad A et al. 2015)

## 8. 유전상담

1) 결절성 경화증(tuberous sclerosis)이 50-80%에서 동반될 수 있음(Bader RS et al. 2003; National Institutes of Health. 2020; Tworetzky W et al. 2003)
   (1) 대부분 9번 염색체 장완(9q34)에 위치하는 TSC1 유전자 또는 16번 염색체 단완(16p13)에 위치하는 TSC2 유전자의 돌연변이로 발생하며 상염색체 우성유전을 따름. 2/3은 de novo mutation으로 발생함
   (2) 임상양상은 다양하여 뇌, 신장, 내장 기관의 결절, 발작, 정신 지체, 저멜라닌성 반점 등이 나타

237

날 수 있음

(3) 간질성 발작, 만성 두통, 밀크커피색 반점(café-au-lait spots)의 가족력이 있는지 확인하고, 부모의 검사 시행여부와 다음 임신에 대한 상담이 필요함

**참고문헌** ////////////////////////////////////////////////////////////////////////////////////////////////////////////////////////////////////////////

1. 대한산부인과초음파학회. 기형태아의 초음파영상 도해. 제 3판. 서울: 도서출판 구암; 2015.

2. Abuhamad A et al. A Practical Guide to Fetal Echocardiography: Normal and Abnormal Hearts. 3rd ed. Philadelphia: Wolters Kluwer Health; 2015.

3. Lee KA et al. Molecular genetic, cardiac and neurodevelopmental findings in cases of prenatally diagnosed rhabdomyoma associated with tuberous sclerosis complex. Ultrasound Obstet Gynecol. 2013;4:306-11.

4. Bader RS et al. Fetal rhabdomyoma: prenatal diagnosis, clinical outcome, and incidence of associated tuberous sclerosis complex. J Pediatr. 2003;143:620-4.

5. National Institutes of Health. Tuberous sclerosis complex [Internet]. c2020 [cited 2020 Apr 19]. Available from: https://ghr.nlm.nih.gov/condition/tuberous-sclerosis-complex

6. Tworetzky W et al. Association between cardiac tumors and tuberous sclerosis in the fetus and neonate. Am J Cardiol. 2003;92:487-9.

# 복벽 결손

## Abdominal Wall Defects

# 01 방광뒤집힘증
## Bladder Exstrophy

## 1. 개요

1) 하복벽과 방광의 전벽이 결여된 선천성 기형임
2) 만들어진 소변이 바로 양막강내로 배출되므로, 초음파에서 방광이 보이지 않지만 양수양은 정상적으로 관찰됨
3) 발병빈도: 1/40,000명, 남아에서 호발됨

## 2. 초음파 소견

1) 배꼽탈장과 유사하지만, 태아의 신장이 초음파에서 잘 보이며 양수양이 정상이지만 방광이 복강내에서 관찰되지 않는 경우 의심할 수 있음
2) 하복부 결손을 통해 복강내 덩이가 돌출되어 보이기도 하며, 염증으로 인해 두꺼워진 방광의 뒷벽이 불규칙한 윤곽(irregular contour)의 형태로 나타날 수 있음
3) 제대 삽입부위가 상대적으로 낮은 위치에서 관찰되며, 색도플러검사에서 돌출된 덩이 주변으로 제대동맥이 관찰되는 것이 특징적임(Wolniakowski A et al. 2014)

## 3. 감별진단

초음파 소견은 총배설관뒤집힘증과 유사하지만, 예후에 있어 큰 차이를 보이므로 항문이나 척추 등의 확인을 통한 감별이 필요하며(Mallmann MR et al. 2019), 그 외 배꼽탈장(omphalocele), 배벽갈림증(gastroschisis)과 같은 복벽질환과의 감별이 필요함

## 4. 동반기형

1) 남아: 요도위열림증, 짧은 음경, 갈림음낭, 잠복고환 등의 기형이 있음
2) 여아: 갈림음핵, 기타 자궁 또는 질의 기형이 있음

## 5. 임신 중 예후 및 산전 관리

임신 중 예후는 양호한 편으로, 방광뒤집힘증이 산전에 진단된 경우 부모와의 충분한 상담이 필요함. 출생 후 방광의 손상을 최소화하는 것이 신생아 예후에 중요하므로, 소아비뇨기과 수술이 가능한 병원에서 분만하는 것이 권장됨

## 6. 신생아관리

1) 출생 후 수술적 치료를 시도하며 수술 후 방광의 감염, 협착, 반복되는 요로 감염, 요실금, 방광탈출증 등의 합병증 발생 가능함
2) 남아는 성장기에 짧은 음경으로 인한 성심리학적 발달 지지 또는 남성불임으로 인해 보조생식술 시술이 필요하기도 함

## 7. 상담

다음 임신 시 재발 위험은 매우 낮으며, trisomy 13과 병합이 보고된 바 있음

참고문헌

1. Mallmann MR et al. Isolated bladder exstrophy in prenatal diagnosis. Arch Gynecol Obstet. 2019;300:355-63.
2. Pakdaman R et al. Complex abdominal wall defects: appearances at prenatal imaging. Radiographics. 2015;35:636-49.
3. Prefumo F et al. Fetal abdominal wall defects. Best Pract Res Clin Obstet Gynaecol. 2014;28:391-402.
4. Wolniakowski A et al. Prenatal Diagnosis of Bladder Exstrophy. Journal of Diagnostic Medical Sonography 2014;30:88–91.

# 02 총배설강뒤집힘증
Cloacal Exstrophy

## 1. 개요

1) 방광뒤집힘증과 유사하지만, 방광 및 직장을 포함한 총배설강을 형성하는 모든 구조가 돌출되는 기형임

2) OEIS (omphalocele, exstrophy, imperforated anus, spinal defect) complex 라고도 불리며, 동반기형이 흔히 발견됨

3) 발병빈도: 1/200,000명임

## 2. 초음파 소견

1) 방광뒤집힘증과 마찬가지로, 복강내에 방광이 관찰되지 않는 것이 대표적인 소견임

2) 하복부 중앙의 탯줄밑으로 상대적으로 큰 결손이 관찰됨(Austin PF et al. 1998)

3) 돌출된 장의 일부(회장의 말단부위에 해당)가 코끼리의 코에 해당하며 전체적인 영상이 코끼리 몸체(elephant trunk)처럼 보이는 것이 총배설강뒤집힘증의 특징적인 초음파소견임(그림 2-1, 2)

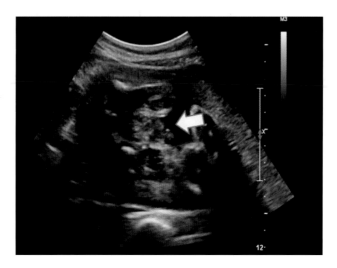

■ 그림 2-1. 총배설강뒤집힘증 태아의 골반 초음파소견. elephant trunk sign(화살표)

4) 50% 이상에서 관찰되는 주요 소견으로 non-visualization of the bladder (91%), a large midline infraumbilical anterior wall defect or cystic anterior wall structure (82%), omphalocele (77%), and myelomeningocele (68%) 등이 있으며, lower extremity defects, renal anomalies, ascites, widened pubic arches, narrow thorax, hydrocephalus, single umbilical artery 등이 낮은 빈도로 관찰됨

5) 진단이 어려울 경우 태아 MRI가 도움이 될 수 있음

## 3. 감별진단

배꼽탈장, 복벽갈림증과의 감별이 어려울 수 있으며, 그 외의 복벽결손과의 감별이 필요함

## 4. 예후

복합 기형의 빈도가 높을 뿐만 아니라, 단독 소견으로 수술이 정상적으로 진행된다 하더라도 방광뒤집힘증에서 나타날 수 있는 방광과 외부 성기의 합병증과 더불어 정상적인 배변활동이 어려울 수 있으므로 전반적인 예후는 좋지 않음

## 5. 산전 관리

1) 동반 기형이 흔하며, 수술 후 예상되는 환아의 삶의 질 저하에 대한 상담 필요함(Bischoff A et al. 2012)

2) 임신 제3삼분기에 양수과다가 발생하며 조산의 위험도 증가됨(Meizner I et al. 1995)

3) 산과적 적응증 및 주산기 예후를 높이는 분만방법 선택함

## 6. 신생아 관리

1) 출생 직후 탈수를 예방하기 위해 노출된 조직을 감싸준 상태에서 외과, 정형외과, 신경외과에서 검사를 진행하며, 성별이 모호한 경우 염색체 검사를 통해 정확한 성별 확인이 필요함(그림 2-2)

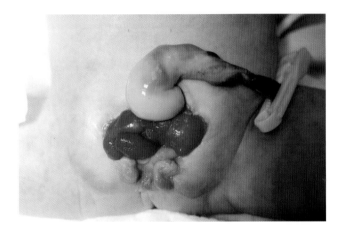

■ 그림 2-2. 분만 후 신생아 소견

2) 신생아의 상태가 허락하는 경우, 감염의 위험을 줄이기 위해 수술적 처치는 가급적이면 빨리 진행하며, 개개인의 상황에 맞게 지속적인 치료를 진행함

## 7. 상담

다음 임신시 재발 위험은 무시할 수준임

**참고문헌** ////////////////////////////////////////////////////////////////////////////////////////////////////////////////////////////////////////////

1. Austin PF et al. The prenatal diagnosis of cloacal exstrophy. J Urol 1998;160(3 Pt 2):1179e81

2. Bischoff A et al. Prenatal counseling for cloaca and cloacal exstrophy: challenges faced by pediatric surgeons. Pediatr Surg Int 2012;28:781-8.

# 03 복벽갈림증
Gastroschisis

## 1. 개요

1) 복벽 전층의 결손으로 장관이 복강에 둘러싸여 있지 않은 채 양수 내로 돌출되며, 주로 우측에 호발함. 발병빈도는 3/10,000명임
2) 태아 염색체 이상과의 연관성은 낮으나 동반 기형을 찾아내기 위한 면밀한 초음파 검사가 필요함

## 2. 초음파 소견

1) 배꼽 주위의 결손을 통해 막에 싸여 있지 않은 소장, 대장이 복부 밖으로 돌출됨(그림 3-1)
2) 복벽 결손의 크기는 일반적으로 크지 않으며, 대부분의 결손은 우측에서 발생하지만 내장자리바꿈증(situs inversus)이나 지속적우측제대정맥(persistent right umbilical vein)이 동반된 경우, 좌측에서도 발생할 수 있음
3) 소장, 대장의 돌출로 인해 태아 위장의 위치가 비정상적으로 보이는 경우가 흔함
4) 장이 양수에 장시간 노출되어 염증이나 직접적인 손상으로 인한 장폐쇄(bowel atresia)가 동반된 경우 장이 팽창되거나 장벽이 두껍게 보일 수 있음
5) 복벽갈림증으로 인한 탈장으로 태아복부둘레가 상대적으로 작게 측정되어 태아의 예상 체중이 작게 측정될 수 있음

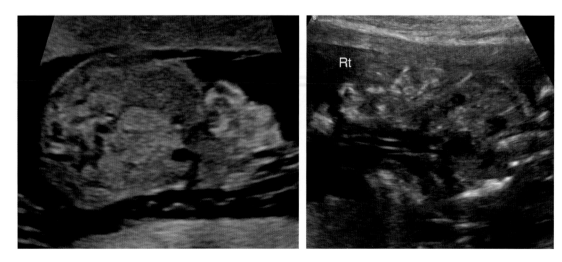

■ 그림 3-1. 임신 18주에 진단된 복벽갈림증의 횡단면 소견. 배꼽 우측의 결손을 통해 양수내로 돌출된 장이 관찰됨

## 3. 감별진단

배꼽탈장(omphalocele), 방광뒤집힘증(bladder exstrophy), 총배설관뒤집힘증(cloacal exstrophy), 사지몸통벽복합기형(limb body wall complex), 양막띠증후군(amniotic band syndrome), Beckwith Wiedeman 증후군 등이 있음

## 4. 예후

1) 동반기형이 관찰되지 않는 경우, 생존률은 95% 이상임
2) 자궁내 태아사망의 빈도는 약 5% 정도이며, 자궁내발육지연의 빈도가 증가됨
3) 약 10% 정도에서 태아의 장폐색이 동반되며, 출생 후 장문합술이 필요할 수 있음(Kronfli R et al. 2010)

## 5. 산전관리

1) 태아 염색체 이상과의 연관성은 배꼽탈장보다 낮으므로, 산전 염색체 검사를 권유하지 않는 기관이 많음
2) 동반기형이 14% 정도에서 관찰되며, 복벽결손의 다른 질환과 감별이 어려운 경우가 많음(Mas-

troiacovo P et al. 2007)

3) 분만시기 및 방법

많은 연구에서 평균 임신 36-38주경에 자연스럽게 분만이 이루어지는 것으로 보고되고 있으며 과거 태아의 장 손상을 최소화하기 위한 제왕절개술을 권고하였으나, 제왕절개술이 장 손상을 완벽하게 예방하지 못하는 것으로 알려져 제왕절개가 질식분만에 비해 우월하다는 근거는 없음. 이에, 분만 전 분만 방법에 대한 임산부와의 충분한 상담 및 장 손상을 최소화하기 위한 조심스러운 분만방법 및 계획된 분만(planned delivery) 등이 필요함

## 6. 신생아 관리

1) 분만 후 공기에 노출된 장이 태아의 탈수와 열 손실의 원인이 되므로, 이를 예방하기 위해 분만 직후 태아의 수액 주입을 시작하며, 이와 함께 태아의 장을 따뜻한 거즈나 랩 등으로 감싸는 것이 필요함

2) 출생 직후 장을 복강내로 원위치 시킨 후 일차봉합(primary repair)을 하는 것이 가장 이상적인 치료이나, 태아의 상태가 불안정하거나 구획증후군(compartment syndrome)을 일으킬 가능성에 대한 우려로 일차봉합이 불가능한 경우에는 사일로(silo)를 이용하여 수일에 거쳐 장을 넣은 후 봉합이 가능한 시기에 수술을 시행하는 단계적 교정술(staged repair)이 요구됨(그림 3-2)

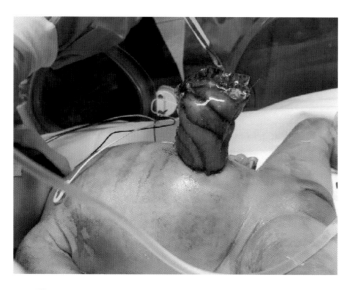

■ 그림 3-2. 임신 37주, 제왕절개를 통해 분만된 복벽갈림증 출생 후 처치. 출생 당일 Silo를 이용한 partial reduction시행

# 7. 상담

다음 임신시 재발 위험은 낮음

**참고문헌** ////////////////////////////////////////////////////////////////////////////////////////////////////////

1. Kronfli R et al. Intestinal atresia in association with gastroschisis: a 26-year review. Pediatr Surg Int 2010;26:891-4.

2. Mastroiacovo P et al. Gastroschisis and associated defects: an international study. Am J Med Genet A. 2007;143:660-71.

# 04 배꼽탈장
Omphalocele

## 1. 개요

1) 생리적 탈장 이후 외측 외중배엽(ectomesodermal) 주름이 복부의 정중앙에서 결합되지 않고 복벽이 제대로 폐쇄 되지 않으면 배꼽탈장이 발생함. 탯줄의 기시부 배꼽고리(umbilical ring)에서 결손이 관찰되고, 탯줄은 돌출된 덩이의 끝에 부착되어 있으며, 복막과 양막이 양수 쪽으로 돌출된 복강 내 장기를 감싸고 있음

2) 다른 주요장기 기형이나 염색체 이상의 빈도가 높기 때문에 이에 대한 정밀한 평가가 필요함

## 2. 초음파 소견

1) 얇은 벽복막쪽(parietal peritoneum)과 양막이 탈출된 복강 내 장기를 싸고 있음(그림 4-1)

2) 탯줄은 배꼽탈장 주머니의 기저(base)에 삽입되어 있고, 컬러도플러를 이용해 제대삽입부위를 확인할 수 있음(그림 4-2)

3) 탈출 장기는 대부분 소장이며, 간혹 간 또는 대장, 위, 비장, 콩팥이 같이 탈출되기 함. 주머니 내에 양수나 Wharton jelly가 같이 포함되기도 함

251

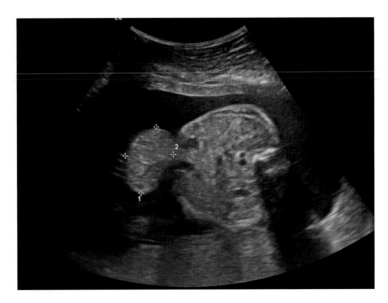

■ 그림 4-1. 임신 25주 저에코로 보이는 제대삽입부위의 배꼽탈장

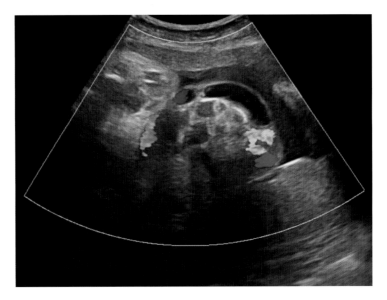

■ 그림 4-2. 임신 34주의 배꼽탈장 색도플러 초음파를 이용한 제대삽입부위 확인

## 3. 감별진단

1) 복벽갈림증: 양막, 복막이 보이지 않으며, 장기 탈출이 배꼽 옆에 위치함
2) 제대 탈장: 복강 밖으로 나온 주머니가 피부로 덮혀 있음

3) 사지몸통벽복합기형: 중증의 척추옆굽음증이 동반됨

4) 칸트렐 다섯징후: 복장뼈 갈림증, 심장딴곳증, 횡격막 탈장 등이 동반됨

5) 총배설강뒤집힘증: 복벽 결손 및 방광 혹은 배설강뒤집힘증이 동반됨

6) Beckwith-Wiedemann 증후군: 가족력, 배꼽탈장, 성장가속, 큰혀증, 내장 비대등이 동반됨

7) 그 외 제대낭종, 부종, 임프종, 석회화된 Wharton jelly 등과 감별 필요함

# 4. 산전관리

1) 임신 제1삼분기에 단독으로 발생한 배꼽탈장은 정상으로 돌아올 수 있으므로 경과관찰이 필요함 (Kagan KO et al. 2010)

2) 임신 제1삼분기에 간을 포함하는 배꼽탈장, 목덜미투명대 증가, 동반 기형이 있는 경우는 비침습적인 cell-free DNA screening, 침습적으로 융모막융모생검, 양수천자를 시행하여 염색체 이상 유무를 평가 함. 염색체 11p15.5에 분자학적 이상이 있는 Beckwith-Wiedemann 증후군 진단을 위한 microarray검사가 도움이 되기도 함

3) 태아의 구조적 이상을 평가하기 위해 정밀 초음파와 태아 심초음파 시행함

4) 태아 MRI는 크게 도움 되지 않음

5) 추적 초음파검사를 시행하여 Beckwith-Wiedemann 증후군을 의심할 수 있는 큰몸증, 큰혀증으로 돌출된 혀, 양수과다 유무를 확인함

6) 산전 소아외과 협진을 통해 임신부의 궁금증과 불안을 감소시킬 수 있음

7) 분만은 3차 병원에서 이뤄져야 하며, 배꼽탈장 덩이가 큰 경우에는 제왕절개분만이 신생아 예후를 향상시킬 수 있음

8) 유병률 2.0-2.6/10,000. 산모 나이에 따라 젊거나 고령에서 증가하는 U자 모양의 분포를 보이며 고령일수록 이배수체(aneuploidy)가 증가됨

9) 단독 배꼽탈장만 있는 경우 11-46%, 비정상 염색체 이상이 동반되는 경우(세염색체18, 세염색체13) 13-49%, 다발성 기형이 동반되는 경우 21-40%, 증후군으로 나타나는 경우가 0-15%의 빈도를 보임(Calzolari E et al. 1995)

10) 동반 기형으로는 심장기형, 신경관 결손, 비뇨생식기 및 소화기계 기형 등을 동반함

# 5. 신생아 관리

1) 분만 후 따뜻한 생리식염수에 젖은 거즈와 플라스틱으로 밖에 나와있는 장기를 덮어 수분 증발을

예방함

2) Beckwith-Wiedemann 증후군이 의심될 때는, 신생아 저혈당이 동반되므로 연속 혈당 측정이 필요함

3) 작은 배꼽탈증은 일차적 수술봉합을 할 수 있고, 덩이의 크기가 4-6 cm 이상인 거대배꼽탈장은 지연봉합을 시행할 수 있음(Lewis N et al. 2010)(그림 4-3)

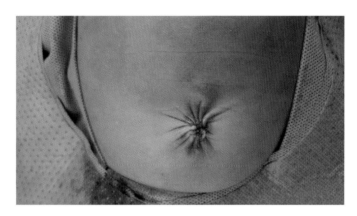

■ 그림 4-3. 배꼽탈장 신생아의 수술 후 사진

## 6. 장기 예후

1) 예후 인자로 분만 주수, 동반 기형, 염색체 이상, 폐형성 이상 동반 여부, 결손의 크기 등이 있음

2) 장기 합병증으로 위식도역류질환, 식이장애, 복벽탈장, 그리고 유착성 장폐쇄가 있으나 대부분 호전되어 정상적으로 성장함

3) 동반기형과 염색체 이상이 없는 경우 80-90%의 높은 생존률을 보임(Brantberg A et al. 2005)

## 7. 상담

동반기형 없이 배꼽탈장만 있는 경우 재발률은 1% 미만임

**참고문헌**

1. Brantberg A et al. Characteriatics and outcome of 90 cases of fetal omphalocele. Ultrasound Obstet Gynecol 2005;26:527-37.

2. Calzolari E et al. EUROCAT Working Group: Omphalocele and gastroschisis in Europe: a survey of 3 million births 1980-1990. Am J Med Genet 1995;58:187-94.

3. Kagan KO et al. The 11-13-week scan: diagnosis and outcome of holoprosencephaly, m exomphalos and megacystis. Ultrasound Obstet Gynecol 2010;36:10-4.

5. Lewis N et al. Conservative management of exomphalos major with silver dressings: are they safe? J Pediatr Surg 2010;45:2438-9.

# 05 칸트렐 다섯징후
Pentalogy of Cantrell

## 1. 개요

1) 1,000,000 출생아 중 5.5명 정도 발생함
2) 발병 기전은 잘 알려져 있지 않지만, 임신 14-18일째 측면중배엽 구역의 태생적 발달이 이뤄지지 않아 결과적으로, 횡격막의 가로중격이 발달하지 않고, 상복부의 쌍 중배엽 주름이 복부정중앙으로 이동하지 않게 되어 흉골과 복벽의 결손 부위로 내장기 돌출이 발생함
3) 복벽 결손으로 심장이 부분적 혹은 전체적으로 흉곽 밖에 위치하는 심장탈곳증(ectopia cordis)으로 보고된 사례들은 다섯 소견 모두를 보여주는 완전 유형과 기타 불완전 유형으로 나뉨

## 2. 초음파 소견

심장탈곳증(그림 5-1)과 배꼽위부분에서 보이는 상복부 중앙 복벽결손(epigastric omphalocele)(그림 5-2)이 일차적 초음파 소견으로 배꼽탈장이 있는 경우에는 칸트렐 다섯징후를 감별해야 함
1) 전형적인 칸트렐 다섯징후
    (1) 앞 횡격막 결손
    (2) 상복부 중앙 복벽결손
    (3) 심막 결손
    (4) 다양한 심장 기형
    (5) 흉골하부 결손
2) 동반 심장 기형들: 심실중격결손, 심방중격결손, 팔로네증후(tetralogy of fallot), 폐동맥협착, 심실게실(ventricular diverticulum) 등
3) 기타 동반기형으로 두꺼운 목덜미투명대, 구순구개열 등이 있음

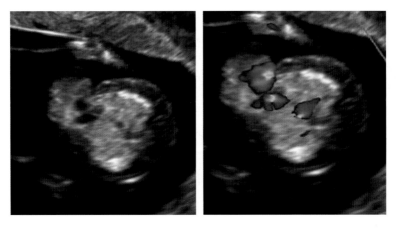

그림 5-1. 칸트렐 다섯징후. 흉곽 밖에 위치하고 있는 심장딴곳증의 2D 초음파소견 및 색 도플러 초음파소견

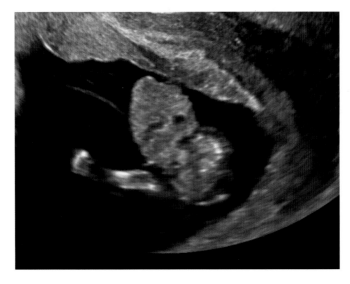

■ 그림 5-2. 칸트렐 다섯징후. 배꼽위에 위치하고 있는 상복부 중앙 복벽결손

## 3. 감별 진단

단순배꼽탈장, 심장딴곳증

## 4. 예후

1) 최근 소아외과의 발달로 수술 후 생존률이 61%까지 향상된 것으로 보고되었으나(Zhang X et al,

2014), 유형이나 동반기형 등에 따라 예후는 개별화하는 것이 필요함

2) 5개 징후 모두 보이는 완전유형, 심장판곳증의 정도가 심한 경우, 예후가 좋지 않음

## 5. 산전관리

1) 임신 초기에 진단된 경우 임신을 종료한 증례들도 있으나, 분만에 이른 경우 최상의 결과를 위해 산과, 신생아부, 소아심장부, 유전학부, 소아외과부로 구성된 다학제적 치료가 필요함(Hsieh YY et al. 1998)

2) 태아 MRI가 진단에 도움이 될 수 있음

## 6. 신생아 관리

1) 분만 후 동반 심장기형을 진단하기 위해 심에코 시행함

2) 출생 후 MRI가 진단에 도움이 될 수 있음

3) 복벽결손의 크기와 심장판곳증의 유형이 치료계획을 결정함

4) 다학제적 관리가 중요하고, 고식적 또는 고정 심혈관계 수술, 복벽과 횡격막 결손 교정, 동반 기형 교정술 등을 시행함(Jeroen HL et al. 2008)

## 7. 유전상담

대부분 정상 핵형을 보임

**참고문헌** ///////////////////////////////////////////////////////////////////////////////////////////////////////////

1. Hsieh YY et al. Prenatal sonographic diagnosis of Cantrell's Pentalogy with cystic hygroma in the first trimester. J Clin Ultrasound 1998;26:409-12.

2. Jeroen HL et al. Pentalogy of Cantrell: two patients and a review to determine prognostic factors for optimal approach. Eur J Pediatr 2008;167:29-35.

3. Zhange X et al. Surgical treatment and outcomes of pentalogy of Cantrell in eight patients. J Pediatr Surg. 2014;49:1335-40.

# VIII
PART

# 위장관

Gastrointestinal Tract

# 01 복강낭종

## Cystic Lesions of the Abdomen

초음파 검사로 복강낭종을 발견하기는 쉽지만 기원과 양상을 결정하는 일은 어렵고 감별 진단할 것이 많아 초음파 검사의 부위별 체계적인 접근이 필요함. 낭종의 모양, 크기와 주변장기와의 연관성, 발견된 시기가 정확한 진단을 위한 중요한 요인임. 산전 초음파 검사의 정확도는 70-90.4% (Marchitelli G et al. 2015; Catania VD et al. 2016) 이지만 다양한 특징적인 소견을 파악하기 위해 MRI가 도움이 될 수 있음(Gupta P et al. 2010). 기존의 보고에 의하면 17-24%의 경우 태아 복강내 낭종은 태어나기 전에 저절로 호전되었고 29-46% 에서 수술적 치료가 필요하였다고 함(Marchitelli G et al. 2015; Sherwood W et al. 2008, Ozyuncu O et al. 2010)

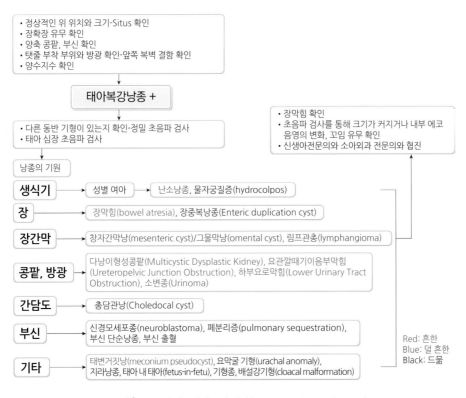

■ 그림 1-1. 태아복강낭종의 진단(Woodward PJ et al. 2016)

# 01-1 창자중복낭
Enteric Duplication Cyst

## 1. 개요

1) 점막 또는 근육층이 있는 창자 중복됨
2) 1/4,500 출생아에서 발생. 남아:여아=2:1
3) 척삭의 분열장애 또는 비정상적인 재소통(recanalization)으로 인해 발생한 낭종으로 소화기관의 어느 곳에서나 발생할 수 있으며, 낭의 모양은 위치나 크기에 따라 다양. 80%가 복강내 발생됨
4) 앞창자(foregut) 40%, 중간창자(midgut)와 뒤창자(hindgut) 60%에서 발생, 돌창자(ileum)에서 가장 호발됨(Woodward PJ et al. 2016)
5) 80%에서 낭성, 20%에서 대롱모양; 대롱모양은 창자와 연결될 수 있으며 대개 산전 진단이 안 됨
6) 단발성 또는 다발성임

## 2. 초음파 소견

1) 쌍방울징후(double wall sign)와 꿈틀운동이 있음(peristalsis)
2) 창자중복낭의 특징적 소견: 고음영의 점막과 장막 사이의 저음영의 근육층. 대부분 무음영이나 반향성(echogenic) 음영을 보이기도 함(그림 1-1-1)
3) 위치에 따라 차이가 있음
   (1) 창자: 단일 복강낭종
   (2) 위: 소화기관의 중복낭 중에 가장 드묾. 대부분은 낭성이고 연결되지 않고 주로 대만곡 쪽에서 유문부에 가깝게 발견
   (3) 식도: 혀의 기저에서 발생하여 구강내 종괴와 기도 막힘의 원인이 됨. 세로칸낭종(Mediastinal cyst), 신경 기형 특히 반척추뼈증(hemivertebra)과 연관 있음
4) 드물지만 막힘에 따른 장의 확장(dilatation)이 있으면 양수과다증이 발생함

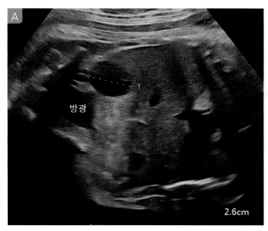 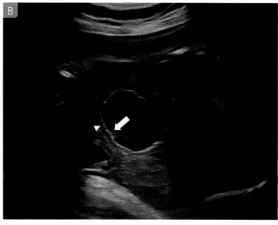

■ 그림 1-1-1. 창자중복낭. **A.** 임신 34주 태아의 방광 옆으로 무음영의 낭종이 보임, **B.** 방광 옆으로 무음영의 낭종이 우측하복부에 보이며 점막의 고음영층(화살표)과 근육층의 저음영층(화살표머리)이 보임

## 3. 감별 진단

총담관낭(Choledochal cyst), 난소낭종[임신 제3분기에 발생, 여아, 반향성 내부], 샘창자막힘(duodenal atresia), 기형종(teratoma), 신경장관낭종(neuroenteric cyst), 창자간막낭(mesenteric cyst)[대개 다방성, 막힘이 덜함], 그물막낭(omental cyst)과 메켈게실(Meckel's diverticulum)

## 4. 임신 중 예후

자궁내에서 우연히 발견되며 임신 제1삼분기에 조기에 발견되기도 함. 태아 성장, 양수량 또는 태아 상태를 확인하기 위해 정기적 초음파 검사를 시행해야 하고 낭종이 파열 또는 출혈될 수 있어 낭종 주위 액체 수집(fluid collection)을 확인해야 함. 드물지만 태아 장막힘의 원인이 되어 양수과다증이 발생할 수 있음

## 5. 산전 관리 및 산전 치료

1) 종괴효과(Mass effect)나 꼬임에 따른 합병증을 피하기 위해 정기적 추적 영상검사가 필요함
2) 염색체 검사를 위해 양수검사를 할 수 있음
3) 다른 동반 기형을 발견하기 위해 정밀 초음파와 태아 심장초음파 검사를 할 수 있음

4) 동반 기형으로는 척추기형, 폐분리증(pulmonary sequestration)과 심장 기형이 있음

5) 분만은 산모 및 태아의 일반적인 적응증에 준해서 시행함. 하지만 낭종의 크기가 커서 진동 중 파열가능성이 있거나 난산이 예측되는 경우 제왕절개술을 고려할 수 있음

## 6. 신생아 관리

1) 출생 후 조기의 초음파 추적검사 필요함

2) 산전에 발견된 경우, 출생직후 낭종의 수술을 바로 시행할 수 있는 신생아전문의와 소아외과 전문의가 있는 병원에서 분만해야 함. 일반적으로 특별한 증상이 없을 경우에는 출생 후 태아초음파 검사는 기본적으로 시행하지 않으므로 산전 진단이 중요하며, 조기에 수술함으로써 합병증을 줄일 수 있음

3) 염색체 기형이나 다른 동반 기형이 있는 경우 출생 후 복합적인 처치와 장기 입원 등이 필요할 수 있음

4) 수술적 치료(그림 1-1-2): 완전 절제. 낭종제거 또는 넓은 바닥을 가진 경우 예정(elective)된 장절제술과 일차 연결(anastomosis). 돌막창자 부위에 있는 경우 돌막창자절제술이 필요할 수 있으나 신생아기에 돌막창자절제술을 하게되면 장 통과시간을 감소시키고 흡수 장애를 일으켜 설사와 영양실조를 발생시킬 수 있어 수술을 최대한 늦출 것을 고려해야 함. 수술을 늦춤으로써 영아기의 전신마취로 인한 뇌인지 손상을 예방할 수 있고, 최근에는 복강경 수술이 증가하는 추세인데 아이가 클수록 복강경 수술이 용이함(Fahy AS et al. 2019; Ren HX et al. 2017; Ballehaninna UK et al. 2013)

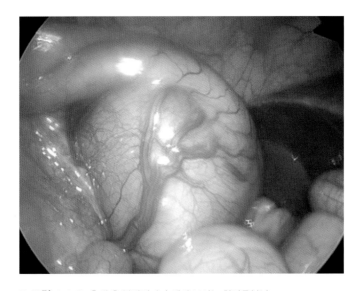

■ 그림 1-1-2. 출생 후 복강경 수술에서 보이는 창자중복낭

## 7. 장기 예후

1) 산전에 발견되지 않는 경우 출생 후 1-2년내 통증, 출혈, 호흡장애 또는 만져지는 종괴가 발생할 수 있음. 창자꼬임(volvulus), 창자겹침증(intussusception), 장폐색(obstruction), 출혈, 천공 또는 악성 변성(malignant degeneration)에 따른 급성 또는 만성 증상이 발생 가능함
2) 빈창자(jejunum), 근위부 돌창자 또는 잘룩창자중복낭이 주로 증상이 있고 위중복낭은 증상이 없음. 돌막창자와 샘창자중복낭은 증상이 없거나 있음. 크기가 클수록 증상이 발생할 가능성이 높음 (Fahy AS et al. 2019)
3) 완전한 낭종 절제술 후 재발은 드묾

## 8. 유전 상담

산전염색체검사, 양수의 생화학 분석을 고려해 볼 수 있음. 다음 임신 시에 재발하는 경우 유전적 원인을 고려해야 함

# 01-2 창자간막낭/그물막낭
## Mesenteric/Omental Cyst

## 1. 개요

1) 작은창자나 잘룩창자의 창자간막, 그물막, 혹은 복막뒤(retroperitoneum)의 공간에 발생한 낭으로 일반적으로 낭성 림프관종(cystic lymphangioma)을 의미함. 복강 내 수액낭종(abdominal cystic hygroma), 낭종성 림프관종(abdominal lymphangioma)로 불림. 중심 림프관계의 연결이 없는 창자간막의 림프조직의 증식으로 인해 발생함

2) 창자간막(mesentery) 또는 그물막(omentum)에서 낭종이 발생하여 창자간막낭으로 명칭함

3) 가장 흔한 발생부위는 작은창자의 돌창자 부위이고 그물막과 드물게 복막뒤에서 발견됨

4) 태아에서 드물며 소아병원에 입원하는 환자 20,000명당 1명꼴로 발생함

## 2. 초음파 소견

1) 주로 다방형 구조물로 1개에서 여러 개의 격막이 있음. 격막의 두께는 다양함. 주위 장기를 둘러싸기도 하고 복강외로 확장되기도 함

2) 단방형 구조물: 얇은 벽으로 이루어져 있고 복수와 유사하게 보일 정도로 커지기도 함. 내부 음영은 주로 무음영 양상이고(그림 1-2-1) 색도플러에서 흐름(flow)이 없음

3) 주위의 장을 밀기도 하고 그 위치가 변할 수 있음. 드물게 장막힘을 유발함

4) 복부를 팽창시키기도 함

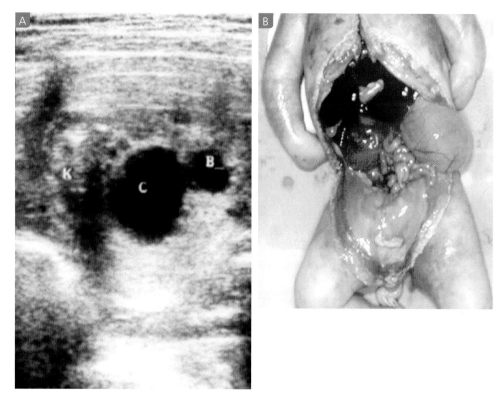

■ 그림 1-2-1. 창자간막낭(mesenteric cyst). **A.** 얇은 벽으로 이루어져 있는 무음영 양상상의 낭이 관찰됨. 신장(kidney, K), 창자간막낭(mesenteric cyst, C), 장(bowel, B), **B.** 실제 창자간막낭의 모양

## 3. 감별 진단

장막힘증, 태변가성낭종, 창자중복낭, 난소낭종, 요막관낭종, 총담관낭, 커진 담낭, 간낭종, 낭성부신 신경모세포종, 요로계낭종

## 4. 임신중과 산후 예후

임신중 우연히 발견되며 정기적 산과적 검사를 시행함. 대부분 무증상으로 양호하나 낭종의 크기, 진단 주수, 혹은 낭종의 크기가 증가하는 속도에 따라 다름

## 5. 산전관리 및 산후 치료

초음파 검사로 낭종의 크기 변화를 추적 관찰함, 큰 낭종의 경우 태아 MRI를 고려함

## 6. 신생아 관리

1) 생후 초음파 검사, CT나 MRI 검사를 시행함
2) 낭종흡입술: 재발율이 높아 추천되지 않음
3) 증상이 있으면 수술이 확실한 치료임. 치료는 낭종의 크기와 범위에 의해 결정. 단순절제, 주머니 형성술(marsupialization) (10%) 또는 부분 장 절제술(33-60%)을 시행함(Chang TS et al. 2011)
4) 낭종의 크기가 크거나 국소적일 때는 수술적 절제가 추천되며 병변이 넓게 퍼져 있거나 다발성, 또는 후복막낭인 경우 큰 혈관들과 인접해 있어 수술적 절제가 쉽지 않고 여러 번 수술을 해야 할 수 있고 재발율이 높음. 드물지만 수술 후 짧은창자증후군(short bowel syndrome)이 발생했다는 보고가 있음(Chang TS et al. 2011)

## 7. 장기 예후

1) 아동기에 복부에 촉진되는 덩어리가 있거나 복부팽창(30-50%)과 통증(80%)을 동반할 수 있음 (Chang TS et al. 2011). 장막힘의 원인이 될 수 있고 장꼬임 또는 파열 가능성 있음
2) 수술 후 장기 예후는 좋은 편임

## 8. 유전상담

림프혈관 생성(Lymphangiogenesis)과 연관있는 염색체인 VEGFC, PROX1, FOXC2, SOX18와 관련이 있다는 보고가 있음(Woodward PJ et al. 2016)

# 01-3 부신낭종
## Adrenal Cyst

## 1. 개요

임신 제2삼분기 또는 제3삼분기에 우연히 발견됨. 콩팥의 머리쪽에 부신 실질에 생긴 낭종임. 콩팥위로 발견되는 낭종 또는 종괴는 주로 부신에서 발생하는 폐분리증과 신경모세포종(neuroblastoma)이 가장 흔하고 다음으로 선천성 부신증식증, 콩팥 중복 집합계(renal duplicated collecting system), 위중복낭이 있으며 드물지만 중요한 부신 출혈이 있음(Woodward PJ et al. 2016)

## 2. 초음파 소견

1) 우선 정상 부신을 확인해야 함. 저음영의 피질(cortex)과 고음영의 속질(medulla)의 층으로 보이며 세 다리(limb)를 가짐
2) 기본 소견(그림 1-3-1) : 고형의 동일 음영의 종괴(50%), 나머지는 낭성 저음영의 종괴나 둘이 혼합된 복합 구조물을 보임. 주변장기로의 종괴효과와 혹의 혈류 유무로 구분함
3) 부신단순낭종: 매우 드묾. 얇은 벽의 무음영의 낭종

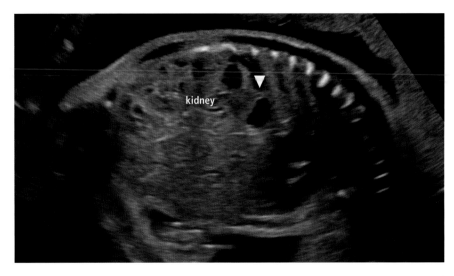

■ 그림 1-3-1. 방시상 영상으로 콩팥위로 고형의 동일한 음영와 낭성 저음영의 복합 구조물(화살표머리)의 부신낭종

## 3. 감별 진단

1) 신경모세포종
    초음파로 구분하기 어려움. 색도플러에서 전반적인 혈류 관찰됨. >90% 생존율을 보여 예후 좋음
2) 폐분리증
    10-15% 정도 횡경막 아래로 발생. 주로 좌측, 혹에 연결된 영양동맥 혈류 색도플러로 관찰됨
3) 부신 출혈
    신생아에서 1000명당 1.7명에서 발생하여 산전에 발견되는 경우는 드묾. 쇼크, 패혈증, 응고 장애, 출생시 외상 또는 스트레스에 의해 혈액농축으로 발생하며 당뇨 산모에서 더 흔함(Lee W et al. 1992). 초음파에서 고형 또는 낭성으로 보이는데 혈액물질의 변형에 따라 다양한 양상으로 보여 주기적인 초음파 관찰로 음영의 차이를 보이면 의심할 수 있음. 색도플러에서 혈류가 없음
4) Beckwith-Wiedemann 증후군

## 4. 임신중과 산후 예후

태아 MRI를 통해 낭종의 양상을 구분할 수 있음

## 5. 산전관리 및 산후 치료

추적 초음파 검사 필요하여 5 cm 미만의 증상이 없는 일측의 낭성 병변이 균등한 경계와 무혈관 양상이면 보존적 치료 권장함(Wang L et al. 2018)

## 6. 신생아 관리

1) 단순낭종은 출생 후 저절로 사라지는 경향을 나타내며, 대부분 후유증을 남기지 않음(Nortwon ME et al. 2017)
2) 신생아 부신 출혈: 대부분 저절로 호전됨

## 7. 장기예후

종양 크기, 환아의 나이, 사춘기 발달, 복통, 덩어리 만져짐과 호르몬 불균형과 같은 증상에 따라 예후가 결정됨

## 8. 유전상담

지금까지 정립되어 있지 않음

**참고문헌** ///////////////////////////////////////////////////////////////////////////////////////////////////////////////////////////////////////////////

1. Ballehaninna UK et al. Laparoscopic resection of antenataly identified duodenal duplication cyst. JSLS 2013;17:454-8.

2. Catania VD et al. Fetal intra-abdominal cysts: accuracy and predictive value of prenatal ultrasound. J Matern Fetal Neonatal Med 2016;29:1691-9.

3. Chang TS et al. Mesenteric cystic masses: a series of 21 pediatric cases and review of the literature. Fetal Pediatr Pathol 2011;30:40-4.

4. Fahy AS et al. A Systematic Review of Prenatally Diagnosed Intra-abdominal Enteric Duplication Cysts. Eur J Pediatr Surg 2019;29:68-74.

5. Gupta P et al. Role of MRI in fetal abdominal cystic masses detected on prenatal sonography. Arch Gynecol Obstet 2010;281:519-26.

6. Lee W et al. Prenatal diagnosis of adrenal haemorrhage by ultrasonography. J Ultrasound Med. 1992;11(7):369-71.

7. Marchitelli G et al.. Prenatal diagnosis of intra-abdominal cystic lesions by fetal ultrasonography: diagnostic agreement between prenatal and postnatal diagnosis. Prenat Diagn 2015;35:848-52.

8. Moon SB et al. Clinical features and surgical outcome of a suprarenal mass detected before birth. Pediatr Surg Int 2010;26(3):241-6.

9. Nortwon ME et al. Callen's ultrasonography in obstetrics and gynecology. 6th ed. Philadelphia, PA: Elsevier; Inc., 2017, p465, 482.

10. Ozyuncu O et al. Perinatal outcomes of fetal abdominal cysts and comparison of prenatal and postnatal diagnoses. Fetal Diagn Ther 2010;28:153-9.

11. Ren HX et al. Laparoscopic resection of gastric duplication cysts in newborns: a report of five cases. BMC Surg 2017;17:37.

12. Sherwood W et al. Postnatal outcome of antenatally diagnosed intra-abdominal cysts. Pediatr Surg Int 2008;24:763-5.

13. Wang L et al. Clinical value of serial ultrasonography in the dynamic observation of fetal cystic adrenal lesions. Prenat Diagn 2018;38(11):829-34.

14. Woodward PJ et al. Diagnostic Imaging: Obstetrics, 3rd ed. Salt Lake City, UT: Elsevier; Inc., 2016, p. 538-9, 544, 658-61.

# 02 고음영발생창자
## Hyperechogenic Bowel

## 1. 개요

1) 태아 창자의 초음파음영이 뼈와 비슷하거나 또는 뼈보다 높은 경우임
2) 임신 14주 이후에 발생빈도는 0.2-2.0 %임
3) 임신 제2삼분기에 정상변이에 속하는 일시적인 소견일 수 있음
4) 창자벽의 부종, 복부내 종괴에 의한 창자의 압박 등에 의해 발생함
5) 다운증후군과 낭성섬유증의 경우 끈적한 내장 분비물 분비에 의하며 자궁내발육지연의 경우 장의 관류저하/허혈에 의해 발생함
6) 4-6%에서 감염이 원인이고 거대세포바이러스(Cytomegalovirus)가 가장 흔함

## 2. 초음파 소견

1) 아랫배 태아 복부와 골반에서 균일한 고음영을 보이고, 그림자를 만들지 않는 경계가 잘 지어진 병변을 보임
2) 간과 뼈(장골능, 척추, 대퇴골 등)의 음영 정도와 비교하여 등급을 정함. 1등급은 정상으로 음영 정도가 간과 같거나 간보다 높고, 2등급은 뼈와 비슷하고, 3등급은 뼈보다 높음. 2,3등급일 때 고음영발생창자로 진단함(그림 2-1)
3) 국소적으로 장의 음영이 증가하여 하얀 덩어리같이 보이며, 초음파의 밝기를 어둡게 하면 뼈의 음영이 사라지고 장의 음영이 있으면 진단함(그림 2-2)
4) 국소적인 고음영발생창자가 확산된 경우보다 병적인 경우가 있음
5) 탐촉자의 주파수가 높을 때 발생할 수 있으므로 주파수가 8 MHz 이상이면 5 MHz로 낮추어 재평가함

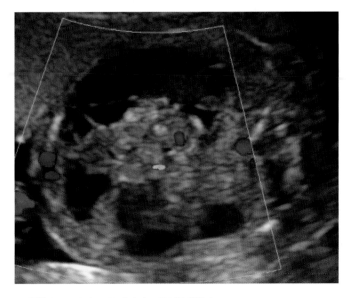

■ 그림 2-1. 임신 22주 태아의 고음영발생창자

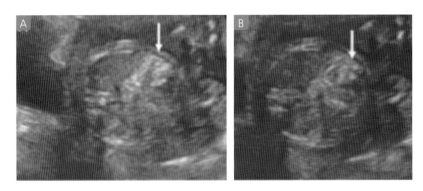

■ 그림 2-2. 고음영발생창자(화살표) **A.** 밝기를 그대로 한 경우, **B.** 밝기를 어둡게 한 경우

## 3. 감별진단

1) 태변복막염
2) 작은창자폐쇄
3) 양수내 출혈의 삼킴
4) 고음영발생태변: 임신 제3삼분기
5) 낭성섬유증에 의한 태변창자막힘
6) 항문막힘증

## 4. 임신 중 관리

1) 탐촉자의 주파수를 확인하고, 인접된 장기 뼈의 음영과 비교, 임신 주수를 확인해야 함
2) 정밀 초음파검사로 구조적 이상을 확인하고, 자궁내발육지연이 8% 정도에서 발생하므로 주기적 초음파검사 시행해야 함
3) 고음영발생창자의 원인인 양수내 떠다니는 부유물, 융모막과 양막의 분리여부, 위내 음영발생물질이 있는지 확인해야 함
4) 염색체의 이수성 검사 - 낭성섬유증의 위험성이 약 2%이므로 이에 대한 부모의 유전자 검사를 위한 모체 혈청 검사 필요함
5) 감염 여부에 대한 모체 혈청 검사 - TORCH 감염 등을 확인해야 함

## 5. 임신 중 예후

1) 동반기형, 염색체이상, 선천성 감염이 없고, 모체 혈청 알파태아단백이 정상이면 예후는 좋음 - 82.5%이 정상 변이임(Woodward PJ et al. 2016)
2) 고음영발생창자의 뚜렷한 원인이 없더라도 임신중기 모체 혈청 알파태아단백이 높은 경우 태아 사망 증가됨
3) 불량한 예후: 6-15% 단독 고음영발생창자, 50% 다른 동반 기형과 고음영발생창자

## 6. 신생아 및 장기예후

지금까지 정립되어 있지 않음

## 7. 유전상담

지금까지 정립되어 있지 않음

참고문헌

1. Woodward PJ, et al. Diagnostic Imaging: Obstetrics. 3rd ed. Salt Lake City, UT: Elsevier; Inc., 2016, p. 558-9.

# 03 복강 내 석회화
Intraabdominal Calcification

복강 내 석회화의 가장 흔한 원인

1) 태변복막염

2) 창자돌증 장결석증: 정확한 원인은 알지 못하나 태변의 저류와 직장요도루를 통한 소변의 역류가 관여하여 발생함

3) 담석증

4) 태아 내 태아

# 03-1 태변복막염
## Meconium Peritonitis

## 1. 개요

1) 태아의 장 천공이 무균성 화학적 복막염(sterile chemical peritonitis)을 유발함
2) 복막염의 범위는 국소적이거나 미만성으로 일어날 수 있고 복막내 석회화와 함께 섬유화 반응을 일으킬 수 있음
3) 임상적인 특징은 기저 원인, 시기, 천공이 자연적으로 치유되는 지의 유무에 따라 달려 있으며 범위는 무증상의 복부내 석회화에서 거대낭성태변복막염에 이르기까지 다양함
4) 발생 빈도는 1/2,000 임신 또는 1/35,000 출생아

## 2. 초음파 소견

1) 기저 장질환, 염증반응의 정도, 천공이 된 시간 등에 따라 다양함
2) 복강 내 석회화가 가장 흔한 증상(약 85%), 복강 내 석회화의 진단 기준은 복부 내에 석회화가 보이되 다른 장기, 장관, 혈관, 또는 담도 안에 석회화가 있지 않아야 함
3) 복강 내에 흩어져 보이는 석회화 소견을 보이고, 간을 따라서 보이는 석회화, 그림자가 있는 석회화를 볼 수 있음(그림 3-1-1)
4) 동반 초음파 소견으로 장의 확장 소견(27%-29%), 태아의 복수(54-57%), 양수과다증(64-71%), 태변성 거짓낭을 볼 수 있음
5) 음낭 및 흉부 포함한 석회화 부위, 크기 및 위치, 확장되거나 고음영 장루프, 태변성 거짓낭, 복수 및 태아수종 동반 여부 확인

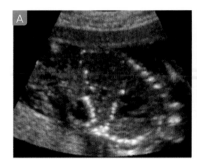
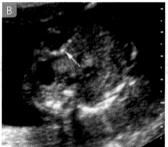
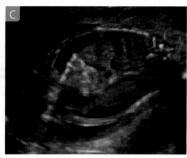

■ 그림 3-1-1. 태변성 거짓낭을 동반한 태변복막염. 복강내 접한 간 표면 석회화(화살표)와 복수(C)

## 3. 감별진단

1) 고음영발생창자
2) 항문막힘증
3) 태아 담석증, 간 석회화
4) 유피낭, 간모세포종, 신경모세포종, 윌름즈종양, 기형종 등의 종양
5) 창자중복낭, 창자간막낭, 항문막힘증과 동반된 혈관종, 물자궁증, 혈종
6) TORCH 감염

## 4. 임신 중 관리 및 예후

1) Dirkes 등의 태아의 복부내 석회화 구분
   (1) 단순태변복막염(simple meconium peritonitis): 다른 이상소견 없는 독립된 석회화 병변인 경우 일반적으로 특별한 의학적 개입이 필요하지 않음
   (2) 복합태변복막(complex meconium peritonitis): 복수, 장의 확장, 태변성 거짓낭, 그리고 양수과 다증 중에서 어느 것이라도 동반(그림 3-1-2, 3) 출생 후 약 50%에서 수술적 치료가 필요하므로 산전에 복수, 태변성 낭종 또는 장의 확장 등이 동반되는지 주의 깊게 관찰하고, 이러한 합병증 이 동반되는 경우 출생 후 수술적 교정이 가능한 병원에서 분만해야 함
2) 예후는 발병 원인, 동반 질환, 장천공의 유무, 재태연령 등에 의해 결정됨
3) 일반적으로 산전에 진단받은 경우에는 예후가 좋음
4) 단순 태변성 복막염일지라도 출생 후 복부 진찰, 방사선 또는 초음파 검사를 하여야 하며, 이 때 만 일 정상이라면 수유를 시작함

5) 출생 후 수술이 필요한 경우는 복수를 동반한 장천공, 태변성 거짓낭, 장막힘이나 협착 혹은 꼬임 등이 있음

6) 신생아시기에 진단받은 경우에는 태변성 복막염중 약 15-40%가 낭성섬유증과 동반되어 있으나, 산전에 진단된 경우에는 8% 정도. 국내에서는 매우 드묾

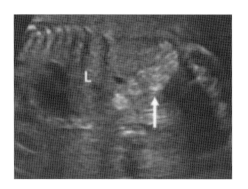

■ 그림 3-1-2. 단순태변복막염. 복강내 석회화(화살표)

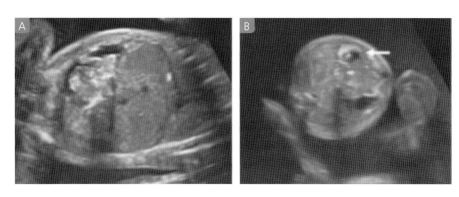

■ 그림 3-1-3. 복합태변복막염. A. 복강내 석회화, B. 태변 거짓낭(화살표)

# 03-2 간 석회화
## Liver Calcifications and Calcified Liver Lesions

## 1. 개요

초음파상 임신 제2삼분기에 1/1,750 정도 볼 수 있음. 대부분의 경우는 간 석회화가 단일이고 다른 태아의 형태학적 이상이 발견되지 않음

## 2. 초음파 소견

간실질에 부분적(한 개 또는 몇 개)이고 음향 음영이 없는 석회화 병변이 있음

## 3. 감별진단

1) 태변복막염
2) 문맥 또는 간정맥의 색전: 분리된 피막화 석회화

## 4. 임신 중 관리 및 예후

1) 전염성 선별 검사 (TORCH)가 음성이면 좋은 예후를 보임
2) 복수가 동반될 경우 바이러스 감염과 관련이 있음
3) 석회화의 병변 부위, 크기 및 분포에 따라 추가 관리를 결정: 간, 복부, 후복벽의 종괴, 그리고 복수와 관련성이 있음

4) 종양(간모세포종(hepatoblastoma), 전이성 신경모세포종(metastatic neuroblastoma))과 동반되는 경우는 드묾

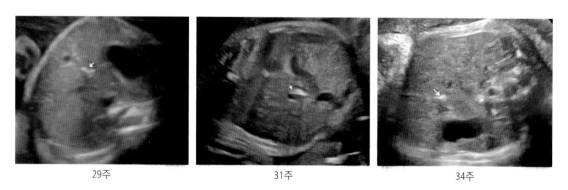

| 29주 | 31주 | 34주 |

■ 그림 3-2-1. 임신주수에 따른 간의 석회화 병변(화살표). 간 석회화가 단일이고 태아의 다른 형태학적 이상이 발견되지 않음

# 03-3 태아 담석, 태아 담석증
Fetal Gallstones, Cholelithiasis

## 1. 개요

1)  태아의 쓸개는 임신 제2,3분기의 82-100% 볼 수 있으나 쓸개의 수축이 있는 경우 잘 보이지 않을 수도 있음

2)  임신 28주 후에는 담석 및 담낭 슬러지(그림 3-3-1) (칼슘, 안료 및 콜레스테롤 성분의 침전물을 함유하는 농축 담즙)를 볼 수 있음

3)  원인 - 용혈성 질환, 담즙 정체 및 모계 약물 사용함

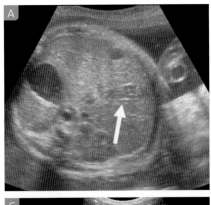
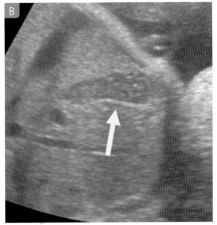
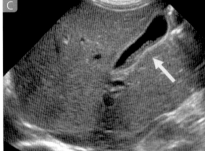

■ 그림 3-3-1. 담낭 슬러지. **A, B.** 태아 담낭 안의 슬러지가 관찰됨(화살표), **C.** 분만 후 신생아 복부 초음파에서도 담낭 안의 슬러지를 확인함(화살표)

## 2. 초음파 소견

태아 우측 위 사분역에서 태아 담낭의 고음영의 그림자 병소를 드리움. 태아 담낭의 고음영 병소는 슬러지보다 돌을 나타내는 경향으로 산후에 용해가 덜 됨

## 3. 감별진단

간 석회화, 태변복막염 등 복강내 석회화

## 4. 임신 중 관리 및 예후

1) 대부분의 연구는 관련된 태아 이상이 없고, 출생 후 임상적으로 이와 관련된 후유증이 없다고 보고함
2) 슬러지보다 돌을 나타내는 경향성을 보이고, 이러한 경우 산후에 용해가 덜 됨
3) 대부분 분만 전이나 직후에 용해되는데 이는 아마도 담즙 대사가 변화하기 때문이라고 여겨짐

## 5. 신생아관리

출산 후 신생아 복부초음파를 관찰함

## 6. 장기 예후

대부분의 연구에서 담석/슬러지는 대부분 1년이내 사라진다고 보고됨

**참고문헌** ///////////////////////////////////////////////////////////////////////////////////////////

1. McNamara A et al. Intraabdominal Fetal Echogenic Masses: A practical Guide to Diagnosis and Management. Radio-Graphics, Volume 25, Issue 3. May 1 2005. https://doi.org/10.1148/rg.2530451241.
2. Nortwon ME et al. Callen's ultrasonography in obstetrics and gynecology, 6th ed. Philadelphia, PA: Elsevier; Inc., 2017, p465, 482.
3. Vincoff NS et al. Effect of ultrasound transducer frequency on the appearance of the fetal bowel. J Ultrasound Med 1999;18:799-803.

# 04 유문폐쇄 및 유문협착
## Pyloric Atresia and Stenosis

## 1. 개요

1) 유문폐쇄는 생존출생아 전체 장폐쇄질환의 1%미만으로 100,000명당 1명의 빈도임(Ilce BZ et al. 2003)

2) 비대유문협착(hypertrophic pyloric stenosis)은 백인에서는 생존출생아 1,000명당 1.5-4명의 빈도로 나타나며 흑인과 아시안에서는 그보다 드물게 진단됨

3) 유문폐쇄는 막(web), 섬유끈(solid cord of tissue), 완전히 분리된(gap)형태로 분류되며 막의 형태가 가장 흔하게 보여짐

## 2. 초음파 소견

1) 유문폐쇄의 61-92%에서 양수과다증이 보이면서 위가 늘어나 보임(Colin 1989; Usui N et al. 2013)

2) 위만 늘어나므로 쌍방울징후(double-bubble sign)를 보이는 샘창자폐쇄(duodenal atresia)의 경우와 다르게 한 개의 방울이 관찰됨

3) 양수과다가 주로 임신 제3삼분기에 나타나고 위의 꿈틀운동이나 태아의 구토로 인해서 위의 크기에 변화가 있을 수 있으므로 임신중기의 초음파검사에서 발견하기 어려움

4) 비대유문협착의 경우에는 양수과다증이 보이지 않을 수 있으며, 창자의 음영이 관찰됨

## 3. 감별진단

샘창자폐쇄, 중간창자꼬임(midgut volvulus)을 동반한 장회전이상(intestinal malrotation), 샘창자중복

(duodenal duplication), 유문방중복(antral duplication)

## 4. 임신 중 예후

1) 동반기형: 물집표피박리증(epidermolysis bullosa, EB), 유전다발장폐쇄(hereditary multiple intestinal atresias, HMIA) 등과 자주 동반되며 동반된 경우에는 예후가 나쁨(Korber JS et al. 1977; Al-Salem AH 2007).
2) 양수과다로 인하여 조기진통 및 조산 위험이 있음

## 5. 산전관리 및 산전치료

1) 물집표피박리증이 동반된 경우 예후가 나쁘므로 가족력을 자세히 확인하여야 하며, 태아의 생존 가능성이 없는 시기에 발견된 경우에는 태아피부조직검사를 하여 진단할 수도 있음
2) 조기 진통 및 조산 위험 증가에 따르는 산전관리가 필요함
3) 소아수술과 물집표피박리증이 치료 가능한 병원에서 분만해야 함

## 6. 신생아 관리

1) 출생직후 폐흡인과 위천공을 예방하기 위하여 코위감압(nasogastric decompression)을 시행함
2) 상부위장관조영검사(upper gastrointestinal contrast study)를 실시하여 중간창자꼬임(midgut volvulus)을 동반한 장회전이상(intestinal malrotation)을 감별함
3) 폐쇄 형태에 따라 수술을 시행하며, 주로 유문성형술이 시행됨

## 7. 장기 예후

유문폐쇄만 단독으로 있는 경우에는 예후가 좋으나 동반질환이 있는 경우에는 예후가 나빠서 수술 후 평균 생존률은 40-56%임(Al-Salem AH et al. 2014; Ilce Z et al. 2003)

## 8. 유전상담

    단독유문폐쇄는 상염색체열성유전의 형태로 발생하며(Bar-Maor JA et al. 1972), 물집표피박리증과 동반된 유문폐쇄는 다음 임신에서 25%의 발생위험성이 있으므로 반드시 유전상담이 필요함

**참고문헌** ////////////////////////////////////////////////////////////////////////////////////////////////////////////////////////////////////////////

1. Al-Salem AH. Congenital pyloric atresia and associated anomalies. Pediatr Surg Int 2007;23:559-63.
2. Al-Salem AH et al. congenital pyloric atresia, presentation, management, and outcome: a report or 20 cases. J Pediatr Surg. 2014;49:1078-82.
3. Colin CMM. Congenital gastric outlet obstruction. J Pediatr Surg 1989;24:1241-6.
4. Ilce Z et al. Pyloric atresia: 15-year review from a single institution. J Pediatr Surg. 2003;38:1581-4.
5. Konvolinka CW et al. Pyloric atresia. Am J Dis Child. 1978;132:903-5.
6. Okoye B et al. Pyloric atresia: five new cases, a new association, and a review of the literature with guidelines. J Pediatr Surg. 2000;35:1242-5.
7. Usta IM. Familial pyloric atresia: report of a family and review of the literature. J Matern Fetal Med. 2000;9:190-3.
8. Usui N, et al. Prenatal diagnosis of isolated congenital pyloric atresia in a sibling. Pediatr Int. 2013; 55:117-9.

# 05 샘창자폐쇄와 협착
Duodenal Atresia and Stenosis

## 1. 개요

1) 샘창자 내부의 협착과 폐쇄에 의해 발생한 샘창자 통과 장애임

2) 5,000-10,000 출생 중 한 명에서 발생함(David F et al. 2020)

3) 샘창자 협착 및 폐쇄 30-32%가 다운증후군(Down syndrome)을 동반함(Bethell GS et al. 2020)

4) 다운증후군의 3-15%에서 샘창자 협착 및 폐쇄 소견이 관찰됨(Claud Stoll et al. 2015)

5) 샘창자 협착 및 폐쇄가 있는 경우, 50-70%에서 다른 태아기형을 동반함. 가장 흔한 동반기형은 심장과 다른 소화기계 이상 소견이 있음(Woodward PJ et al. 2016)

## 2. 초음파 소견

1) 쌍방울징후(Double bubble sign): 샘창자 협착 및 폐쇄로 인한 통과장애로, 위와 샘창자의 팽창으로 인한 소견. 액체로 채워져 있는 위와 샘창자가 연결되어 있는 소견을 보임(그림 5-1)

2) 양수과다증(polyhydramnios)

3) 초음파 관찰 중, 위의 증가된 꿈틀운동을 보임

4) 샘창자 액체 고임이 지속적으로 관찰되는 것은 비정상 소견임

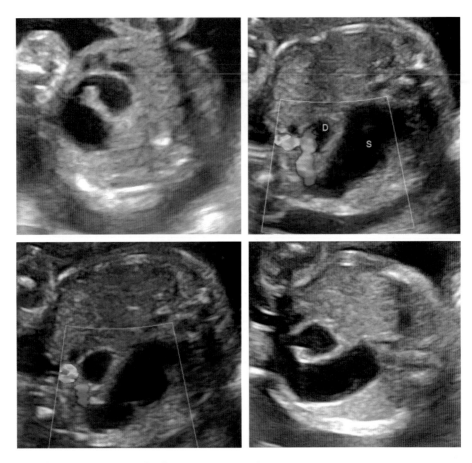

■ 그림 5-1. 임신 28주. 쌍방울징후(double bubble sign)

## 3. 동반 기형

1) 다운증후군(Down's syndrome, Trisomy 21)
2) 심장 기형
3) 추가 소화기계 이상 소견: 회전장애(malrotation), 폐쇄(atresia)
4) 척추 기형(vertebral anomalies (V)), 항문막힘(anal atresia (A)), 식도폐쇄를 동반한 기도-식도 누공 (tracheo-esophageal fistula with esophageal atresia (TE)), 콩팥이형성(renal dysplasia (R)), 심장(cardiac (C))과 사지 기형을 동반한(limb (L)) VACTERL 증후군

## 4. 감별진단

1) 소화기계 원위부 폐쇄(distal atresia: jejunal, ileal, colonic, anal)
2) 복부낭종: 위와 연결 없음. 양수과다증 없음

## 5. 산전관리 및 산전치료

1) 샘창자폐쇄 진단 시, 동반 기형 검사 시행: 특히 태아 심장 초음파 시행해야 함
2) 샘창자폐쇄는 양수과다증으로 인한 조산과 자궁내 태아 사망 가능성 높음
3) 소아외과 상담이 필요하고, 3차 의료기관에서 분만이 권장됨

## 6. 신생아 관리

1) 수액 공급과 위 감압 후, 수술적 치료 시행해야 함
2) 내시경 또는 개복술을 이용한 샘창자-샘창자 문합술(duodeno-duodenostomy) 시행해야 함

## 7. 예후

1) 평균 사망률은 4-40%로, 예후는 동반 기형 유무에 달려 있음(Choudhry MS et al. 2009; Woodward PJ et al. 2016)
2) 샘창자폐쇄가 단독으로 있는 경우, 즉각적인 수술 후 생존율은 거의 95-100%임
3) 동반 기형이 있는 경우, 심각 정도에 따라 생존율은 달라짐

## 8. 유전상담

1) 염색체 검사 필요함
2) 30-32%에서 다운증후군을 동반함(Bethell GS et al. 2020)

**참고문헌** ////////////////////////////////////////////////////////////////////////////////////////////////////////////////////////////

1. Bethell GS, et al. The impact of trisomy21 on epidemiology, management, and outcomes of congenital duodenal obstruction: a population-based study. Pediatric Surgery International. 2020 36:477-83.

2. Choudhry MS, et al. Duodenal atresia: associated anomalies, prenatal diagnosis and outcome. Pediatric Surgery International. 2009:25:727-30.

3. Claude S, et al. Associated congenital anomalies among cases with Down syndrome. European Journal of Medical Genetics 2015. P 674-680.

4. David F, et al. Duodenal atresia and stenosis. StatPearls[Internet] 2020. Feb 25.

5. Woodward PJ, et al. Diagnostic Imaging: Obstetrics, 3rd ed. Salt Lake City, UT: Elsevier; Inc., 2016, p.520-3.

# 06 빈창자와 돌창자의 막힘

Jejunal and Ileal Obstruction

## 1. 개요

1) 소장 하나 이상의 영역의 협착 또는 폐쇄로 인해 발생한 빈창자(jejunum)와 돌창자(ileum)의 통과 장애로 정의함

2) 발생빈도는 3,000-5,000명 출생당 1명으로 보고됨

3) 주로 산발성으로 발생하나, apple-peel 폐쇄, Feingold 증후군과 같은 유전적인 요인의 증례도 보고 됨

4) 신생아 창자폐쇄의 가장 흔한 원인이며, 창자회전이상(intestinal malrotation), 창자꼬임(volvulus), 복막섬유띠(peritoneal fibrous band), 창자겹침증(intussusception)에 의한 혈류 공급 차단 등이 외 부요인으로 작용하여 허혈성 손상을 받거나 임신 6주와 12주 사이 창자 회전 중에 장간막 동맥이 꼬여 혈류 공급이 차단되어 발생할 수 있음. 반면 내부요인으로는 창자의 재관형 실패에 의한 폐 쇄와 부분적 재관형에 의한 협착으로 인해 발생할 수 있음

5) 빈창자막힘이 돌창자막힘보다 더 흔하게 발생하고, 다발성이며 양수과다증과 같은 2차적인 이유 로 조기 분만과의 연관성이 높고 복벽개열증, 창자겹침증, 상장간막 동맥의 꼬임 등과 같은 다른 기형을 동반하기도 함

6) 창자천공은 빈창자막힘 보다 돌창자막힘에서 비교적 더 흔하게 발생함

7) 분류(Surgical classification system)(그림 6-1)

   (1) I형: 내강 속의 격막으로 인한 2차적인 폐쇄, 정상 창자 길이를 보이며 장간막 결함이 없음

   (2) II형: 섬유끈에 의해 두 개의 막힌 창자가 연결되어 있으며, 정상 창자 길이를 보이며 장간막 결 함이 없음

   (3) IIIa형: 장간막 틈에 의해 창자가 두 부분으로 완전히 분리, V 모양의 장간막 결합이 존재하며 창자 길이가 짧음

   (4) IIIb형: apple-peel 모양, 큰 장간막 결함이 관찰됨

   (5) IV형: 다수의 부위에서 장 폐쇄가 동반됨

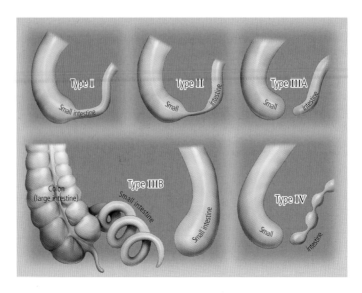

■ 그림 6-1. 창자폐쇄의 분류

## 2. 초음파 소견

1) 창자폐쇄

    (1) 정상 소장은 내경 <7 mm으로 임신 제2삼분기 후기나 제3삼분기에 꿈틀운동과 함께 관찰이 가능한 반면, 창자 폐쇄의 경우 임신 제 2삼분기이후 고음영, 확장된 창자(>7 mm) 소견을 보임. 확장된 창자고리(bowel loops)가 보이는데 빈창자막힘은 4-5개 정도이고 창자 원위부가 막힐수록 고리 수가 많아짐(그림 6-2)

    (2) 증가된 꿈틀운동을 보이며, 빈창자 근위부의 세쌍방울(triple bubble) 소견이나 소시지 모양의 창자 고리 소견이 관찰될 수 있음

2) 양수과다증

    (1) 임신 26주 이전 양수 과다 소견이 관찰될 수 있으며 중증도와 발생 시기는 막힘 부위에 따라 달라지게 되는데, 근위부일수록 심하게 나타남

    (2) 빈창자막힘에서 돌창자막힘보다 더 흔하게 관찰됨

3) 태변복막염과 창자천공의 위험성

    (1) 약 6%에서 태변복막염이 관찰되며 원위부 막힘이 있는 경우 더 흔하게 발생함

    (2) 장내 석회화, 거짓낭종, 복수 등이 함께 관찰되기도 함

4) 자궁내성장지연 : 근위부 막힘이 있는 경우 더 흔하게 발생함

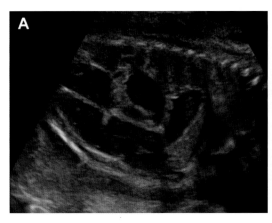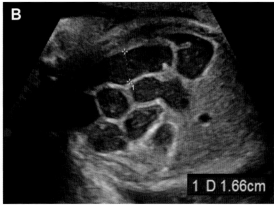

■ 그림 6-2. 돌창자막힘이 있는 태아 복부초음파. **A.** 세로면과, **B.** 교차면. 여러 개의 창자고리가 보임

## 3. 감별진단

1) 태변 장폐색
   (1) 돌창자 원위부의 태변 축적으로 인한 막힘
   (2) 임신 제2삼분기에 고음영의 창자 소견이 관찰되며 낭성섬유증과 연관성이 높음
2) 창자겹침증
   (1) 허혈로 인한 창자 경색이 발생함
   (2) 꿈틀운동 없이 확장된 창자 소견이 관찰됨
   (3) 출혈과 괴사로 인한 이질적인 장내 음영이 관찰됨
   (4) 창자막힘과 조기 감별이 어려움
3) 항문막힘증
   (1) 태아의 소장과 대장의 구별은 매우 어려움
   (2) 저음영의 고리와 고음영의 점막이 함께 관찰되는 항문의 target sign이 관찰되지 않음
   (3) VACTERL 증후군과의 연관성이 높음
4) 요관확장증
   관 모양의 소견이 창자로 오인될 수 있고 종종 후부요도판막(posterior urethral valves), prune-belly
   증후군 등에서 확장된 방광과 함께 관찰됨
5) 정상 잘룩창자
   정상 내경 18 mm, 임신 제3삼분기에 관찰 가능함
6) 샘창자막힘증
   쌍방울징후(double bubble sign)가 관찰되며 샘창자 이후의 창자 확장 소견은 관찰되지 않음
7) 복강 내 낭종

대롱 모양이 아닌 단일낭종이 관찰되고 꿈틀운동이 관찰되지 않음

8) 창자꼬임

   (1) 창자간막축(mesenteric axis) 주변의 장관이 회전하여 장의 내강과 혈관 줄기가 모두 폐쇄되는 것을 말함

   (2) 주로 임신 후반기에 나타나고 갑자기 발행하므로 임신 초기에는 정상소견을 보임

   (3) 창자의 확장과 꿈틀운동의 소실이 중요한 단서임

   (4) 창자의 음영이 소용돌이치는 물결처럼 보일 수 있으며(소용돌이소견, whirlpool sigin), 확장된 장관이 커피콩(coffee bean) 소견을 보일 수 있음

   (5) 색도플러초음파로 고인 상창자간막 혈관을 확인하는 것이 진단에 도움이 됨

## 4. 산전관리 및 산전치료

1) 낭성섬유증 감별 위해 부모 선별검사 또는 양수천자를 시행할 수 있음

2) 심한 양수과다증의 경우 자궁의 과민성 감소와 산모의 복부 불편감 감소를 위해 양수감압술을 시행할 수 있음

## 5. 처치 및 예후

1) 만삭아에서 합병증이 없는 경우 질식분만이 가능하며, 출생 후 수술적 교정이 필요하므로 신생아 수술이 가능한 병원에서 분만을 하는 것이 예후가 좋음

2) 분만 직후 코위감압술(nasogastric decompression)을 시행하고 탈수 예방을 위해 적절한 수액치료가 필요하며 예방적인 항생제를(ampicillin/gentamycin) 사용함

3) 복부 방사선 촬영을 시행하여 막힘 부위를 확인하고 동반된 기형 유무에 대한 평가가 필요함

4) 수술 후 예후는 남은 장관 길이와 돌막창자 판막(ileo-caecal valve)의 존재 여부와 관련되며, 분류 IIIb형과 IV형을 제외하고는 보통은 예후가 좋음

5) 예후는 조산 및 동반 기형과 관련되며 산전 초음파의 특징적 소견과는 무관함

## 6. 유전 상담

   apple-peel 모양, 짧은 창자, 돌창자 원위부의 관류 역행 소견을 동반한 IIIb형의 경우 약 18%에서 재발의 위험을 가지며, 상염색체 열성 유전 양상을 보임

**참고문헌** ////////////////////////////////////////////////////////////////////////////////////////////////////////////////////////////////////////////

1. Jo YS et al. Antenatal sonographic features of ileal atresia. J obstet Gynaecol Res. 2012;38:215-9.

2. John R et al. diagnostic accuracy of prenatal ultrasound in identifying jejunal and ileal atresia. Fetal Diagn Ther. 2015;38:142-6.

3. Rubesova E. Fetal bowel anomalies-US and MR assessment. Pediatr Radiol. 2012;42 Suppl 1:S101-6.

4. Takahashi D et al. Population-based study of esophageal and small intestinal atresia/stenosis. Pediatr Int. 2014;56:838-44.

5. Virgone C et al. accuracy of prenatal ultrasound in detecting jejunal and ileal atresia: systematic review and meta-analysis. Ultrasound 2. Obstet Gynecol. 2015;45:523-9.

# 07 총담관낭
## Choledochal Cyst

## 1. 개요

1) 담관에 하나 또는 여러 개의 낭이 발생. 주로 총담관(common bile duct)에 발생함

2) 서구에서는 드문 질환으로 1:100,000의 발생빈도를 보이며 여아에서 3-4배 더 많이 발생함
   동양인, 특히 일본인에서 호발하는 것으로 알려져 있으며 남녀에서 비슷하게 발생함

3) Todani 분류(그림 7-1)

   | I형 | 총담관의 낭성확장(가장 흔한 타입) |
   |-----|----------------------------------|
   | II형 | 총담관의 선천성 계실 |
   | III형 | 샘창자내에 국한된 총담관류 |
   | IV형 | 간내와 간외에 다수의낭종(IVa) 또는 다수의 간외 낭종(IVb) |
   | V형 | 간내에만 국한된 낭종 |

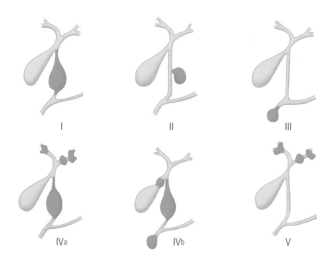

■ 그림 7-1. 총담관낭의 분류(Todani 분류)

4) Visser의 4가지 형태학적 분류: 총담관낭, 총담관류(choledochocele), 총담낭관게실(choledochal diverticulum), 카롤리 병(Caroli disease)

5) 3가지 발생 가설

    (1) 이자쓸개관의 부정유합으로 이자액이 담도로 역류되어 생김

    (2) 간문(hepatic hilum) 주변의 원발성 협착으로 인한 간내 낭종 발생함

    (3) Oddi 괄약근의 폐쇄, 협착 또는 기능부전으로 인해 발생함

## 2. 초음파 소견

1) 태아의 상복부 또는 우상복부, 특히 담낭주변에서 발견되는 박동이 없는 단순한 낭종 소견

2) 담낭관이 낭종에 연결되는 것이 확인되면 총담관낭 확진 가능함(그림 7-2)

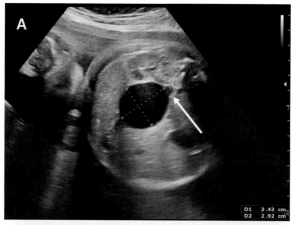

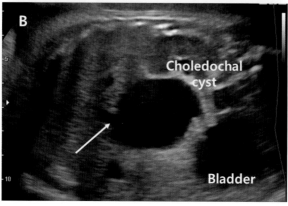

■ 그림 7-2. 산전에 진단된 총담관낭. **A.** 임신 29주, **B.** 임신 35+4일 짧은 세관형태의 담낭관이 총담관낭에 연결되어 있는 모습을 볼 수 있음(화살표)

## 3. 감별진단

1) 샘창자폐쇄(duodenal atresia), 장관폐쇄(intestinal atresia): 총담관낭은 위장과 연결되지 않고 위장의 확장이 없는 소견으로 샘창자폐쇄와 감별됨. 양수과다증이 없거나 꿈틀운동이 없는 것으로 장관 폐쇄와 구분됨

2) 난소낭종

3) 창자간막낭 또는 그물막낭

4) 간 또는 췌장에서 발생한 낭종

5) 낭성담도폐쇄: 산전에 총담관낭과 감별이 어려움

## 4. 치료 및 예후

1) 분만후 치료는 외과적 수술로 광범위 절제술 및 Roux-en-Y 간창자연결술(hepaticoenterostomy)에 의한 담도의 재건이 있음

2) 수술로 교정하지 않으면 담관염, 간농양, 담관성간경화증, 문맥고혈압, 악성변화 등을 초래할 수 있으므로 가능한 일찍 수술하는 것이 좋음

3) 임상 양상의 발현 시기와 정도는 낭종의 크기와 담도 폐쇄 유무에 따라 다름. 수술 후 예후는 좋음

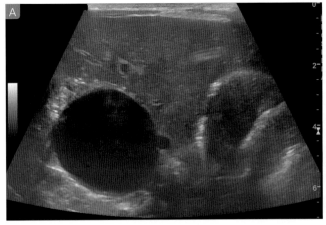 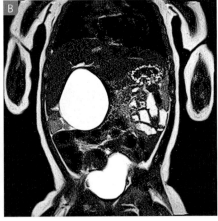

■ 그림 7-3. 생후 확진된 총담관낭. A. 생후 4일째 복부초음파사진. 간문부 3.5 cm의 총담관낭이 보이며 담낭은 보이지 않고 있음. B. 생후 22일째 MRI 담관조영술(cholangiogram) 사진

**참고문헌** ////////////////////////////////////////////////////////////////////////////////////////////////////////////////////////////////////

1. Casaccia G et al. Cystic anomalies of biliary tree in the fetus: is it possible to make a more specific prenatal diagnosis? J Pediatr Surg 2002;37:1191-4.
2. Todani T et al. Classification of congenital biliary cystic disease: special reference to type Ic and Iva cysts with primary ductal structure. J Hepatobiliary Pancerat Surg. 2003;10:340-4.
3. Visser BC et al. Congenital choledochal cysts in adults. Arch Surg 2004;139:855-60.

# 08 난소낭종
## Ovarian Cyst

## 1. 개요

1) 난소와 생식기 기형은 신생아 복부 종괴의 20%를 차지하며, 비뇨기계 기형 다음으로 2번째임. 출생아 1,000-2,500명당 1명 정도 발생함(Valenti C et al. 1975)

2) 태아 뇌하수체에서 분비되는 난포자극호르몬(FSH)과 모체의 에스트로겐, 태반 사람융모성성선자극호르몬(hCG)이 난포 성장을 자극하고 이로 인해 난소낭종이 발생되는 것으로 추정됨

3) 출생 후에는 모체 에스트로겐과 hCG가 없어지고, FSH도 시상하부-뇌하수체-난소축의 억제기전에 의해 감소되므로 아동기에는 난소낭종이 형성되지 않음

4) 일측 발생이나 양측 발생도 보고됨

5) 28주 이후에 발견되고 드물게 20주에 발견되는 경우도 있음

## 2. 초음파 소견

1) 진단 기준
   (1) 태아 복부의 한쪽에 위치한 낭성 구조물
   (2) 정상 비뇨기관(콩팥, 요관, 방광) 확인
   (3) 정상 위장관(위, 작은창자, 큰창자) 확인
   (4) 여아

2) 단순낭종과 복합낭종(그림 8-1)
   음영이 없는 낭종인 경우 단순낭종으로, 액체층(fluid level), 음영증가, 격막, 고음영부위와 무음영부위가 혼합된 경우는 복합낭종으로 분류함. 다양하고 복잡한 양상(Heterogeneous appearance)을 보이는 음영의 낭종은 난소꼬임이나 출혈의 주된 초음파 진단 지표임

3) 작은 딸낭종(daughter cyst)을 동반함(Woodward PJ et al. 2016)

4) 드물지만 양수과다증, 복수 또는 출혈에 의한 태아 빈혈과 연관이 있음

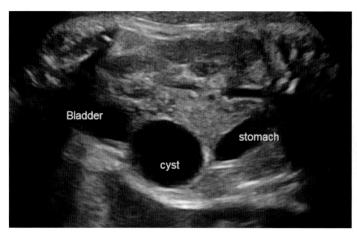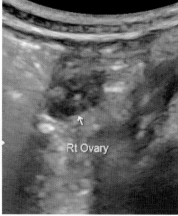

■ 그림 8-1. 태아난소낭종. 방시상 영상으로 방광과 위 사이에 경계가 분명하고 매끈한 3 cm의 무음영의 낭종이 관찰됨. 생후 2개월 뒤 무음영 낭종이 보이지 않고 크기가 줄어든 복잡한 저음영의 난소가 보임

## 3. 감별진단

콩팥낭종(renal cyst), 방광확장을 동반한 후부요도판막(posterior urethral valve): 정상 콩팥과 방광을 확인하면 감별됨

장간막낭종, 요막굴낭종(urachal cyst), 창자중복낭종: 산전에 완전한 감별은 어려움

## 4. 임신 중 예후

1) 동반기형: 선천성 갑상샘기능저하증, 엄마의 당뇨와 Rhesus 동종면역과 동반되었다는 보고가 있으나 대규모 연구결과는 없음

2) 산전에 자연 소실가능(324례 중 34례; 10%): 주로 단순낭종에서 가능함(Tyraskis et al. 2017)

3) 6 cm 이상의 큰 낭종인 경우 일시적으로 장막힘으로 양수과다증 또는 난산의 원인이 될 수 있음

4) 난소꼬임: 3-5.9 cm의 낭종은 꼬임 가능성이 증가하나(Tyraskis et al. 2017) 꼬임의 유무에 따라 크기에 차이가 없다는 보고가 있음(Shimada et al. 2008). 단순낭종이 복합낭종으로 형태가 바뀌면 의심해야 함

## 5. 산전관리 및 산전치료

1) 염색체 검사 필요 없음

2) 낭종의 양상이 변할 수 있어 주기적 초음파 검사가 필요하며 복잡낭종인 경우 난소꼬임 가능성이 증가하므로 소아수술이 가능한 병원에서 분만해야 함

3) 조기 분만 필요하지 않음. 산과적 적응증 외에는 질식 분만함

4) 낭종흡입술

낭종꼬임의 위험이 있는 큰 낭종에 대해 낭종흡입술을 시도할 수 있으나 아직은 논란이 있음. 흡입술로 인한 조기진통, 융모양막염, 태아 손상 또는 태아 통증 가능성이 있으나 낮음. 4 cm 이상의 낭종의 경우 산전 낭종흡입술이 꼬임을 감소시킨다는 보고가 있음(Tyraskis et al. 2017). 복합낭종은 이미 난소꼬임이 발생하였기 때문에 흡입술의 적응증이 안 됨. 진단의 부정확으로 다른 종류의 낭종을 흡입할 위험과 호르몬 자극으로 인해 낭종이 다시 커질 수 있다는 한계가 있음(Turgal M et al. 2013)

## 6. 신생아 관리

1) 출생 후 초음파 시행하여 확진함

2) 복합 낭종, 반향성(echogenic) 낭종: 꼬임이 의심되는 경우 난소절제술을 바로 시행해야 함. 수술 안 하는 경우에는 괴사 조직의 유착으로 인한 탈장, 장꼬임, 장출혈, 장 파열, 요관막힘이 가능함. 출혈성 낭종은 보존적치료가 원칙임

3) 단순낭종: 출생 후 소실될 수 있고(324례 중 148례; 46%), 평균 5개월 내로 소실됨(Tyraskis et al. 2017)

4) 조기수술(Brandt et al. 1991): 신생아기 관찰 중 난소꼬임 발생할 수도 있어 미리 수술을 시도할 수도 있음. 그러나 출생 후 신생아기에 꼬임이 발생하는 경우는 비교적 많지 않고, 조기수술 중에도 결국 난소를 제거하게 되는 경우가 많으므로 신중히 결정해야 함. 4 cm 이상, 줄어들지 않는 낭종, 증상 있는 낭종인 경우 고려할 수 있음. 조기수술의 경우 정상 난소조직을 보전하며 낭종 절제만 하기 위해 노력해야 하며 시야에서 보이는 난소조직이 없더라도 난소조직이 있을 수 있음. 증상이 없는 신생아의 조기 처치가 난소의 기능 상실을 예방하는지에 대한 근거는 적음

5) 낭종흡입술 : 큰 단순 낭종인 경우 수술 대신 흡입술을 시도할 수 있음

## 7. 장기 예후

좋음. 난소꼬임으로 한쪽 난소를 제거한 경우에도 사춘기와 가임 능력이 있음

## 8. 유전상담

유전력이나 가족력과 관련 없음. 재발 위험은 무시할 수준임

**참고문헌** ////////////////////////////////////////////////////////////////////////////////////////////////////////////

1. Brandt ML et al. Surgical indications in antenatally diagnosed ovarian cysts. J Pediatr Surg. 1991;26:276-81.

2. Shimada T et al. Management of prenatal ovarian cysts. Early Hum Dev 2008;84:417-20.

3. Turgal M et al. Outcome of sonographically suspected fetal ovarian cysts. J Matern Fetal 6. Neonatal Med 2013;26:1728-32.

4. Tyraskis A et al. A systemic review and meta-analysis on fetal ovarian cysts: impact of size, appearance and prenatal aspiration. Prenat Diagn 2017;37:951-8.

5. Valenti C et al. Antenatal diagnosis of a fetal ovarian cyst. Am J Obstet Gynecol 1975;123:216-21.

6. Woodward, P.J et al. Diagnostic Imaging: Obstetrics, 3rd ed. Salt Lake City, UT: Elsevier; Inc., 2016, p. 658-61.

# 09 잘록창자폐쇄
Colonic Atresia

## 1. 개요

1) 잘룩창자를 포함한 하나 이상의 부위의 협착 또는 폐쇄로 인해 발생함
2) 발생빈도는 20,000명 출생당 1명으로 드물게 보고되며, 창자 폐쇄의 2-4%를 차지함
3) 코카인, 암페타민, 니코틴과 같은 혈관 수축제의 모성 사용이 위험인자로 알려져 있음
4) 장내 혈전, 꼬임, 교액으로 인한 혈류 차단으로 발생한 창자 괴사와 창자 재흡수의 장애로 인해 발생하는 폐쇄, fibroblast growth factor 10의 비정상발현으로 인해 폐쇄가 발생함
5) 유전적, 가족적인 발생이 보고 되었으나 대부분 세부적인 가족력은 부족함
6) 발생 부위는 상행 잘록창자(ascending colon) (28%), 비장굴곡(splenic flexure) (25%), 횡위 잘룩창자(transverse colon) (23%), 하행과 구불창자(descending and sigmoid colon) (20%), 간굴곡(hepatic flexure) (3%)임
7) 분류(Surgical classification system)
   - I형: 막에 의해 창자 내강 막힘, 창자와 장간막이 온전한 경우
   - II형: 섬유성 끈과 동반된 colon blind end, 장간막이 온전한 경우
   - III형: 완전히 분리된 colon blind end, 장간막 틈이 발생한 경우

## 2. 초음파 소견

1) 창자의 확장된 단일 고리
2) 천공으로 인한 복수가 관찰되기도 하며, 고음영의 태변복막염 소견이 관찰되기도 함
3) 돌막창자 판막의 적격성(competence)에 따라 작은창자 확장(small bowel distension)이 동반되기도 하며, 적격한 판막(competent valve) 가까이 창자 고리 막힘이 있는 경우 천공이 되기 쉬움

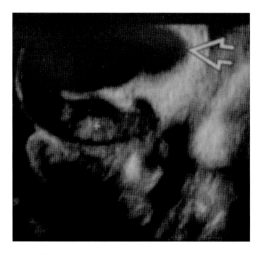

■ 그림 9-1. 임신 22주 태아의 팽창된 장 굽이와 내장의
에코 증강 소견

## 3. 감별진단

1) 창자겹침증
    (1) 확장된 창자 고리(coffee bean sign) 소견이 관찰됨
    (2) 이른 임신 주수엔 정상 소견으로 보일 수 있음
    (3) 출혈, 괴사, 경색으로 인해 장내 고음영의 부위가 관찰될 수 있고 복수가 관찰되기도 하며 장천
        공 시 태변복막염을 유발할 수 있음
    (4) 태아 상태 악화 시 태아수종이 발생하기도 함
2) 항문막힘증
    (1) 자궁 내 잘룩창자 막힘이 있을 가능성이 높음
    (2) VACTERL 증후군과의 연관성이 높음
3) 빈창자막힘증
    빈창자 원위부의 세쌍방울징후(triple bubble sign) 소견이 관찰됨
4) 총배설강 기형(Cloacal malformation)
    (1) 여아에서만 발생
    (2) 골반강 내 유체 수집(fluid collection)이 관찰
5) 선천성 큰잘룩창자증(Congenital megacolon)
6) 난소낭종, 물콩팥증, 물요관, 큰다낭콩팥

## 4. 산전관리 및 산전치료

모체의 연령이 많거나 배꼽탈장 등의 염색체 기형과 연관된 다른 기형이 존재하지 않는 한 염색체 검사의 적응증이 되지 않음

## 5. 처치 및 예후

1) 분만 시기나 방법에 영향을 미치지 않으므로 일반적인 산과 처치에 따라 분만을 시행하면 되지만 출생 직후 방사선 검사나 수술이 필요할 수 있어 신생아 수술이 가능한 병원에서 분만을 하는 것이 좋음

2) 신생아는 첫 48시간 동안 장 원위부 막힘으로 인한 창자 팽창 및 태변 배출 장애, 담즙성 구토와 같은 증상을 보이게 되고 따라서 복부 방사선 검사, 조영제를 이용한 관장(contrast enema) 등의 검사 및 처치가 필요함

3) 수술의 경우 일차적 절제와 문합술이 가능하며, 선천성 큰잘룩창자증과의 감별을 위해 직장생검을 시행하여 신경절 세포의 존재를 확인하여야 함

4) 수술 후 생존율은 90% 이상으로 알려져 있으나, 선천성 큰잘룩창자증과 폐쇄가 동반된 경우에 예후가 좋지 않으며, 사망하는 경우 동반된 기형이나 진단의 지연으로 인한 경우가 대부분임

**참고문헌**

1. Adams SD et al. Malroration and intestinal atresias. Early Hum Dev. 2014;90;921-5.
2. Dassinger M et al. Management of colonic atresia with primary resection and anastomosis. Pediatr Surg Int. 2009;25;579-82.
3. Draus JM Jr et al. Hirschsprung's disease in an infant with colonic atresia and normal fixation of the distal colon. J Pediatr Surg. 2007;42;e5-8.
4. Hsu CT et al. Congenital colonic atresia; report of one case. Pediatr Neonatol. 2010;51;186-9.
5. Kanard RC et al. Fibroblast growth factor-10 serves a regulatory role in duodenal development. J 4. Pediatr Surg 2005;40;313-6.

# 10 히르슈슈프룽병
## Hirschsprung's Disease

## 1. 개요

1) 하부 장관의 Auerbach 신경총과 Meissner 신경총에서 신경절세포가 존재하지 않는 선천성 기형으로 5,000-10,000 출생 중 한 명에서 발생하는 드문 질환임(Vermesh M et al. 1986; Jakobson-Setton A et al. 2015)

2) 신생아기에서 장폐색의 가장 흔한 원인으로 모든 신생아 장폐색의 33%를 차지함

3) 신경절세포가 없는 병변은 곧창자와 항문에서부터 샘창자까지 다양한 범위로 발생 가능함

4) 산전에 진단하게 되면 신생아기의 내외과적 응급상황을 미리 대비할 수 있음

5) 생후 24-48시간내 대변이 나오지 않을 때 의심하게 되며 병변의 조직검사에서 신경절세포가 없음으로 확진함

6) 남아에서 많으며 남:여 = 2.66:1로 보고됨(Jakobson-Setton A et al. 2015)

## 2. 초음파 소견

1) 진단 기준(의심 소견)(그림 10-1)
    (1) 곧창자와 잘록창자의 확장과 원위부의 갑작스런 좁아짐(caliber change): 특히 임신 제2삼분기 후반부 이후에 명확해짐(Takahashi H et al. 2017)
    (2) 다양한 정도의 작은창자 확장
    (3) 복부둘레길이 증가
    (4) 양수과다증
    (5) 고음영창자 소견
    (6) 복수

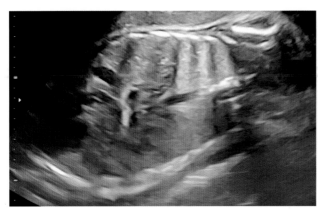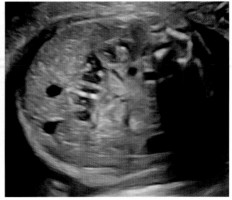

■ 그림 10-1. 임신 22주. 양수과다증(양수지수=26 cm)과 함께 곧창자, 잘룩창자 및 다양한 정도로 작은창자가 확장된 초음파 소견을 보임

## 3. 감별진단

항문막힘, 잘룩창자 및 작은창자의 폐색: 산전에 완전함 감별은 어려움(Kim AG et al. 2019)

## 4. 임신 중 예후

드문 기형으로 정립된 가이드라인은 없으나 지금까지의 보고에 따르면 동반 기형이 있지 않다면 예후는 좋은 것으로 보이며 분만은 산모 및 태아의 일반적 적응증에 준하여 시행하였음

## 5. 산전관리 및 산전치료

1) 염색체 검사 필요함
2) 가족력에 대한 상담이 필요. 2.4-7.8%까지 가족력이 보고되고 대장의 병변부위가 넓을수록 유전적 성향이 강하여 21-50%까지 보고됨(Jakobson-Setton A et al. 2015)

## 6. 신생아 관리

1) 추가적인 기형에 대한 검사를 시행함. 심장 기형, 신장 기형, 유문협착(pyloric stenosis)
2) 호흡곤란증후군, 패혈증, 부정맥, 일과성빈호흡과 연관된다는 보고가 있음

3) 변비로 증상이 나타나는 경우도 있으므로 의심해보는 것이 중요함

4) 동반기형이 없다면 병변 부위를 절제하는 수술로 완치가 됨

# 7. 장기 예후

1) 예후에 대한 보고는 논란이 있으나 90%가량 만족할 만한 것으로 나타남

2) 그러나 수술 후 수년간 대변조절에 대한 증상을 호소할 수 있으며, 1%에서는 변실금으로 인해 장루를 해야 할 수 있음

# 8. 유전상담

다운증후군(Down syndrome), Smith–Lemli–Opitz 증후군, Mowat–Wilson 증후군, 선천성 중심성 저환기(congenital central hypoventilation) 증후군과 연관(Jakobson-Setton A et al. 2015)

**참고문헌** /////////////////////////////////////////////////////////////////////////////////////////////////////////////////

1. Jakobson-Setton A et al. Retrospective analysis of prenatal ultrasound of children with Hirschsprung disease. Prenat Diagn. 2015 Jul;35:699-702.

2. Takahashi D et al. Population-based study of esophageal and small intestinal atresia/stenosis. Pediatr Int. 2014;56:838-44.

3. Vermesh M et al. Prenatal sonographic diagnosis of Hirschsprung's disease. J Ultrasound Med. 1986 Jan;5:37-9.

# 11 항문막힘(증)
## Imperforate Anus

## 1. 개요

1) 상대적으로 흔한 선천성 기형으로 1,500-5,000 출생 중 한 명에서 발생하는 질환임(Brantberg et al. 2006)

2) 항문막힘증 단독으로 존재하기도 하지만 다른 기형과 동반되는 경우가 더 많음. 85.5%가 동반기형을 가짐

3) VATER 또는 VACTERL 증후군과 연관됨(Brantberg A et al. 2006)

4) 다른 증후군과도 연관됨

5) 출생할 때까지 발견되기 어려움. 보고에 의하면 항문막힘증 69 케이스 중 53 케이스는 산전에 항문막힘증을 비롯한 하나 이상의 기형이 발견되었지만 나머지 16 케이스에서는 기형이 발견되지 않은 채로 출생하였음(Brantberg A et al. 2006)

6) 남아:여아는 약 3:2로 남아에서 더 많이 발견됨

## 2. 초음파 소견

1) 진단 기준(의심 소견)(그림 11-1)

   (1) 직장 및 하부대장의 확장

   (2) 장내 석회화

   (3) 후방회음삼각에서 항문의 초음파 소견이 보이지 않음(항문은 중심에 고에코성 부분을 가진 원형의 저에코성 테두리가 보임, target sign) (Perlman S et al. 2014)

   (4) 양수과다증

   (5) 양수과소증(동반 신장 기형이 있는 경우)

   (6) 병변의 위치에 따라 고위, 중위, 저위로 나눔. [치골직장근(puborectalis) 기준으로 한 곧창자의

위치에 따라)](Lee MY et al. 2016) – 저위병변의 경우 다음의 특징 가짐: 작은 항문크기, 항문점막이 보이지 않음, 항문과 생식기의 거리가 가까움

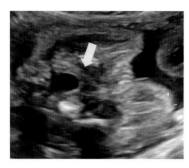 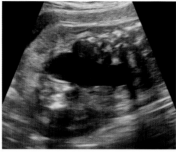 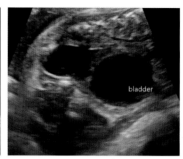

■ 그림 11-1. 임신 28주3일. 후방회음삼각부분에 항문이 보이지 않고(화살표), 직장이 확장된 초음파 소견을 보임

2) 연관된 기형
    (1) 생식비뇨기계통이 가장 많음(53.6%)
    (2) 콩팥무발생증, 낭성 이형성 콩팥, 요도폐쇄, 말굽콩팥(horseshoe kidney) 보고됨
    (3) 총배설강 기형(cloacal anomalies)
    (4) 곧창자-방광누공, 곧창자-요도누공
    (5) 인어다리증(sirenomelia)
    (6) 식도폐쇄, 기관식도누공
    (7) 그 밖에 심장, 근골격계, 머리안면, 위장관 기형들 또한 자주 보고됨

## 3. 감별진단

항문, 곧창자, 잘룩창자 및 작은창자의 폐색: 산전에 완전함 감별은 어려움

## 4. 임신 중 예후

1) 산전 진단된 경우는 평균 임신 20주 3일에 발견됨
2) 항문막힘증으로 진단된 34.8%가 생존하였고, 2.9%가 자궁내에서 사망하였다. 출생 후 사망한 경우는 17.4%임
3) 항문막힘증만 단독으로 있는 경우는 모두 생존. 1개의 추가 기형이 있는 경우의 생존율은 87.5%였고, 여러 기형이 동반된 경우의 생존율은 13.7%였음(Brantberg A et al. 2006)

## 5. 산전관리 및 산전치료

1) 산전에 진단되는 비율은 15.9%로 매우 낮으므로 의심되는 초음파소견이 발견될 때 가능성에 대하여 상담하는 것이 중요함
2) 항문막힘증이 의심되는 경우 신생아중환자실 치료와 소아외과 수술이 가능한 병원에서 분만을 해야 함

## 6. 신생아 관리

1) 항문-곧창자의 응급재건수술이 필요한 경우는 드묾
2) 다양한 형태의 항문막힘증이 있어 수술법 및 그에 따른 예후가 달라짐
3) 항문-곧창자의 응급재건수술이 급하지 않더라도 항문막힘증이 있는 영아의 검사는 필요한데, 감압수술이 급하게 필요할 수 있기 때문임

## 7. 장기 예후

1) 향후 변실금, 요실금, 성정체성, 가임력이 중요한 이슈임
2) 특히 여아의 경우 생식기 기형을 동반하는 경우가 많아 임신에 영향을 줌

## 8. 유전상담

1) 염색체 검사 필요. 13%에서 염색체 이상이 발견됨
2) 다운증후군(5%까지 보고됨), 에드워드증후군(trisomy 18) 등 다양한 염색체 이상과 연관됨(Brantberg A et al. 2006)

**참고문헌** ////////////////////////////////////////////////////////////////////////////////////////////////////////////////

1. Brantberg A et al. Imperforate anus: a relatively common anomaly rarely diagnosed prenatally. Ultrasound Obstet Gynecol 2006;28:904－10.

2. Lee MY et al. Sonographic Determination of Type in a Fetal Imperforate Anus. J Ultrasound Med 2016; 35:1285－91.

3. Perlman S et al. More than a gut feeling － sonographic prenatal diagnosis of imperforate anus in a high-risk population. Prenatal Diagnosis 2014; 34:1307－11.

# IX
**PART**

# 비뇨 생식관

Genitourinary Tract

# 01 물콩팥증-요관신우이음부폐쇄

## Hydronephrosis – Ureteropelvic Junction Obstruction

## 1. 개요

1) 요관의 폐쇄에 의해 증가된 소변으로 콩팥의 신우와 신배가 선천적으로 확장되어 있는 경우임

2) 전체 임신의 0.6-4.5%로, 산전 태아 콩팥기형의 75%를 차지하며 20-40%에서 양측성으로, 남아에서 3-4배 높게 나타남(Ismali K. et al. 2004)

3) 원인: 요관신우이음부 폐쇄, 요관방광이음부폐쇄, 방광요관역류, 중복콩팥, 방광출구폐쇄, 큰방광큰요관증후군(megacystitis-megaureter syndrome) 등임

4) 요관신우이음부폐쇄가 가장 흔한 원인이며 방광요관역류는 남아에서 흔하게 나타남. 20%에서는 다발성 기형과 연관 있음

5) 발달과정 초기에 생리적 현상으로 요관신우이음부가 좁아져 콩팥신우확장(renal pelvis dilatation)이 일시적으로 관찰될 수 있으나, 이는 요로폐쇄와 관련 없는 소견으로 경증 물콩팥증인 경우가 대다수이며 저절로 회복 가능함(Becker et al. 2006)

## 2. 초음파 소견

1) 태아 복부의 횡단스캔에서 신우의 전후 직경을 측정함(Cohen HL et al. 1991)

2) 신우와 신배가 확장됨(그림 1-1)

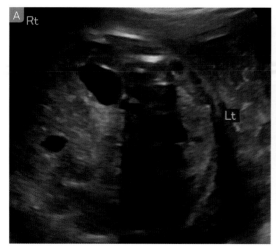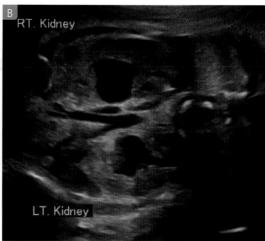

■ 그림 1-1. 양측 물콩팥증. **A.** 가로면, **B.** 세로면

3) 신우의 전후직경 측정에 따른 진단: 일반적으로 신우 전후직경이 임신 제2삼분기에 4 mm 이상, 제3삼분기에는 7 mm 이상인 경우로 정의함. 분만 후 수술적 치료 유무에 따라 경증(mild) 물콩팥증은 임신 제2삼분기에는 ≤ 7 mm, 제3삼분기에는 ≤ 9 mm, 중등도(moderate) 물콩팥증은 임신 제2삼분기에는 7-10 mm, 제3삼분기에는 9-15 mm, 중증(severe) 물콩팥증은 임신 제2삼분기에는 >10 mm, 제3삼분기에는 >15 mm인 경우로 나누기도 함(Lee RS et al. 2006)

4) 신장의 형태학적인 특성(Society of Fetal Urology (SFU) grading system)에 따른 진단
   (1) 단계 1: 신우에 국한된 경우
   (2) 단계 2: 신우와 일부 신배가 확장된 경우
   (3) 단계 3: 신우와 모든 신배가 확장된 경우
   (4) 단계 4: 신우와 신배 및 실질까지 확장된 경우

5) 물콩팥증의 원인에 따른 부위별 초음파소견(Avni FE et al. 2008)
   (1) 요관신우이음부폐쇄: 일측 또는 양측 신우의 확장, 양측성인 경우에는 비대칭으로 확장됨(그림 1-1)
       심한 경우 신배도 확장되나 요관과 방광의 확장은 보이지 않음(그림 1-2A, B)
   (2) 요관방광이음부폐쇄: 드물게 콩팥과 요관 확장을 보이거나 정상 방광을 보이는 경우가 있으며, 대부분 양측성임(그림 1-2C, D)
   (3) 방광요관역류: 일측 혹은 양측으로 확장된 신우와 요관이 보이고, 역류 때문에 방광과 요관이 지속적으로 늘어나는 경우가 있는데 이를 거대방광요관증후군이라 함
   (4) 방광출구폐쇄: 남아에서는 후부요도판막(posterior urethral valve)의 결과로 생기고, 여아에서는 요도폐쇄로 발생하며, 요도와 양측요관의 확장이 보임

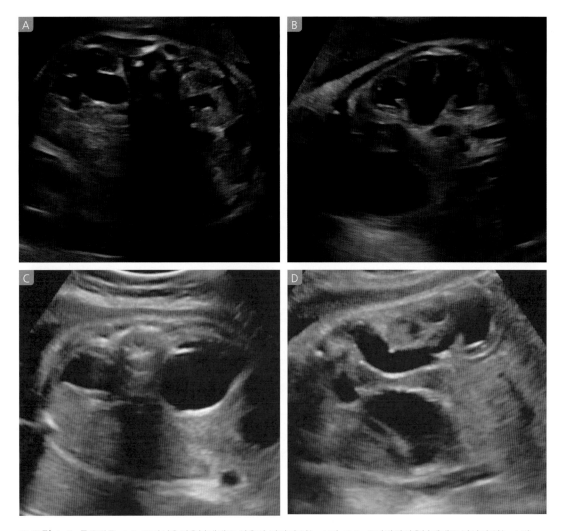

■ 그림 1-2. 물콩팥증. **A,B.** 요관신우이음부폐쇄로 신우가 넓어져 있는 소견, **C,D.** 요관방광이음부폐쇄로 넓어져 있는 소견

## 3. 감별진단

1) 양측성 물콩팥증

 (1) 방광위폐쇄: 양측성 요관신우이음부폐쇄, 양측성 요관방광이음부폐쇄

 (2) 방광아래폐쇄: 후부요도판막, 요도폐쇄, 폐쇄된 요관낭종

 (3) 방광요관역류(양측성, 주로 고등급)

 (4) 말린대추배증후군(prune belly syndrome)

 (5) 거대방광요관증후군(megacystis-megaureter syndrome)

2) 일측성 물콩팥증
    (1) 요관신우이음부폐쇄
    (2) 요관방광이음부폐쇄
    (3) 다낭성형성이상콩팥
    (4) 거대요관(무폐쇄, 무역류)
    (5) 콩팥중복
    (6) 팽창된 창자(dilated loop of bowel)

## 4. 임신 중 예후

산전에 발견된 물콩팥증은 동반된 다른 구조적 이상이 없다면 예후는 매우 좋으며 임신 중 자연소실되거나 수술적 요법 없이 경과 관찰을 하기도 함. 그러나, 임신 제 3분기때 중증 물콩팥증일 경우, 수술적 교정이 출생 후 필요할 수 있음(Bianchi et al. 2010; Mandelbrot L et al. 1991)

## 5. 산전관리 및 산전치료

1) 동반 기형 확인: 염색체이상과 연관되어 있을 수 있으며, 여러 증후군 및 콩팥밖기형(말굽콩팥, 다낭성이형성콩팥, 가로막이탈, 수두증, 선천성낭성샘모양기형 등)의 한 부분일 수 있음
2) 연속적인 초음파 검사 및 양수량 확인:
    (1) 제2삼분기에 경증 및 중등도 물콩팥증인 경우는 다음 임신 분기때 검사하고 중증인 경우는 3-4주마다 시행함. 제3삼분기에 경증 및 중등도 물콩팥증인 경우는 출생 후 검사하고 중증인 경우에는 2-3주마다 검사함. 또한, 다낭성이형성콩팥 또는 콩팥무형성과 동반된 요관신우이음부폐쇄의 경우 2-3주마다 검사함
    (2) 태아 콩팥의 초음파반향성의 증가나 양수과소증 여부를 확인함. 양수과소증이 동반된 경우, 신생아 예후가 매우 불량하여 임신 제3삼분기에 양수과소증이 발생한 경우는 13%, 제2삼분기에 발생한 경우는 100%의 사망률을 보임
3) 일측성 물콩팥증: 반대쪽의 콩팥이 기능을 하기 때문에 대부분 분만 전 처치가 불필요함
4) 콩팥이 심하게 확장되어 주변장기를 누르거나, 양측성이면서 양수과소증을 일으키는 출구 폐쇄의 경우: 태아 수술이나 방광양수우회술(vesico-amniotic shunt) 등의 처치가 필요할 수 있으며, 양수가 감소하는 경우는 임신 주수에 따라 분만을 고려. 출생 후에는 소아 비뇨기과 진료 의뢰가 필요함
5) 단계 1 혹은 단계 2 정도의 경한 물콩팥증은 산후에 대부분 점차 호전. 신우 전후 직경이 신우가 7

mm 이하이고 신배가 확장되지 않은 경우에는 대부분 자발적으로 소실되나, 신우의 전후직경이 10 mm이상이거나 신배의 확장소견이 있는 경우 44%에서만 자발적 소실됨(Dias et al. 2014)

## 6. 신생아 관리

1) 출생 직후 첫 콩팥초음파검사는 생후 24-48시간 동안의 생리적 탈수현상 때문에 가음성결과를 보일 수 있으므로 적어도 3일 이후에 시행하는 것이 좋음(Arant et al. 1992). 초기 초음파 검사가 정상이였더라도 3-4주 안에 반복검사를 시행하는 것을 권함(Dejter et al. 1989)
2) 방광출구 폐색이 의심되는 방광벽의 비후나 양측성 수신증을 보인 경우에는 콩팥손상의 우려가 있으므로 빠른 진단적 평가가 필요하여, 예외적으로 조기에 콩팥초음파를 시행함
3) 초음파검사가 정상이더라도 방광요관역류 유무를 보기 위하여 배뇨방광요도조영술을 시행가능함. 역류이상이 있으면 2년 동안 6개월마다 초음파 검사, 매년 역류를 감시하기 위한 배뇨방광요도조영술과 신장기능을 평가하기 위한 DTPA 또는 MAG-3 콩팥스캔검사를 권함

## 7. 장기 예후

요관신우이음부폐쇄의 장기 예후는 일측성 또는 양측성인지, 동반된 콩팥이형성질환의 유무에 따라 달라짐. 일반적으로 대다수의 중증 물콩팥증은 추적관찰을 하나, 콩팥기능 및 임상증상의 악화시 수술적 치료를 고려함. 콩팥형성이상이 없는 환아가 신우성형술(pyeloplasty)을 받았을 경우 콩팥기능은 거의 정상화되며 콩팥형성이상이 동반된 일측 요관신우이음부폐쇄의 경우 정상적인 반대쪽 콩팥의 비후가 나타나서 예후가 좋은 편임. 그러나, 반대쪽 콩팥의 다낭성형성이상, 무발생 또는 형성이상이 있을 경우, 콩팥기능부전(renal insufficiency)을 야기하여 결국에 콩팥이식이 필요할 정도의 콩팥부전을 초래함

## 8. 유전상담

일반적으로 요관신우이음부폐쇄는 산발적으로 나타나나, 방광요관역류는 유전적 성향이 매우 높으며 감소된 침투도(reduced penetrance)의 상염색체우성 질환으로 생각되어짐. 요관신우이음부폐쇄는 수년 동안 임상증상이 없다가 성인기에 결석형성, 통증, 감염과 같은 증상이 나타날 수 있어 연령과 성별의 관계없이 환아의 형제에서도 요로병증에 관한 검사를 시행할 것을 추천함(Dejter et al. 1989)

**참고문헌** ////////////////////////////////////////////////////////////////////////////////////////////////////////////////////////

1.  Amy Becker et al. Obstructive uropathy. Early Human Development 2006;82:15-22.

2.  Arant BS. Neonatal adjustment of extrauterine life. In: Edelmann CM Jr, editors. Pediatric Kidney Disease. 2nd ed. Boston (MA): Little, Brown; 1992. P.1015-42.

3.  Avni FE et al. The fetal genitourinary tract. In: Callen PW, editors. Ultrasonography in obstetrics and gynecology. 5th ed. Philadephia (PA): W.B. Saunders; 2008. p.640-72.

4.  Bianchi DW et al. Fetology: Diagnosis and Management of the fetal patient. 2nd ed. New York: McGraw Hill; 2010.

5.  Cohen HL et al. Normal length of fetal kidneys: sonographic study in 397 obstetric patients. AJR Am J Roentgenol 1991;157:545-48.

6.  Dejter SW et al. The fate of infant kidneys with fetal hydronephrosis but initially normal postnatal sonography. J Urol. 1989;142:661-3.

7.  Dias T et al. Ultrasound diagnosis of fetal renal abnormalities. Best Pract Res Clin Obstet Gynaecol 2014;28:403-15.

8.  Ismali K,et al. Long term clinical outcome of infants with mild and moderate fetal pyelectasis: validation of neonatal ultrasound as a screening tool to detect significant nephropathies. J Pediatr. 2004;144:759-65

9.  Lee RS et al. Antenatal hydronephrosis as a predictor of postnatal outcome: a meta-analysis. Pediatrics. 2006;118:586-96.

10. Mandelbrot L et al. Prenatal prediction of renal function in fetal obstructive uropathies. J Perinat Med. 1991;19:283-7.

# 02 방광출구폐쇄
## Bladder Outlet Obstruction

## 1. 개요

1) 방광출구폐쇄는 남아의 경우 후부요도판막(posterior urethral valve), 여아의 경우는 요도폐쇄(urethral atresia)가 가장 흔한 원인임. 출생 후, 무증상부터 폐형성저하증과 양수과소증으로 인한 호흡부전과 콩팥형성이상으로 인한 콩팥부전 등의 심각한 합병증까지 다양한 스펙트럼의 증상이 동반 가능함(Becker et al. 2006)

2) 소아기 중증의 요로폐색질환의 가장 흔한 원인인 후부요도판막은 후부요도에 얇은 막이 존재하여 방광출구폐쇄를 일으키며 주로 남아에 국한되어 10,000명 출생당 1.9-2.4명으로 발생함

3) 요도폐쇄는 임신 제1삼분기 말에서 제2삼분기 초에 아주 심한 양수과소증을 동반하여 나타나는 중증 방광출구폐색 질환임

## 2. 초음파 소견

1) 방광이 늘어나 있고 벽은 두꺼워지고 주름진 형태로 잔기둥(trabeculation)을 형성할 수도 있으며, 후부요도판막이 요도를 막아 후부요도가 확장됨(그림 2-1). 이로 인해 근위부요도가 태아 방광에서 회음부까지 확장되어 열쇠구멍모양(keyhole appearance)을 보이며, 팽창된 방광은 태아의 골반 및 복부의 대부분을 차지함(Avni FE et al. 2008)

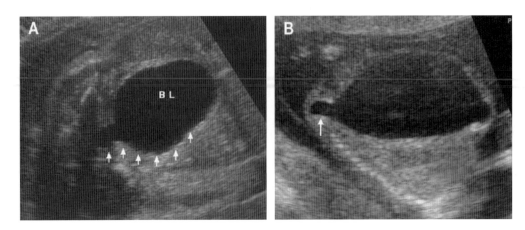

■ 그림 2-1. 후부요도판막. **A.** 현저히 늘어난 방광과 요도의 근위부(화살표)가 관찰됨(keyhole sign), **B.** 태아의 복강이 팽창한 방광과 요도 근위부(화살표)로 차 있는 것이 관찰됨

2) 방광벽 두께가 2 mm 이상 두꺼워지며, 심한 방광출구폐쇄의 경우 방광확장이 동반되지 않았다면 10-15 mm까지 두꺼워질 수 있음

3) 높은 방광 내압으로 인한 방광요관역류가 발생, 요관확장증 및 물콩팥증이 생기거나, 신배가 파열하여 콩팥 주위로 소변종(urinoma)을 형성할 수 있고, 콩팥형성이상으로 발전 가능함

4) 태아가 소변을 배출하지 못해 양수과소증이 심하게 올 수 있고 방광벽이 파열되어 소변에 의한 복수가 생기기도 하는데, 이 경우에는 방광의 압력이 낮아져 예후가 좋음

## 3. 감별진단

1) 중증의 양측성 방광요관역류: 방광이 확장되어 있고 양측 물콩팥증과 요관 확장이 보이나 양수량은 정상이며 방광벽이 얇고, 후부요도가 확장되지 않음. 특히 여아일 경우 후부요도판막의 가능성은 배제됨

2) 선천성 큰 요도증(congenital megalourethra): 주로 음경 요도의 원위부 폐색에 의하여 생기고 태아의 다리 사이에 낭성 종괴가 관찰됨

3) 큰방광-작은잘룩창자-장운동저하증후군(megacystis-microcolon-intestinal hypoperistalsis syndrome): 방광과 요관의 확장 및 양측성 물콩팥증을 유발할 수 있고, 양수과다증이 관찰되기도 함. 여아에서 더 흔함(Bianchi et al. 2010)

4) 요관낭종: 방광 목 안으로 요관낭종이 탈출하여 방광출구를 막는 경우 방광안에 요관낭종 관찰됨

## 4. 임신 중 예후

1) 요도폐쇄는 임신후반기에 방광의 확장 및 비대, 거대요관, 양측 물콩팥증을 야기하나, 발병이 임신후반기인 경우, 일반적으로 콩팥실질의 형성이상을 초래하지는 않음

2) 임신 제 2삼분기에 심한 양수과소증, 방광 확장 및 양측성 물콩팥증이 있으면서 음영이 증가된 콩팥이 보이는 경우, 분만 후 신생아의 폐형성저하증으로 사망할 가능성이 큼

3) 폐쇄요로병증(obstructive uropathy)으로 인한 양수과소증은 심각한 폐형성저하를 일으킴

## 5. 산전관리 및 산전치료

1) 방광출구폐쇄의 12%에서 염색체이상과 동반되므로, 특히 13번, 18번, 21번 세염색체증과 관련된 기형 유무를 확인하고 유전 상담 및 양수검사를 고려해야 함

2) 곤봉발, 포터얼굴(potter face)과 같은 양수과소증에서 보일 수 있는 변형과 태아성별, 양수량, 복수 및 동반된 요로기관 기형유무를 확인해야 함

3) 양수량이 정상이고 물콩팥증이 안정적인 경우 임신 38-40주까지 2주마다 관찰하다가 분만을 고려하며, 양수량이 줄어들면서 방광 또는 신우 확장이 점차 심해지는 경우 태아의 폐형성저하증의 위험을 줄이기 위해 태아 방광 감압술 시행을 고려함

4) 태아에 대해 중재적 시술을 시행할 때 3-4일에 걸쳐 연속적으로 태아방광에서 채취한 소변의 생화학적 검사를 통해 태아의 예후를 예측할 수 있음(표 2-1)

 (1) 예후가 불량하다고 판정된 경우 태아의 콩팥이 중증의 형성이상이 있거나 출생 후 경과가 불량하므로 보존적 처치를 하는 것을 권장함

 (2) 예후가 양호할 것으로 판정된 경우에는 동반기형과 염색체 이상 유무를 먼저 확인. 결과가 정상이면 임신 32주 이전에는 방광양수우회술(vesicoamniotic shunt)을 시행하고, 32주 이후에는 조기 분만하여 출생 후 수술적 치료를 시행할 것을 권유할 수 있음

5) 예후는 후부요도폐색의 정도에 따라 다양함. 출생 전에 콩팥실질 음영이 정상이라고 하더라도 콩팥형성이상을 배제할 수 없음

표 2-1. 요로폐쇄병증의 예후 판단 기준

| | 예후인자 | 양호 지표 | 불량 지표 |
|---|---|---|---|
| 초음파 | 양수량<br>초기 진단시기<br>콩팥<br>복강<br>동반기형 | 정상<br>임신 24주 이후<br>비대칭 물콩팥증<br>소변성 복수(urinary ascites)<br>없음 | 과소증<br>임신 24주 이전<br>고음영으로 낭종 동반<br>콩팥주위소변종(perinephric urinoma)<br>있음 |
| 소변생화학검사 | Sodium<br>Chloride<br>Osmolality<br>Calcium<br>Total protein<br>β2-Microglobin<br>Cystatin C | <100 mg/dL<br><90 mg/dL<br><200 mg/dL<br><8 mg/dL<br><20 mg/dL<br><4 mg/L<br><1 mg/L | >100 mg/dL<br>>90 mg/dL<br>>200 mg/dL<br>>8 mg/dL<br>>20 mg/dL<br>>4 mg/L<br>>1 mg/L |

## 6. 신생아관리

1) 출생 직후 2일까지의 무뇨는 정상적인 체액변동과 심각한 요로기형 모두에서 나타날 수 있기 때문에 출생 후 첫 24-48시간 동안의 소변량 측정은 무의미함. 이 경우, 요로병증, 콩팥부전, 신경인성방광, 산모의 약물복용을 감별진단해야 함(Arant BS et al. 1992)
2) 출생 후 첫 24시간 안에 측정되는 혈청 전해질, 혈액요소질소(blood urea nitrogen), 크레아티닌은 모체 콩팥기능을 반영할 수 있으므로 출생 후 24시간이 지난 후에 시행하는 것이 적절함

## 7. 장기예후

방광출구폐쇄 정도에 따라 양수량, 폐형성부전정도, 콩팥형성이상의 중증도가 달라짐. 아주 심한 방광출구폐쇄의 경우, 큰방광증, 양측 물콩팥증과 양수과소증을 초래하여 폐형성부전과 출생후 호흡부전을 야기함. 또한 요도폐쇄는 포터얼굴(potter face), 곤봉발, 엉덩이탈구(hip dislocation) 등의 사지기형, 말린대추배증후군(prune belly syndrome) 등의 비정상적인 복근기형을 야기함. 미하강고환(undescended testis), 사정장애, 콩팥부전의 영향 등으로 성기능 장애도 나타날 수 있음(Dias T et al. 2014)

## 8. 유전상담

대다수의 후부요도판막으로 인한 방광출구폐쇄는 산발적으로 나타나며, 재발위험성은 없음. 그러나, 염색체이상을 가진 태아에서는 발생위험성이 증가하며 드물게 나타나는 큰방광-작은잘룩창자-장운동 저하증후군은 상염색체열성유전경향으로 25%의 재발위험성을 가지고 있어 감별진단이 중요함(Dinneen MD et al. 1996)

**참고문헌** ////////////////////////////////////////////////////////////////////////////////////////////////////////////////////////

1. Amy Becker et al. Obstructive uropathy. Early Human Development 2006;82:15-22.
2. Arant BS. Neonatal adjustment of extrauterine life. In: Edelmann CM Jr, editors. Pediatric Kidney Disease. 2nd ed. Boston (MA): Little, Brown; 1992. P.1015-42.
3. Avni FE et al. The fetal genitourinary tract. In: Callen PW, editors. Ultrasonography in obstetrics and gynecology. 5th ed. Philadephia (PA): W.B. Saunders; 2008. p.640-72.
4. Bianchi DW, editors. Fetology: Diagnosis and Management of the fetal patient. 2nd ed. New York: McGraw Hill; 2010..
5. Cohen HL et al. Normal length of fetal kidneys: sonographic study in 397 obstetric patients. AJR Am J Roentgenol 1991;157:545-48.
6. Dias T et al. Ultrasound diagnosis of fetal renal abnormalities. Best Pract Res Clin Obstet Gynaecol 2014;28:403-15.
7. Dinneen MD et al. Posterior urethral valves. Br J Urol 1996;78:275-81.
8. Mandelbrot L et al. Prenatal prediction of renal function in fetal obstructive uropathies. J Perinat Med 1991;19:283-7.

# 03 다낭성형성이상콩팥

Multicystic Dysplastic Kidney, MCDK

## 1. 개요

1) 서로 연결되어 있지 않은 다양한 크기의 여러 낭종(cyst)이 콩팥에 위치해 있는 기형으로, 정상적인 콩팥 실질이 거의 없고 기능도 없음

2) 한쪽 콩팥에만 있는 경우(80%)가 양쪽 콩팥 모두에 있는 경우(20%)보다 많으며, 전체 빈도는 일측성의 경우 1/1,000, 양측성은 1/5,000 정도임(David S. et al. 2009)

3) 후신장(metanephros)과 요관싹(ureteric bud)이 발달하고 서로 연결되는 과정에서의 이상으로 발생하며, 요관(ureter)이나 신우(renal pelvis) 부위가 완전히 폐쇄되기 때문에, 콩팥단위(nephron)에서 생성되는 체액이 낭종을 채우고 점점 확장되다가, 콩팥단위가 파괴되면 낭종 내의 수분은 점차 흡수되어 콩팥의 크기가 급격히 줄어들 수 있음

## 2. 초음파 소견

1) 주로 임신 중기에 콩팥이 있어야 할 위치에 서로 연결되지 않은 다양한 크기의 여러 낭종으로 구성된 종괴로 보이며(그림 3-1), 콩팥 실질이나 신우가 관찰되지 않음

2) 대부분 콩팥 전체에 발생하나, 간혹 일부분에서만 발생하기도 하며, 이런 경우에는 주로 콩팥의 상부에 발생함. 또한 딴곳콩팥(ectopic kidney)에서 발생하기도 함

3) 일측성이고, 반대쪽 콩팥이 정상인 경우에는 방광과 양수양은 정상이나, 양쪽 콩팥에 발생한 경우에는 방광이 보이지 않고 양수량이 현저히 감소함

4) 반대쪽 콩팥이나 콩팥 이외의 다른 부위의 이상 여부도 반드시 확인해야 함

5) 임신이 진행됨에 따라 콩팥의 크기가 변할 수 있으므로 추적 초음파 검사가 필요함

6) 임신 중 초음파검사의 진단 정확성: 91%(Scala C. et al. 2017)

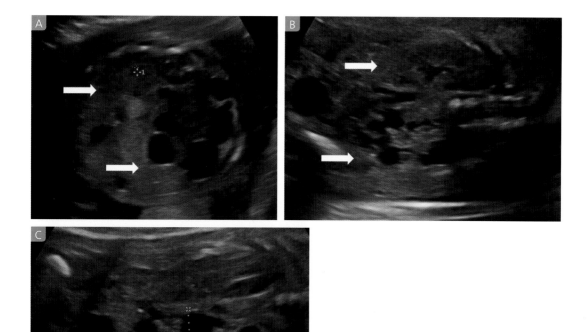

■ 그림 3-1. 일측성 다낭성형성이상콩팥. **A.** 가로면, **B,C.** 세로면. 다양한 크기의 낭종이 보이며, 반대편 콩팥은 정상소견을 보임

## 3. 동반 기형

1) 일측성의 5-40%에서 반대쪽 콩팥에도 이상소견이 발견되는데, 신우요관이행부폐쇄(ureteropelvic junction obstruction)가 가장 흔하며, 중복콩팥(duplex system), 콩팥무발생(renal agenesis), 딴곳콩팥, 방광요관역류(vesicoureteral reflux) 등의 이상도 발견됨(Schreuder MF. et al. 2009)

2) 멕켈-그루버증후군(Meckel-Gruber syndrome) 같은 증후군의 일환으로 발견되기도 하며, 13번 삼염색체(Trisomy 13), 18번 삼염색체(Trisomy 18) 등의 염색체 이상이 확인되기도 함(David S. et al. 2009)

## 4. 감별 진단

1) 신우요관이행부폐쇄(Ureteropelvic junction obstruction)로 인한 물콩팥증(hydronephrosis): 이경우에는 콩팥의 모양이 유지되고, 신우의 확장으로 인해 일정한 크기의 연결된 낭종이 앞에서 뒤로

배열되고, 콩팥의 실질이 확인됨

2) 골반부위의 낭종: 양쪽 콩팥부위에서 정상 콩팥이 존재하는 것을 확인함으로써 다른 낭종과 감별해야 함

3) 그 외에도 상염색체 우성 뭇주머니콩팥질환(autosomal dominant polycystic kidney disease, AD-PKD), 상염색체 열성 뭇주머니콩팥질환(autosomal recessive polycystic kidney disease, ARPKD), 거대요관(dilated ureter) 등과도 감별이 필요함

## 5. 임신 중 예후

1) 일측성이고, 반대쪽 콩팥이 정상인 경우에는 대부분 예후가 좋음. 특히, 반대쪽 정상 콩팥이 보상성 비대(compensatory hypertrophy) 소견을 보이는 경우는 예후가 좋음. 대부분의 일측성 다낭성 형성이상콩팥은 자연적으로 위축되는 경우가 많음(David S. et al. 2009)

2) 양측성이거나, 반대쪽 콩팥에도 심각한 이상이 동반되는 경우에는 심한 양수과소증(oligohydram-nios)과 그로 인한 폐형성저하(pulmonary hypoplasia)가 발생하게 되어 생존이 어려움

## 6. 산전관리 및 산전치료, 임신 중 검사

1) 산전관리

(1) 정밀초음파검사: 반대쪽 콩팥뿐만 아니라, 콩팥 이외의 다른 부위도 정밀하게 검사하여 동반 이상 여부를 확인해야 함(David S. et al. 2009)

(2) 추적초음파검사: 임신이 진행됨에 따라 매 3-4주마다 추적초음파검사를 시행하여, 반대쪽 콩팥을 지속적으로 평가하고, 콩팥이나 낭종의 크기 변화를 확인하며, 양수양을 측정함(David S. et al. 2009)

2) 산전치료: 특별한 산전치료는 없음

3) 임신 중 검사

(1) 정밀초음파검사 및 추적초음파검사를 시행함

(2) 양측성이거나, 다른 동반 기형이 있는 경우에는 태아 염색체 검사를 시행하기도 함

(3) 태아MRI검사: 복합기형의 경우에는 도움이 될 수도 있으나, 대부분은 필요하지 않음

4) 분만: 일반적인 산과적 처치를 따름

## 7. 신생아관리

1) 출생 후 초음파를 시행하여 진단을 확진하고, 비뇨생식기 계통의 다른 구조적 이상 여부도 확인하는 것이 필요함
2) 방광요관역류(vesicoureteral reflux)가 동반되는 경우가 많으므로, 배뇨방광요도조영술(voiding cystourethrogram)을 시행하거나, 콩팥기능평가를 위해서 콩팥스캔(renal isotope scan)을 시행하기도 함
3) 정기적인 추적초음파검사와 외래검진을 통해 형성이상콩팥의 모양과 크기의 변화를 관찰해야 함
4) 출생 후 점차적으로 퇴축되다가 사라지는 경우가 많아, 대부분에서는 콩팥절제술 등의 적극적인 처치보다는 추적검사를 통한 기대요법(expectant management)을 시행함

## 8. 장기 예후

1) 양측성인 경우에는 양수과소증에 따른 폐형성저하로 인해 생존이 어려워, 출생 후 사망하거나 유아기에 말기 콩팥병으로 진행하는 등 예후가 매우 좋지 않음
2) 일측성인 경우에는 일반적으로 예후가 좋은 편이며, 반대편 콩팥의 이상 정도에 따라 예후가 달라짐

## 9. 유전 상담

일측성인 경우에는 염색체 이상의 위험성이 증가하지 않음

**참고문헌**

1. David S et al. Management and etiology of the unilateral multicystic dysplastic kidney: a review. Pediatr Nephrol 2009;24:233-41.
2. Odibo AO et al. Fetal genitourinary tract. In: Norton ME, editors. Callen's ultrasonography in obstetrics and Gynecology. 6th ed. Philadelphia, PA: Elsevier; 2017. p.503-38.
3. Scala C et al. Diagnostic Diagnostic accuracy of midtrimester antenatal ultrasound for multicystic dysplastic kidneys. Ultrasound Obstet Gynecol 2017;50:464–9.
4. Schreuder MF et al. Unilateral Multicystic Dysplastic Kidney: A Meta-Analysis of Observational Studies on the Incidence, Associated Urinary Tract Malformations and the Contralateral Kidney. Nephrol Dial Transplant. 2009;24:1810-8.
5. Woodward PJ et al. Diagnostic Imaging: Obstetrics. 3rd ed. Salt Lake City, UT: Elsevier; 2016. p. 614-7.

# 04 뭇주머니콩팥질환
Polycystic Kidney Disease

## I. 상염색체 열성 뭇주머니콩팥질환(Autosomal recessive polycystic kidney disease, ARPKD)

### 1. 개요

1) 콩팥의 집합세관(collecting tube)의 낭성 확장을 특징으로 하는 상염색체 열성 유전질환으로, 양측 콩팥이 대칭적으로 커져 있으며, 간섬유증(hepatic fibrosis)과 담도확장증(biliary ectasia)이 동반되는 경우가 많음

2) 전체 빈도는 20,000명 중 1명꼴로 나타내며, 상염색체 우성 뭇주머니콩팥질환(autosomal dominant polycystic kidney disease, ADPKD)보다 매우 드문 편임(Hoyer PF. 2015)

3) 상염색체 열성 유전 양상을 보이며, 6번 염색체 단완(chromosome 6p12)에 위치한 PKHD1 유전자의 돌연변이에 의해 발생함(Wilson PD. 2004)

4) 발현되는 시기에 따라 주산기(perinatal), 신생아기(neonatal), 유아기(infantile), 청소년기(juvenile)로 분류되며, 주산기형이 가장 흔함(40%) (Wilson PD. 2004)

5) 집합세관의 손상으로 인해 집합세관이 낭종성 확장을 일으킨 것으로 생각되며, 간섬유증은 담도 표피세포의 과성장으로 인하여 발생한 것으로 추정됨

### 2. 초음파소견

1) 임신 제2삼분기에 양쪽 콩팥이 임신주수의 2 표준편차 이상으로 커져 있으며(그림 4-1), 임신 제3삼분기에는 콩팥의 크기가 매우 빠르게 증가함. 그러나, 임신 24주 이후가 되어서야 전형적인 초음파 소견이 관찰되는 경우가 많음

2) 낭종의 크기와 수는 다양하여 육안으로 보일 수도 있고, 보이지 않을 수도 있음

3) 전체적인 콩팥의 초음파 에코는 균일하게 증가해 있음(그림 4-1). 저에코성(hypoechoic)의 콩팥 피질(cortex)부분과 고에코성(hyperechoic)의 콩팥 수질(medulla)부분이 구분되어, 고에코성 콩팥을 감싸고 있는 저에코성 테두리처럼 보임

4) 콩팥의 모양은 유지되나, 신우(renal pelvis)를 확인할 수 없고, 방광은 없거나 작게 보이며, 양수과소증이 동반됨(Rajanna DK. et al. 2013)

5) 양수과소증으로 인해 폐형성저하가 발생하면, 태아의 주수에 비해 가슴둘레는 작고, 커진 콩팥으로 인해 배둘레는 증가함

6) 간섬유증과 같은 간의 이상은 산전 초음파에서 감별하기 어려움

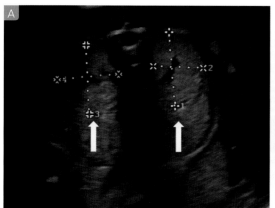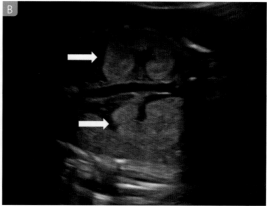

■ 그림 4-1. 상염색체 열성 못주머니콩팥질환. 양측 콩팥이 매우 커져 있으며 에코가 균일하게 증가되어 있음. **A.** 가로면, **B.** 관상면.

## 3. 동반 기형

1) 간섬유증(congenital hepatic fibrosis)
2) 카롤리 병(Caroli disease)

## 4. 감별진단

1) 상염색체 우성 못주머니콩팥질환: 비슷한 초음파 소견을 보이나, 상염색체 열성 못주머니콩팥질환에 비해 낭종의 크기가 조금 큰 경향이 있고, 낭종의 수는 작은 편이며, 양수량은 정상인 경우가 많음(Brun M. et al. 2004)
2) 양측성 다낭성형성이상콩팥(bilateral multicystic dysplastic kidney)
3) 사구체낭종질환(glomerulocystic disease)

4) 멕켈-그루버증후군(Meckel-Gruber syndrome)

5) 13번 삼염색체(trisomy 13)

6) 콩팥세관의 발생장애가 동반된 선천성 과다콩팥세관성거대콩팥증(congenital hypernephric neph-romegaly)

7) 거대세포바이러스(cytomegalovirus) 감염

8) 콩팥정맥혈전증

9) 베크위드-위드만증후군(Beckwith-Wiedemann syndrome)

10) 질식성흉부형성이상(asphyxiating thoracic dysplasia)

11) 대사질환(metabolic disorder)

12) 태아성장지연(fetal growth restriction)

## 5. 임신중 예후

1) 임신 중 진단되는 주산기형의 경우에는 자궁내 태아 사망이 발생하기도 하며, 대부분 신생아시기에 폐형성저하로 인한 호흡기부전이나 콩팥기능부전으로 사망함(Wilson PD. 2004)

## 6. 산전관리 및 산전치료, 임신중 검사

1) 산전관리
   (1) 정밀초음파검사
   (2) 추적초음파검사: 정기적 초음파검사로 태아흉곽둘레/복부둘레 모니터링 및 양수양 확인
2) 산전치료: 특별한 산전치료는 없음
3) 임신중 검사
   (1) 정밀초음파검사 및 추적초음파검사
   (2) 염색체검사
      ① 양수검사(amniocentesis)
      ② 융모막융모생검(Chorionic villus sampling, CVS): 가족력이 있는 경우에는 임신제1삼분기에 시행할 수 있음
   (3) 태아MRI검사: 양수과소증과 연관된 콩팥 이상을 정확히 진단하고, 폐용량을 측정하는데 도움이 될 수 있음
4) 분만
   (1) 3차병원에서 신생아집중치료실이 확보된 상태에서 분만이 이루어져야 함

(2) 임신 38주이후에 분만 고려됨

(3) 분만방법: 질식분만을 우선적으로 고려하며, 제왕절개수술은 산과적 적응증에 따라 시행함

## 7. 신생아관리

(1) 출생 후 보존적 처치: 폐형성저하에 따른 폐기능부전으로 호흡기계 보조가 필수적임

(2) 콩팥기능부전: 대증적 치료, 투석 및 신장이식 고려됨

(3) 간기능부전: 대증적 치료, 간이식 고려됨

(4) 정기적 초음파 검사, 콩팥기능검사/간기능검사 시행해야 함

## 8. 장기 예후

1) 주산기형이 가장 예후가 나쁘고, 임상증세가 늦게 나타날수록 예후는 좋음

2) 양쪽 콩팥이 다 커지고, 에코가 증가하면서 양수과소증이 있고, 가족력이 있는 경우에는 매우 불량한 예후를 보임

3) 신생아 시기에는 콩팥기능부전보다 폐의 기능부전으로 사망하게 됨

4) 콩팥기능부전 이외에도 요로감염이나 고혈압, 간문맥고혈압을 동반한 간섬유증으로 인한 비장비대나 정맥류가 생길 수 있음

## 9. 유전 상담

1) 재발율: 25%

2) 유전자: 6번 염색체에 위치한 PKHD1 유전자(Wilson PD. 2004)

# II. 상염색체 우성 뭇주머니콩팥질환(Autosomal dominant polycystic kidney disease)

## 1. 개요

1) 양측 콩팥의 콩팥단위(nephron)의 낭성 확장으로 인하여, 콩팥의 크기가 커지고 다양한 크기의 많

은 낭종으로 이루어진 콩팥질환(Brun M et al. 2004)

2) 전체 빈도는 1,000명 중 1명꼴로 나타나며, 30대에서 50대에 임상적 발현이 시작되는 경우가 많아서, 성인형 뭇주머니콩팥질환으로도 불림(Reddy BV et al. 2017)

3) 상염색체 우성 유전 양상을 보이며, 가장 흔한 유전자 변이는 16번 염색제 단완에 위치하는 PKD1 유전자의 돌연변이(85%)임. 그 외에도 4번 염색체 장완에 위치하고 있는 PKD2 유전자의 돌연변이(15%)도 알려져 있음(Reddy BV et al. 2017)

4) 콩팥 이외에도 간, 췌장, 비장 및 중추신경계통에도 발생함


## 2. 초음파소견

1) 상염색체 열성 뭇주머니콩팥질환과 초음파 소견이 비슷하여 양측 콩팥이 대칭적으로 커져 있으면서 에코가 증가된 소견을 보이나(그림 4-2), 상염색체 열성 뭇주머니콩팥질환보다는 콩팥의 크기가 작고, 신우나 방광이 보이며, 양수양은 정상임(Brun M. et al. 2004)

2) 낭종의 크기는 다양하며, 겉질속질이음부(corticomedullary junction)가 뚜렷이 구분되는 경우도 있음

3) 임신 중 에코가 증가되었다가 정상화되는 경우도 있고, 임신 제2삼분기의 초음파 소견은 정상으로 보일 수 있기 때문에, 가족력이 있는 경우 반드시 임신 후기의 초음파 추적검사가 필요함

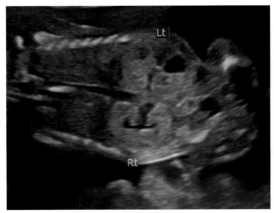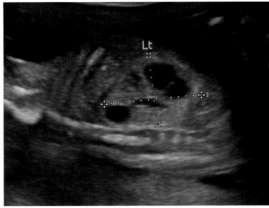

■ 그림 4-2. 상염색체 뭇주머니콩팥질환. 양측 콩팥이 커져 있으며 에코가 증가되어 있으며, 좌측 콩팥 내 다수의 낭종 관찰됨. **A.** 관상면, **B.** 시상면

## 3. 동반 기형

1) 염색체 이상이나 증후군의 빈도가 증가하는 것은 아님
2) 동반기형도 드문 것으로 알려져 있으나, 간, 췌장, 난소 낭종 등에 대한 추적 관찰이 필요함

## 4. 감별진단

1) 상염색체 열성 뭇주머니콩팥질환: 양수양의 감소 및 가족력으로 감별할 수 있음. 상염색체 우성 뭇주머니콩팥질환은 부모 중 어느 한편은 뭇주머니콩팥질환을 가지고 있음
2) 그 외 콩팥의 음영이 증가하고 크기가 커지는 질환임(상염색체 열성 뭇주머니콩팥질환 참조)

## 5. 임신중 예후

1) 태아 시기나 신생아 시기에 임상증상이 있는 경우는 거의 없음
2) 또한, 임신 중 이 질환의 예후를 결정하기는 매우 어려움. 일반적으로 양수과소증의 여부 및 먼저 태어난 형제자매의 예후가 예후를 결정하는 가장 중요한 인자로 알려져 있어 이들을 기준으로 예후를 평가함

## 6. 산전관리 및 산전치료, 임신중 검사

1) 산전관리
   (1) 정밀초음파검사
   (2) 추적초음파검사: 정기적 초음파검사로 콩팥 크기 및 양수양 확인, 특히 가족력이 있는 경우, 반드시 임신 후기의 초음파 추적검사가 필요함
2) 산전치료: 특별한 산전치료는 없음
3) 임신 중 검사
   (1) 정밀초음파검사 및 추적초음파검사
   (2) 부모 및 조부모의 콩팥초음파검사
   (3) 가족력이 있는 경우에는 임신 제1삼분기에 융모막융모생검을 시행하여 산전유전진단을 시행할 수 있음
4) 분만: 일반적인 산과적 처치를 따름

## 7. 신생아관리

1) 일반적으로 출생 시에는 정상적인 콩팥기능을 보임
2) 특히 가족력이 있는 경우, 산전초음파에서 정상콩팥소견을 보인다 하더라도, 이것이 향후 상염색체 우성 뭇주머니콩팥질환의 가능성을 완전히 배제하는 것은 아니므로, 장기적인 추적관찰이 필요함

## 8. 장기 예후

1) 상염색체 열성 뭇주머니콩팥질환보다는 예후가 좋다고 하나, 30대에서 50대에 임상적 발현이 시작되어 만성신부전, 간섬유화, 간문맥고혈압 등이 발생하고, 결국 10-15%에서는 투석이나 콩팥이식이 필요함(Reddy BV et al. 2017)
2) 간낭종, 뇌동맥류가 동반되는 경우가 많으므로 동반여부를 장기적으로 확인해야 함(Reddy BV et al. 2017)

## 9. 유전 상담

1) 재발율: 50%
2) 유전자: PKD1, PKD2, PKD3 유전자(Wilson PD. 2004)
3) 가족력이 있는 경우에는 임신 제1삼분기에 융모막융모생검을 시행하여 산전유전진단을 시행할 수 있음
4) 그러나, 50%에서는 가족력이 발견되지 않는데, 이는 상염색체 우성 뭇주머니콩팥질환의 표현형이 매우 다양하고, 10%에서는 새로운 돌연변이(de novo mutation)로 인해 발생하기 때문임
5) 임신 중의 처치는 부모에게 이 질환의 단기 및 장기 예후에 대해 충분히 설명하고, 이에 대해 확실히 이해한 후 결정해야 함

**참고문헌** ////////////////////////////////////////////////////////////////////////////////////////////////

1. Brun M et al. Prenatal sonographic patterns in autosomal dominant polycystic kidney disease: a multicenter study. Ultrasound Obstet Gynecol. 2004;24:55-61.
2. Hoyer PF. Clinical manifestations of autosomal recessive polycystic kidney disease. Curr Opin Pediatr. 2015;27:186-92.
3. Odibo AO et al. Fetal genitourinary tract. In: Norton ME, editors. Callen's ultrasonography in obstetrics and Gynecol-

ogy. 6th ed. Philadelphia, PA: Elsevier; 2017. p.503-38.

4. Rajanna DK et al. Autosomal recessive polycystic kidney disease: antenatal diagnosis and histopathological correlation. J Clin Imaging Sci. 2013;3:13.

5. Reddy BV et al. The spectrum of autosomal dominant polycystic kidney disease in children and adolescents. Pediatr Nephrol. 2017;32:31-42.

6. Wilson PD. Polycystic kidney disease. N Engl J Med. 2004;350:151-64.

7. Woodward PJ et al. Diagnostic Imaging: Obstetrics. 3rd ed. Salt Lake City, UT: Elsevier; 2016. p. 618-21.

# 05 콩팥무발생
Renal Agenesis

## 1. 개요

1) 발생 4-6주째, 요관싹(ureteric bud)의 발달 실패로 후신발생모체(metanephric blastema)가 유도되지 못하고 조직의 세포사멸이 일어나 콩팥의 형성이 이루어지지 않음. 일측성 또는 양측성으로 발생함

2) 일측성의 경우, 1/1,000-2,000 출생아(남아:여아의 비율 1:1), 양측성의 경우, 1/3,000-6,000 출생아(남아:여아의 비율 2.5:1, 쌍태아임신에서 흔함)(Dias T et al. 2014)

## 2. 초음파 소견

1) 일측 혹은 양측 콩팥이 보이지 않음. 부신이 비정상적으로 아래로 위치함(lying down sign)(그림 5-1, 2)

2) 색도플러에서 해당 콩팥혈관의 주행이 관찰되지 않음(그림 5-1, 2)

3) 일측성의 경우, 반대측 콩팥의 대상성 비대(compensatory hypertrophy). 일측성의 경우 90% 이상에서 동반됨(van Vuuren SH. 2012)

4) 양측성의 경우, 방광이 보이지 않음. 임신 14~16주 이후 양수과소증(1삼분기에는 태반에 의해 양수가 생성되므로 정상으로 측정됨), 곤봉발과 관절 구축 동반됨(Odibo AO et al. 2017; Oh KY et al. 2010)

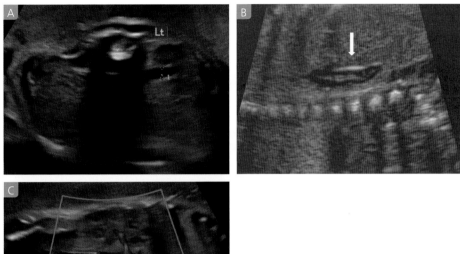

■ 그림 5-1. 일측 콩팥무발생. **A.** 가로면. 일측 콩팥이 보이지 않음, **B.** 세로면. 일측 콩팥이 보이지 않고, 부신이 비정상적으로 아래로 위치함, **C.** 색도플러 검사. 일측 콩팥혈관이 관찰되지 않고, 비정상적인 혈관주행이 확인됨

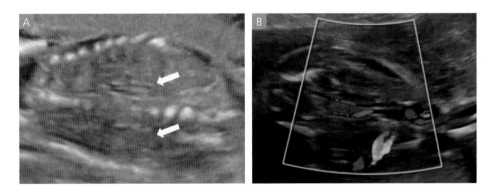

■ 그림 5-2. 양측 콩팥무발생. **A.** 세로면. 양측 콩팥이 보이지 않으며, 부신이 관찰됨, **B.** 가로면. 양수가 없고 방광이 관찰되지 않음

## 3. 감별진단

1) 일측성의 경우 – 일측성 다낭성형성이상콩팥(multicystic dysplastic kidney), 콩팥 전위(renal ecto-pia) 등이 있음
2) 양측성의 경우 – 양수과소증을 유발하는 다른 원인의 감별이 필요함
태반기능 부전 및 태아 성장지연 여부, 쌍태아의 경우 쌍태아간수혈증후군(Twin to twin transfusion

syndrome), 조기 양막 파수, 양측성 다낭성형성이상콩팥, 상염색체 열성 뭇주머니콩팥질환(autosomal recessive polycystic kidney diseases) 등이 있음

## 4. 임신 중 예후

1) 일측성인 경우, 염색체 이상 동반 가능성은 낮으며, 특별한 산과적 합병증이 없으며 대부분 무증상임. 방광요관역류(24%), 신우 확장 등의 동반 요로기형이 있고, 15-30%에서는 타 장기의 기형이 동반될 수 있음(특히, 생식기계 기형 동반 가능성 높음; 남아 12%, 여아 40%)

2) 포터증후군(Potter sequence)
   양측성 콩팥무발생의 경우, 양수과소증으로 인해 태아가 자궁벽에 압박되고 공간의 제한으로 인해 신체적 변화가 나타남. 특징적이 얼굴형(flattened face)-넓고 납작한 코(beaked nose), 처진 귀(low-set ears), 양쪽 옆으로 치우친 눈(widely seperated eyes), 움푹 들어간 턱(receding chin)을 보이며, 곤봉발(club feet)을 포함한 사지 기형, 폐형성부전 등이 나타나며 주산기 사망이 발생. 33% 정도 사산되며, 만성적인 폐형성부전 또는 콩팥부전으로 출생 후 빠른 시일 내에 사망함

3) 심장, 소화기계, 비뇨생식기계 등의 기형과 동반되는 경우가 흔함(10-30%). Fraser 증후군(상염색체 열성증후군; 콩팥무형성, 후두폐쇄, 잠복안구, 합지증), VACTERL 증후군(척추 이상, 항문폐쇄, 심실중격결손 등의 심장 기형, 신장 무형성증, 기관식도루, 사지 결손), MURCS 증후군(뮬러리안관의 형성이상, 신장의 무형성 또는 기형, 척추 이상)의 경우 콩팥무형성이 흔히 동반됨

## 5. 산전관리 및 산전치료

1) 콩팥무발생 확인 시, 다른 장기의 동반 기형 여부 확인이 필요하며 동반 기형이 있으면 염색체 검사를 시행해야 함(Bianchi DW et al. 2010)

2) 태아의 자세 또는 양수과소증으로 인하여 초음파 검사가 제한적인 경우, 산전 MRI 또는 필요 시 양수주입술 후 재검사를 시행해 볼 수 있음

3) 일측성 콩팥무발생의 경우, 일반적인 산전 관리를 따름

4) 양측성 콩팥무발생의 경우, 제왕절개술의 적응증은 아니지만 주산기 합병증의 발생이 상대적으로 높음

5) 양측성 콩팥무발생의 경우에는 양수과소증에 의한 탯줄 압박으로 발생할 수 있는 자궁내 태아사망과 폐형성부전증 발생을 감소시켜 생존률을 향상시키기 위하여, 순차적인 양수주입술(amnio-infusion)을 시도해 볼 수 있음. 그러나, 출생하더라도 사망하는 신생아가 다수이며, 소수의 케이스에서만 신장 이식 전까지 복막 투석을 유지하며 생존함이 보고되어, 산전 양수주입술의 시행에 있

어 윤리적으로 신중한 결정이 필요함(Sheldon CR et al. 2019)

## 6. 신생아 관리

1) 출생 후 복부 초음파를 시행하여, 콩팥의 존재와 위치 확인해야 함
2) 신장정적검사(DMSA 스캔)로 잔여 콩팥 조직을 확인해야 함
3) 방광요도 조영검사(voiding cystourethrography, VCUG)으로 정상 콩팥의 방광요관역류 동반 여부 확인해야 함

## 7. 장기 예후

1) 일측성 콩팥무형성의 경우, 콩팥의 손상이 없으며 동반 요로 기형이 없을수록 양호함. 콩팥 기능의 저하와 함께 고혈압, 단백뇨 등이 흔히 발생하여, 주기적인 관찰이 필요함(Michiel F. Schreuder. 2018)
2) 양측성 콩팥무발생의 경우, 생존률이 매우 희박함. 출생직후 기관 삽관 및 투석 등 보존적 치료를 포함한 집중 관찰이 필요함. 신장 이식이 가능한 최소의 몸무게는 10 kg로, 이식 전까지 투석을 진행하여 생명을 유지해야 하나, 합병증으로 사망 가능성이 매우 높고, 생존하더라도 심각한 신경발달 지연이 동반됨(Sheldon CR et al. 2019)

## 8. 유전상담

1) 대부분 산발적으로 발생하며, 다양한 요인이 작용함
2) 양측성 콩팥무형성의 경우, 재발율은 가족력이 없는 경우 3-4%. 일부에서 유전성 증후군, 염색체 이상(X연관유전, 상염색체우성 또는 열성유전 이상, 21번, 22번 삼염색체증후군, 성염색체의 이상) 또는 발달 장애가 존재함. 연관된 특정 유전자가 명확하지 않으므로, 다음 임신 시에는 주기적인 초음파 검사가 필요함(Huber C et al. 2019)
3) 일측성 콩팥무형성의 경우, 가족력이 없는 경우 발생률이 0.3%이나, 가족력이 있는 경우 발생률이 4.5%임. 태아가 해당 진단 시, 부모와 형제자매의 초음파 검사도 추천됨(Rosenblum S et al. 2017)

**참고문헌** ///////////////////////////////////////////////////////////////////////////////////////////////////////////////////////////////////////////////

1. Bianchi DW et al. Fetology: Diagnosis and Management of the fetal patient. 2nd ed. New York: McGraw Hill; 2010.

2. Dias T et al. Ultrasound diagnosis of fetal renal abnormalities. Best Pract Res Clin Obstet Gynaecol. 2014;28:403-15.

3. Huber C et al. Update on the Prenatal Diagnosis and Outcomes of Fetal Bilateral Renal Agenesis. Obstet Gynecol Surv. 2019;74:298-302.

4. Michiel F. Schreuder. Life with one kidney. Pediatr Nephrol. 2018;33:595–604.

5. Odibo AO et al. Fetal genitourinary tract. In: Norton ME, editors. Callen's ultrasonography in obstetrics and Gynecology. 6th ed. Philadelphia, PA: Elsevier; 2017. p.503-38.

6. Oh KY et al. Prenatal diagnosis of renal developmental anomalies associated with an empty renal fossa. Ultrasound Q. 2010;26:233-40.

7. Rosenblum S et al. Renal development in the fetus and premature infant. Semin Fetal Neonatal Med. 2017;22:58-66.

8. Sheldon CR et al. Two infants with bilateral renal agenesis who were bridged by chronic peritoneal dialysis to kidney transplantation. Pediatr Transplant. 2019;23:e13532.

9. van Vuuren SH. Compensatory enlargement of a solitary functioning kidney during fetal development. Ultrasound Obstet Gynecol. 2012;40:665-8.

# 06 모호한 생식기관
## Ambiguous Genitalia

## 1. 개요

1) 성적 발달이 중요한 시기는 발생 8-12주이며, 임신 13주 이후 정상적인 외부 성기를 확인 가능함

2) 모호한 생식기관이란, 외부 성기의 형태가 유전적 성과 다르거나, 남녀구분이 확실하지 않을 경우 정의하며, 성발달이상(disorder of sex development, DSD)으로 정의함(Pinhas-Hamiel O et al. 2002)

3) 매우 드묾(1/50,000-70,000)

## 2. 초음파 소견

1) 정상적인 초음파소견은 임신 12-23주 사이에 음경은 태아의 앞과 위쪽으로 향하고 있고, 음핵은 태아의 아래쪽으로 향하는 것으로 관찰됨. 또한, 여아에서는 대음순과 소음순이 두 개 내지는 네 개의 선으로 관찰됨(Sivan E et al. 1995)

2) 남아의 경우 주된 초음파 소견은 작은음경증, 음경끈(penile chrodae)으로 인해 음경이 배쪽으로 굽은 모양을 이루는 것과 미하강고환, 비정상적인 음낭모양, 요도밑열림증이 나타날 수 있음(그림 6-1A, B) (Odeh M et al. 2009; Odibo AO et al. 2017)

3) 여아의 경우에는 음핵비대증이 주요 소견. 비정상적으로 음경과 음낭과 같은 구조처럼 확인되기도 함(dome sign). 대음순의 불완전 분리나 융합되어 있음(그림 6-1C) (Odeh M et al. 2009; Odibo AO et al. 2017)

4) 그러나, 초음파 검사를 통한 진단이 어려움. 출생 후 검사로 성별 확인 및 정확한 진단을 하는 것이 좋음

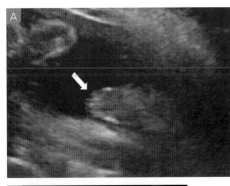
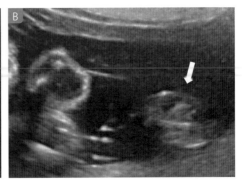
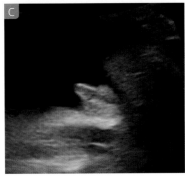

■ 그림 6-1. 모호한 생식기관. **A,B.** 가로면. 대음순과 같은 구조가 융합되어 보이고, 비정상적인 크기의 음경 또는 음핵이 관찰됨. 출생 후 남아로 확인, **C.** 가로면. 음핵비대증과 비대한 대음순 또는 음낭같은 구조가 관찰됨. 출생 후 여아로 확인

## 3. 감별진단

생식기계 기형 감별 필요
1) 여아의 경우, 음핵비대증(정상여아에서 15-16주경 일시적으로 관찰할 수 있음. 26주 이후 소실) (Zimmer EZ et al. 2012)
2) 남아의 경우, 작은음경증, 요도밑열림증, 미하강고환, 이분음낭(Pajkrt E et al. 2004)

## 4. 임신 중 예후

1) 남성반음양(XY DSD) - 염색체 검사를 시행하여 남성으로 나오면서 모호한 생식기관을 가지고 있는 경우. 원인은 고환에서 호르몬이 생산, 표적기관에의 전달, 최종작용 호르몬의 생성으로 이어지는 과정 중 일부 단계의 이상 시 발생함
2) 여성반음양(XX DSD) - 염색체 검사상 여성으로 나오면서 남성의 성기모양을 가진 경우에는 선천성부신과다형성증이나 안드로겐 노출을 의심해 볼 수 있음. 선천성부신과다형성증(1/15,000 출생아, 21-hydroxylase 결핍이 가장 흔함) (Chitayat D et al. 2010; Pinhas-Hamiel O et al. 2002)

3) 성기의 모양과 염색체 성이 반대로 나타나는 경우에는 순수생식샘발생장애(pure gonadal dysgenesis)를 진단함

4) 염색체 이상이 있는 경우 동반된 기형에 의해 예후가 나쁜 경우가 있으나 생식기 이상만 있는 경우에는 예후가 좋음. 따라서, 유전질환-단일유전자질환, 염색체의 이상, 복잡 기형을 동반한 증후군 등-감별이 필요함(Bianchi DW et al. 2010)

   (1) 관련 염색체 이상: 13 삼염색체(trisomy), 삼배체성(triploidy), 13q 증후군

   (2) 관련 증후군: Smith-Lemli-Opitz 증후군(상염색체 열성; 모호한 생식기관 및 소두증, 심장, 콩팥, 소화기계의 기형, 다지증 또는 합지증), WAGR 증후군(월름종양, 무홍채증, 비뇨생식기계 기형, 발달지연) 등

## 5. 산전관리 및 산전치료

1) 모호한 생식기관이 확인된 경우, 1삼분기 당시 프로게스테론이나 안드로겐 관련 약물 복용력 확인 및 관련 가족력 확인. 임산부에서 고안드로겐혈증(여드름, 낮은 목소리, 다모증 등) 을 시사하는 소견이 관찰됨

2) 양수검사를 시행하여, 성염색체 및 타 염색체 이상, 양수 내 스테로이드양을 확인함

3) 선천성부신과다형성증(congenital adrenal hyperplasia)의 가족력이 있는 경우, 임신 10주 정도에 융모막생검(chorionic villus sampling)을 시도할 수 있음. 태아가 여성으로 보이고, 선천성부신과다형성증의 가능성이 있다면, 성기와 뇌의 발달에 미치는 안드로겐의 영향을 최소화 하기 위하여 임신 1삼분기 초기(약 5-7주) 부터 덱사메타손 투약을 시작할 수 있으나 아직까지 장기 예후와 안전성이 부족하여 논란의 여지가 있음. 염색체 검사상 남성으로 확인되면 약제 중단함(Saada J et al. 2004; Chitayat D et al. 2010)

5) 출산 방법의 제한은 없으나, 3차 의료기관에서 소아내분비과, 임상유전과, 신생아과, 소아비뇨기과 등 관련 과들의 다학제 진료가 가능한 병원에서 분만 전후 계획의 수립이 필요함

## 6. 신생아 관리

1) 임상유전과와 함께 신체 검진을 진행하며, 산전 염색체 검사를 시행하지 않은 경우에는 염색체검사를 진행함(Chitty LS et al. 2012)

2) 출생 후 혈중 당, 콜레스테롤, 전해질 및 성분화 관련 호르몬, 대사 효소 검사를 함

3) 비뇨생식기계 조영술, 복부 초음파, MRI 를 시행하여 골반과 주변장기 평가함

4) 선천성부신과다형성증을 진단받은 신생아는 약물 치료 진행함

## 7. 장기 예후

생식기의 크기와 기능을 교정하고, 소아가 정상적인 신체 인식과 성정체성을 가지고 성장하도록 하며, 추후 성인이 될 때까지 생식기를 정상 크기로 성장시켜 정상적인 성 생활을 유지하고 생식능력을 가지도록 해야 함

모호한 생식기관을 가진 신생아에게 적절한 성을 지정하지 않으면, 수술적 교정한 외부 생식기와 성 정체성 간의 혼란으로 장기적으로 심각한 정신적인 문제를 유발할 수 있음. 일부는 모호한 생식기관인 채로 남아있기를 원하기도 함(Bianchi DW et al. 2010)

## 8. 유전상담

1) 생식샘 발생장애를 유발하는 염색체 이상들은 모두 산발적임
2) 선천성부신과다형성증 – 상염색체 열성 유전. 21-hydroxylase 결핍 선천성부신과다형성증은 매 임신 시 25%에서 영향을 받은 태아가 발생하며 영향을 받은 여아는 성기의 남성화가 발생할 수 있음
3) 모호한 생식기관의 기저 원인을 정확하게 진단해야, 다음 임신을 준비하는데 도움이 됨

**참고문헌**

1. Bianchi DW et al. Fetology: Diagnosis and Management of the fetal patient. 2nd ed. New York: McGraw Hill; 2010.
2. Chitayat D et al. Diagnostic approach in prenatally detected genital abnormalities. Ultrasound Obstet Gynecol. 2010;35:637-46.
3. Chitty LS et al. Prenatal management of disorders of sex development. J Pediatr Urol. 2012;8:576-84.
4. Odeh M et al. Sonographic Fetal Sex Determination. Obstet Gynecol Surv. 2009;64:50-7.
5. Odibo AO et al. Fetal genitourinary tract. In: Norton ME, editors. Callen's ultrasonography in obstetrics and Gynecology. 6th ed. Philadelphia, PA: Elsevier; 2017. p.503-38.
6. Pajkrt E et al. Prenatal gender determination and the diagnosis of genital anomalies. BJU Int. 2004;93 Suppl 3:12-9.
7. Pinhas-Hamiel O et al. Prenatal diagnosis of sex differentiation disorders: the role of fetal ultrasound. J Clin Endocrinol Metab. 2002;87:4547-53.
8. Saada J et al. Sonography in prenatal diagnosis of congenital adrenal hyperplasia. Prenat Diagn 2004;24:627–30.
9. Sivan E et al. Sonographic prenatal diagnosis of ambiguous genitalia. Fetal Diagn Ther. 1995;10:311-4.
10. Zimmer EZ et al. Fetal transient clitoromegaly and transient hypertrophy of the labia minora in early and mid pregnancy. J Ultrasound Med 2012;31:409-15.

# 태아 골격계 기형

## Fetal Skeletal Anomalies

# 01 치사성 이형성증
Thanatophoric Dysplasia

## 1. 개요

1) 가장 흔한 치사성(lethal) 골격계 기형으로 빈도는 10,000 출생아 당 0.21-0.30명. 남녀의 비는 2:1 임(Waller DK et al. 2008)
2) 연골세포(chondrocyte)가 감소 또는 존재하지 않아서 발생하게 되는 연골 내 골화 장애임. 성장판 과 골막에서 비정상적인 중간엽세포가 존재하게 되어 골형성장애가 발생하는 치명적인 질환임
3) 제1형과 제2형으로 구분됨

## 2. 초음파 소견

1) 진단 기준
   (1) 제1형
   ① 근위부 장골(long bone)이 더 짧은 심한 소지증(rhizomelic micromelia): 모든 긴 뼈의 길이가 5백분위수 이하임
   ② 특징적인 전화수화기(telephone receiver) 모양으로 휘어진 대퇴골이 보임(그림 1-1)
   ③ 장골의 휘어짐(bowing)은 상지보다 하지에서 심함
   ④ 골절은 보이지 않고, 골화(ossification) 정도는 감소되어 있지 않음
   ⑤ 종 모양으로 좁아진 흉곽이 보임
   ⑥ 짧은 갈비뼈
   ⑦ 큰두개골증(macrocrania): 두개골의 변형은 거의 없거나 심하지 않음(그림 1-2)
   ⑧ 이마뼈돌출(frontal bossing)(그림 1-2)
   ⑨ 편평하고 낮은 콧등(depressed nasal bridge)(그림 1-2)
   ⑩ 짧은 손가락과 삼지창 모양의 손(trident hand)(그림 1-3)

⑪ 척추뼈 몸통(vertebral body)이 편평척추(platyspondyly)를 보임(그림 1-4)

⑫ 제2형에 비해 제1형은 두개골의 변형은 심하지 않지만, 장골의 휘어짐이 동반됨

(2) 제2형

　① 특징적인 클로버잎 모양의 심한 두개골 변형(cloverleaf skull)

　② 짧지만 곧은 대퇴골

　③ 기타 초음파 소견은 제1형과 유사함

(3) 제1형과 제2형 둘 다 흉곽저형성증(thoracic hypoplasia)을 보임

(4) 제1형과 제2형의 구별은 주로 두개골과 대퇴골의 모양으로 구분됨. 제1형은 두개골의 변형은 거의 없거나 심하지 않고, 대퇴골이 특징적인 전화수화기 모양으로 휘어짐. 반면 제2형은 두개골이 특징적인 클로버 잎 모양의 심한 변형이 있고, 대퇴골은 짧지만 휘어짐은 거의 없음

(5) 3차원 초음파검사나 3차원 나선형 컴퓨터단층촬영(helical CT)가 산전진단에 추가적인 도움을 줄 수 있음

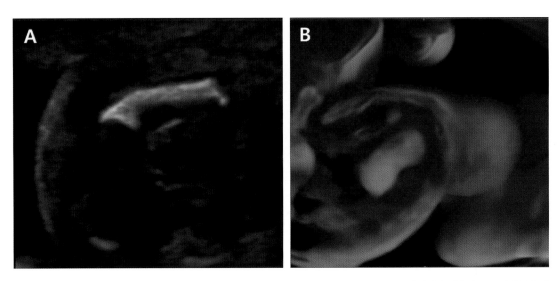

■ 그림 1-1. 임신 24주 제1형 치사성 이형성증. 태아 대퇴골의 특징적인 전화수화기 모양으로 휘어짐이 관찰됨. **A.** 2차원 초음파, **B.** 3차원 초음파

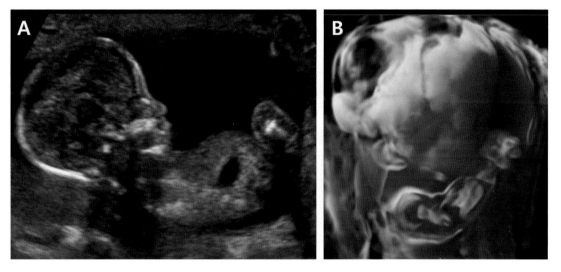

■ 그림 1-2. 임신 24주 제1형 치사성 이형성증 태아의 초음파. **A.** 시상면에서 큰두개골증, 이마뼈돌출과 편평하고 낮은 콧등을 보이며, 두개골의 변형은 보이지 않음, **B.** 3차원 초음파에서 큰두개골증과 상지의 단축을 보임

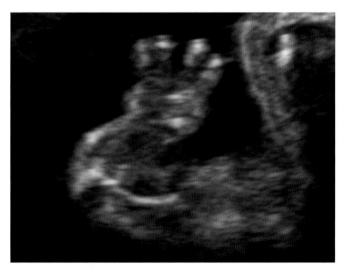

■ 그림 1-3. 임신 24주 제1형 치사성 이형성증. 태아의 손가락이 짧고, 삼지창 모양의 손을 보임

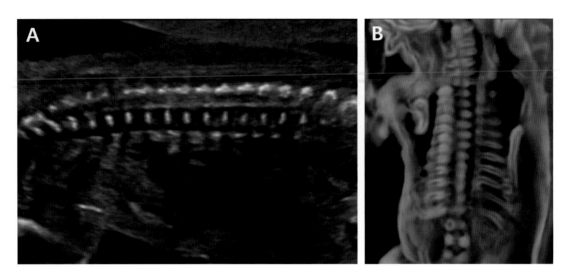

■ 그림 1-4. 임신 24수 제1형 치사성 이형성증 태아의 척추 초음파. **A.** 척추 시상면에서 척추몸통이 편평척추를 보임, **B.** 3차원 태아 척추 초음파

## 3. 감별진단

1) 연골무발생증(achondrogenesis)
2) 불완전 골형성증 제2형(osteogenesis imperfect type II)
3) 동형접합성 연골무형성증(homogygous achondroplasia)
4) 질식성 흉곽이형성증(asphyxiating thoracic dysplasia)
5) 기타 치사성 골격계 기형

## 4. 임신 중 예후

1) 동반기형: 뇌실확장증, 거대뇌증(megalencephaly), 뇌이랑없음증(lissencephaly), 신경세포이주장애 (neuronal heterotopia) 등의 뇌이상이 동반될 수 있음
2) 양수과다증이 동반될 수 있음
3) 임신 제1삼분기 초음파검사에서 태아 목덜미 투명대(nuchal translucency)가 두꺼워질 수 있음
4) 자궁내 태아사망은 드묾
5) 산전에 진단된 경우 대부분 출생 후에 흉곽저형성증으로 인한 폐형성부전(pulmonary hypoplasia) 으로 사망할 가능성이 높음을 설명함
6) 흉곽저형성증의 산전 진단

(1) 모든 태아 골격계 기형을 산전에 정확히 감별진단하기는 매우 어렵고, 치사성 골격계 기형도 매우 다양하기 때문에 출생 후 생존이 불가능한 치사성 골격계 기형인지 비치사성(non-lethal) 골격계 기형인지를 구분하는 것이 중요함

(2) 치사성은 흉곽저형성증으로 인한 폐형성부전(pulmonary hypoplasia)때문임

(3) 흉곽저형성증으로 인한 치사성을 예측하는 방법

  ① 장골의 길이가 1백분위수 이하임

  ② 태아 관상면에서 흉곽이 종모양으로 좁아져 보임(그림 1-5)

  ③ 태아 시상면에서 좁은 가슴과 튀어나온 복부(그림 1-5)

  ④ 태아 가슴 횡단면에서 갈비뼈가 태아 가슴둘레의 60% 이하까지 짧아져 있음(그림 1-5)

  ⑤ 태아 가슴둘레 <5백분위수

  ⑥ 태아 가슴횡단면에서 측정한 폐둘레

  ⑦ 태아 가슴횡단면에서 측정한 폐면적

  ⑧ 3차원 초음파를 이용한 폐용적 <5백분위수

  ⑨ 대퇴골길이/복부둘레(femur length/abdominal circumference) 비 <0.16(Rahemtullah A et al., 1997)

  ⑩ 가슴둘레/복부둘레(thoracic circumference/abdominal circumference) 비 <0.6

  ⑪ 어느 한가지 방법으로 산전에 흉곽저형성증으로 인한 치사성을 정확히 예측하기는 어렵고, 연구에 따라 다양한 민감도와 특이도를 보고하고 있음

  ⑫ 3차원 초음파를 이용한 폐용적의 측정이 가장 정확하다고 보고되고 있지만(Barros CA et al., 2016), 측정이 쉽지 않으며, 대퇴골길이/복부둘레 비 또는 가슴둘레/복부둘레 비가 손쉽게 이용될 수 있음

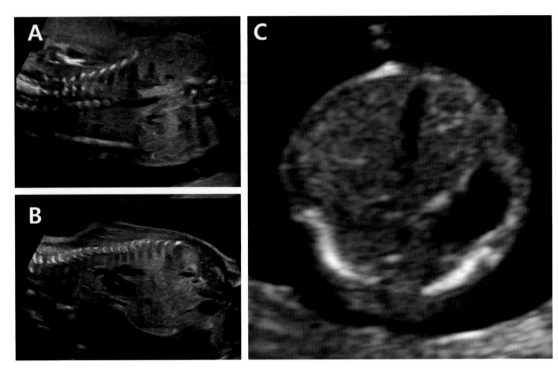

■ 그림 1-5. 치사성 이형성증 태아의 흉부와 복부 초음파. **A.** 관상면에서 흉곽이 종모양으로 좁아져 보임, **B.** 시상면에서 좁은 가슴과 튀어나온 복부를 보임, **C.** 가슴 횡단면에서 짧은 갈비뼈를 보임

## 5. 산전관리 및 산전치료

1) 염색체 검사, 미세결실 검사: 산전진단이 의심되는 경우 또는 불확실한 경우 융모막융모생검 (CVS), 양수천자술 또는 탯줄천자술을 통해 염색체이상이나 미세결실 등을 감별하기 위해 시행할 수 있음
2) 산전 유전자 검사
   (1) 섬유모세포성장인자수용체-3(fibroblast growth factor receptor-3, FGFR3) 유전자 검사
   (2) 융모막융모생검(CVS), 양수천자술 또는 탯줄천자술을 통해 시행
   (3) 아직 국내에서는 기술적인 문제와 의료윤리적 문제로 인해 시행하기가 어려움
3) 특별한 산전치료는 필요하지 않음
4) 양수과다증 등으로 인해 조기진통이 발생할 경우 치사성에 대해 충분히 설명 후 동의한다면 조기진통에 대한 특별한 처치는 필요하지 않음

## 6. 신생아 관리

1) 치사성이므로 심폐소생술이 필요하지 않음
2) 정확한 출생 후 진단을 위해 3차병원에서 분만하는 것이 좋으며, 유전자 검사와 전신 골격계 X선 촬영 검사가 필요함(그림 1-6)

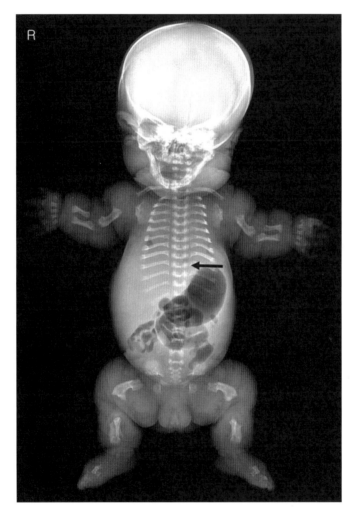

■ 그림 1-6. 제1형 치사성 이형성증 신생아의 전신 X선촬영 그림. 특징적인 전화수화기 모양의 대퇴골, 큰두개골증, 좁은 흉곽과 편평척추(화살표)를 보임

## 7. 장기 예후

1) 거의 대부분 출생 후 수 시간 내에 사망함

2) 드물게 출생 후 수개월까지 생존한 증례가 있음


## 8. 유전상담

1) 상염색체 우성 유전이며, FGFR3 유전자의 돌연변이에 의해 발생함
2) 대부분 산발적(sporadic)이며, 재발 가능성은 매우 낮음
3) 아버지 나이가 고령인 경우 위험성이 증가됨

**참고문헌**

1. Barros CA et al. Prediction of lethal pulmonary hypoplasia by means fetal lung volume in skeletal dysplasias: a three-dimensional ultrasound assessment. J Matern Fetal Neonatal Med 2016; 29: 1725-30.
2. Rahemtullah A et al. Suspected skeletal dysplasias: femur length to abdominal circumference ratio can be used in ultrasonographic prediction of fetal outcome. Am J Obstet Gynecol 1997; 177: 864-9.
3. Waller DK et al. The population-based prevalence of achondroplasia and thanatophoric dysplasia in selected regions of the US. Am J Med Genet A 2008; 146A: 2385-9.

# 02 불완전 골형성증
Osteogenesis Imperfecta

## 1. 개요

1) 불완전 골형성 질환으로 교원질의 결손에 의해 뼈가 매우 잘 부서지는 특징을 가진 골격계 기형임

2) 빈도는 10,000-20,000 출생아 당 1명임

3) 현재까지 17가지 원인 유전자가 알려져 있는 골격계 기형으로 골밀도가 낮고 다발성 골절이 있음. 제1형 교원질(type I collagen) α-1, α-2 유전자(COL1A1, COL1A2) 돌연변이가 90% 이상 차지함

4) 다양한 유전자로 인해 다양한 표현형을 나타냄. 다발성 골절로 사산되는 중증 질환부터 거의 정상 인에 가까운 운동능력을 보이는 경증까지 다양한 표현형이 있음

5) 전통적 분류
   (1) 과거에는 I형에서 IV형까지 4가지 아형으로 구분했지만, 최근에는 V형에서 VIII형까지 4가지 아형을 추가하여 총 8가지 아형으로 구분됨
   (2) 분류(Rauch F et al. 2004)
   ① I형: 경증의 골변형 또는 골변형이 거의 없음
   ② II형: 가장 중증, 중증의 골변형, 치사성, 주산기 사망
   ③ III형: 중증의 골변형
   ④ IV형: 중등도의 골변형
   ⑤ V형: 중등도의 골변형
   ⑥ VI형: 중등도부터 중증의 골변형
   ⑦ VII형: 중등도의 골변형
   ⑧ VIII형: 중등도부터 중증의 골변형
   (3) 경증부터 중등도의 표현형(과거 분류: I, IV, V형)
   (4) 점점 진행되는 골변형과 주산기 사망을 유발하는 표현형(과거 분류: II, III형)
   (5) 아형에 따른 중증도는 I형 < IV, V, VI, VII형 < VIII형 < III형 < II형의 순으로 심함

## 2. 초음파 소견(II형 불완전 골형성증)

1) 골절 소견(다양한 골격계질환과 감별되는 특징적인 소견)
2) 사지
    (1) 장골의 골절로 인한 단축과 휘어짐: 골절로 인한 심한 휘어짐으로 꺾임(angulation)을 보이기도
    함(그림 2-1)
    (2) 위관절 형성(pseudoarthrosis formation)
    (3) 가골(callus) 형성으로 뼈가 쭈굴쭈굴한(crumpled) 모양을 보임(그림 2-1)
    (4) 부족한 무기질침착(hypomineralization)
3) 흉곽
    (1) 작은 흉곽
    (2) 다수의 갈비뼈 골절: 갈비뼈가 구슬 모양(beaded rib)(그림 2-2)
4) 두개골
    (1) 두개골 골화가 저하: 부족한 무기질침착(hypomineralization)으로 인해 두개골 안쪽의 구조물
    이 잘 보임(그림 2-3)
    (2) 초음파 탐촉자에 의한 압력으로 두개골 모양이 변형됨(그림 2-3)

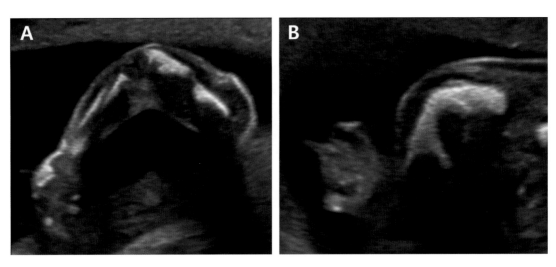

그림 2-1. II형 불완전 골형성증 태아의 상완골과 대퇴골 초음파. **A.** 상완골이 쭈글쭈글한 모양의 골절을 보임, **B.** 대퇴골이 심한 꺾임을 보임

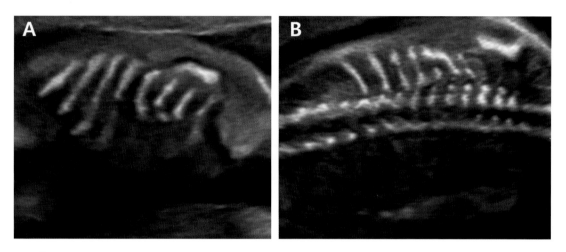

■ 그림 2-2. II형 불완전 골형성증 태아의 갈비뼈가 다발성의 골절을 보임. **A.** 시상면, **B.** 관상면

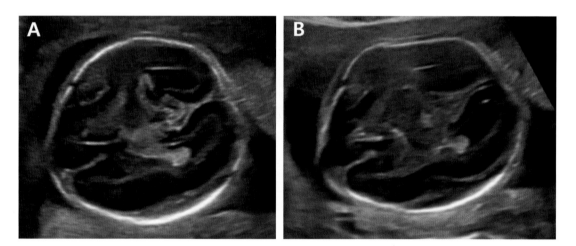

■ 그림 2-3. II형 불완전 골형성증 태아의 두개골 초음파. **A.** 두개골의 골화가 감소되어 두개골 안쪽의 구조물이 잘 보임, **B.** 초음파 탐촉자로 눌렀을 때 두개골 모양이 쉽게 변형됨

## 3. 감별진단

1) 치사성 이형성증
2) 연골무발생증
3) 지체굴곡증후군(camptomelic dysplasia)
4) 선천성 저인산증(hypophosphatasia)
5) 기타 치사성 골격계 기형

## 4. 임신 중 예후

1) 동반기형
2) 경증의 불완전 골형성증은 휘어진 대퇴골(bent femur) 소견만 단독으로 보일 수 있어서 산전 진단이 불가능할 수 있음
3) 임신 제1삼분기에 태아 목덜미 투명대 두께 증가 또는 낭림프관종(cystic hygroma)이 동반됨
4) II형 불완전 골형성증이 산전에 진단된 경우 대부분 출생 후에 흉곽저형성증으로 인한 폐형성부전으로 사망할 가능성이 높음을 설명함

## 5. 산전관리 및 산전치료

1) 특별한 산전치료는 필요하지 않음
2) 산전 유전자 검사는 아직 국내에서는 기술적인 문제와 의료윤리적 문제로 인해 시행하기가 어려움
3) 치사성인 II형은 제왕절개술을 시행하지 않음
4) 비치사성인 경우 제왕절개술이 주산기 골절을 감소시킨다는 증거는 없음(Byrne JB, 2011b)
5) 흡입분만이나 겸자분만 같은 기구를 이용한 분만시도는 피함

## 6. 신생아 관리

1) II형의 경우 치사성이므로 심폐소생술이 필요하지 않음
2) 출생 후 정확한 진단과 유전 상담을 위해 3차병원에서 분만하는 것이 좋으며, 유전자 검사와 전신 골격계 X선 촬영 검사가 필요함(그림 2-4)
3) 완전한 유전적 평가를 통한 재발 위험도를 포함한 유전 상담이 필요함
4) 공막(sclera) 관찰: 각막의 색이 아형에 따라 청색 또는 회색으로 관찰될 수 있음
5) 중등도 이상의 경우 영유아기부터 파골세포를 억제하는 비스포스포네이트 제제로 골밀도를 향상시키는 약물치료를 시도함(II형은 치사성이므로 제외)(Byrne JB, 2011b)
6) 물리치료 및 보조기 치료를 시행함(II형은 치사성이므로 제외)

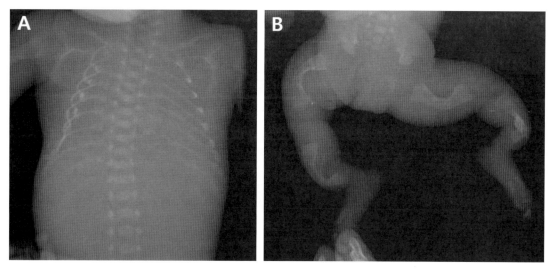

■ 그림 2-4. II형 불완전 골형성증 신생아의 출생 후 X선촬영 그림. **A.** 좁은 흉곽과 갈비뼈 골절 소견을 보임, **B.** 하지의 장골이 골절로 인한 심한 휘어짐과 꺾임을 보임

## 7. 장기 예후

1) 아형에 따라 예후가 다양함
    (1) I, IV형: 정상 혹은 조금 감소한 수명
    (2) II형: 치사성, 주산기사망
    (3) V형: 수명이 유의하게 감소

## 8. 유전상담

1) 현재까지 17가지 원인 유전자가 알려져 있음. 제1형 교원질(type I collagen) α-1, α-2 유전자(CO-L1A1, COL1A2) 돌연변이가 90% 이상 차지함
    (1) I-IV형: 원인 유전자는 COL1A1, COL1A2
    (2) V-VIII형: 다양한 non-type I collagen 유전
2) 가족력이 없는 경우에는 대부분 산발적으로 발생하며, 재발은 드묾
3) 대부분의 재발은 생식샘 섞임증(gonadal mosaicism)에 의함(Byrne JB, 2011a)
4) I형-IV형은 상염색체 우성 유전 양상을 보이지만, 드문 유전자 돌연변이는 상염색체 열성 유전을 보이기도 함
5) 아버지 나이가 고령인 경우 위험성이 증가함

**참고문헌** ////////////////////////////////////////////////////////////////////////////////////////////////////////////////////////////////////////////////

1. Byrne JB. Achondrogenesis. In: Woodward PJ, editor. Diagnostic Imaging. Obstetrics. Salt Lake City, UT: Amirsys; 2011a. p.10-5.

2. Byrne JB. Osteogenesis imperfecta. In: Woodward P, editor. Diagnostic Imaging. Obstetrics. Salt Lake City, UT: Amirsys; 2011b. p.40-3.

3. Rauch F et al. Osteogenesis imperfecta. Lancet 2004; 363: 1377-85.

# 03 연골무발생증
## Achondrogenesis

## 1. 개요

1) 연골바탕질(cartilaginous matrix) 형성부전에 의한 치사성 골연골이형성증(osteochondrodysplasia) 중 하나로 심한 소지증(micromelia), 골화되지 않은 척추뼈, 짧은 몸통, 불균형적으로 큰 머리를 특징으로 함

2) 빈도는 40,000-50,000 출생아 당 한명임

3) 연골무발생증은 임상형에 따라 3가지 아형으로 분류됨. 제1형이 20%, 제2형 80% 빈도를 보임

　　(1) IA형(Houston-Harris)

　　　　① 가장 중증

　　　　② 두개골의 골화가 거의 없음

　　　　③ 골화되지 않은 척추

　　　　④ 다수의 골절이 보이는 짧은 갈비뼈

　　(2) IB형(Fraccaro)

　　　　① 두개골의 골화는 감소되었지만 없지는 않음

　　　　② 갈비뼈 골절은 없음

　　　　③ 일부만 골화된 척추

　　(3) II형(Langer-Saldino)

　　　　① 두개골의 골화는 정상

　　　　② 척추뼈 골화 정도는 다양함

## 2. 초음파 소견

1) 척추의 불완전한 골화: 가장 특징적인 소견(그림 3-1)

    (1) IA형: 척추뼈 몸통(vertebral body)의 골화가 없고 추궁근(vertebral pedicle)의 골화 정도도 많이 감소함

    (2) IB형: 척추뼈 몸통의 골화가 거의 없지만 추궁근은 골화를 보임

    (3) II형: 척추뼈 몸통과 추궁근의 골화 정도는 다양함

2) 심각하게 짧은 장골(그림 3-2)

3) 큰두개골증: 비대칭적으로 큰 머리, 아형에 따라 두개골의 골화는 감소되어 있거나 정상일 수 있음(그림 3-2)

4) 좁은 흉부와 상대적으로 튀어나온 복부

5) 짧은 갈비뼈, 갈비뼈 골절은 아형에 따라 동반될 수 있음

6) 소악증(micrognathia)

7) 안면중앙부 형성부전증(hypoplastic midface)(그림 3-2)

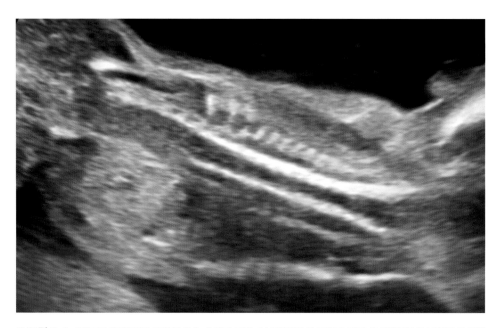

■ **그림 3-1.** IB형 연골무발생증 태아의 척추 초음파 그림. 척추뼈몸통의 골화가 없어 척추뼈몸통이 보이지 않지만 양쪽 추궁근은 관찰됨

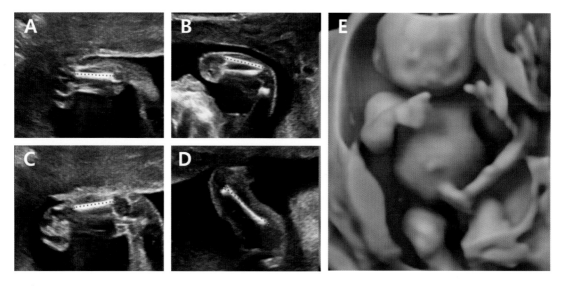

그림 3-2. IB형 연골무발생증 태아의 초음파 그림. **A-D.** 장골의 심한 단축을 보임, **E.** 3차원 초음파에서 큰두개골증과 안면중앙부 저형성증을 보임

## 3. 감별진단

1) 치사성 이형성증
2) 불완전 골형성증
3) 선천성 저인산증
4) 짧은늑골-다지증후군(short rib-polydactyly syndrome)
5) 동형접합성 연골무형성증
6) 기타 치사성 골격계 기형

## 4. 임신 중 예후

1) 동반기형
   (1) 1A형에서 뇌류가 동반되기도 함(Byrne JB, 2011)
   (2) II형에서 입천장갈림증이 동반되기도 함(Byrne JB, 2011)
2) 양수과다증이 동반될 수 있음
3) 임신 제1삼분기에 태아 목덜미 투명대 두께 증가 또는 낭림프관종(cystic hygroma)이 동반됨
4) 1/3에서 태아수종이 동반될 수 있음

5) 산전에 진단된 경우 대부분 출생 후에 흉곽저형성증으로 인한 폐형성부전으로 사망할 가능성이 높음

6) 조산 위험성이 높으며, 사산 가능성도 있음

## 5. 산전관리 및 산전치료

1) 특별한 산전치료는 필요하지 않음

2) 조기진통이 발생할 경우 치사성에 대해 충분히 설명 후 동의한다면 조기진통에 대한 특별한 처치는 필요하지 않음

3) 3차 기관으로 전원하여 전문가에 의한 분만 시도해야하 함

4) 완전한 유전적 평가를 통한 재발 위험도를 포함한 유전 상담이 필요함

5) 산전 유전자 검사는 아직 국내에서는 기술적인 문제와 의료윤리적 문제로 인해 시행하기가 어려움

## 6. 신생아 관리

1) 치사성이므로 심폐소생술이 필요하지 않음

2) 출생 후 정확한 진단과 유전 상담을 위해 3차 기관에서 분만하는 것이 좋으며, 유전자 검사와 전신 골격계 X선 촬영검사가 필요함(그림 3-3)

3) 아형에 따른 유전 양상이 다양하므로 정확한 진단을 위해 골/연골생검을 통한 조직학적 검사와 전자현미경검사가 도움이 됨

## 7. 장기 예후

1) 거의 대부분 출생 후 수 시간 내에 사망함

2) 드물게 출생 후 수개월까지 생존한 증례가 있음

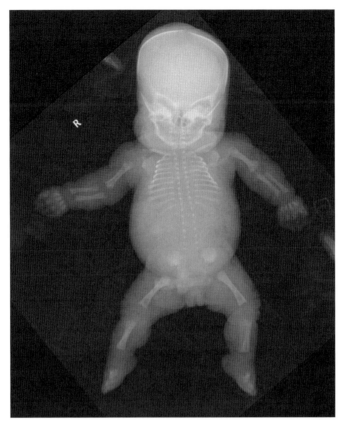

■ 그림 3-3. IB형 연골무발생증 신생아의 출생 후 X선촬영 그림. 척추뼈몸통이
보이지 않으며, 큰두개골증, 좁은 흉곽, 장골의 단축과 목덜미 낭림프관종이 보임

## 8. 유전상담

1) IA형, IB형

(1) 상염색체 열성 유전

(2) IA형: 원인 유전자는 아직 밝혀지지 않음. 14번 염색체 장완에 위치하며 GMAP (Golgi micro-tubule-associated protein) 210을 암호화하는 TRIP11 (thyroid receptor-interacting protein 11) 유전자가 원인일 수 있다는 보고가 있음(Smits P et al. 2010)

(3) IB형: 원인 유전자는 5번 염색체 장완에 위치한 DTDST (diastrophic dysplasia sulfate trans-porter) 유전자(SLC26A2)

(4) 25%에서 재발할 수 있음

2) II형

(1) 대부분 상염색체 우성 유전이지만, 상염색체 열성 유전도 보고됨

(2) 원인 유전자는 12번 염색체 장완에 위치한 제2형 교원질(type II collagen) α-1 유전자(CO-L2A1)

(3) 대부분 산발적으로 발생하므로 재발률은 드묾

3) 아버지 나이와 무관함

**참고문헌** ////////////////////////////////////////////////////////////////////////////////////////////////////////////////////////////////////////

1. Byrne JB. Osteogenesis imperfecta. In: Woodward P, editor. Diagnostic Imaging. Obstetrics. Salt Lake City, UT: Amirsys; 2011. p.40-3.

2. Smits P et al. Lethal skeletal dysplasia in mice and humans lacking the golgin GMAP-210. N Engl J Med 2010; 362: 206-16.

# 04 연골무형성증
## Achondroplasia

## 1. 개요

1) 가장 흔한 비치사성 골격계 기형으로 빈도는 1/30,000으로 10,000명의 출생아 당 0.36-0.6명 (Waller DK et al. 2008)
2) 상염색체 우성 유전질환임
3) 4번 염색체 단완에 위치한 FGFR3 유전자의 돌연변이가 있음
4) 치사성인 동형접합성(homozygous)과 비치사성인 이형접합성(heterozygous) 연골무형성증으로 구분됨

## 2. 초음파 소견

1) 진단 기준
   (1) 이형접합성 연골무형성증
   ① 근위부 단축(rhizomelic)이 있는 짧은 장골: 임신 24주 이전까지는 장골의 단축이 두드러지지 않지만, 임신 제3삼분기에 단축이 심해짐
   ② 장골의 휘어짐이나 골절은 보이지 않고, 골화 정도는 정상임
   ③ 이마뼈돌출(그림 4-1)
   ④ 편평하고 낮은 콧등(그림 4-1)
   ⑤ 삼지창 모양의 손(그림 4-2)
   ⑥ 짧은 손가락과 발가락(brachydactyly)(그림 4-2)
   ⑦ 큰두개골증: 임신 제 3분기가 되면서 양쪽마루뼈지름/대퇴골 길이가 매우 증가
   ⑧ 흉곽저형성증은 보이지 않음

⑨ 넓은 대퇴골 근위부 골간-골간단(diaphysis-metaphysis) 각

임신 20-24주에 측정하면 정상에서는 98.5-105.5°의 범위를 보이지만 120° 이상이면 연골무형성증의 가능성이 높으므로 조기 진단에 도움이 됨(Khalil A et al., 2016)(그림 4-3)

⑩ 임신 제1삼분기에 태아 목덜미 부냉대가 두꺼워질 수 있음

(2) 동형접합성 연골무형성증

① 근위부 단축이 매우 심한 짧은 장골: 평균적으로 임신 15주부터 대퇴골 길이가 3백분위 이하로 짧아짐(Patel MD et al. 1995)

② 장골의 휘어짐은 없거나 심하지 않음

③ 큰두개골증

④ 이마뼈돌출

⑤ 편평하고 낮은 콧등

⑥ 척추뼈 몸통이 편평척추를 보임

⑦ 제2형에 비해 제1형은 두개골의 변형은 심하지 않지만, 긴 뼈의 굽음이 동반됨

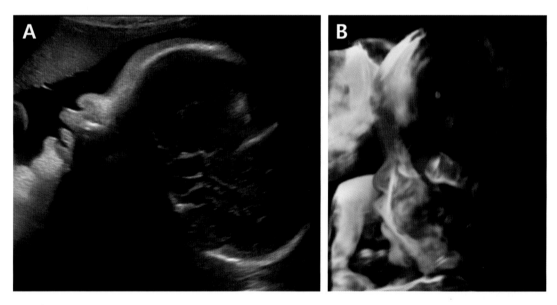

■ 그림 4-1. 이형접합성 연골무형성증 태아의 얼굴 초음파. **A.** 얼굴 시상면에서 이마뼈돌출과 편평하고 낮은 콧등을 보임, **B.** 3차원 초음파

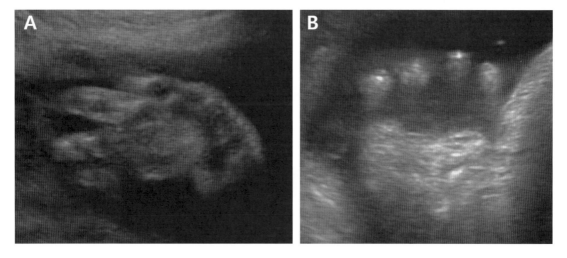

■ 그림 4-2. 이형접합성 연골무형성증 태아의 손 초음파. **A.** 삼지창 모양의 손, **B.** 짧은 손가락을 보임

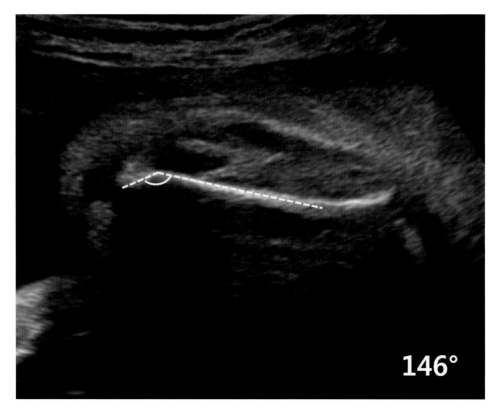

146°

■ 그림 4-3. 이형접합성 연골무형성증 대퇴골 골간-골간단 각이 146°로 넓어져 있음

## 3. 감별진단

1) 치사성 이형성증
2) 연골무발생승
3) 불완전 골형성증
4) 기타 골격계 기형
5) 염색체 기형
6) 부당경량아(SGA): 대퇴골길이/발길이(femur length/foot length)의 비가 0.89-0.90 이하일 때, 부당 경량아보다는 골격계 기형으로 인한 짧은 대퇴골일 가능성이 높음

## 4. 임신 중 예후

1) 임신 제3삼분기에 경증 또는 중등도의 양수과다증이 동반될 수 있음
2) 임신 중 특별한 산전치료나 처치는 필요하지 않음
3) 분만은 큰두개골증으로 인해 제왕절개술이 필요할 수 있음

## 5. 산전관리 및 산전치료

1) 이형접합성 연골무형성증은 임신 20주 이전에는 긴 뼈의 단축이 심하지 않으므로 진단이 거의 불가능함. 이후에 점점 짧아지며 임신 제3삼분기가 되어야 단축이 심해지는 양상을 보임
2) 부모나 가족력이 있는 경우에는 융모막융모생검이나 양수천자술을 통한 FGFR3 유전자 검사를 시행할 수 있음
3) 가족력이 없으며, 초음파 검사에서 의심이 되는 경우에는 염색체 검사, 미세결실 검사 또는 유전자 검사를 시행할 수 있지만, 대부분 임신 제2삼분기까지는 산전 소견이 뚜렷하지 않고, 유전자 검사는 국내에서는 아직 기술적인 문제와 의료윤리적 문제로 인해 시행하기가 어려움
4) 산전에 동형접합성 연골무형성증이 진단된 경우 대부분 출생 후에 흉곽저형성증으로 인한 폐형성부전으로 사망할 가능성이 높음을 설명함

## 6. 신생아 관리

1) 동형접합성 연골무형성증은 치사성이며, 대부분 2세 이전에 흉곽저형성증으로 인한 호흡부전으로 사망함(Vajo Z et al. 2000)
2) 정확한 출생 후 진단을 위해 FGFR3 유전자를 포함한 유전자 검사와 전신 골격계 X선 촬영이나 골격계 3차원 컴퓨터단층촬영 검사가 필요함
3) 2세 이전에 성장호르몬 치료가 성장에 도움이 된다는 보고가 있지만 개인에 따른 차이가 있음(Tanaka H et al. 1998)
4) FGFR3 유전자에 대한 화학적 억제제나 항체 등을 이용한 표적유전자 치료가 소개되고 있지만 효과는 확실하지 않음(Aviezer D et al. 2003)

## 7. 장기 예후

1) 이형접합성 연골무형성증을 가진 신생아는 정상적인 수명과 지능 발달을 기대할 수 있음
2) 경연수 접합(cervicomedullary junction) 부위에 이상이 있는 경우에는 척수압박으로 인한 무호흡으로 인해 위험할 수 있으므로 경연수 접합부위 감압술이 도움이 됨(Ho NC et al. 2004)
3) 다양한 정형외과적, 신경외과적 문제가 발생할 수 있음: 척추 불안정성, 척추관협착증, 흉요추척추후만증 등

## 8. 유전상담

1) FGFR3 유전자의 변형에 의해 발생함
2) 상염색체 우성 유전이지만, 가족력이 없는 경우에는 대부분 산발적으로 발생함
3) 부모 중 한 명이 이형접합성 연골무형성증인 경우는 50%에서 유전되며, 부모 둘 다 연골무형성증인 경우는 50%에서 이형접합성 연골무형성증, 25%에서 동형접합성 연골무형성증이 유전될 수 있음
4) 아버지 나이가 고령인 경우 위험성이 증가함

**참고문헌** ////////////////////////////////////////////////////////////////////////////////////////////////////////////////////////////////

1. Aviezer D et al. Fibroblast growth factor receptor-3 as a therapeutic target for Achondroplasia--genetic short limbed dwarfism. Curr Drug Targets 2003; 4: 353-65.

2. Ho NC et al. Living with achondroplasia: quality of life evaluation following cervico-medullary decompression. Am J Med Genet A 2004; 131: 163-7.

3. Khalil A et al. Widening of the femoral diaphysis-metaphysis angle at 20-24 weeks: a marker for the detection of achondroplasia prior to the onset of skeletal shortening. Am J Obstet Gynecol 2016; 214: 291-2.

4. Patel MD et al. Homozygous achondroplasia: US distinction between homozygous, heterozygous, and unaffected fetuses in the second trimester. Radiology 1995; 196: 541-5.

5. Tanaka H et al. Effect of growth hormone therapy in children with achondroplasia: growth pattern, hypothalamic-pituitary function, and genotype. Eur J Endocrinol 1998; 138: 275-80.

6. Vajo Z et al. The molecular and genetic basis of fibroblast growth factor receptor 3 disorders: the achondroplasia family of skeletal dysplasias, Muenke craniosynostosis, and Crouzon syndrome with acanthosis nigricans. Endocr Rev 2000; 21: 23-39.

7. Waller DK et al. The population-based prevalence of achondroplasia and thanatophoric dysplasia in selected regions of the US. Am J Med Genet A 2008; 146A: 2385-9.

# 05 반척추뼈증
## Hemivertebra

## 1. 개요

1) 태아 6주경 발생하는 두 개의 양쪽 골화중심(ossification center)이 8주 경에 융합하게 되는데 반척추뼈증은 한 쪽 골화중심만 발달하게 되면서 발생되는 질환임

2) 선천성 척주측만증(scoliosis)의 주된 원인으로 심한 경우 폐심장증으로 인한 사망, 마비, 동반기형 등의 다양한 문제를 수반할 수 있음(이춘기 등, 1999)

3) 빈도는 1,000 출생아 당 약 0.5-1명임(Goldstein I et al. 2005)

## 2. 초음파 소견

1) 시상면 또는 관상면에서 관찰되는 불규칙한 척추배열이 보임(Weisz B et al. 2004)(그림 5-1)

2) 굽은 척추 위치에서 인접한 척추보다 작은 삼각형 모양의 척추뼈가 관찰됨(그림 5-1)

3) 3차원 초음파검사가 측만 정도를 확인하는데 유용함(Weisz B et al. 2004)(그림 5-1)

## 3. 감별진단

반척추뼈증 단독으로 발생이 가능하나 선천성 척주측만증을 유발할 수 있는 기형과의 감별이 필요함

1) 신경관결손증(ex. Meningomyelocele)

2) 큰 복벽결손(ex. Omphalocele)

3) 관련 증후군: 꼬리퇴행증후군, VACTERL, Currarino triad, Klippel-Feil 증후군, Jarcho-Levin 증후군 등이 있음(Zelop CM et al., 1993)(표 5-1)

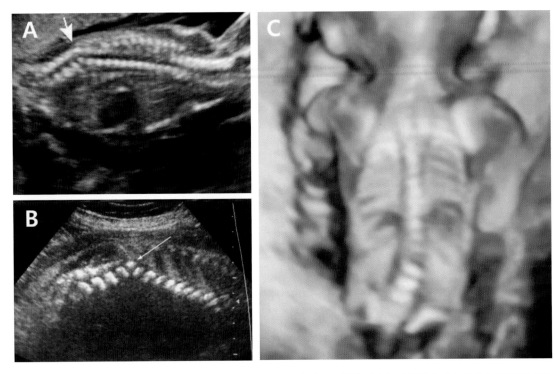

그림 5-1. 임신 16주 태아의 척추 초음파. **A.** 척추측만증이 보임(화살표), **B.** 반척추뼈가 보임(화살표), **C.** 3차원 초음파에서 척추 측만증과 반척추뼈증이 보임

## 4. 임신 중 예후

1) 동반된 기형의 유무에 따라 다름
2) 심한 척주측만증은 폐용적의 감소로 인한 폐심장증, 호흡부전이 있을 수 있음

## 5. 산전관리

1) 단독으로 존재하는 경우 염색체검사는 필요하지 않음
2) 조기 분만은 필요하지 않으며 산과적 적응증이 아니면 질식분만이 가능함

## 6. 신생아관리

1) 출생 후 X선 촬영검사(그림 5-2)

2) 폐용적 감소로 인한 호흡부전 여부를 확인함

3) 사지, 특히 하지의 마비성 변형이 없는지 면밀히 관찰함

4) 다른 동반 기형의 유무 확인함

5) 신생아기에는 수술적 교정을 시도하지 않으나 통증이 심해지거나 호흡곤란 등의 합병증이 발생하면 수술을 고려할 수 있음(이춘기. 1999)

표 5-1. 반척추뼈증과 관련된 증후군

| 증후군 | 특징 | 초음파 소견 |
|---|---|---|
| Klippel-Feil 증후군 | 짧은 목, 낮은 목덜미 모발선, 심한 경부 운동범위 감소 | 경추결합, 측만증 |
| Poland's 증후군 | 한쪽 작은가슴근(소흉근)의 무형성, 한쪽 가슴뼈 부근 큰가슴근(대흉근)의 무형성, 짧은 물갈퀴 모양의 손가락(합지증), 단지증 | 합지증, 반척추뼈증 |
| VATER | 척추, 항문, 신장기형, 기관식도누공 | 요측결손, 반척추뼈증, 기관식도누공 |
| Velocardiofacial | 구개열, 심장기형, 특징적인 얼굴 | 구개열, 심장기형, 작은턱증, 반척추뼈증 |
| Goldenhar 증후군 | 안구이상, 외이도협착, 아랫턱발육부전, 척추이상, 선천성 심장질환 | 작은턱증, 외이기형, 구개열, 구순열 |
| 꼬리퇴행증후군 | 하부 척추의 무형성, 직장, 비뇨생식계, 하지의 기형 | 허리엉덩뼈의 단절, 하지의 비정상적인 소견, 신장무형성, 심장기형 |
| Currarino triad | 엉치뼈의 무발생, 항문 및 직장 기형, 엉치뼈앞종양 | 엉치뼈앞종양, 반척추뼈증 |
| Jarcho-Levin 증후군 | 두개안면기형, 합지증, 흉곽기형, 심장질환, 신장이상, 비뇨생식기이상 | 반척추뼈증, 합지증, 다지증, 기관식도누공, 횡경막탈장 |

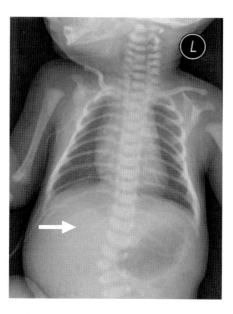

■ 그림 5-2. 반척추뼈증이 보이는 신생아 X선촬영 그림

## 7. 장기예후

1) 방사선 소견과 예후가 일치하지 않아 경과를 예측하기 힘듦
2) 정기적인 경과관찰이 필요하며 불필요한 조기수술을 피하고 적절한 계획을 수립해야 함(이춘기 등. 1999)

## 8. 유전상담

1) 반척추뼈증만 있는 경우는 유전적 결함의 위험이 없는 것으로 알려져 있음
2) 다른 동반된 기형이 있는 경우 이에 맞춰 유전적 상담이 필요함(Zelop CM et al. 1993)

**참고문헌**

1. Goldstein I et al. Hemivertebra: prenatal diagnosis, incidence and characteristics. Fetal Diagn Ther 2005; 20: 121-6.
2. Weisz B et al. Prenatal sonographic diagnosis of hemivertebra. J Ultrasound Med 2004; 23: 853-7.
3. Zelop CM et al. Fetal hemivertebrae: associated anomalies, significance, and outcome. Obstet Gynecol 1993; 81: 412-6.
4. 이춘기. 선천성 척추측만증. 대한척추외과학회지 1999; 6: 281-7.

# XI
PART

# 팔다리

Extremities

# 01 양막띠증후군
## Amniotic Band Syndrome

## 1. 개요

1) 양막띠증후군(amniotic band syndrome)은 섬유화된 양막띠가 태아의 여러 부위에 불규칙하게 부착하여 태아의 기형을 유발하는 질환임(Gandhi M et al. 2019)

2) 기형은 비대칭하게 나타나며 사지의 기형이 가장 흔하나, 두개 및 안면, 몸통을 비롯한 다양한 장기의 기형을 일으킬 수 있음(Lowry RB et al. 2017; Garza A et al. 1988)

3) 발생빈도는 생존 신생아 약 10,000명당 1명 꼴로 보고되며, 성별에 무관하게 나타나고 일반적으로 알려진 위험인자는 없음(Lowry RB et al. 2017; Garza A et al. 1988)

4) 정확한 원인과 발생기전은 아직 밝혀지지 않았으나, 양막의 파열, 탈착 등이 발생한 후 중배엽대(mesodermic band)가 태아의 구조물에 부착되고 변형, 손상되어 발생한다는 외인성 중배엽설이 흔히 받아들여짐(Seeds JW et al. 1982)

5) 이른 1삼분기에 발생하는 경우 두개 및 안면 기형, 주요장기 손상의 발생이 흔하며, 임신 2삼분기 이후에는 사지 협착, 절단과 같은 사지기형이 발생하는 경우가 많음

## 2. 초음파 소견

1) 불규칙적인 다양한 태아기형, 특히 비대칭적인 사지 및 손발가락의 절단, 협착이 발견되는 경우 의심해야 함. 발생시기와 부착부위에 따라 다양한 이상이 나타나며 다음과 같은 초음파 소견이 특징적임(Lopez-Munoz E et al. 2018)

   (1) 양수 내에 에코성의 얇은 띠처럼 보이는 양막띠가 태아결손부위와 자궁벽에 부착되어 보임. 부착된 양막띠가 없다고 하여 양막띠증후군을 배제할 수는 없으며, 태아의 자세나 위치에 따른 변화를 확인해야 함(Gandhi M et al. 2019)

   (2) 윤상 수축대(constriction band)를 동반한 불규칙한 태아 사지 기형 및 절단이 발견됨

(3) 안면두개골의 비전형적 이상: 전형적이지 않은 안면-두개 열(cranio-facial cleft), 비대칭적 뇌류(en-
cephalocele), 코 및 안와 등의 변형이 있음
(4) 복벽, 흉벽의 결손에 의한 장기 탈출증

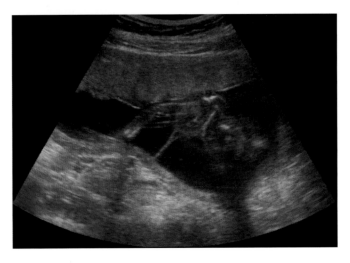

■ 그림 1-1. 태아에 양막띠가 부착되어 보이는 초음파 소견

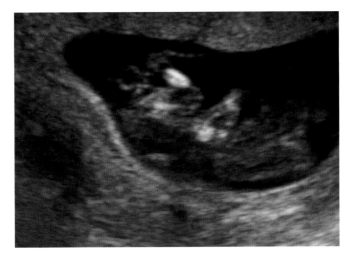

■ 그림 1-2. 태아에 양막띠가 부착되어 보이는 초음파 소견

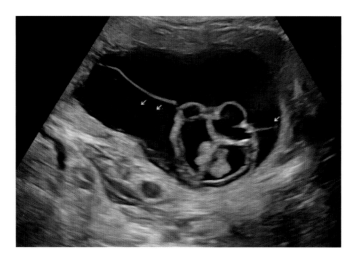

■ 그림 1-3. 양막띠와 동반된 안면 두개골의 비전형적 이상

## 3. 감별진단

1) 양막띠 같은 구조물이 있다고 해도 태아의 결손이 없는 경우는 양막띠증후군으로 진단하지 않음. 이러한 경우 자궁유착(uterine synechia), 융모막-양막 분리(chorion-amnion separation) 같은 질환을 감별하여야 함(Lopez-Munoz E et al. 2018)

2) 발달단계에서 발생하는 전형적인 두개 안면 결손 및 복벽 결손: 양막띠증후군이 아닌 경우에도 안면두개부결손 및 복벽결손 등이 발견될 수 있으나, 양막띠가 동반되고 비대칭/불규칙적인 양상의 안면두개부결손이나 복벽결손이 있는 경우가 양막띠증후군을 시사하는 소견임

3) 몸줄기 기형(body stalk anomaly): 태아 복벽이 태반에 가까우며, 탯줄이 짧으나 두개나 사지의 기형이 없고 양막띠와 같은 소견이 없음(Lowry RB et al. 2017)

## 4. 임신 중 예후

예후는 결손 부위 및 정도에 따라 매우 다양함. 초기에 발생한 안면두개 이상 및 복잡기형을 발견한 경우 초음파 등으로 산전에 진단되는 경우가 흔하나, 손발가락 및 사지 일부에 국한된 협착, 절단 등은 산전에 발견되지 않는 경우가 많음

## 5. 산전관리 및 산전치료

1) 결손의 위치 및 정도에 따라 예후가 크게 달라지므로 철저한 초음파 검사가 시행되어야 함
2) 염색체 검사는 필요 없음. 거의 대부분 가족력이 없으며 인송/성별에 따른 위험노의 차이가 없음 (Gandhi M et al. 2019)
3) 최근 태아경(fetoscope)을 이용한 양막띠 제거술이 비정상 혈류를 보이는 사지의 협착 등에 도움이 된다는 보고가 있음(Lopez-Munoz E et al. 2018)
4) 분만 방법은 일반적인 산과적 적응 및 결손의 부위, 정도에 따라 결정하여야 함

## 6. 신생아 관리

1) 분만 후 단순 X-선 검사, 초음파, 자기공명영상 등을 이용하여 결손의 범위와 정도를 정확히 파악하여야 함
2) 사지 등에 발생한 윤상 수축대(constriction band) 제거를 위한 수술이 필요한 경우가 있음

## 7. 장기 예후

장기 예후는 양막띠증후군에 의한 태아 결손 부위 및 정도에 따라 매우 다양함. 사지, 손발가락에 국한된 단순 결손의 경우에 예후는 손상부위를 제외한 예후는 양호하나, 안면두개 이상 및 복벽 이상 및 복잡기형이 동반된 경우 예후는 불량함

**참고문헌**

1. Gandhi M et al. Amniotic Band Sequence. Am J Obstet Gynecol 2019;221: B5-B6.
2. Garza A et al. Epidemiology of the early amnion rupture spectrum of defects. Am J Dis Child 1988;142:541-4.
3. Lopez-Munoz E et al. An update on amniotic bands sequence. Arch Argent Pediatr 2018;116:409- 20.
4. Lowry RB et al. The prevalence of amnion rupture sequence, limb body wall defects and body wall defects in Alberta 1980-2012 with a review of risk factors and familial cases. Am J Med Genet A 2017;173:299-308.
5. Seeds JW et al. Amniotic band syndrome. Am J Obstet Gynecol 1982;144:243-8.

# 02 관절굽음증
## Arthrogryposis

## 1. 개요

1) 출생아 3,000명당 한 명 빈도로 발생함
2) 두 군데 이상에서 다발성 관절 구축이 보이는 경우를 뜻하는 임상 소견임
3) 다양한 원인에 의해 발생하며 알려진 주요 원인으로 신경학적 이상, 원발성 근육병, 결합조직이상, 자궁 내 압박, 기형유발물질 또는 감염 등이 있음(Rink BD. 2011)

## 2. 초음파소견

1) 초음파에서 두 군데 이상에서 관절 구축이 보이는 경우 진단할 수 있음
2) 태아 자극에도 사지 관절의 움직임이 없고 지속적으로 비정상적인 사지의 자세를 유지하는 소견을 보임
   (1) 무릎 관절이 과신전된(hyperextended knees) 하지의 "새우형" 자세("pike" position)
   (2) 지속적으로 두 다리를 교차하고 있는 자세(tailor's position)
   (3) 내회전 되어 신전된 팔꿈치와 손목을 안으로 굽힌 자세(waiter's tip position)
   (4) 곤봉발(clubfoot), 주먹을 펴지 못하고 꽉 쥐고 있는 손(clenched hands)
   (5) 안면 기형으로 지속적으로 입을 열고 있는 경우 삼키지 못하여 양수과다증이 동반된 소견 혹은 작은턱증(micrognathia)(Rink BD. 2011)

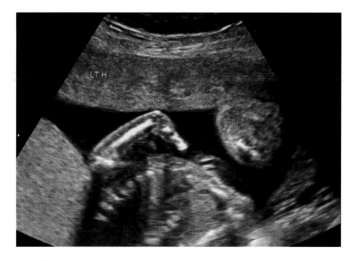

■ 그림 2-1. 손목을 안으로 굽힌 채로 고정된 오른손

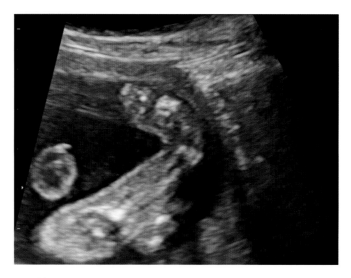

■ 그림 2-2. 곤봉발(club foot) 소견을 보이는 오른발

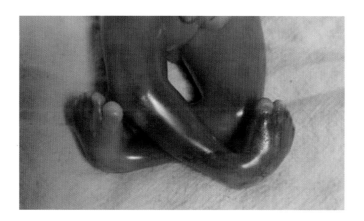

■ 그림 2-3. 관절굽음증 진단된 사산아의 다리(tailor's position)

## 3. 감별진단

1) 태아 관절굽음증은 하나의 진단명이 아닌 임상 소견으로 다양한 원인 질환이 있고 이에 대한 감별이 쉽지 않음

2) 에드워드증후군(Edward's syndrome, Trisomy 18 syndrome): 다발성 구조 이상과 함께 성장지연이 동반됨. 꽉 쥐고 있는 손(clenched hands)이 특징적임

3) 근육무형성증(Amyoplasia): 내회전 되어 신전된 팔꿈치와 손목을 안으로 굽힌 자세(waiter's tip position)가 특징으로 상지의 대칭적 구축이 하지보다 흔하게 나타남. 작은턱증을 동반한 둥근 얼굴, 얼굴의 중앙선에 혈관종 등의 소견을 보이나 대부분 정상 지능으로 예후가 좋음

4) 말단부 관절굽음증(Distal arthrogryposis): 근, 신경학적 질환과 연관 없이 비진행성 관절 구축으로 선천 다발성 관절 구축의 가장 흔한 원인임(Bamshad M et al. 2009)

   (1) Type 1A: 비정상적 손가락 접힘 주름과 함께 겹쳐진 손가락, 수직 거골(Vertical talus), 내반첨족(Talipes equinovarus)

   (2) Type 2A (Freeman-Sheldon syndrome): 휘파람 불고 있는 얼굴("Whistling" face)이라 표현되며 입의 지름이 몇 mm밖에 되지 않고 손가락의 자골 편위(ulnar deviation)와 함께 손가락, 발가락 굽음증(camptodactyly) 동반, 저형성 엄지(Hypoplastic thumbs) 소견이 있음

## 4. 임신 중 예후

1) 태아 운동이 없을 경우 골감소증이 흔하고 이로 인해 자궁 내 혹은 분만 과정에서 골절이 약 10%에서 발생할 수 있음

2) 척추측만증(Scoliosis)이나 척추후만증(Kyphosis) 동반 시 폐형성 저하증 가능성이 높아짐

3) 점차 진행하는 전반적(generalized) 태아 움직임 감소와 태아수종이 동반 될 경우 태아 사망 가능성이 높음(Dimitraki M et al. 2011)

## 5. 산전관리 및 산전치료

1) 태아 염색체 검사 또는 Microarray 분석이 필요함

2) 모체 혈액 TORCH 검사 또는 양수 거대세포바이러스 및 톡소플라즈마 PCR 시행함

## 6. 신생아 관리

1) 턱이나 척추 질환이 동반 시 출생 직후 흡인 및 기도 삽관의 어려움을 예상하고 대비해야 함

2) 척추측만증(Scoliosis), 척추후만증(Kyphosis)의 경우 폐형성저하증(pulmonary hypoplasia) 가능성이 높아 출생 시 대비해야 함

3) 이학적 검사 및 단순 X-ray를 시행하여 골격을 평가하고 진단 시 즉시 치료를 시행해야 함

4) 자궁 내 태아사망 또는 신생아 사망 시 뇌, 척수, 근육, 말초 신경을 포함하는 부검(autopsy) 및 사후 근골격계 X-ray 혹은 MRI 촬영이 필요함

## 7. 장기예후

1) 구축의 중증도와 이환된 관절 수, 동반기형, 염색체 이상에 따라 예후가 다양함

2) 하지의 경우 2세 이전에 변형을 모두 교정하여야 하지만 상지의 경우 기능적 평가가 가능할 때까지 수술적 치료를 미룸

3) 스트레칭, 연속 석고 교정, 외고정기 등의 치료를 하고 불충분할 시 수술적 치료 등이 필요할 수 있음(Hall JG. 2014)

## 8. 유전 상담

1) 산전 진단 시 태아 염색체 검사 또는 Microarray 분석이 필요함(Hall JG. 2014)

2) 재발률은 원인에 따라 다르나 원인이 밝혀지지 않은 경우 3-5%의 재발률을 보임

**참고문헌** ///////////////////////////////////////////////////////////////////////////////////////////////////////////////////////////////////////////

1. Bamshad M et al. Arthrogryposis: a review and update. J Bone Joint Surg Am 2009;91(Suppl 4):40.

2. Dimitraki M et al. Prenatal assessment of arthrogryposis. A review of the literature. J Matern Fetal Neonatal Med 2011;24:32-6.

3. Hall JG. Arthrogryposis (multiple congenital contractures): diagnostic approach to etiology, classification, genetics, and general principles. Eur J Med Genet 2014;57:464-72.

4. Rink BD. Arthrogryposis: a review and approach to prenatal diagnosis. Obstet Gynecol Surv 2011;66:369-77.

# 03 측만지증
## Clinodactyly

## 1. 개요

1) 측만지증은 손가락이 비정상적으로 내외측(mediolateral)으로 굽어 있는 형태를 말함. 일반적으로 새끼손가락이 4번째 손가락 쪽으로 휘는 경우가 많고 양측성으로 발생하는 경우가 많음(Michael S et al. 2010)

2) 새끼손가락 중지골(middle phalanx)의 형성이상으로 인해 발생함(Moeller A. 2019). 중지골이 없거나 작게 보임

3) 정상 신생아의 약 2-4%에서 나타날 수 있고, 다른 주요한 선천적 질환을 가진 신생아에서는 약 12%에서 보고된 바 있음

4) 선천적인 측만지증은 유전과 연관되어 있다고 알려져 있고 상염색체 우성으로 유전되는 형태를 보임(Song DH et al. 2016)

5) 다운증후군(Down syndrome)을 비롯한 몇 가지 증후군(예. Rubinstein-Taybi syndrome, Apert syndrome 등)과 연관될 수 있음. 다운증후군에서 60%까지 측만지증이 있었다는 보고가 있음 (Moeller A. 2019; Benacerraf BR et al. 1988)

## 2. 초음파 소견

1) 진단 기준
   (1) 손가락을 모두 펴고 있는 상태에서 새끼손가락이 4번째 손가락 쪽으로 휘어 있는 소견이 보임
   (2) 새끼손가락 중지골의 길이가 짧게 보이는 소견이 보임(Woodward PJ et al. 2016)

2) 태아 염색체 이상
   다른 증후군 및 염색체 이상과 연관되는 경우가 있어 동반기형 확인을 위한 태아의 해부학적 평가가 필요함. 특히 다운증후군과 연관된 마커들을 확인하는 것이 필요함(Vintzileos AM et al. 1997)

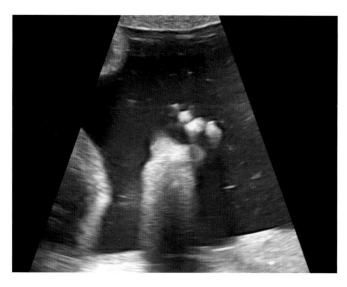

■ 그림 3-1. 새끼손가락의 측만지증

## 3. 감별진단

1) 합지증(syndactyly): 손가락 및 발가락의 개수를 비교, 붙어있는 가락이 있는지 확인함
2) 다지증(polydactyly): 가락의 개수를 비교, 손이나 발에 추가로 보이는 가락이 있는지 확인함

## 4. 임신 중 예후

1) 동반기형: 기타 근골격계 기형이 동반될 수 있음
2) 다른 동반기형 없이 단독으로 존재하는 경우 예후는 좋다고 알려짐

## 5. 산전관리 및 산전치료

1) 염색체 검사: 다른 동반기형이 있을 경우 시행하는 것을 권함
2) 조기 분만 필요하지 않음
3) 분만 방법 및 시기에 영향을 미치지 않음

## 6. 신생아 관리

1) 보존적 치료: 손가락 휘어짐이 경하고 기능상의 문제가 없는 경우 수술적 치료 없이 휘어진 반대 방향으로 밀어주기, 보조기 착용 등으로 모양이 호전되는 경우가 많음(Moeller A. 2019)

2) 수술적 치료: 손가락이 적어도 20도 이상 휘어 있는 경우 수술적 치료를 고려해 볼 수 있음. 30-40도 정도 휜 경우 보조기로 교정이 안되고, 주먹 쥘 때 손가락이 겹침, 관절통증 등 기능상으로도 여러 문제를 일으킬 수 있음. 이 경우 3-6세경 교정절골술을 또는 골단가교절제술 시행할 수 있음. 대부분 3-6세경 시행함(Michael S et al. 2010)

## 7. 장기 예후

다른 동반기형이 없으면서 미용적인 문제가 크지 않다면 경과관찰이 가능함

## 8. 유전상담

유전력이나 가족력과 관련 없음. 재발 위험은 무시할 수준임

**참고문헌**

1. Moeller A., Clinodactyly. Techniques in Orthopaedics. 2019;34: 18-25.

2. Benacerraf B.R et al. Sonographic demonstration of hypoplasia of the middle phalanx of the fifth digit: a finding associated with Down syndrome. Am J Obstet Gynecol. 1988;159:181-3.

3. Woodward, P. J et al. Diagnostic imaging: Obstetrics. 3rd ed. Elsevier; 2016. p. 744-5.

4. Michael S et al. Epiphyseal Bar Resection and Fat Interposition for Clinodactyly. The Journal of Hand Surgery. 2010;35: 834-7.

5. Song DH et al. The Prevalence and Genetic Pattern of Clinodactyly in Korean Populations. Korean J Phys Anthropol. 2016;29:99-103.

6. Vintzileos A.M et al. Second-trimester ultrasound markers for detection of trisomy 21: which markers are best? Obstet Gynecol 1997;89:941-4.

# 04 손발가락결손증
## Ectrodactyly, Split Hand/Foot Malformation, SHFM

## 1. 개요

1) 출생아 18,000명 당 한 명 빈도로 발생함

2) 지골(phalanges), 손허리뼈(metacarpals), 발허리뼈(metatarsals)의 결핍(deficiency)이나 형성저하(hypoplasia)와 그로 인한 중앙선 갈라짐(central ray cleft), 남아 있는 손가락간의 결합(fusion)이 특징으로 전형적일 경우 가재손변형(lobster claw deformity)을 보임(Arbués J et al. 2005)

3) 일측성 혹은 양측성, 손만 포함 혹은 손, 발 모두 포함된 경우일 수도 있음

4) 뼈의 결핍은 없고 피부만 갈라진 경우부터 손가락이 하나만 남아있는 경우까지 소견이 매우 다양함

5) 단독 기형으로 발생하거나 정신지체, 구강 및 안면의 갈라짐, 외배엽 이상과 다른 복잡 말단 기형이나 청력 장애와 동반되어 나타날 수 있음(Pinette M et al. 2006)

## 2. 초음파 소견

1) 손가락 혹은 발가락이 일부 없으면서 손이나 발의 중앙선 갈라짐(central ray cleft)이 보임

2) 구강 및 안면의 갈라짐(orofacial cleft)이 동반되어 있을 시 결지외배엽형성이상갈림증후군(Ectrodactyly-ectodermal dysplasia-clefting syndrome, EEC syndrome)을 의심해야 함(Lu J et al. 2014)

   (1) 손 혹은 발의 결손증(Ectrodactyly of hands and/or feet)

   (2) 외배엽형성이상(Ectodermal dysplasia): 산전 초음파에서 확인이 어려움

   (3) 구순-구개열(Cleft lip and/or palate)

   (4) 비뇨생식계 이상(Genitourinary abnormalities)

3) 동반 기형이 있는지 자세히 평가해야 함

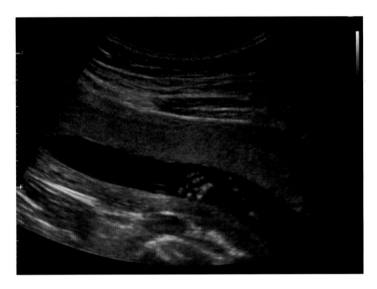

■ 그림 4-1. 두 번째 발가락 결손을 보이는 왼발

## 3. 감별진단

1) 양막띠증후군(Amniotic bands syndrome): 손가락이나 발가락의 절단된 형태, 정상 배아 융합선 (embryologic fusion line)에서 벗어난 괴이한(bizarre) 갈라짐을 보임

2) 사지축소결함(Limb reduction defects): 사지의 횡적 결손이 특징적임

3) 요골-척골 결손(Radial-ulnar deficiency): 전완부는 결손되고 손은 남아 있는 기형으로 횡적 개재성 형성부족(Transverse intercalary deficiency)임

4) 당뇨성 배아병증(Diabetic embryopathy): 조절되지 않는 당뇨 산모에서 위험이 높은 질환으로 심 장, 신경관 결손, 뇌를 포함하는 다른 기형이 흔히 동반되며 대퇴골 형성저하와 같은 배아 꼬리쪽 기형(Caudal embryo anomalies)이 흔함

5) 합지증(Syndactyly): 보통은 중앙선 갈라짐(central ray cleft)이 없음

## 4. 임신 중 예후

1) 40%는 사지가 아닌 다른 부위의 기형을 동반함

2) 75가지 이상의 증후군(syndrome)에서 손/발 갈라짐 기형을 보임

## 5. 산전관리 및 산전치료

1) 초음파로 진단될 시 반드시 태아 염색체 검사 및 유전 상담을 시행하여야 함
2) 유전자 돌연변이 확인 시 산전에 증후군(syndrome) 진단이 가능함
3) 손발가락결손증 발생의 고위험 임신일 경우 1 삼분기에 질 초음파를 통해 사지를 확인: 8주에 팔다리싹(limb buds)을 확인할 수 있고 11-12주에 상하지 관절과 손, 발가락을 확인 가능함(Arbués J et al. 2005)
4) 3D 입체 초음파를 통해 기형 구조를 보여주는 것이 부모와의 상담에 도움이 됨(Lu J et al. 2014)
5) 산전 치료는 없음

## 6. 신생아 관리

1) 생후 수술적 치료: 손의 기능을 호전시키고 보행 범위를 향상, 구강안면 갈림증을 복구, 비정상 눈물관(lacrimal duct) 기형을 복구하는 수술적 치료 시행함

## 7. 장기 예후

1) 동반기형에 따라 예후가 다양함
2) 상당한 정형외과적 합병증을 갖게 됨
3) 결지외배엽형성이상갈림증후군(Ectrodactyly-ectodermal dysplasia clefting syndrome, EEC syndrome)의 경우 청력 장애, 시각적 합병증과 반복적인 안구, 호흡기, 비뇨생식기 감염과 같은 다수의 합병증이 동반될 수 있음

## 8. 유전 상담

1) 증후군에 동반된 경우가 아닌 손발가락결손증은 염색체 유전좌(chromosomal loci) 7군데(SHFM 1-6과 SHFM/SHFLD)의 돌연 변이에 의하며 주로 상염색체 우성으로 유전되고 일부에서는 상염색체 열성 혹은 X염색체 연관 열성 유전으로도 나타남(Sowińska-Seidler A et al. 2014)
   (1) SHFM1 (7q21.3-q22.1): 대부분 새롭게 획득되며 일부에서는 상염색체 우성으로 유전
   (2) SHFM2 (Xq26): X염색체 연관
   (3) SHFM3 (10q24): 20%정도를 차지함

(4) SHFM4 (3q27): p63 돌연변이로 단독 기형에서 10-16% 정도를 차지하며 상염색체 우성으로 유전

(5) SHFM5 (2q31): HOXD 유전자부분의 결손(Klar AJ. 2015)

(6) SHFM6 (12q13): 상염색체 열성 유전(Gurrieri F et al. 2013)

(7) SHFM/SHFLD (SHFD with long bone deficiency involving tibia/fibula) (17p13.3 tandem duplication)

2) 상염색체 우성형으로 나타나는 지결손증 증후군 중 EEC syndrome, ADULT (Acro-dermato-ungual-lacrimal-tooth syndrome), LMS (Limb-mammary syndrome)에서 p63 돌연변이를 보임(Duijf PH et al. 2003)

**참고문헌** ////////////////////////////////////////////////////////////////////////////////////////////////////////////

1. Arbués J et al. Typical isolated ectrodactyly of hands and feet: Early antenatal diagnosis. J Maternal Fetal Neonatal Med 2005;17:299-301.

2. Duijf PH et al. Pathogenesis of split-hand/split-foot malformation. Hum Mol genet 2003;12:R51-R60.

3. Gurrieri F et al. Clinical, genetic, and molecular aspects of split - hand/foot malformation: An update. Am J Med Genet A 2013;161.11:2860-72.

4. Klar AJ. Selective chromatid segregation mechanism proposed for the human split hand/foot malformation development by chromosome 2 translocations: A perspective. Dev Biol 2015;408.1:7-13.

5. Lu J et al. Prenatally diagnosed fetal split - hand/foot malformations often accompany a spectrum of anomalies. J Ultrasound Med 2014;33:167-76.

6. Pinette M et al. Familial ectrodactyly. J Ultrasound Med 2006;25:1465-67.

7. Sowińska-Seidler A et al. Split-hand/foot malformation-molecular cause and implications in genetic counseling. J Appl Genet 2014;55.1:105-15.

# 05 다지증
## Polydactyly

## 1. 개요

1) 정의: 손가락, 발가락의 개수 증가 또는 그 일부의 다양한 중복(duplication)
2) 빈도(Umair M et al. 2018)
    (1) 일반인구의 1,000명당 1.6-10.7명
    (2) 생존 출생아 1,000명당 0.3-3.6명
    (3) 남자가 여자의 2배
    (4) 오른손 보다 왼손, 상지보다 하지, 왼발보다 오른발이 흔함
3) 분류(Malik S. 2014)
    (1) 축앞손발가락과다증(Preaxial Polydactyly, PPD)
    (2) 축뒤손발가락과다증(Postaxial Polydactyly, PAP)
    (3) 복합/기타 손발가락과다증(Complex & Other Polydactyly)
        ① 거울상손발가락과다증(Mirror-Image Polydactyly, MIP)
        ② 축중간 또는 중앙손발가락과다증(Mesoaxial or Central Polydactyly)
        ③ 바닥쪽/배쪽 및 등쪽 손발가락과다증(Palmar/Ventral and Dorsal Polydactyly)
        ④ 하스형 여러가락붙음증(다지유합증, Haas Type Polysyndactyly)

## 2. 초음파 소견

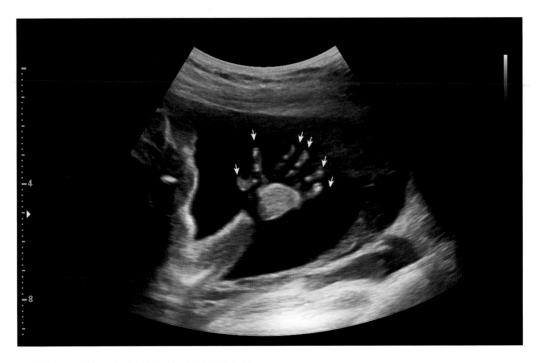

■ 그림 5-1. 임신 22주 태아의 오른손 축앞손가락과다증

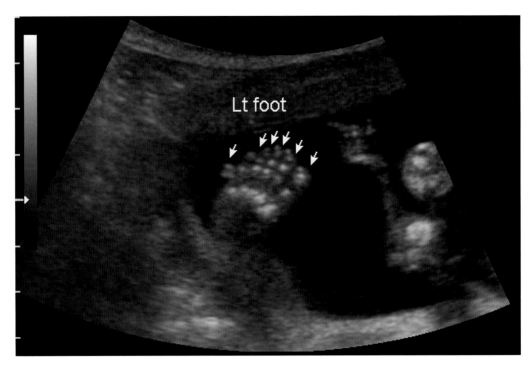

■ 그림 5-2. 임신 20주 태아의 왼발 축뒤발가락과다증

## 3. 감별진단(Deng H et al. 2015)

1) 축앞손발가락과다증
   (1) 엄지 쪽에 손발가락이 추가됨(출생아 3,000명 당 1명)
   (2) 가장 흔한 손발가락과다증의 형태는 부분 또는 완전 엄지손발가락 중복임
   (3) 상염색체우성(autosomal dominant) 유전됨

2) 축뒤손발가락과다증
   (1) 다섯번째 손발가락쪽에 추가됨
   (2) 흑인이 백인보다 10배임(1/143 versus 1/1339)
   (3) 대부분 상염색체우성이나 일부는 상염색체열성 유전됨

3) 중앙손발가락과다증
   (1) 두 번째, 세 번째, 네 번째 손발가락의 중복, 넷째가 가장 흔하고, 셋째, 둘째 순임
   (2) 축앞/뒤손발가락과다증보다 발생빈도 낮음
   (3) 관련된 유전자 또는 유전자자리(locus)는 확인되지 않았음

4) 거울상손발가락과다증
   (1) 거울상으로 손발가락이 중복됨
   (2) 단독 또는 동반기형이 있을 수 있음
   (3) 로린 샌드로우증후군(Laurin-Sandrow syndrome, LSS): 상염색체우성유전, 여러가락 붙음증, 발가락의 거울상중복, 코기형(nasal defects), 종아리/정강뼈 특징 소실(loss of identity between fibula and tibia)

5) 하스형 여러가락붙음증
   (1) 손발가락의 피부가 완전하게 붙어있으면서 손발가락이 추가됨
   (2) 상염색체우성 유전이면서 표현형이 다양함

6) 바닥쪽/배쪽 및 등쪽 손발가락과다증
   (1) 손발바닥쪽 또는 손발등쪽에 손발가락이 추가됨
   (2) 매우 드묾

## 4. 진단(Deng H et al. 2015)

1) 임상양상
2) 가족력
3) 산전초음파, 출생 후 방사선검사
4) 염색체 검사, 비교게놈혼성화(comparative genomic hybridisation) 및 염기서열분석(sequencing)

## 5. 치료(Deng H et al. 2015)

1) 출생 후 수술적 제거가 주된 치료법임

2) 기능이 가장 적은 부분을 세서하고, 남은 부분으로 성신, 미용, 기능석 재건을 시행함

3) 전신마취가 안전하고, 구조적으로 성장한 6-24개월에 시행함

**참고문헌**

1. Umair M et al. Clinical Genetics of Polydactyly: An Updated Review. Front Genet 2018;9:447.

2. Malik S. Polydactyly: phenotypes, genetics and classification. Clinical genetics 2014;85:203-12.

3. Deng H et al. Advances in the molecular genetics of non-syndromic polydactyly. Expert Rev Mol Med 2015;17:e18.

# 06 합지증
## Syndactyly

## 1. 개요

1) 합지증은 2개 이상의 손가락 또는 발가락이 분리되지 않고 붙어 있는 상태를 말함
2) 발생빈도는 출생아 2,000-3,000명당 1명꼴로 발생한다고 알려져 있고 남아에서 더 흔함(Muhammad Umair et al. 2018)
3) 연부 조직이 붙어 있는 정도에 따라 완전형과 불완전형으로 분류함. 손톱까지 모두 붙어있는 경우를 완전형, 손가락의 중간 부분까지 붙어 있는 것을 불완전형이라 함
4) 붙어 있는 조직의 종류에 따라 단순형과 복잡형으로 분류함. 단순히 살 조직(피부)만 붙어 있는 경우를 단순형, 뼈가 복잡하게 서로 연결이 되어 있는 경우를 복잡형으로 분류함
5) 태생 7-8주 사이에 정상적으로 수지간 분리가 이루어지지 못할 때 발생함
6) 상염색체 우성, 상염색체 열성 및 독립적인 형태 모두로 나타날 수 있음

## 2. 초음파 소견

1) 진단 기준
   (1) 태아 초음파에서 진단이 어려울 수 있음(특히 물렁조직만 붙어 있는 경우)
   (2) 손가락을 모두 벌린 상태에서 구별된 손가락을 볼 수 없다면 의심해 볼 수 있음
   (3) 손가락 또는 발가락이 계속 함께 움직이는 경우 의심해 볼 수 있음(Woodward PJ et al. 2016)
2) 다른 증후군 및 염색체 이상과 연관되는 경우가 있어 동반기형 확인을 위한 태아의 해부학적 평가가 필요함

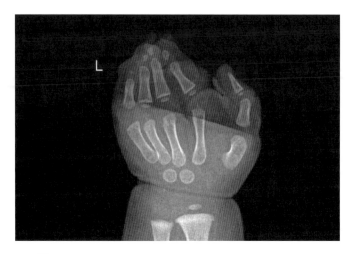

■ 그림 6-1. 합지증 X-선 소견

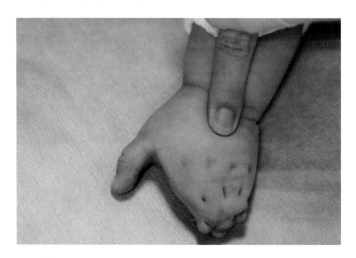

■ 그림 6-2. 합지증

## 3. 감별진단

1) 비증후군성 합지증(Non-syndromal syndactyly): 가족력이 있는 두 번째, 세 번째 발가락의 합지증 (Familial 2-3 toe syndactyly)의 경우 동반기형이 없고 상염색체 우성으로 발현됨. 양막 밴드(amniotic band)에 의한 경우 얼굴이나 다른 부분의 결함이 동반되기도 하는데 손이나 발가락, 사지의 일부가 절단된 형태로 나타날 수 있음(Woodward PJ et al. 2016)

2) 증후군성 합지증(Syndromal syndactyly): 다른 사지 기형 또는 구조적 기형이 동반된 경우 의심할 수 있음. 유전자 또는 염색체 이상이 연관된 경우가 많음(Woodward PJ et al. 2016)

## 4. 임신 중 예후

1) 동반기형: 기타 근골격계 기형이 동반될 수 있음
2) 다른 동반기형 없이 단독으로 존재하는 경우 예후는 좋다고 알려짐

## 5. 산전관리 및 산전치료

1) 염색체 검사: 다른 동반기형이 있을 경우 시행하는 것을 권함
2) 조기 분만은 필요하지 않음
3) 분만 방법 및 시기에 영향을 미치지 않음
4) 증후군성 합지증의 경우 아래와 같은 증후군 혹은 태아 질환에 대한 확인과 산후 관리가 필요할 수 있음(Woodward PJ et al. 2016)
   (1) 스미스 램리 오피즈증후군(Smith-Lemli-Opitz syndrome): 축후성 다지증이 동반됨. 중추신경 계 및 심장기형, 구개열이 동반되기도 함. 상염색체 열성임
   (2) 아퍼트증후군(Apert syndrome): 벙어리 장갑형태의 손과 발이 특징, 첨두증이 동반됨.
   (3) 세배수체증(Triploidy): 3-4번째 손가락이 붙어 있는 것이 특징적임
   (4) 카펜터증후군(Carpenter syndrome): 두개골조기유합증, 심장기형, 배꼽탈장이 있음. 다지증, 측 만지증 등 다른 사지 기형들이 복잡하게 동반됨
   (5) 파이퍼증후군(Pfeiffer syndrome): 클로버잎 형태의 두개골조기유합증을 보일 수 있음
   (6) 당뇨배아병증(Diabetic embryopathy): 당뇨가 잘 조절되지 않으면 발생할 수 있음. 중추신경계 및 심장, 사지 등으로 다발성 기형이 발생할 수 있음

## 6. 신생아 관리

1) 환자마다 기형의 형태가 다르므로 동일한 수술 방법을 적용할 수 없음
2) 너무 어릴 경우 수술 부위 피부를 관리하기가 어렵고 피부구축이 발생할 확률이 높으므로 대개 생 후 6개월에서 18개월 사이에 수술을 시행하게 되며, 늦어도 4세 이내에는 수술을 시행함
3) 손가락이나 발가락의 물갈퀴공간(가락 사이 공간)을 만들어 주어야 하므로 아주 경한 형태를 제외 하고는 양측 수지를 덮을 충분한 피부가 없으므로 서혜부, 발바닥 등에서 피부를 채취하는 전층식 피술(full-thickness skin graft)이 필요할 수 있음
4) 손가락이 3개 이상 붙어 있는 경우 여러 차례에 걸친 수술이 필요함
5) 복잡기형의 경우는 성장과 함께 변형이 진행하여 재수술이 필요할 수 있음

## 7. 장기 예후

비증후군성 합지증의 경우 대체로 예후가 좋음. 증후군성 합지증에서의 예후는 각각의 증후군에 따라 달라짐. 손(발)가락미디용합증(Symphalangism)의 경우 징상 판절의 형성 부족으로 기능 상애를 유발할 수 있음

## 8. 유전상담

유전력이나 가족력과 관련된 경우가 있음. 이에 따른 다음 임신 상담이 필요할 수 있음

**참고문헌** ////////////////////////////////////////////////////////////////////////////////////////////////////////////////

1. Muhammad Umair et al. Syndactyly genes and classification: a mini-review. Clin Genet 2018;1:34-47.
2. Woodward, P.J et al. Diagnostic Imaging: Obstetrics. 3rd ed. Salt Lake City, UT: Elsevier; 2016. p. 750-3.
3. Ryu JK et al. Prenatal Sonographic Diagnosis of Focal Musculoskeletal Anomalies. Korean J Radiol 4; 2003;4:243-51.

# 07 요골무형성증
### Radial Aplasia

## 1. 개요

1) 아래팔의 요골(radius) 결손이 특징적인 근골격계 기형임

2) 상완의 요골(radius)의 결손이 가장 흔하게 나타나나, 주상골(scaphoid) 및 대능형골(trapezium), 또는 엄지와 첫 번째 중수골(metacarpal bone)의 형성 저하나 결손까지 다양하게 나타남. 결손 부위의 뼈 뿐 아니라 근육, 신경 및 관절도 영향을 받을 수 있음(Sepulveda W et al. 1995)

3) 일측발생과 양측발생이 비슷한 비율로 보고됨

4) 발생률은 30,000명당 1명으로 매우 드문 질환임(Brons JT et al. 1990)

5) 14주부터 진단 가능함

6) 요골레이기형(radial ray malformation), 저혈소판증요골결손증후군(thrombocytopenia absent radius syndrome, TAR syndrome) 및 에드워드증후군(Edwards syndrome)과 연관이 있음(Sepulveda W et al. 1995)

## 2. 초음파 소견

1) 아래팔 요골(radius)의 결손 또는 형성 저하

2) 엄지손가락의 결손 또는 형성 저하

3) 주수에 비해 짧은 척골(ulna)

4) 곤봉손(clubhand) 또는 손이나 손목을 요골쪽 또는 척골쪽으로 꺾은 부자연스러운 자세임(Ryu JK et al. 2003)

5) 3D 초음파를 이용하면 진단에 도움이 될 수 있음

6) 양수과다증 또는 양수과소증을 동반할 수 있음(Brons JT et al. 1990)

7) 단독으로 존재하기도 하나, 심장 및 뇌, 근골격계 기형을 흔하게 동반함(Digilio et al. 1997)

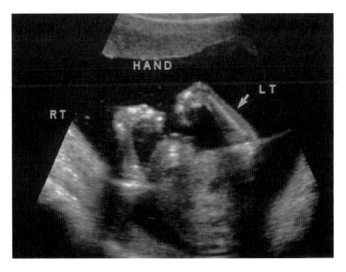

■ 그림 7-1. 왼쪽 아래팔 요골의 결손, 양쪽 곤봉손(Ryu JK et al. 2003)

## 3. 감별 진단

1) 요골쪽 곤봉손(radial clubhand)
2) 척골쪽 곤봉손(ulnar clubhand)
3) 요골레이기형(ulnar ray malformation)
4) 양막띠증후군(amnionic band syndrome)

## 4. 산전관리 및 산전치료

1) 임신 중 필요한 검사
   (1) 가족력 및 임신기간 동안 노출된 기형유발물질의 확인이 필요함
   (2) 태아 염색체 검사
   (3) 동반 기형의 유무에 대한 철저한 초음파 검사
   (4) 혈액학적 질환 동반 의심 시 탯줄천자
   (5) 산모의 당뇨 검사
2) 산전 치료
   (1) 임신기간 동안 시행할 수 있는 특별한 태아 중재 시술은 없음

## 5. 신생아 관리

1) 출생 후 검사
    (1) 출생 후 자세한 신체 진찰이 필요함
    (2) 근골격계 영상 검사 및 소아 정형외과 진료가 필요함
    (3) 혈액 검사, 골수 기능 검사 및 소아 혈액종양내과 진료가 필요함
    (4) 산전에 염색체 검사를 시행하지 않았다면 염색체 검사가 필요함
2) 치료
    (1) 재활운동, 보조기나 부목을 통한 구축 방지가 필요함
    (2) 수술이 필요한 경우 대개 생후 1년 안에 시행을 고려함

## 6. 장기 예후

1) 예후는 다른 장기의 동반 기형 및 유전적 질환에 따라 달라짐
2) 특별한 동반 기형이 없는 경우 보존적 치료 또는 수술적 치료로 아래팔 기능을 향상 시킬 수 있음

## 7. 유전상담

1) 요골(radius)무형성증은 유전자 이상 또는 염색체 이상을 동반하는 경우가 많고 감별해야 할 증후군이 다양하기 때문에 산전에 진단된 경우 유전 상담 및 자세한 검사가 필수적임(Ryu JK et al. 2003)
2) 재발률은 동반한 질환에 따라 달라짐
3) 유전 상담 시 필요한 검사
    (1) 자세한 가족력 문진
    (2) 태아의 염색체 검사
    (3) 필요 시 태아의 마이크로어레이 분석
    (4) 필요 시 부모의 유전자 검사

**참고 문헌** ////////////////////////////////////////////////////////////////////////////////////////////////////////////////////////////////////////////

1. Brons JT et al. Prenatal ultrasonographic diagnosis of radial‐ray reduction malformations. Prenat Diagn 1990;10:279-88.

2. Bianchi DW et al. Fetology: Diagnosis & management of the fetal patient. New York: McGraw-Hill, Medical Pub. Division; 2010.p.726-32.

3. Digilio MC et al. Radial aplasia and chromosome 22q11 deletion. J Med Genet. 1997;34:942-4.

4. Norton ME et al. Callen's ultrasonography in obstetrics and gynecology. 6th ed. Philadelphia:Elsevier; 2017.p.588

5. Ryu JK et al. Prenatal sonographic diagnosis of focal musculoskeletal anomalies. Korean J Radiol 2003;4:243-51.

6. Sepulveda W et al. Prenatal detection of preaxial upper limb reduction in trisomy 18. Obstet Gynecol 1995;85:847-50.

# 08 곤봉발
## Club Foot, Talipes Equinovarus

## 1. 개요

1)  곤봉발은 1-3:1000의 빈도로 비교적 높은 발생 빈도를 가졌으며 남아에서 2배 정도 높게 나타남 (ED Alberman. 1965)

2) 양측 발에 나타나는 경우는 약 2/3, 일측 발에 나타나는 경우는 1/3임

3) 산전에 초음파로 진단할 수 있으며, 단독 곤봉발(isolated clubfoot)과 다른 동반 기형이 있는 경우 (complex clubfoot)로 분류할 수 있음(Viaris de le Segno B et al. 2016)

4) 단독 곤봉발일 경우 염색체 이상이 동반되는 비율이 1.7-2.3% 정도로 낮으나, 다른 기형이 동반되어 있는 경우에는 그 비율이 10-30%까지 증가함

5) 곤봉발의 원인은 명확히 밝혀지지 않았지만, 유전적 및 환경적인 요소가 복합적으로 작용될 수 있음. 또한 임신 중 물리적인 자궁 내 태아 압박에 의한 경우(양수과소증, 자궁기형 등), 신경근육계통의 기형(척추갈림증(spina bifida), 관절굽음증(arthrogryposis) 등)이 원인이 될 수 있음(Chen C et al. 2018)

## 2. 초음파 소견

1) 발허리뼈(metatarsal bone)와 발가락(phalanges)이 경골(tibia)와 비골(fibula)가 함께보이는 관상면 (coronal view)에서 보일 경우 의심할 수 있음(그림 8-1)

2) 발이 발목 안쪽으로 휜 모습이 보임(그림 8-2)

3) 시상면(sagittal view)에서 뾰족한 모습의 발가락(pointed toes)이 보임

4) 1/3에서 다른 동반 기형이 있을 수 있으며 그 중 척추갈림증(spinal bifida)이 가장 흔하며 그 외 근골격계와 신경계 기형이 동반될 수 있음

5) 만성적으로 심한 양수과소증도 관련 있음

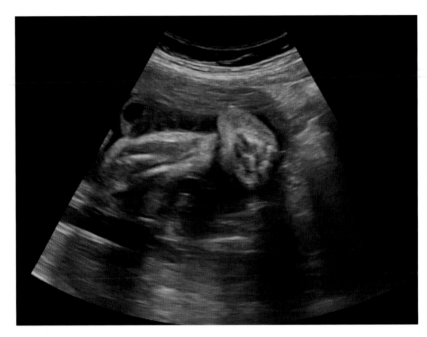

■ 그림 8-1. 경골(tibia)과 비골(fibula)이 함께 보이는 면에서 발바닥이 보임

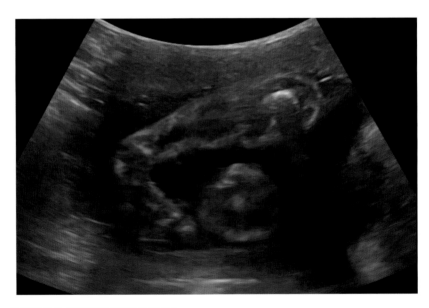

■ 그림 8-2. 발이 발목 안쪽으로 휜 모습

## 3. 감별진단

1) 호상족(Rocker-Bottom Foot): 측면에서 보았을 때 볼록한 발바닥과 오목한 발등 모양이 관찰됨. 70%에서 양측 발에 나타나며, 곤봉발과 함께 보일 수 있음. Trisomy 18과 연관성이 높아 다른 기형이 동반될 수 있음(Viaris de le Segno B et al. 2016)
2) 손발가락결손증(Ectrodactyly): 가장 복잡한 원위 사지 기형 중 하나로 손-발가락, 손허리뼈, 발허리뼈의 결함 또는 형성저하증으로 갈림손 또는 갈림발을 보임. 남은 손, 발가락이 서로 융합되거나 없어지는 선천성 질병임
3) 양막대증후군(Amniotic Band Syndrome): 파괴된 양막에 의해 태아 신체 일부가 절단되거나 위축될 수 있음. 어떠한 특징이 없이 다양한 형태로 나타날 수 있음(Iqbal CW et al. 2015)

## 4. 임신 중 예후

1) 곤봉발 단독으로 있을 경우에는 염색체 이상 동반될 확률 낮음(1.7-2.3%)
2) 다른 동반 기형이 있을 경우에는 염색체 이상, 특히 18번 염색체 이상이 흔함

## 5. 산전관리 및 산전치료

동반 기형이 있을 경우 염색체 이상이 동반될 확률이 높기 때문에(10-30%) 염색체 검사가 필요할 수 있음

## 6. 신생아 관리

1) 선천성곤봉발의 치료는 비수술적 방법과 수술적 방법으로 나눌 수 있으며 최종적인 목표는 족부 변형을 교정하여 발의 형태와 기능을 정상적으로 회복하는 데 있음
2) 비수술적 치료: 조기치료가 권고되고 있으며 우선 비수술적 치료로 석고 고정을 이용하여 점진적으로 변형을 교정시키는 Ponseti 방법이 가장 널리 사용되고 있음. 이 방법은 도수조작과 연속적 석고 교정(serial casting)으로 교정을 하는 것으선행 연구에서 Ponseti 방법의 교정 성공률은 80%까지 보고된 바 있음(Kim HT et al. 2019).
3) 수술적 치료: Ponseti 방법을 포함하여 비수술적인 방법에 효과가 없거나 변형이 재발하는 경우 수술적 치료를 고려할 수 있음. 환아의 나이 및 변형 정도에 따라서 수술의 범위와 방법이 달라지게

됨. 정확한 변형의 요소와 정도의 분석을 통해 수술을 할 경우 그 예후는 대개 만족스러움

## 7. 장기 예후

다른 동반 기형이나 염색체 이상이 없는 경우에는 치료 경과가 좋은 편임

## 8. 유전상담

1) 동반기형이 있을 경우 염색체 검사가 권유됨: 단독 곤봉발이라도 염색체 이상의 빈도는 6-12% 정도 확인 됨
2) 선천성곤봉발 가족력은 약 12-20% 임

**참고문헌** ////////////////////////////////////////////////////////////////////////////////////////////////////////

1. 대한산부인과초음파학회. 기형태아의 초음파영상 도해. 제 3판. 서울: 도서출판 구암; 2015. p177-8.
2. Alberman E.D. The causes of congenital club foot. Arch Dis Child. 1965;40(213):548.
3. Chen C et al. Clubfoot etiology: a meta-analysis and systematic review of observational and randomized trials. J Pediatr Orthop. 2018;38(8):e462-9.
4. Iqbal C.W et al. Amniotic band syndrome: a single-institutional experience. Fetal Diagnosis and Therapy. 2015;37(1):1-5.
5. Kim HT et al. Long-Term Results of Surgical Treatment for the Idiopathic Clubfoot. Journal of the Korean Orthopaedic Association 2019;54(6):547-56.
6. Viaris de le Segno, B et al. Prenatal diagnosis of clubfoot: chromosomal abnormalities associated with fetal defects and outcome in a tertiary center. J Clin Ultrasound 2016;44(2):100-5.

# XII

**PART**

# 탯줄 및 태반

Umbilical Cord & Placenta

# 01 제대 이상

Umbilical Cord Abnormality

제대는 태아와 태반 사이의 순환을 담당하는 기관임. 제대 이상의 종류에는 길이, 두께와 꼬임(coiling) 이상과 같은 형태학적 이상, 태반의 삽입 위치(placental insertion site) 이상, 목덜미 제대륜, 제대 매듭 및 얽힘 등과 같은 자궁 내 이상(in utero distortion), 혈관 이상과 종양 등이 있음(Moshiri M et al. 2014). 이런 제대 이상은 자궁내 발육지연, 제대 사고 및 사산 등과 같은 산전합병증과 연관되어짐(Tantbirojn P et al. 2009)

# 01-1 제대 막부착
Velamentous Cord Insertion

## 1. 개요

1) 제대혈관들이 태반 조직에 도달하기 전 분지를 내고 융모막과 양막 사이를 주행하여, 제대가 태반에 도달하기 전 이들 막에 부착하는 것으로 정의함

2) 제대혈관들이 태반이나 와튼젤리(Wharton jelly)에 의한 보호를 받지 못하여 혈관 압박의 위험도가 높고, 전치 혈관과 동반시 파열 위험이 있음(그림 1-1-1)

3) 발생률: 단태임신 중 1%, 다태임신에서 10배 증가, 단일융모막 쌍태임신에서 약 15% 보고됨 (Bohîlţea RE et al. 2016)

4) 위험인자: 보조생식기술에 의한 임신, 다태임신, 전치혈관, 전치태반, 이엽태반(bilobed placenta)과 부태반(succenturiate placenta) 등과 같은 태반이상, 단일제대 동맥을 가진 태반(Sinkey RG et al. 2015)

## 2. 초음파 소견

1) 선상의 무에코성 제대가 태반 중심부로 삽입되지 않고 태아막에 부착되는 소견을 보임(그림 1-1-2A)

2) 색도플러: 태반 중심부로 삽입되지 않고 태반 주변부에서 탯줄 혈관이 나뉘는 것을 확인할 수 있음(그림 1-1-2B)

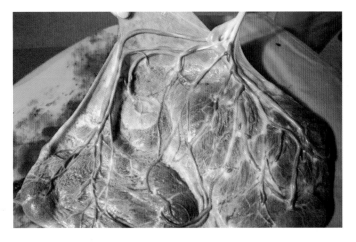

■ 그림 1-1-1. 제대 막부착(Velamentous cord insertion)의 육안소견

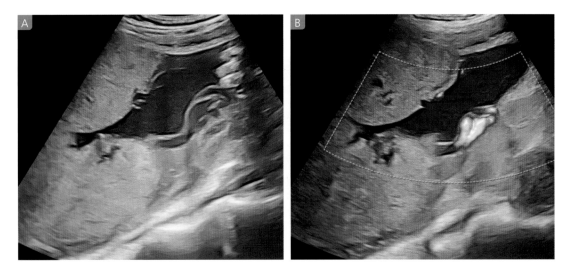

■ 그림 1-1-2. 제대 막부착 초음파 소견. **A.** 제대가 막에 부착된 소견, **B.** 색도플러에서 막에 부착된 제대에서 제대 혈관의 흐름 확인

## 3. 감별진단

1) 변연제대부착: 제대가 태반에 부착된 후 혈관의 분지가 나가는 것이 확인됨

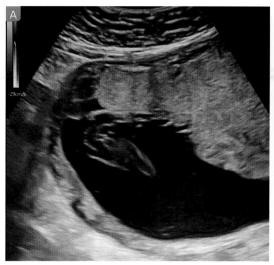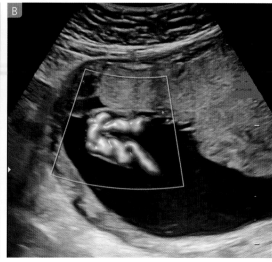

■ 그림 1-1-3. 변연제대부착. **A.** 제대가 태반의 끝에 부착된 것 관찰, **B.** 색도플러 검사로 제대혈관들의 흐름 확인하여 제대 부착 위치 확인

## 4. 산전관리 및 산전치료

1) 제대혈관 압박이 쉽게 일어날 수 있음. 자궁내 태아성장지연, 선천성 기형, 조산, 태반조기박리 증, 혈관전치와 태아곤란증과 연관될 수 있음(Moshiri M et al. 2014)

2) 합병증을 감시하기위해 주기적인 초음파 관찰 요함

3) 단일융모막의 쌍태아의 경우 쌍태아간 수혈증후군, 주산기 사망, 조산 위험도 증가하므로 임신기간 중에 주의 깊은 관찰해야 함

4) 전치혈관과 동반시 조기양막파수시 혈관 손상으로 과도한 태아 출혈 유발할 수 있음

# 01-2 전치혈관
## Vasa Previa

## 1. 개요

1) 자궁목 속구멍이나 근처 2 cm 이내에 융모막과 양막으로 구성된 태아막 안에 비정상적인 태아 혈관이 존재하는 것으로 정의함(그림 1-1-1, 1-2-1)

2) 혈관들이 와튼젤리나 태반의 보호를 받지 못하는 상태임. 태아막 파열시 혈관파열 위험도 증가하여 과도한 태아 출혈로 이어질 수 있음

3) 발생률: 전체 임신의 0.04%임

4) 제1 유형 제대막부착과 동반되는 경우(그림 1-1-1)와 제2 유형 이엽태반(bilobed placenta)이나 부태반(succenturiate placenta)과 같은 태반 이상 시 연결되는 혈관 또는 비정상적인 혈관이 융모막과 양막으로 구성된 태아막을 주행하면서 자궁목 속구멍이나 2 cm 이내에 존재하는 경우임

5) 위험인자: 보조생식기술에 의한 임신, 다태임신, 전치태반, 제대막부착, 이엽태반, 부태반(Sinkey RG et al. 2015)

## 2. 초음파 소견

1) 자궁목 속구멍이나 2 cm 이내의 거리에서 융모막과 양막으로 구성된 태아막을 주행하는 태아 혈관 확인됨

2) 색도플러: 자궁목 속구멍 또는 2 cm 이내 거리에서 태아막과 연결된 태아 혈관의 혈류 관찰됨

3) 파형 초음파(pulsed doppler velocimetry): 혈관에서 제대동맥 파형 관찰 시 진단됨

4) 질식 초음파: 자궁목 속구멍 근처 관찰에 유용하여 비정상적인 혈관의 존재 확인할 수 있음
특히 색도플러 사용시 진단에 중요한 역할을 함(그림 1-2-1)

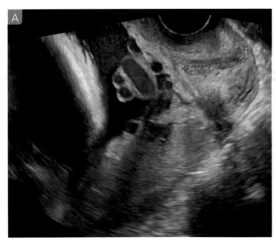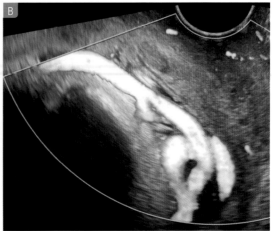

■ 그림 1-2-1. 자궁목 속구멍을 가로지르는 막에 연결된 비정상적인 태아 혈관에 대한 질식 초음파의 소견. **A.** Gray scale, **B.** color Doppler

## 3. 감별진단

1) Marginal sinus placenta previa: 태반 근처에 모체의 혈관들이 두껍게 보이는 것으로 태반의 가장자리로 혼동될 수 있음. 색도플러에서 전치 혈관으로 오인될 수 있음

2) 막의 분리: 태아 선진부 아래 융모막과 양막의 분리

3) 제대 태위(funic presentation): 자궁목 속구멍과 태아 선진부 사이를 가로지르는 제대의 일부분이 위치한 경우로 양막파수시 제대탈출 위험 높음. 전치혈관과 구별하기 위해 초음파 하는 동안 산모가 자세를 변경하면 제대 위치 변화하는 것을 관찰하여 구별할 수 있음. 제대 태위를 가진 제대 부위는 움직일 수 있는 반면, 전치혈관은 태아막과 부착되어 있어 변화하지 않음

## 4. 산전 관리 및 산전 처치

1) 제대막 부착, 부태반 등과 같은 태반이상 등에 대한 관찰 요함

2) 제2삼분기 초음파에서 전치태반 의심시 제대 위치 확인 요함. 특히 전치혈관 고위험인자 산모에서 질식초음파 시행하여 자궁목 속구멍에 대한 관찰할 것. 전치혈관이 의심되면 질식초음파를 시행하고, 색도플러 이용하면 진단이 용이해짐

3) 반복적인 초음파 검사: 제2삼분기에 진단된 경우 자궁 크기가 증가하므로 태반과 제대 삽입부위 관계는 변할 수 있으므로 임신 후반기 재검사 시행해야 함

4) 전치혈관 진단시 진통 시작 전에 제왕절개술에 의한 분만 시행 고려됨. 조기양막파수 또는 진통

중 태아막 파열 시 태아 혈관파열이 일어나 과도한 출혈이 일어나 태아 사망으로 이어질 수 있음. 진통 전 제왕절개술을 시행하여 태아 생존률을 44-97%까지 증가시킴(Oyelese Y et al. 2012)

5) 조기분만 우려 시 스테로이드 주사하고 입원 치료. 출혈이나 양막파수 시 지속적인 전자 태아감시 장치 시행하고 응급제왕절개술 고려됨

6) 신생아 수혈 가능한 3차병원에서 분만해야 함

# 01-3 제대 매듭
Cord Knot

## 1. 개요

1) 임신 초기 9주에서 12주 사이 태아의 움직임에 의해 제대에 매듭이 형성되고 그 후 점차 조여져 단단한 매듭을 형성함(그림 1-3-1)

2) 발생률: 임신 중 0.3-2.1%, 자궁내 태아 사망 4배 증가됨(Dudiak CM et al. 1995)

3) 느슨한 매듭에서는 제대 정맥 관류 압력에 영향이 없으며, 임상적 의미 없음. 초음파에서 관찰이 어려움

4) 매듭이 조여져 제대 직경이 작아지면 제대정맥의 관류 압력 증가함. 그러나 왈튼 젤리에 의해 제대 혈관들이 보호되어 완전한 혈관 폐쇄는 드묾

5) 위험인자: 길이가 긴 제대, 양수과다증, 저체중아, 단일양막 쌍태아, 과도한 태아 움직임, 임신성당뇨, 다산부, 남아, 만성고혈압(Räisänen S et al. 2013)

## 2. 초음파 소견

1) 단단한 진성매듭의 경우 제대의 일부분이 다른 제대부분에 원형으로 밀접하게 둘러 싸인 양상으로 관찰(그림 1-3-2). 그러나 초음파 진단에 의한 진단률은 낮음(약12%)

2) 색도플러; 원형의 제대(얼굴 외곽) 안에 두개의 제대동맥(두 눈)과 하나의 제대정맥(입술)이 둘러 싸여있는 모습 확인. "웃는 얼굴(smiley face)" 사인이라 칭함(Sherer DM et al. 2020) (그림 1-3-2). (Sherer DM et al. 2020)

3) 파형도플러(Pulsed Doppler velocimetry); 제대혈관의 파형 검사에서 대부분은 정상 소견 보이나, 심한 혈관 폐색이 있는 경우에는 비정상적인 제대동맥 파형 즉 저항지수(resistance index: RI) 증가, 이완기 혈류 부재(absent end-diastolic flow), 제대동맥 수축기 말 패임(end systolic notch) 등이 관찰될 수 있음. 특히 제대동맥 수축기말 패임은 혈관의 압박과 좁아짐을 반영한 것(Moshiri M et al. 2011)

4) 3차원 초음파: 진성 제대매듭 진단에 이용될 수 있음(그림 1-3-2C)

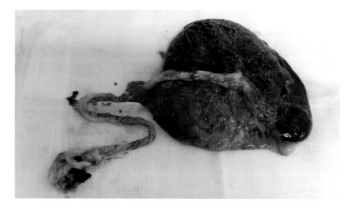

■ 그림 1-3-1. 출산 후 발견된 제대의 진성매듭

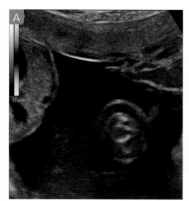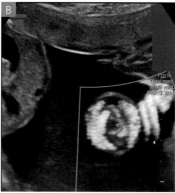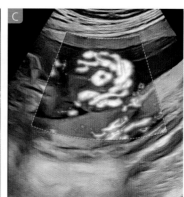

■ 그림 1-3-2. 진성 매듭의 초음파 소견. 원형의 제대(얼굴 외곽) 안에 두개의 제대동맥(두 눈)과 하나의 제대정맥(입술)이 둘러싸여 있는 모습, 즉 웃는 얼굴모양(smiley face sign)이 확인됨. **A.** Gray scale, **B.** color Doppler, **C.** power Doppler

## 3. 산전관리 및 산전치료

1) 대부분 매듭은 자궁안에서 또는 출산 동안 느슨하여 태아 상태 양호함
2) 자궁안에서의 제대매듭이 단단해지는 것은 태아 움직임이나 하강에 의해 일어남. 와튼젤리에 의해 완전 폐쇄를 드물지만, 제대 내 혈류량 감소, 태아가사(fetal asphyxia)와 태아사망으로 이어질 수 있음
3) 임신 중 진성매듭으로 인한 태아급사를 예방할 방법 거의 없음. 질식분만 시 태아의 심박수의 지속적인 감시 필요함

# 01-4 제대 얽힘
## Cord Entanglement

## 1. 개요

1) 대부분 단일 양막 쌍태임신에서 관찰됨. 단일 태반에서 제대 삽입 부위가 가까운 경우 발생함

2) 드물게는 단일융모막 이중양막 쌍태임신에서 분리막이 파열되어 발생함(그림 1-4-1)

3) 임상적 의미: 혈관 흐름을 방해하여 일측 또는 양측 태아의 사망을 일으킬 수 있음

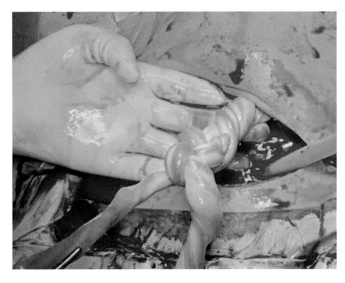

■ 그림 1-4-1. 단일융모막단일양막 쌍태임신 태반에서의 제대 얽힘 소견. 임신 33주에 제왕절개술로 분만 후 확인된 제대 얽힘의 육안적 소견

## 2. 초음파 소견

1) 제대가 서로 얽혀있는 부위와 나뉘는 부위 확인. 양수과소증과 동반 시 관찰 어려움(그림 1-4-2)
2) 색도플러: 얽힌 부위에서 가지치는 양상으로 보임
3) 파형도플러: 제대동맥의 수축말기의 패임(end systolic notch) 관찰. 혈관의 압박과 좁아짐을 반영한 것임

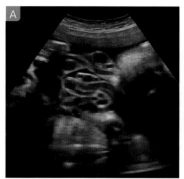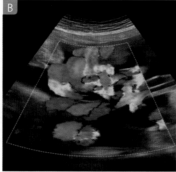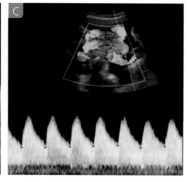

■ 그림 1-4-2. 단일융모막 양막 태반의 가진 태아들의 제대 얽힘의 초음파 소견. 그림 1-4-1의 태아들의 임신 30주에서의 초음파 소견. 정상 제대 파형도플러 소견으로 막히거나 좁아짐 없음 의미함. 제대동맥의 수축말기의 패임(end systolic notch)은 혈관의 압박과 좁아짐을 의미함. **A.** 제대 얽힘의 초음파 소견, **B.** 제대얽힘의 색초음파 소견, **C.** 제대얽힘을 가진 제대에서의 파형도플러 소견

## 3. 산전 관리 및 산전치료

1) 단일융모막단일양막 쌍태임신이 의심되는 산모의 경우, 주기적인 초음파 검사를 통해 탯줄 얽힘을 진단하고 태아 곤란증 발생시 응급수술을 고려함
2) 임신 3분기 이후 면밀한 관찰을 통해 출산 시기를 결정함

# 01-5 목덜미 제대륜
Nuchal Cord

## 1. 개요

1) 제대는 태아의 신체 어디든 감을 수 있음. 특히 목덜미를 감은 경우를 nuchal cord로 칭함
2) 발생률: 전체 임신의 5-29%, 대부분 예후 양호. 임신 주수가 증가할수록 증가함

## 2. 초음파 소견

1) 태아 목을 360도 감고있는 제대 루프를 확인할 수 있음(그림 1-5-1)
2) 색도플러와 파워도플러: 태아 목을 감고 있는 제대를 색 흐름으로 진단함. 진단에 유용함

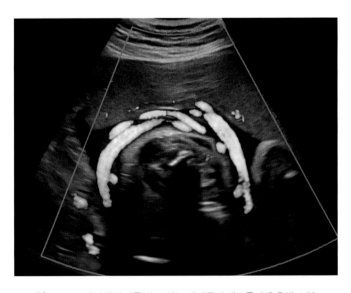

■ 그림 1-5-1. 태아 목덜미를 감고 있는 제대륜의 색도플러 초음파 소견

## 3. 감별진단

1) 주머니 림프관종: 흐름이 없는 저에코성의 음영이 보임. 중격이 관찰되기도 함. 색도플러에서 혈류 흐름이 관찰되지 않음
2) 목덜미 인근 제대: 태아 목덜미를 완전히 감싸지 않고 일측만 지나는 소견 보임

## 4. 산전관리 및 산전치료

1) 태아의 증가한 활동성과 또는 양수량 감소를 반영. 임신 후반기에 자연적으로 풀리기도 함
2) 임상증상은 다양함. 태아서맥의 빈도 증가와 진통시 태아곤란증 제대동맥의 산성화 태변 배출의 증가 그리고 태아 사망까지 다양함. 임신 17주에서 36주 사이에 진단된 목덜미제대륜을 가진 임신의 대부분 불량한 주산기 예후와 관련없다고 보고됨(Gonzalez-Quintero et al. 2004)
3) 분만 진통 중 태아곤란증이 발생할 수 있으므로 태아심음 감시가 필요하며, 태아곤란증이 발견되면 제왕절개술이 필요할 수 있음

# 01-6 제대낭종
Cord Cyst

## 1. 개요

1) 진성낭종과 가성낭종으로 구분됨. 진성낭종은 진성낭종요막(allantois) 또는 제장간막관(ompha-lomesenteric duct)과 같은 태생학적 잔유물로부터 생긴 상피세포로 구성된 낭종으로 열린 요막관(patent urachus)을 가진 요막낭종(allantoic cyst) 등이 있음. 열린 요막관에 의한 요막낭종은 대부분 낭종과 방광이 연결되어 있음
2) 가성낭종은 왈톤제리의 국소적인 부종 또는 퇴화에 의해 상피세모가 결여된 낭종임. 진성낭종 보다 많고 대부분 예후가 좋음. 산전에는 진성낭종과 가성낭종 구별이 어려움
3) 발생률: 임신 제1삼분기 3% 진단되지만 자연소실되어 약 20%만 제2삼분기에 지속됨
4) 태아의 구조적 기형과 염색체 수의 이상과 연관된다고 보고됨(Zangen R et al. 2010)

## 2. 초음파 소견

1) 태아측 또는 태반측 삽입부위 근처의 제대에서 얇은 막으로 둘러싸인 흐름없는 낭종이 관찰됨(그림 1-6-1A)
2) 색도플러: 낭종과 분리된 제대혈관들을 구별할 수 있음. 낭종이 제대혈관을 밀어서 낭종 한쪽벽으로 두 제대동맥이 함께 밀려 있음
3) 가성낭종은 제대의 혈관종(angionmyxoma)과 동반되기도 함. 이때는 혈관종에 가까이 위치하고 크기가 큼

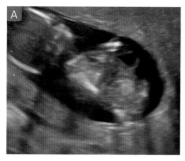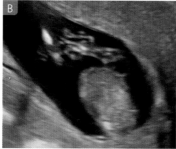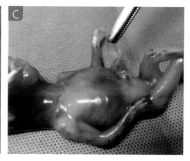

■ 그림 1-6-1. 제대진성낭종. **A.** 태아의 복부 제대 삽입부위에서 낭종 관찰됨, **B.** 제대 삽입부위에서 한쪽으로 밀려 있는 제대 혈관, **C.** 제대낭종의 육안소견으로 임신 13주 5일된 Edward syndrome 증례

## 3. 감별진단

1) 양막 내 막(intraamniotic membrane)
2) 왈튼 제리의 국소적 축적
3) 제대혈관의 국소적 이완
4) 제대혈관종
5) 배꼽탈장

## 4. 산전관리 및 산전치료

1) 임신 제2삼분기와 제3삼분기에 진단 시 정밀초음파를 시행. 동반 기형은 배꼽탈출, 복벽결손, 항문폐쇄증, 기관식도루, 요골이형성, 신장이형성, 제대의 혈관점액종 등이 있음
2) 구조적 이상과 연관된다면 태아 염색체 검사 고려해야함. 특히 trisomy 18과 연관관계 높음
3) 동반기형 없으면 예후가 좋음. 낭종의 크기 추적관찰하고 제대동맥 폐쇄가 일어나는지 색도플러 및 파형 도플러로 감시함

## 5. 산후 신생아 관리

1) 출산 후 열린 요막관을 동반한 요막낭종 등과 같은 진성낭종인지 가성낭종인지 구별 해야함. 신생아 초음파를 시행함. 신생아의 제대와 방광을 연결하는 통로를 확인함
2) 열린 요막관은 복강경에 의한 수술적 절제술로 치료함. 다른 요로 이상 요막관 낭종, 누공과 게실

등에 대한 관찰과 적절한 치료가 요함. 요로계가 정상 초음파 소견을 보일 때까지 항생제 투여함

## 참고문헌

1. Abuhamad A, Sclater AJ, Carlson EJ et al. Umbilical artery Doppler waveform notching: is it a marker for cord and placental abnormalities? J Ultrasound Med 2002;21:857－60.

2. Bohîlțea RE, Cîrstoiu MM, Ciuvica AI,et al. Velamentous insertion of umbilical cord with vasa praevia: case series and literature review. J Med Life 2016; 9(2), pp.126-129

3. Bohîlțea RE, Turcan N, Cîrstoiu M. Prenatal ultrasound diagnosis and pregnancy outcome of umbilical cord knot － debate regarding ethical aspects of a series of cases. J Med Life 2016; 9(3) pp.297-301

4. Dudiak CM, Salomon CG, Posniak HV et al. Sonography of the umbilical cord. RadioGraphics 1995;15(5):1035－1050.

5. González-Quintero VH, Tolaymat L, Muller AC et al. Outcomes of pregnancies with sonographically detected nuchal cords remote from delivery. J Ultrasound Med 2004;23(1):43－47.

6. Moshiri M, Zaidi SF, Robinson TJ et al. Comprehensive Imaging Review of Abnormalities of the Umbilical Cord. Radiographics. 2014;34(1):179-96.

7. Räisänen S, Georgiadis L, Harju M et al. True umbilical cord knot and obstetric outcome. Int J Gynaecol Obstet 2013;122:18-21.

8. Ramón Y, Cajal CL, Martínez RO. Prenatal diagnosis of true knot of the umbilical cord. Ultrasound Obstet Gynecol 2004;23(1):99－100.

9. Sherer DM, Amoabeng O, Dryer AM et al. Current Perspectives of Prenatal Sonographic Diagnosis and Clinical Management Challenges of True Knot of the Umbilical Cord. Int J Womens Health 2020;12: 221－233

10. Sinkey RG, Odibo AO, Dashe JS et al. Society of Maternal-Fetal (SMFM) Publications Committee. Diagnosis and management of vasa previa. Am J Obstet Gynecol. 2015; 213(5):615.

11. Tantbirojn P, Saleemuddin A, Sirois K et al. Gross abnormalities of the umbilical cord: related placental histology and clinical significance. Placenta 2009;30 (12):1083－1088.

12. Zangen R, Boldes R, Yaffe H et al. Umbilical cord cysts in the second and third trimesters: significance and prenatal approach. Ultrasound Obstet Gynecol 2010;36(3):296－301.

# 02 단일제대동맥
Single Umbilical Artery

## 1. 개요

1) 제대동맥이 한 개만 존재
   (1) 정상 제대: 제대동맥 2개, 제대정맥 1개
   (2) 단일제대동맥(single umbilical artery, SUA): 제대동맥 1개(우측 또는 좌측 제대동맥 중 하나), 제대정맥 1개
   (3) 좌측제대동맥이 없는 경우가 70%이고 구조적 기형과 염색체 수적 이상(aneuploidy)과 연관성이 더 높음(Geipel A et al. 2000; Dagklis T et al. 2010; Defigueiredo D et al. 2010; Prefumo F et al. 2010; Stout MJ et al. 2013)
   (4) 제대동맥 형성저하증(Hypoplastic umbilical artery)
      ① 제대동맥이 두개이나 하나가 다른 하나의 직경의 50% 보다 작음
      ② 단일제대동맥과 동일한 위험과 연관성을 갖는 단일제대동맥의 변이형(variant)

2) 역학
   (1) 전체 임신의 0.5 - 5.0%
   (2) 전체 분만의 1%
   (3) 자궁내 태아 사망, 부검 또는 유산의 2.1%
   (4) 단태임신의 0.4 - 0.6%
   (5) 쌍태임신의 1%
   (6) 흡연할 경우 위험도 2배 증가

3) 당뇨, 간질, 고혈압, 양수과소증 및 양수과다증과 연관됨(Bombrys AE et al. 2008; Murphy-Kaulbeck L et al. 2010; Battarbee, AN, et al. 2015)

433

## 2. 초음파 소견

1) 방광의 횡단면에서 색도플러로 관찰 시에 제대동맥이 한 개만 관찰됨(그림 2-1)

    (1) 임신 제2, 3삼분기 뿐 아니라 임신 제1삼분기에도 관찰 가능함

2) 제대의 횡단면에서 두 개의 혈관만 관찰됨(그림 2-2)

3) 제대동맥의 크기가 정상제대동맥의 경우 보다 단일제대동맥에서 더 큼

    (1) 제대동맥 직경>제대정맥 직경의 50%임

4) 제대의 꼬임의 정도가 정상제대동맥의 경우 보다 단일제대동맥에서 덜함

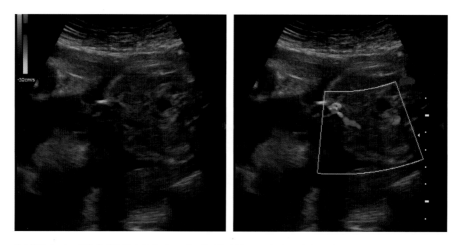

■ 그림 2-1. 단일제대동맥의 초음파 소견. 색도플러를 이용하여 태아의 방광 횡단면을 관찰하면 제대동맥이 한 개만 관찰됨(임신 32주 3일된 태아로 VACTERL 증후군을 동반한 증례)

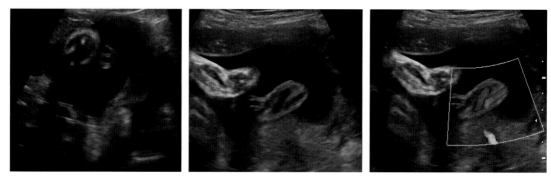

■ 그림 2-2. 제대의 횡단면에서 두 개의 혈관만 관찰되고 제대동맥의 직경이 비교적 크고 제대 꼬임의 정도도 상대적으로 덜함이 관찰됨(임신 32주 3일된 태아로 VACTERL 증후군을 동반한 증례)

## 3. 감별진단

1) 제대혈관혈전증(Umbilical Vessel Thrombosis)
  (1) 드묾
  (2) 제대혈관 중 하나(제대동맥 또는 제대정맥)에서 혈전 관찰됨
  (3) 태아사망률 높음
2) 융합제대동맥(Fused Umbilical Arteries)
  (1) 태반 근처 3 cm 이내에서 2개의 혈관만이 발견되나 태아 골반내에서 2개의 제대동맥 관찰됨
  (2) 구조적 이상 또는 염색제 이상과 연관성 없음

## 4. 임신 중 예후

1) 단독 단일제대동맥(isolated SUA)
  (1) 태아의 주요 구조적 이상소견 또는 염색체의 수적 이상을 동반하지 않는 경우임
  (2) 단일제대동맥의 80%임
  (3) 태반부전(placental insufficiency)와 연관성(Voskamp BJ et al. 2013; Tulek, F, et al. 2015)
    ① 저체중아(small for gestational age fetus), 자궁내성장제한(fetal growth restriction) 위험 증가
    ② 임신 중 고혈압질환
    ③ 의학적 조산(medically indicated preterm birth)
    ④ 태반구조이상(부태반[succenturiate placenta], 제대의 막부착[velamentous cord insertion])
2) 태아의 구조적 이상을 동반하는 단일제대동맥(Lubusky M et al. 2007; Voskamp BJ et al. 2013; Tulek F et al. 2015)
  (1) 단일제대동맥을 가진 태아의 3분의 1에서 동반 기형 존재
    : 주로 비뇨생식계, 심혈관계, 소화기계 기형 동반
  (2) 구조적 이상을 동반하는 경우 염색체의 수적 이상이 50%에서 발견됨
    : 주로 18번, 13번 세염색체(trisomy 18, trisomy 13)와 연관됨
3) 단일제대동맥인 경우에 와르톤 젤리의 양이 정상 제대에 비하여 적음
  (1) 태아의 산전 사망과 관련 가능성 있다는 보고 있음

## 5. 산전관리 및 산전치료, 임신중 검사

1) 단독 단일제대동맥
  (1) 임신 제3삼분기까지 자궁내성상제한의 위험에 대한 추석 관찰 필요함
    : 최근 정상제대와 단일제대동맥 간의 태아/신생아 체중의 차이가 임상적으로 유의하지 않음
    는 보고도 있어 추적 관찰에 대한 논란이 있음
    ① 제대 도플러 수치는 정상 제대의 노모그램(normogram)과 동일함
    ② 태아 심초음파 검사 필요함
2) 태아의 구조적 이상을 동반한 경우
  (1) 유전상담과 태아염색체검사를 시행함

## 6. 유전상담

1) 단독 단일제대동맥은 염색체의 수적 이상과 관련성이 없음
2) 단일제대동맥의 10%에서 염색체의 수적 이상이 발견됨
  (1) 18번, 13번 세염색체(trisomy 18, trisomy 13)이 가장 흔함
  (2) 태아의 구조적 기형을 동반하는 경우 절반 정도에서 염색체 이상이 동반됨

**참고문헌** ////////////////////////////////////////////////////////////////////////////////////////////////////////////////////////////////

1. Abuhamad AZ et al. Single umbilical artery: does it matter which artery is missing? Am J Obstet Gynecol . 1995;173;728.

2. Battarbee, AN et al. Association of isolated single umbilical artery with small for gestational age and preterm birth. Obstet Gynecol . 2015; 126;760－4.

3. Bombrys AE et al. Pregnancy outcome in isolated single umbilical artery. Am J Perinatol 2008;25:239-242.

4. Dagklis T et al. Isolated single umbilical artery and fetal karyotype. Ultrasound Obstet Gynecol . 2010;36;291.

5. Defigueiredo D et al. Isolated single umbilical artery: need for specialist echocardiography? Ultrasound Obstet Gynecol . 2010;36;553.

6. Geipel A et al. Prenatal diagnosis of single umbilical artery: determination of the absent side, associated anomalies, Doppler findings, and perinatal outcome. Ultrasound Obstet Gynecol . 2000;15;114.

7. Hua M et al. Single umbilical artery and its associated findings. Obstet Gynecol . 2010;115;930.

8. Lubusky M et al. Single umbilical artery and its siding in the second trimester of pregnancy: relation to chromosomal defects. Prenat Diagn . 2007;27;327.

9. Murphy-Kaulbeck L et al. Single umbilical artery risk factors and pregnancy outcomes. Obstet Gynecol . 2010;116;843.

10. Predanic M et al. Fetal growth assessment and neonatal birth weight in fetuses with an isolated single umbilical artery. Obstet Gynecol . 2005;105;1093.

11. Prefumo F et al. Single umbilical artery and congenital heart disease in selected and unselected populations. Ultrasound Obstet Gynecol . 2010;35;552.

12. Stout MJ et al. The incidence of isolated single umbilical artery in twins and adverse pregnancy outcomes. Prenat Diagn . 2013;33;269.

13. Tulek, F et al. The effects of isolated single umbilical artery on first and second trimester aneuploidy screening test parameters. J Matern Fetal Neonatal Med . 2015; 28;690－4.

14. Voskamp BJ, Fleurke-Rozema H et al. Relationship of isolated single umbilical artery to fetal growth, aneuploidy, and perinatal mortality: systematic review and meta-analysis. Ultrasound Obstet Gynecol. 2013;42;622－628.

# 비정상 종양

## Abnormal Mass

# 01 목부위 기형종
Cervical Teratoma

## 1. 개요

1) 생존출생아 20,000-40,000명당 1명 꼴로 발생함(Azizkhan RG E et al. 1995)
2) 두경부 기형종은 천미골 부위 다음으로 많이 발생하는 부위이나 발생율은 전체 태아 기형종 중 3-6%으로 흔하지 않음(Araujo júnior E et al. 2006)
3) 기형종은 총 3가지 배엽층(외배엽, 중배엽, 내배엽)에서 유래한 양성 종양이다. 원시종자세포(primordial germ cell)가 생식선(gonad)를 형성하는 과정에 이상이 발생한 다능성 세포(pluripotent cell)가 기형종을 일으킴

## 2. 초음파 소견

1) 진단 기준
   (1) 불균질(heterogenous) 한 고형성(solid)부분과 낭종(cystic) 부분이 태아 목 부위에서 관찰됨(그림 1-1)
   (2) 종양 내부가 중격으로 나뉘어져 있거나 비균일적으로 관찰됨(multiseptated and irregular)
   (3) 비대칭이며 경계가 뚜렷하며 주로 목의 앞, 옆부분에 발생함
   (4) 일부에서 색도플러를 이용하여 혈관 분포를 확인할 수 있음(그림 1-1)
   (4) 종양의 위치나 크기에 따라 태아의 머리가 과신전 또는 과굴곡 되어 관찰될 수 있으며 식도를 압박하여 양수과다증이 동반될 수 있음

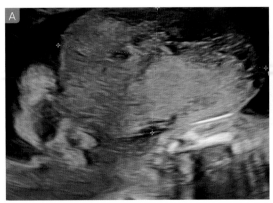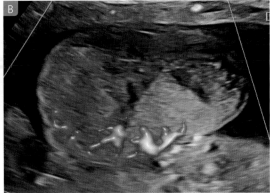

■ 그림 1-1. 목부위 기형종. **A.** 고형성과 낭성 부분이 함께 관찰됨. **B.** 색도플러를 이용하여 종양의 혈관분포를 확인함

## 3. 감별진단

    1) 림프물주머니(cystic hygroma)

    2) 감상샘종양(goiter)

    3) 림프관종(lymphangioma)

    4) 상악체(epignathus)

## 4. 임신 중 예후

    1) 염색체이상이나 동반기형은 흔하지 않음

    2) 임신 15-29주경 일반적으로 진단되나 임신 후반기에 발생하는 경우도 있음(Gagnon AL et al. 1998; Shoenfeld A et al. 1982; Trecet JC et al. 1984; Patel RB et al. 1982)

    3) 종양의 크기, 위치, 증식 속도, 기도 압박 정도에 따라 예후가 달라짐

## 5. 산전관리 및 산전치료

    1) 기도 압박이 의심되는 경우 분만 전 MRI 촬영을 통해 기도 압박의 정도를 평가할 수 있음(Kathary N et al. 2001)

    2) 기도 압박이 심각한 경우 소아과, 이비인후과 협진을 통해 분만 과정 중 EXIT (ex uterus intrapartum treatment) method를 대비하도록 함(Mychaliska GB et al. 1997; Liechty KW et al. 1999;

Liechty KW et al. 1999; Shih GH et al. 1998)

## 6. 신생아 관리

1) 분만 후 MRI 촬영은 종양의 위치, 주변 조직 침범 정도, 수술 방법을 결정하는데 중요한 역할을 함
2) 치료는 수술적 완전 절제술이 원칙이며 추가 치료는 없음
3) 수술 후 추적 관찰을 통해 호흡부전 및 재발에 대한 평가 필요함(Shine N.P. et al. 2006)

## 7. 장기 예후

목부위 기형종은 예후가 좋은편이며 양성종양의 경우 재발은 흔하지 않음(Jordan RB et al. 1988; Kerner B et al. 1998; Grosfeld JL et al. 1976; Tapper D, Lack EE. 1983)

## 8. 유전상담

유전력이나 가족력과 관련 없음

**참고문헌**

1. Araujo júnior E et al. Prenatal diagnosis of a large fetal cervical teratoma by three-dimensional ultrasonography: a caser eport. Arch. Gynecol. Obstet. 2006;275:141-4.
2. Azizkhan RG E et al. Diagnosis,management, and out-come of cervicofacial teratomas in neonates: a children's cancer-group study. J Pediatr Surg 1995;30:312-6.
3. Gagnon AL et al. Prenatally diagnosed fetal neck teratoma. Fetal Diagn Ther 1998;13:266-70.
4. Grosfeld JL et al. Benign and malignant teratomas in children: analysis of 85 patients. Surgery1976;80:297-305.
5. Jordan RB et al. Cervical teratomas: an analysis. Literature review and proposed classification. J Pediatr Surg 1988;23:583-91.
6. Kathary N et al. MRI imaging of fetal neck masses with airway compromise: utility in delivery planning. Pediatr Radiol 2001;31:727-731.
7. Kerner B et al. Cervical teratoma: Prenatal diagnosis and longterm follow up. Prenat Diagn 1998;18:51-9.
8. Liechty KW et al. Management of fetal airway obstruction. Semin Perinatol 1999;23:496-506.
9. Liechty KW et al. The ex utero intrapartum treatment procedure for a large fetal neck mass in a twin gestation. Obstet Gynecol 1999;93:824–5.

10. Mychaliska GB et al. Operating on placental support: The ex utero intrapartum treatment(EXIT) procedure. J Pediatr Surg 1997;32:227-30.

11. Patel RB et al. Sonographic diagnosis of cervical teratoma in utero. AJR Am J Roentgenol 1982;139:1220-2.

12. Shih GH et al. The EXIT procedure facilitates delivery of an infant with a pretracheal teratoma. Anaesthesiology 1998;89:1573-5.

13. Shine N.P. et al. Congenital cervical teratomas: diagnostic, management and postoperative variability. Auris Nasus Larynx. 2006;33:107-111.

14. Shoenfeld A et al. Malignant cervical teratoma of the fetus. Acta Obstet Gynecol Scand 1982;61:7-12.

15. Tapper D, Lack EE. Teratomas in infancy and childhood. A 54-yearexperience at the Children's Hospital Medical Center. Ann Surg1983;198:398－409.

16. Trecet JC et al. Prenatal ultrasound diagnosis of fetal teratoma of the neck. J Clin Ultrasound 1984;12:509-11.

# 02 간종양
Liver Tumor

## 1. 개요

1) 간종양은 매우 드문 질환으로 선천성 종양의 5%정도를 차지함(Hsi Dickie B et al. 2014)

2) 종류는 혈관종(hemangioma), 중간엽과오종(mesenchymal hamartoma), 간모세포종(hepatoblastoma) 순서로 흔하며 기타 간종괴 질환의 분류는 아래 표 2-1과 같음(Ingram JD et al. 2000; Isaacs H Jr. 1997)

3) 혈관종은 간종괴 중 가장 흔한 형태의 혈관 양성 종양임

4) 중간엽과오종은 혈관종 다음으로 흔한 낭성 양성종양으로 정상 조직의 과성장이 발생 기전으로 알려져 있음

5) 간모세포종은 배아세포에서 기원한 종양으로 2세 이하에서 발생하는 가장 흔한 간암의 형태임

표 2-1. 태아 및 신생아 간 종괴 분류(Isaacs H Jr. 2007)

| |
|---|
| 유아형 혈관종(infantile hemangioma) |
|   국소성(focal) |
|   다발성(multifocal) |
|     혈관내피종 1형(hemangioendothelioma type 1) |
|     혈관내피종 2형(hemangioendothelioma type 2) |
| 중간엽 과오종(mesenchymal hamartoma) |
| 단독성 단방형 낭종(solitary unilocular cyst) |
| 샘종(adenoma) |
| 국소결절과증식(focal nodular hyperplasia) |
| 간모세포종(hepatoblastoma) |
| 간세포암(hepatocellular carcinoma) |
| 생식세포종(germ cell) |
|   기형종(teratoma) |
|   난황낭종양(yolk sac tumor) |
|   융모상피암(choriocarcinoma) |
| 횡문양종양(rhabdoid tumor_ |
| 간육종(hepatic sarcoma) |
| 간전이(metastatic) |

## 2. 초음파 소견

종괴의 종류에 따라 초음파 특징이 다양함(Woodward PJ et al. 2005). 종괴별 특징적으로 나타나는 에코성 및 색도플러를 이용한 혈관발달정도가 감별에 도움이 됨

1) 혈관종(hemagioma)
   (1) 경계가 분명한 불균질한(heterogenous) 고형성 종괴의 형태를 나타냄. 종양 내부에 괴사 또는 섬유화된 부분이 관찰되기도 함(Jeong Yeon Cho et al. 2014)
   (2) 색도플러를 통해 동정맥 단락을 관찰할 수 있으며 종양 중심부에 비해서 주변부의 혈관 발달이 특징적임. 이로 인한 양수과다증, 심비대, 태아수종이 나타나기도 함

2) 중간엽과오종(mesenchymal hamartoma)
   (1) 다중격의 무에코성 낭성 물질이 종괴의 대부분을 차지하며 고형성 종괴가 섞인 복합성 형태로도 관찰됨(Ishak KG et al. 2001)
   (2) 색도플러 사용시 혈관이 관찰되지 않는 것이 혈관종과의 차이점임(Hirata GI et al. 1990)
   (3) 양수과다증, 심비대, 태아수종이 나타나기도 함

3) 간모세포종(hepatoblastoma)
   (1) 고형성의 에코성 종괴 형태이며 섬유화된 격막으로 인해 종괴 내부에 바퀴살 모양(spoke wheel appearance)이 관찰됨(Shih JC et al. 2000)
   (2) 색도플러 사용 시 경도에서 중등도의 혈관발달이 관찰되는데 혈관종애 비해 정도가 덜함
   (3) 종괴 내부에 출혈 발생시 불균질한 에코성을 띄기도 함
   (4) 양수과다증, 태아수종, 간비대가 나타나기도 함

## 3. 감별진단

1) 간낭종
2) 전이성 신경모세포종
3) 창자간막 림프낭종

## 4. 임신 중 예후

1) 혈관종
   (1) 임신 3분기에 대부분 발견됨
   (2) 대부분 예후가 좋으나 종양내 동정맥 단락으로 인한 태아수종 및 심부전 또는 종양파열 발생시

태아사망을 일으키기도 함(Fishman SJ et al. 1993)

2) 중간엽 과오종

(1) 임신 3분기에 대부분 발견됨

(2) 종양의 크기 및 주변 장기 압박여부에 따라 예후가 달라짐

(3) 임신 기간 중 빠르게 발달하는 편임

3) 간모세포종

(1) 임신 중 진단된 경우 예후가 나쁨

(2) 전신 전이가 흔하게 관찰되며 뇌, 뼈, 태반으로의 전이가 가장 흔함

(3) 자궁내 사망의 원인으로는 종양으로 인한 간문정맥 및 하대정맥 압박으로 인한 태아 수종과 태반 전이로 인한 탯줄 혈관 폐색, 종양 파열이 있음

## 5. 산전관리 및 산전치료

태아 간종양의 경우 크기가 큰 경우 심부전으로 양수과다증, 태아수종을 일으킬 수 있고 심한 경우 태아사망에 이르게 됨. 따라서 임신 기간 중 종양의 크기 및 태아 건강 상태를 주기적으로 확인하는 것이 중요함. 태아 심혈관계 악화 소견이 확인되는 경우 조기 분만을 고려하고 간종양으로 인한 배둘레가 증가한 경우 난산의 가능성이 높아짐

## 6. 신생아 관리

1) 혈관종

(1) 국소성의 경우 수술적 절제, 스테로이드 치료를 하며 두가지 치료를 병행하기도 함

(2) 다발성의 경우 수술적 절제보다는 스테로이드 치료, 간동맥 결찰술을 시행하며 두가지 치료를 병행하기도 함

(3) 출생 후 크기가 줄어들거나 자연소실 되는 경우는 치료를 필요로 하지 않음

2) 중간엽 과오종

(1) 낭종의 크기가 큰 경우 임신 중 낭종 배액술을 시행하기도 함

(2) 출생 후 수술적 제거가 원칙이나 병변이 광범위한 경우 수술이 불가능하기도 함

3) 간모세포종

치료는 종양의 절제 가능여부에 따라 수술적 절제, 항암치료, 간동맥 색전술, 간이식술을 시행하기도 함

## 7. 장기 예후(Weinberg AG et al. 1986)

1) 혈관종
   국소성의 경우 치료를 받은 경우 생존율은 92%이며 다발성의 경우 치료를 경우는 75%임

2) 중간엽 과오종
   수술적 절제를 받은 경우 생존율은 79% 이며 치료를 받지 않은 경우 생존율은 33%임

3) 간모세포종
   치료를 받은 경우 생존율은 40%이며 치료를 받지 않은 경우 100% 사망한 것으로 보고됨

**참고문헌**

1. Fishman SJ et al. Hemangiomas and vascular malformations of infancy and childhood. Pediatr Clin North Am. 1993 Dec;40:1177-200.

2. Hirata GI et al. Ultrasonographic diagnosis of a fetal abdominal mass: a case of a mesenchymal liver hamartoma and a review of the literature. Prenat Diagn. 1990 Aug;10:507-12.

3. Hsi Dickie B et al. Hepatic vascular tumors.Semin Pediatr Surg. 2014 Aug;23:168-72.

4. Ingram JD et al. Hepatoblastoma in a neonate: a hypervascular presentation mimicking hemangioendothelioma.Pediatr Radiol 2000;30:794-7.

5. Isaacs H Jr. Fetal and neonatal hepatic tumors. J Pediatr Surg. 2007;42:1797-803.

6. Isaacs H Jr. Tumors of the fetus and newborn. Philadelphia, PA:WB Saunders, 1997;1-38, 244-97.

7. Ishak KG et al. Atlas of tumor pathology, fascicle 31, ser 2. Washington, DC: Armed Forces Institute of Pathology; 2001. pp.71-86.

8. Jeong Yeon Cho et al. Fetal tumors: prenatal ultrasonographic findings and clinical characteristics Ultrasonography 2014;33:240-51.

9. Shih JC et al. Antenatal diagnosis of congenital hepatoblastoma in utero. Obstet Gynecol. 2000 Jul; 16:94-7

10. Weinberg AG et al. Primary hepatic tumors in childhood. In:Finegold M, editor. Pathology of neoplasia in children and adolescents. Philadelphia(Pa): WB Saunders;1986:333-65.

11. Woodward PJ et al. From the archives of the AFIP: a comprehensive review of fetal tumors with pathologic correlation. Radiographics. 2005;25:215-42.

# 03 신경모세포종
## Neuroblastoma

## 1. 개요

1) 신경계에서 분화된 종양임
2) 신생아의 악성 종양 중 가장 흔하게 발생하며, 악성 종양의 20%를 차지함(Kesrouani A et al. 1999)
3) 태아의 신경모세포종은 90% 이상에서, 소아의 경우 35% 정도에서만 부신에서 발생됨(Houlihan C et al. 2004)
4) 주로 3삼분기에 발견됨

## 2. 초음파 소견

1) 콩팥 위에 덩이가 보임
2) 대개 우측에 위치함
2) 에코가 증가되어 있거나 이질성 저음영(heterogenous hypoechoic)으로 보임(그림 3-1)
3) 고음영(hyperechoic)인 부분에는 색도플러가 강하게 들어가기도 함

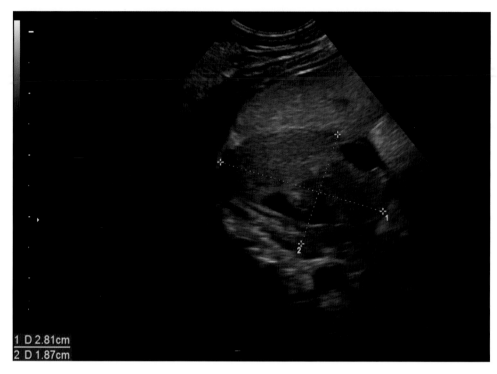

1 D 2.81cm
2 D 1.87cm

■ 그림 3-1. 콩팥 위에 이질성 저음영인 덩이가 보임

## 3. 감별진단

1) 가로막밑 허파분리증(subdiaphragmatic bronchopulmonary sequestration)
2) 부신 출혈(adrenal hemorrhage)
3) 부신단순낭종(simple adrenal cyst) – 단독 혹은 Beckwith-Wiedemann 증후군 동반

## 4. 임신 중 예후

증가된 태아의 카테콜라민(catecholamine) 대사 산물로 인하여 산모의 전자간증이 유발될 수 있음(임승철. 2006)

## 5. 산전관리 및 산전치료

임신 중에 특별한 처치는 대부분 필요하지 않음

## 6. 신생아 관리

출생 후 2주 내에 수술함

## 7. 장기 예후

1) 나이와 종양의 병기에 따라 예후가 다르나, 간에 전이된 소견이 있어도 예후는 좋은 편임(Anthony OO et al. 2017)
2) 태아기에 발견된 경우 초기 병기에 속하며 예후가 좋음(Grando A et al. 2001)

## 8. 유전상담

대부분 산발적으로 발생하나, 1-2%에서 상염색체 우성 유전임(Houlihan C et al. 2004)

**참고문헌**

1. 임승철. 산전초음파로 진단된 신경모세포종 3예. 대한산부회지 2006;8:202-206.
2. Anthony OO et al. Fetal genitourinary tract. In : Mary EN, Leslie MS, Vickie AF, editors. Callen's ultrasonography in obstetrics and gynecology. 6th ed. Philadelphia(PA): Elsevier; 2017. p.529-530.
3. Grando A et al. Prenatal sonographic diagnosis of adrenal neuroblastoma. J Clin Ultrasound 2001; 29:250 -253.
4. Houlihan C et al. Prenatal diagnosis of neuroblastoma with sonography and magnetic resonance imaging. J Ultrasound Med 2004;23:547-550.
5. Kesrouani A et al. Prenatal diagnosis of adrenal neuroblastoma by ultrasound: a report of two cases and review of the literature. Ultrasound Obstet Gynecol 1999;13:446-449.

# 04 망막모세포종
## Retinoblastoma

## 1. 개요

1) 망막(retina)의 신경표피세포의 악성 증식이 일어나는 종양
2) 가장 흔한 안와의 악성 종양
3) 1/15,000-1/30,000 출생아의 빈도로 발생함
3) 80%가 5살 이전에 발병함
4) 인종 및 성별과 무관함
5) 유전성이거나 양측성 질환을 가지고 있는 경우 자녀에게서 약 45%의 발생 위험도를 가짐
6) 유전적 결함은 13번 염색체 q띠 안의 망막모세포종 유전자(retinoblastoma gene, RB1)의 결손이나 돌연변이와의 연관성을 가짐(Chawla B et al. 2020)
7) 양측성 종양을 지닌 경우, 모든 케이스에서 RB1 유전자에 돌연변이를 지니고 있었음

## 2. 초음파 소견

1) 균일하지 않은, 융기된 안와 내 뒤쪽의 고형성(solid) 병변임
2) 불규칙한 모양의 고음영(hyperechoic) 병변이 에코가 없는 부분으로 둘러싸인 양상임
3) 안와를 침범하거나 뇌를 비롯하여 안와 밖으로의 다양한 확장을 나타낼 수 있음

## 3. 감별진단

1) 기형종(teratoma)
2) 혈관종(hemangioma)

## 4. 임신 중 예후

부모가 망막모세포종이 있는 경우에 일삼분기에는 융모막융모생검, 이,삼삼분기에는 양수 검사를 함 (Soliman SE et al. 2016)

## 5. 산전관리 및 산전치료

MRI를 시행하는 것이 진단에 도움을 줄 수 있음(Lisa BP et al. 2012)

## 6. 신생아 관리

치료는 아이의 나이, 병기, 시력 잠재력에 따라 달라지나 조기 진단과 치료가 중요함

## 7. 장기 예후

제 1기 환자에서 빠르고 적절한 치료가 시행된 경우는 약 95%의 5년 생존율을 가지나, 이보다 진행된 병기의 경우 치료율은 현격히 저하됨

## 8. 유전상담

1) 유전 질환이므로 위험도가 있는 경우 출산 후 소아 안과 전문가에게 검진을 받도록 상담 권유함
2) 부모가 망막모세포종이 있는 경우에 이른 분만(36주)을 하는 것이 추후 아이의 시력에 더 좋은 결과를 가져다 주고 침습적 치료를 덜하게 했다는 연구가 있음(Chawla B et al. 2017)

**참고문헌**

1. Chawla B. Retinoblastoma: Diagnosis, Classification and Management. In : Vikas K, editors. Intraocular tumors. Singapore: Springer. 2020; p.1-18.
2. Chawla B et al. Recent advances and challenges in the management of retinoblastoma. Indian J Ophthalmol. 2017;65:133-9.

3. Gianluigi P. Ultrasound evaluation of the fetal central nervous system. In : Mary EN, Leslie MS, Vickie AF, editors. Callen's ultrasonography in obstetrics and gynecology. 6th ed. Philadelphia(PA): Elsevier. 2017; p.238-9.

4. Lisa BP et al. In utero detection of retinoblastoma with fetal magnetic resonance and ultrasound: Initial experience. Am J Perinatol Rep. 2012;2:55-62.

5. Soliman SE et al. Prenatal versus postnatal screening for familial retinoblastoma. Ophthalmology. 2016;123:2601-7.

# 05 천미골 기형종
## Sacrococcygeal Teratoma

## 1. 개요

1) 생존출생아 20,000명당 1명 꼴로 발생함
2) 천미골 기형종은 태아 기형종 중 가장 흔하게 발생하는 부위임
3) 여아에서 더 흔하지만(여아: 남아 4:1) 악성 변화는 남아에서 흔함(Laberge JM et al2010, Moore SW et al. 2003)
4) 주로 꼬리뼈 근처에서 관찰되지만 골반강, 복강 또는 체외부까지 증식하기도 함
5) 신생아의 경우 양성 종양(mature teratoma)의 비율은 68%정도임(Keslar PJ et al. 1994)
6) 위치에 따른 분류(Altman RP et al. 1974)
   제1형: 종양의 대부분이 몸밖에 위치
   제2형: 종양의 많은 부분이 몸밖에 위치하지만 일부는 골반강 안에 위치
   제3형: 종양의 많은 부분이 복강 및 골반강 내 위치
   제4형: 종양 전부가 골반강 내 위치

## 2. 초음파 소견

1) 진단 기준(그림 5-1)
   (1) 불균질(heterogenous) 한 고형성(solid)부분과 낭종(cystic) 부분이 천미골 부위에서 관찰됨(Berman MC et al. 1997)
   (2) 종양 내부가 중격으로 나뉘어져 있거나 비균일적으로 관찰됨(multiseptated and irregular)
   (3) 색도플러를 통해 종양 내부에 발달된 혈관이 관찰됨
   (4) 양수과다증이 15%에서 관찰되며 종괴 효과에 의해 요로가 압박되는 경우 양수과소증이 동반될 수 있음

(5) 종양의 혈액 요구량이 증가하는 경우 태아수종 또는 거대 태반이 동반될 수 있음(Benachi A et al. 2006)

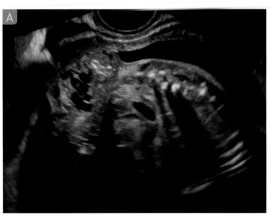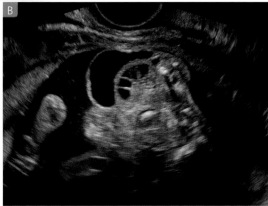

■ 그림 5-1. 천미골 기형종(임신 20주경). **A.** 종양의 많은 부분이 몸밖에서 관찰되며 일부는 골반강 내에 위치함, **B.** 동일 태아의 초음파 그림으로 종양 내부가 여러 중격으로 나뉘어져 있음

## 3. 감별진단

1) 수막탈출증(meningocele)
2) 척수막탈출증(myelocystocele)
3) 미장낭종(tail gut cyst)
4) 아랫쪽에 위치한 신경모세포종(neuroblastoma) 및 횡문근육종(rhabdomyosarcoma)

## 4. 임신 중 예후

1) 5-18%에서 다른 기형이 동반됨. 특히 비뇨생식기기형 및 항문직장기형이 흔함
2) 종양의 크기, 혈관 발달 정도, 종양에 의한 주변 구조물 영향 정도에 따라 예후는 달라짐
3) 종양의 증식 속도가 빠르고 혈관이 발달할수록 태아의 심박출량을 증가시켜 양수과다증, 태아수종, 자궁내 태아사망, 조산의 원인이 되기도 함(Holterman AX et al. 1998; T. VAN MIEGHEM et al. 2014)

## 5. 산전관리 및 산전치료

1) 주기적으로 종양의 크기, 증식 속도, 심장기능 평가를 통해 태아 상태를 평가함
2) 자궁 내 태아 상태 악화되는 경우 임신 주수를 고려하여 분만 또는 태아 수술을 시도함
3) 임신 기간 중 치료는 태아경 레이저 절제술(fetoscopic laser ablation) 또는 고주파 절제술(radiofre-quency ablation)이 있음(T. VAN MIEGHEM et al. 2014)

## 6. 신생아 관리

1) 치료는 수술적 완전 절제술이 원칙임
2) 수술 후 알파 태아 단백질 검사를 통해 잔류 조직, 재발, 악성 변화를 감시할 수 있음
3) 재발율은 2-35%로 다양함(T. VAN MIEGHEM et al. 2014)

## 7. 장기 예후

출생 후 수술을 받은 경우 장기 예후는 매우 좋은 편이지만 출생 전 진단된 경우는 출생 전후 사망률이 25-37%로 높은 편임(Makin EC et al. 2006; Swamy R et al. 2008; Usui N et al;2012)

## 8. 유전상담

유전력이나 가족력과 관련 없음

**참고문헌**

1. Altman RP et al. Sacrococcygeal teratoma: American Academy of Pediatrics Surgical Section Survey-1973. J Pediatr Surg 1974; 9:389-98.
2. Benachi A et al. Prenatally diagnosed sacrococcygeal teratoma: a prognostic classification. J Pediatr Surg 2006; 41: 1517-21.
3. Berman MC et al. Diagnostic medical sonography: a guide to clinical practice: obstetrics & gynecology. 2nd ed. Philadelphia: Lippincott-Raven;1997. p314-4.
4. Holterman AX et al. The natural history of sacrococcygeal teratomas diagnosed through routine obstetric sonogram: a single institution experience. J Pediatr Surg 1998;33:899-903.

5. Keslar PJ et al. Germ cell tumors of the sacrococcygeal region: radiologic -pathologic correlation. Radiographics 1994; 14: 607 -20.

6. Laberge JM et al. Teratomas, dermoids, and other soft tissue tumors. Ashcraft's pediatric surgery2010:5th ed. Philadelphia, PA: Saunders Elsevier;915 35.

7. Makin EC et al. Outcome of antenatally diagnosed sacrococcygeal teratomas: single-center experience (1993 – 2004). J Pediatr Surg 2006;41: 388 – 93.

8. Moore SW et al. The epidemiology of neonatal tumours. Report of an international working group. Pediatr Surg Int2003;19:509 – 19

9. Swamy R et al. Sacrococcygeal teratoma over two decades: birth prevalence, prenatal diagnosis and clinical outcomes. Prenat Diagn 2008; 28: 1048 – 51.

10. T. van Mieghem et al. Minimally invasive therapy for fetal sacrococcygeal teratoma: case series and systematic review of the literature; Ultrasound Obstet Gynecol 2014; 43: 611 – 619

11. Usui N et al. Outcomes of prenatally diagnosed sacrococcygeal teratomas: the results of a Japanese nationwide survey. J Pediatr Surg 2012; 47: 441 – 7.

# 06 윌름종양
Wilms Tumor

## 1. 개요

1) 주산기에 발견되는 종양 중 5%는 콩팥에서 기원함(Bernstein L et al. 1999)
2) 후신장모세포증(metanephric blastoma)의 비정상적인 분화에 의해 발생하는 콩팥의 악성 종양
3) 유병률 1/10,000명으로 보고됨(Bader JL et al. 1979)
4) 콩팥에서 발생하는 악성 종양 중 가장 흔함
5) 양측으로 발생하는 경우는 5-10%임
6) WT1, WT2, p53, FWT1, FWT2 유전자의 돌연변이와 관련 있음(Coppes MJ et al. 1994)

## 2. 초음파 소견

1) 콩팥 내에 고형(solid) 혹은 부분적으로 낭종(cystic) 형태를 보이는 덩이
2) 경계가 분명한 피막에 싸인 고음영의 덩이
3) 종양 내에 혈종이나 괴사가 관찰되는 것이 특징적임

## 3. 감별 진단

1) 중간막성콩팥종(mesoblastic nephroma)
   (1) 콩팥 종양에서는 가장 흔함
   (2) 양성 중간엽 종양
   (3) 경계가 분명하고 균질한(homogenous) 콩팥을 침범하는 종양
   (3) 콩팥의 절반 이상을 차지할 정도로 큰 종양으로 출혈을 동반하기도 함

459

(4) 대개 양수과다(polyhydramnios), 태아수종(fetal hydrops)을 동반함(S. Vadeyar et al. 2000)

　2) 신경모세포종(neuroblastoma)

　　(1) 콩팥과는 분리된, 콩팥 위쪽에 위치하는 종양

　　(2) 고형(solid)과 낭종(cystic) 형태가 섞인 덩이로 보임

　3) 배막뒤기형종(retroperitoneal teratoma)

　　(1) 드물게 발생함

　　(2) 대개 낭종(cystic) 형태로 보임

## 4. 임신 중 예후

15%에서 다른 기형과 동반: 무홍채증(aniridia), 비뇨생식계기형(genitourinary anomalies), 반비대 (hemihypertrophy) (Miller RW et al. 1964)

　1) WAGR syndrome: 윌름종양(Wilms tumor), 무홍채증(aniridia), 비뇨생식계기형(genitourinary anomalies), 정신 지연(mental retardation) (Fischbach BV et al. 2005)

　2) Denys-Drash syndrome : 진행성콩팥질환(progressive renal disease), 거짓남녀한몸증(male pseudo-hermaphroditism), 윌름종양(Wilms tumor)

　3) Beckwith-Wiedemann syndrome : 5-10%에서 윌름종양(Wilms tumor)를 보임

## 5. 산전관리 및 산전치료

WAGR syndrome, Beckwith-Wiedemann syndrome으로 예상되는 Wilms tumor에 대한 고위험 태아 의 경우 연속적인 초음파검사가 필요함

## 6. 신생아 관리

빠른 외과적 절제가 좋은 예후를 보임

## 7. 장기 예후

　1) 예후는 조직학적 형태, 전이 여부, 종양의 단계와 크기에 따라 다름

2) Stage I, II, III면서 조직학적 형태가 좋은 경우 생존률은 90%임

## 8. 유전상담

1) 양측 Wilms tumor 일 때, Familial Wilms tumor일 때, 비뇨생식기계 이상이나 정신 지체가 동반되어 있을 때 : WT1 돌연변이 유전자 검사 필요함("Wilms Tumor and Other Childhood Kidney Tumors Treatment". National Cancer Institute. 2018)

2) 한쪽에만 발생한 Wilms tumor의 생존자에서는 유전의 위험이 적은 것으로 연구됨(Bernstein L et al. 1999)

**참고문헌** ////////////////////////////////////////////////////////////////////////////////////////////////////////////////////////

1. Anthony OO et al. Fetal genitourinary tract. In : Mary EN, Leslie MS, Vickie AF, editors. Callen's ultrasonography in obstetrics and gynecology. 6th ed. Philadelphia(PA): Elsevier; 2017. p.525.

2. Bernstein L et al. Cancer incidence and survival among children and adolescents: United States SEER Program 1975-1995, SEER Program. Bethesda, MD, National Cancer Institute 1999. p.79.

3. Bader JL et al. US cancer incidence and mortality in the first year of life. Am J Dis Child 1979;133:157-159.

4. Coppes MJ et al. Genetic events in the development of Wilms' tumor. N Engl J Med 1994;331:586.

5. Fischbach BV et al. WAGR syndrome: a clinical review of 54 cases. Pediatrics 2005;116:984.

6. Miller RW et al. Association of Wilms' tumor with aniridia, hemihypertrophy and other congenital malformations. N Engl J Med 1964; 270:922.

7. S. Vadeyar et al. Prenatal diagnosis of congenital Wilms' tumor(nephroblastoma) presenting as fetal hydrops. Ultrasound Obstet Gynecol 2000;16:80-83.

8. PDQ Pediatric Treatment Editorial Board (2002), "Wilms Tumor and Other Childhood Kidney Tumors Treatment (PDQ¢ç): Health Professional Version", PDQ Cancer Information Summaries, National Cancer Institute (US), PMID 26389282, retrieved 2018-11-26.

# 다태임신

Multiple Gestation

# 01 쌍태임신에서의 태아기형
## Malformations in Twins

## 1. 개요

1) 쌍태임신에서 선천성태아기형의 빈도
  (1) 일란성 쌍태임신에서 단태임신 또는 이란성쌍태임신보다 3~5 배 높으며 일란성 두융모막 쌍
    태임신보다 일란성 단일융모막에서 더 높음. 한 연구에서 단일융모막 쌍태임신에서 주요 선천
    성기형의 빈도는 634/10,000 인데 비하여 이융모막 쌍태임신에서는 344/10,000, 단태임신에
    서는 238/10,000 으로 보고됨(Glinianaia SV et al. 2008)
  (2) 양측 태아에서 같은 주기형(major anomaly)이 있을 경우는 일란성 쌍태임신에서는 약 20 % 이
    며 이란성 쌍태임신에서는 이와 같은 일치율은 낮음
  (3) 이란성 쌍태임신에서 각각의 태아는 단태아와 비슷한 선천성기형 유발율을 보임
  (4) 쌍태임신에서 어떤 특정 선천성기형이 더 많이 발생하지는 않는 것으로 알려져 있음. 하지만
    단일융모막 쌍태임신에서는 선천성심장기형의 빈도가 더 높으며 특히 쌍태아수혈증후군이 합
    병되었다면 더욱 빈도가 높아짐(Bahtiyar MO et al. 2015)
2) 산모의 나이에 따른 21번 세염색체(다운증후군)의 위험도
  (1) 일란성 쌍둥이: 산모의 나이에 따른 21번 세염색체의 위험도는 단태아 때와 같음
  (2) 이란성 쌍둥이
    : 두 대아 중 적어도 하나에서 21번 세염색체을 보일 위험도는 난태아의 경우보다 약 2배가 될
    것으로 추정. 하지만 실제로는 추정치보다는 다소 낮은 것으로 관찰되는데 이러한 이유로는 아
    마도 임신초기 유산의 빈도가 증가하기 때문일 것으로 설명됨(Sparks TN et al. 2016)

## 2. 쌍태임신에서 21번 세염색체의 선별검사 방법

1) 산모혈청 선별검사

(1) 산모혈청 선별검사에서 21번 세염색체의 발견율은 이란성 쌍둥이에서 현저히 낮아짐. 따라서 산모혈청 선별검사를 일률적으로 시행하는 것은 적절치 않음

(2) 제 2삼분기 산모혈청 선별검사의 21번 세염색체의 발견율은 일란성 쌍둥이에서 73%, 이란성 쌍둥이에서 43%로 예측됨(Sperling L et al. 2007)

(3) 제 1삼분기 산모혈청 선별검사의 21번 세염색체 발견율도 제 2삼분기 때와 비슷할 것으로 추정되며 융모막성, 보조생식술 시행 여부도 수치에 영향을 미침(Nicolaides KH. 2005)

(4) 삼태 이상의 임신에서는 어떠한 모체혈청 표지도 21번 세염색체 선별검사로써 검증이되지 않아 모체혈청 선별검사는 권고되지 않음

2) 태아DNA선별검사

(1) 임신부 혈액내에 세포유리 태아 DNA (cell free fetal DNA, cff-DNA)을 이용하여 21번 세염색체에 대한 비침습적인 산전선별검사(noninvasive prenatal testing, NIPT)로 사용됨(Canick JA et al. 2012)

(2) 쌍태임신에서는 모체혈청에서 단태임신에 비해 약 35% 많은 세포유리 태아 DNA을 얻을 수 있지만 이란성 쌍태임신을 경우에는 각 태아에 해당하는 세포유리 태아 DNA양(fetal fraction rate)이 단태아보다는 적을 뿐 아니라 불균등하게 분포되어 있을 수 있음. 이로 인해 no call result 보고가 단태임신(<1%) 보다 많음(약 4%) (del Mar Gil M et al. 2014)

(3) 최근 21번 세염색체의 검출율은 98.2%, 위양성율은 0.05%로 보고되어 단태임신에 비해 큰 차이를 보이지는 않지만 no call result 보고가 다태임신에 비해 많음(Gil MM et al. 2019)

(4) 2020년 미국산부인과학회에서는 쌍태임신에서 21번 세염색체의 선별검사로 태아DNA선별검사를 시행할 수 있다고 보고함

(5) 삼태 이상의 임신에서 태아DNA선별검사는 검증이 되지 않아 권고되지 않음

3) 태아 목덜미투명대(fetal nuchal translucency)

(1) 태아별 위험도를 각각 산정하게 됨

(2) 이용모막 임신에서 산모의 나이와 목덜미투명대를 이용한 다운증후군 발견율은 75-80% (위양성률: 태아당 5%, 임신당 10%)로 단태임신과 비슷함(Sperling L et al 2007)

(3) 단일융모막 임신에서 목덜미투명대의 불일치(discordance)는 초기 태아사망 및 심한 쌍태아수혈증후군의 예측소견임. 단일융모막 임신에서 각각의 목덜미투명대를 염색체이상 위험도 평가에 사용하면 위양성률이 높아져서 두 수치의 평균을 이용하는 것이 좋음

## 3. 쌍태임신에서 신경관결손증에 대한 산모혈청 선별검사

검사의 효율성이 단태아 때보다는 낮고 어느 태아에 문제가 있을지도 알 수 없어서 각 태아에 대한 임신 2분기 정밀초음파검사로 관련 이상 소견을 직접 찾는 것이 보다 효율적일 수 있음

## 4. 초음파 소견

초음파 검사로 쌍태임신에서 주기형(major anomaly)의 상당부분을 발견 할 수 있으나 이를 위해서는 기형진단 뿐 아니라 다태임신 초음파 검사의 임상적 경험이 많은 숙련된 검사자에 의해 시행되어여 함. 또한 단일융모막성 쌍태임신에서 최소 한 태아에서 선천성 심장기형의 발생이 5-7%로 보고되고 있어 반드시 태아심에코검사를 고려해야 함(Bahtiyar MO et al. 2007)

1) 태아 목덜미투명대

   단태아와 같은 방법으로 측정함

2) 염색체이상과 관련된 제 2삼분기 초음파 소견

   단태임신과 같은 방법으로 주기형의 경우에는 염색체검사가 권장되며 부차적 소견(minor soft marker)의 경우에는 우도비(likelihood ratio) 를 이용하여 위험도를 조정할 수 있음

3) 쌍태임신 특이 합병증(twin specific complication) – 쌍태아수혈증후군, 무심장쌍둥이, 결합쌍둥이 유무에 관한 세심하고 연속적인 검사가 이루어져야 함(Emery SP et al. 2015)

## 5. 처치

염색체이상 위험을 염려하는 여성에게는 선별검사와 침습적 염색체검사, 각각의 장단점에 대하여 상담을 한 후 스스로 결정을 내릴 수 있도록 해야함

일측태아에게만 선천성 기형이 진단된 경우에는 선천성기형의 유형, 진단된 임신주수, 그리고 융모막성을 고려하여 기대요법(expectant management), 자궁내 치료(in utero therapy), 전체 임신종결, 그리고 선택적 임신종결에 대한 심도있는 카운셀링을 할 필요가 있음

1) 침습적 염색체검사

   침습적 염색체검사를 시행하는 나이 기준은 이융모막 임신에서는 31세이지만 나이 기준만으로 모든 여성에게 침습적 염색체 검사를 권유하는 것은 정당화되지 않음

   (1) 융모막융모생검

      다른 태아의 융모막 조직에 오염될 가능성이 1-2% 있을 수 있음. 융모막 융모생검 시 양막주머니와 태반의 위치를 잘 기록해 두어야 함

   (2) 양수천자

      양수천자시에 두 주머니에서 각각 시행된 것인지 구별하기 어려울 경우에는 첫번째 주머니에서 검체를 채취한 직후 인디고카르민을 몇 mL 주입할 수 있음. 양수검사 시에는 초음파로 양막주머니와 태반의 위치를 잘 기록하고 그려두어야 결과가 나왔을 때에 어느 쪽 태아에 이상이 있는 것인지 구별할 수 있음

2) 선택적 임신종결(selective termination)

(1) 이융모막 쌍태임신

: 희생시킬 태아의 심장에 염화칼륨(KCL)을 주입하는 방법을 사용함. 디곡신 또는 리도카인을 사용할 수도 있으나 염화칼륨 보다 심정지에 이르는 시간이 더 걸림

(2) 단일융모막 쌍태임신

: 남아있는 태아에 미칠 위험이 있기 때문에 태아복부의 제대정맥 부위에 고주파열치료(radiofrequency ablation, RFA) 혹은 알코올 주입을 하거나 혹은 희생할 태아에 가까운 부위에서 제대폐쇄(cord occlusion)등을 함(Roman A et al. 2010; Cabassa P et al. 2013). 최근 태아내 레이저 치료법(intrafetal laser treatment)이 도입되어 좋은 결과를 보고되고 있음(Pagani G et al. 2013)

**참고문헌**

1. Bahtiyar MO et al. The North American Fetal Therapy Network consensus statement: prenatal surveillance of uncomplicated monochorionic gestations. Obstet Gynecol. 2015;125:118-23.

2. Bahtiyar MO et al. Prevalence of congenital heart defects in monochorionic/diamniotic twin gestations: a systematic literature review. J Ultrasound Med. 2007;26:1491-8.

3. Cabassa P et al. The use of radiofrequency in the treatment of twin reversed arterial perfusion sequence: a case series and review of the literature. Eur J Obstet Gynecol Reprod Biol. 2013;166:127-3.

4. Canick JA et al. DNA sequencing of maternal plasma to identify Down syndrome and other trisomies in multiple gestations. Prenat Diagn. 2012;32:730-4.

5. del Mar Gil M et al. Cell-free DNA analysis for trisomy risk assessment in first-trimester twin pregnancies. Fetal Diagn Ther. 2014;35:204-11.

6. Emery SP et al. The North American Fetal Therapy Network Consensus Statement: prenatal management of uncomplicated monochorionic gestations. Obstet Gynecol. 2015;125:1236-43.

7. Gil MM et al. Screening for trisomies by cfDNA testing of maternal blood in twin pregnancy: update of The Fetal Medicine Foundation results and meta-analysis. Ultrasound Obstet Gynecol. 2019;53:734-42.

8. Glinianaia SV et al. Congenital anomalies in twins: a register-based study. Hum Reprod. 2008;23:1306-11.

9. Nicolaides KH. Screening for fetal aneuploidies at 11 to 13 weeks. Prenat Diagn 2011;31:7-15. Obstet Gynecol 2005;106:181-189.

10. Pagani G et al. Intrafetal laser treatment for twin reversed arterial perfusion sequence: cohort study and meta-analysis. Ultrasound Obstet Gynecol. 2013;42:6-14.

11. Roman A et al. Selective reduction in complicated monochorionic pregnancies: radiofrequency ablation vs. bipolar cord coagulation. Ultrasound Obstet Gynecol. 2010;36:37-41.

12. Sparks TN et al. Observed Rate of Down Syndrome in Twin Pregnancies. Obstet Gynecol. 2016;128:1127-33.

13. Sperling L et al. Detection of chromosomal abnormalities, congenital abnormalities and transfusion syndrome in twins. Ultrasound Obstet Gynecol. 2007;29:517-26.

# 02 일태아 사망

Twin Pregnancy with one Intrauterine Fetal Death

## 1. 개요(빈도)

1)  다태임신에서 시작하여 임신 초기(임신 일삼분기)에 vanishing 되는 경우는 쌍태임신의 36%, 삼태임신의 53%로 흔하게 발생함(Committee on Practice Bulletins. 2016)

2)  임신 이삼분기 이후 일태아사망의 빈도는 쌍태임신의 5%, 삼태임신의 17%에서 발생함

3)  22주 이상에서 일태아사망의 빈도는 단일융모막 쌍태임신의 2.5%, 이융모막 쌍태임신의 1.2%에서 발생함(Ong SS et al. 2006)

## 2. 초음파 소견(그림 2-1)

그림 2-1. (A) 임신 23주 시험관임신에 의한 이융모막 쌍태아에서 발생한 일태아의 사망, (B) 사망한 태아에게 심낭삼출액(pericardial effusion) 및 흉수(pleural effusion)이 관찰됨, (C) 반대측 태아의 정상의 심장 초음파 소견으로 임신 경과에서 산모측 응고장애를 의심할 만한 소견은 관찰되지 않았으며 임신 38주 2일 역아로 제왕절개수술시행하여 남아 3.72 kg분만하였고, 출생 후 신생아의 뇌초음파 검사에서 정상소견을 보임

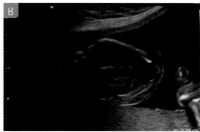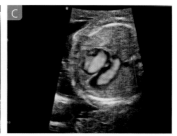

■ **그림 2-1.** 일태아 사망시 나타나는 초음파 소견

## 3. 임신 중 예후

1) 단일융모막 쌍태임신의 일태아사망의 경우 더욱 불량한 임신 예후와 관련됨
2) 나머지 태아의 사망 빈도: 단일융모막 쌍태임신의 15%, 이융모막 쌍태임신의 3%로 보고됨
3) 생존 태아의 신경학적 이상의 빈도: 단일융모막 쌍태임신의 18%, 이융모막 쌍태임신의 1%로 보고됨. 34주 이전에 일태아사망이 발생한 경우가 34주 이후의 경우보다 신경학적 이상의 발생 빈도가 높음(Hillman SC et al. 2011)

## 4. 산전관리 및 산전치료

1) 일태아사망이 진단된 임신 주수 및 원인, 생존 태아에 미치는 영향을 고려한 관리가 필요함
2) 임신 일삼분기에 발생한 일태아사망: 추가적인 처치가 필요치 않음
3) 임신 이삼분기 이후 일태아사망
   (1) 단일융모막 쌍태임신에서 일태아사망이 임박한 경우: 임신 주수를 고려하여 분만을 고려
   (2) 단일융모막 쌍태임신에서 이미 일태아사망이 발생한 경우: 분만을 서두르는 것이 남아있는 생존아의 신경학적 예후를 향상시키지 않는데 이는 이미 신경 손상이 발생하였을 가능성이 있기 때문임. 분만 시기는 34-37주에 분만을 고려하나 37주 이상인 경우 분만을 시도한다는 의견도 있음(Karageyim Karsidag AY et al. 2005)
   (3) 이융모막 쌍태임신에서 발생한 일태아사망은 분만을 서두를 이유가 없으며, 만삭 분만 권장함
   (4) 14주 이후에 일태아사망의 경우 다른 태아의 사망 위험이 단일융모막 쌍태임신에서는 15%, 이융모막 쌍태임신에서는 3%이며, 생존 태아에서 신경학적 이상은 단일융모막 쌍태임신은 18%, 이융모막 쌍태임신은 1%로 알려져 있음(Danon D et al. 2013)
4) 산모에게 미치는 영향
   일반적으로 태아사망이 오래 지속된 경우 산모에게 응고장애가 발생할 수 있는 것으로 보고되었지만, 다태임신에서 일태아사망이 발생한 경우 실제로 응고장애가 생기는 경우는 매우 드문 것으로 알려짐

**참고문헌** ////////////////////////////////////////////////////////////////////////////////////////////////////////////////////////////////////

1. Committee on Practice Bulletins—Obstetrics and the Society for Maternal–Fetal Medicine. Practice Bulletin No. 169: Multifetal Gestations: Twin, Triplet, and Higher-Order Multifetal Pregnancies. Obstet Gynecol 2016;128:e131-46

2. Danon D et al. Increased stillbirth in uncomplicated monochorionic twin pregnancies: a systematic review and meta-analysis. Obstet Gynecol 2013;121:1318–26.

3. Hillman SC et al. Co-twin prognosis after single fetal death: a systematic review and metaanalysis. Obstet Gynecol 2011;118:928–40.

4. Karageyim Karsidag AY et al. Brain damage to the survivor within 30 min of co-twin demise in monochorionic twins. Fetal Diagn Ther 2005;20:91–5.

5. Ong SS et al. Prognosis for the co-twin following single-twin death: a systematic review. BJOG 2006;113:992–8.

# 03 쌍태아수혈증후군

Twin-Twin Transfusion Syndrome, TTTS

## 1. 개요

1) 단일 융모막성 쌍태 임신에서 두 태아를 연결하는 혈관이 있어 혈액 이동이 일어나는데 이 때 한 태아의 혈액량이 많아지면서 양수양이 증가하고 다른 태아에서는 혈액량이 줄어들면서 양수양이 감소할 수 있음. 이런 변화가 어느 이상으로 진행되면 쌍태아수혈증후군(Twin-twin transfusion syndrome, TTTS)으로 진단함

2) 단일 융모막성 쌍태 임신의 약 10-15%에서 발생한다고 알려져 있음

3) 연결된 혈관 문합의 종류(Zhao DP et al., 2013)

   (1) 표층 문합(superficial anastomosis): 동맥-동맥, 정맥-정맥 문합
   융모막판(chorionic plate)의 표면에 위치하며 양방향성(bidirectional flow)을 보임

   (2) 심층 문합(deep anastomosis): 동맥-정맥 문합
   한 태아의 탯줄 동맥이 태반 내에서 모세혈관의 형태로 모체로부터 산소와 영양을 공급받아 탯줄 정맥을 통해 기시했던 태아에게 돌아가지 않고 다른 태아로 가는 형태를 말하며 동맥→정맥의 일방향성(unidirectional flow)을 보임

   (3) 단일 융모막성 쌍태임신의 대부분에서는 약 90%에서는 혈관의 연결이 있더라도 TTTS가 발생하지 않음. 그 이유로는 동맥-동맥, 정맥-정맥 연결이 역할을 할 것으로 생각하고 있다. 실제로 TTTS가 발생한 태반에서 동맥-동맥 연결이 현저히 적었다고 보고되었음

   (4) 단일 융모막성 쌍태임신 산모는 TTTS의 조기 발견을 위하여 임신 16주부터 매주 2주마초음파 검진을 받도록 권장하고 있음. 만일 양수 양의 차이가 많아 TTTS로 진행할 가능성이 의심되면 더 자주 검진해야 함

## 2. 초음파 소견

1) 단일융모막성 쌍태임신에서 수혈아의 양수 최대수직공간(maximum vertical pocket)이 8 cm가 넘거나 공혈아의 양수 최대수직공간이 2 cm보다 작으면 진단됨

2) 병기(staging): 표 3-1(Quintero RA et al. 1999)

표 3-1 Quintero Staging of TTTS

| I | 수혈 태아 양수과다증(MVP>8 cm)<br>공혈 태아 양수과소증(MVP<2 cm)<br>태아 방광이 보임 |
|---|---|
| II | 태아 방광이 보이지 않음 |
| III | 도플러 이상 소견<br>1) 제대동맥: 이완기말 혈류 소실 혹은 역류<br>2) 정맥관: a wav의 역류<br>3) 제대정맥: 파동성 혈류 |
| IV | 태아수종(1명 이상) |
| V | 태아 사망(1명 이상) |

MVP, maximum vertical pocket

3) 공혈 태아의 양수가 줄어들어 거의 없어지면 태아의 피부에 양막이 붙어 있는 stuck twin의 형태를 보임(그림 3-1). 이 때 공혈 태아의 양수가 전혀 없는데도 주위의 수혈 태아의 양수를 공혈자 태아의 양수로 잘못 보고 양수가 적당한 것으로 오인할 수도 있음. 이럴 경우 방광이 보이는지 먼저 확인해야 함. 자세히 관찰하면 태아의 목 뒤, 팔꿈치 뒤, 무릎 뒤 등에 적은 양의 양수를 볼 수도 있으며 팔다리를 잇는 1자의 막을 볼 수도 있음

## 3. 감별진단

1) 단순 태아발육지연(isolated fetal growth restriction)
한 태아에서 저체중과 함께 양수과소증이 나타나 TTTS와 유사할 수 있지만 정상적으로 자라고 있는 다른 아이에서는 양수과다증이 나타나지 않는다. 특히 임신 초에 이융모막성 쌍태임신으로 확인되었을 경우 TTTS는 진단에서 제외될 수 있음

473

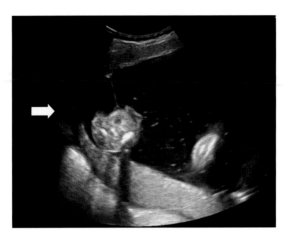

■ 그림 3-1. 쌍태아수혈증후군의 초음파 소견. Stuck된 TTTS 태아(화살표)

## 4. 임신 중 예후

1) TTTS는 치료하지 않으면 73-100%까지 사망할 수 있는 예후가 매우 불량한 질환임
2) Quintero stage I 에서 진행하는 경우가 30% 정도이며 치료하지 않더라도 80% 이상의 생존율을 보여 현재로는 치료하지 않음. Quintero stage II-IV로 진단될 경우 태아경하 레이저 응고술 시행의 적응증이 됨

## 5. 산전관리 및 산전치료

### 1) 치료 방법

(1) 중격천공술(septostomy)

시술 후 의인적 일양막성 쌍태임신(iatrogenic monoamniotic twin)의 형태를 만들어 추천되지 않음. 중격천공술은 시술 후 천공으로 양수가 이동하여 양수 상태로 질환의 진행 여부를 알기 어렵게 만든다는 단점도 있음

(2) 선택적 태아희생술(selective fetoside)

① 남은 태아에 미칠 위험이 있으므로 자주 하지는 않지만 두 태아 모두 살리기가 어려울 때 한 태아라도 살리기 위해 실시함

② 태아 복부의 제대정맥 부위에 고주파 열치료(radiofrequency ablation)를 하거나 태아에 가까운 부위에서 제대폐쇄(cord occlusion)를 할 수 있음

(3) 양수감소술(amnioreduction)

양수감소술은 양수천자술과 유사한 방법을 사용하여 비교적 쉽게 실시할 수 있음. 연구에 따르면 약

50%정도까지 치료가 되기도 하지만 태아경하 레이저 응고술에 비하여 좋지 않은 성적을 보여 1차적 치료로 사용하지 않음

(4) 태아경하 레이저 응고술(fetoscopic laser coagulation)(그림 3-2)

① 1990년대 중반부터 도입되었음

② 혈관 연결을 차단해 기능적으로 두 개의 태반으로 만드는 것임

③ Eurofetus 연구에서 효용성이 확인되었음(Senat MV et al. 2004; Lewi L et al. 2008)

④ 양수감소술과 비교했던 4개 연구 395례를 대상으로 연구에서 생존율, 신생아 사망, 신경학적 병변 등 모든 항목에서 태아경하 레이저 응고술이 우수하다고 발표함(Rossi AC et al. 2008)

⑤ van Klink 등은 2000~2005 및 2008~2010년도의 두 코호트 연구를 비교한 결과 생존율은 약 10% 증가하고 신경발달장애는 18%에서 6%로 약 1/3 정도로 감소하였음을 보고함(van Klink JM et al. 2014)

⑥ TTTS 치료에서 태아경하 레이저 응고술이 1차적인 치료 방법으로 자리잡게 됨(Hecher K et al. 2018; Kwon SY et al. 2019)

⑦ Solomon technique

TTTS의 치료 후 약 33% 까지도 태아 사이의 문합이 남아 있을 수 있음(Knijnenburga PJC et al. 2019). 이 혈관들로 인해서 재발되거나 TAPS(twin anemia polycythemia sequence)가 발생할 수 있음. 이런 합병증을 줄이기 위해서 제시된 방법임. 이 방법은 기존의 선택적 태아경하 레이저 응고술을 한 뒤에 혈관 적도면(vascular equator)을 따라 응고한 부분을 이어 태반의 한 쪽부터 다른 쪽까지 연속적으로 추가적 응고를 하는 것임. 최근 연구에서 생존율, 신경학적 합병증 모두 줄이면서 시술에 따른 합병증을 높이지 않았다고 보고되어 Solomon 기법이 인정받고 있음(Slaghekke F et al. 2014)

⑧ 국내에서는 2011년에 대한산부인과학회 추계학회에서 첫 증례가 보고되었음

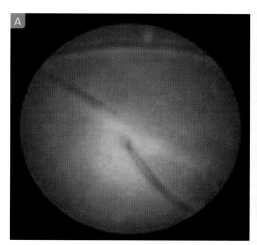
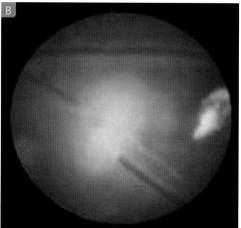

▓ 그림 3-2. 태아경하 레이저 응고술 사진. **A.** 시술 전, **B.** 시술 후

**참고문헌** /////////////////////////////////////////////////////////////////////////////////////////////////////////////////////////////////////////////////////////////////////////////////

1. Hecher K et al. Long-term outcomes for monochorionic twins after laser therapy in twin to-twin transfusion syndrome. Lancet Child Adolesc Health 2018;2:525-35.

2. Khalil A et al. Evolution of Stage 1 Twin-to-Twin Transfusion Syndrome (TTTS): Systematic Review and Meta-Analysis. Twin Res Human Genet 2016;19:207－16.

3. Knijnenburga PJC et al. Incidence of and Risk Factors for Residual Anastomoses in Twin-Twin Transfusion Syndrome Treated with Laser Surgery: A 15-Year Single-Center Experience. Fetal Diagn Ther 2019;45:13－20.

4. Kweon SY et al. Fetal Survival Immediate after Fetoscopic Laser Ablation in Twin to Twin Transfusion Syndrome. J Korean Med Sci 2019;34:e20.

5. Lewi L et al. The outcome of monochorionic diamniotic twin gestations in the era of invasive fetal therapy: a prospective cohort study. Am J Obstet Gynecol 2008;199:514 e511-8.

6. Quintero RA et al. Staging of twin-twin transfusion syndrome. J Perinatol 1999;19:550-5.

7. Rossi AC et al. Laser therapy and serial amnioreduction as treatment for twin-twin transfusion syndrome: a metaanalysis and review of literature. Am J Obstet Gynecol 2008;198:147-52.

8. Senat MV et al. Endoscopic laser surgery versus serial amnioreduction for severe twin-to-twin transfusion syndrome. N Engl J Med 2004;351:136－44.

9. Slaghekke F et al. Residual anastomoses in twin-twin transfusion syndrome after laser: the Solomon randomized trial. Am J Obstet Gynecol 2014;211:285e1-7.

10. Van Klink JM et al. Improvement in neurodevelopmental outcome in survivors of twin-twin transfusion syndrome treated with laser surgery. Am J Obstet Gynecol 2014;210:540.e1-7

11. Zhao DP et al Prevalence, size, number and localization of vascular anastomoses in monochorionic placentas. Placenta 2013;34:589-93.

# 04 쌍태아역동맥관류연쇄
## Twin Reversed Arterial Perfusion (TRAP) Sequence

## 1. 개요

1) 단일 융모막성 쌍태임신에서 심장이 없는 태아가 다른 태아로부터 혈액을 공급받는 상태를 말하며 무심 쌍태아라고도 함

2) 쌍태아역동맥관류연쇄는 단일융모막성 쌍태임신의 드문 형태로, 35,000 임신 중 1례, 일란성 쌍태임신 100례 중 1례의 빈도로 발생하는 것으로 알려져 있음

3) 쌍태아 역동맥관류연쇄는 임신 초기에 태반에서 양측 태아의 제대에서 나온 동맥과 동맥이 연결된 상태에서, 한 태아의 제대동맥혈의 관류가 우세하여 다른 태아의 제대동맥으로 혈류가 역류하여 발생함

4) 쌍태아간의 혈류역학적 균형이 깨져서 한 태아의 심혈관계가 다른 태아의 심혈관계까지 대신하게 됨. 다른 태아의 혈류순환을 대신하는 태아를 펌프 쌍태아(pump twin)라고 하고, 혈류를 받는 태아를 무심장 쌍태아(acardiac twin)라고 함

5) 무심장 쌍태아가 받는 혈액은 펌프 쌍태아의 체내에서 순환된 혈액이기 때문에 상대적으로 산소포화도가 낮으며, 이 혈류는 보통 장골혈관(iliac vessels)까지만 도달하기 때문에 상반신의 정상적인 발달이 어려움

6) 무심장 쌍태아의 머리는 비정상이거나 아예 없으며, 상반신은 대부분 흔적만 남아 있음. 반면 하반신은 상대적으로 정상적으로 보이며, 척추, 신장, 방광, 하지를 구분할 수 있음. 무심장 쌍태아는 출생 후 생존할 수 없으나 임신기간 중에 성장을 지속함. 양막은 한 개 혹은 2개로 모두 가능함

## 3. 감별 진단

임신 초기에 살아있는 한 태아와 심장 박동이 보이지 않는 한 태아가 보여 사산한 태아로 생각했으나 이후 추적 관찰에서 이 태아가 지속적으로 성장하고 있으면 진단을 의심할 수 있음. 진단은 두 태아 사이

에 연결된 혈관을 발견하는 것이고 태아 내에도 심장 박동으로 볼 수는 없지만 혈류가 확인되면 확진 할 수 있음

## 4. 임신 중 예후

펌프 쌍태아의 예후는 울혈성 심부전증의 발생여부 및 무심장 쌍태아의 크기와 관련이 많음. 큰 무심장 쌍태아는 많은 혈액을 받아들이므로 펌프 쌍태아의 심박출량을 상당히 높여 펌프 쌍태아가 수종이 생기고 사망에 이를 수 있음. 한 연구에서는 펌프 쌍태아의 삼분의 일이 임신 18주 안에 사망한다고 보고하였음(Lewi et al. 2010). 따라서 펌프 쌍태아의 생존을 위해서 얼마나 이른 주수에 시술을 실시하여 성공하는지가 중요함

## 5. 산전관리 및 산전치료

1) 펌프 쌍태아의 전반적인 생존율은 약 50%인데, 펌프 쌍태아에서 고박출 심부전(high-output heart failure)이 발생하기 전에 무심장 쌍태아의 탯줄의 혈류를 차단해야 예후를 향상시킬 수 있음
2) 혈류 차단법으로 대부분 초음파 유도 하에 시도(Tan TY et al. 2003)
    (1) 전기소작이나 레이저로 무심장 쌍태아의 탯줄을 응고시키는 방법
    (2) 복강 내 제대동맥에 알코올을 주입하는 방법
    (3) 제대동맥 내 코일을 삽입하는 방법
    (4) 무심 쌍태아의 체내 고주파 열치료(radiofrequency ablation, RFA) (Sugibayashi R et al. 2016)
    (5) 태아 내 레이저 시술(intrafetal laser treatment)
        RFA를 보다 이른 임신 주수에 시도할 수 있으며 펌프 쌍태아의 생존율이 약 80%였다는 보고도 있음(Pagani G et al. 2013). 14주 3일 이내의 태아에서 적용하여 91.7%의 성공을 보였다는 최근 연구 결과도 있음(Tavares de Sousa M et al. 2020)(그림 4-1)
    (6) 양막성에 따른 영향은 고주파 열치료 후의 펌프 쌍태아의 생존율을 이양막성 쌍태임신의 경우 88%, 단일양막성 쌍태임신에서는 67%로 낮았다고 보고하였음

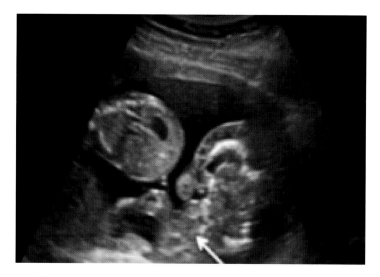

■ 그림 4-1. 태아 내 레이저 시술 초음파 사진. 18G 바늘이 무심쌍태아의 삽입되어 있음

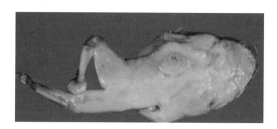

■ 그림 4-2. 분만된 무심쌍태아의 사진

**참고문헌**

1. Pagani G et al. Intrafetal laser treatment for twin reversed arterial perfusion sequence: cohort study and meta-analysis. Ultrasound Obstet Gynecol. 2013;42:6-14.

2. Sugibayashi R et al. Forty cases of twin reversed arterial perfusion sequence treated with radio frequency ablation using the multistep coagulation method: a single-center experience. Prenat Diagn 2016;36:437-43.

3. Tan TY et al. Acardiac twin: a systematic review of minimally invasive treatment modalities. Ultrasound Obstet Gynecol. 2003;22:409-19.

4. Tavares de Sousa M et al. First-trimester intervention in twin reversed arterial perfusion sequence. Ultrasound Obstet Gynecol 2020;55:47–9.

# 05 결합쌍태아
## Conjoined Twin

## 1. 개요

두 쌍태아의 신체 일부가 결합되어 있는 경우를 말함

1) 일란성 쌍태아의 1% 미만에서 발생하며, 전체 임신 중에는 1/50,000 빈도이고 사망률이 높아 실제 생존아 중에서는 1/250,000 정도로 보고되는 매우 드문 질환임(Mutchinick OM et al. 2011)

2) 수정된 날로부터 13일 이후에 배아가 분리되는 경우 결합 쌍태아가 발생하며, 이들은 각각의 태아가 거의 완전한 하나의 개체로 되어 있으면서 일부 장기만을 공유하고 있는 경우, 또는 신체의 대부분이 하나이고 일부만이 두 개가 있는 경우 등 공유 부분과 그 대칭성에 따라서 다양한 양상이 나타남

3) 용어: 공유하는 부위 뒤에 pagus라는 접미사를 붙여서 분류
   (1) 가슴붙은 쌍태아(thoracopagus)가 가장 많으며, 90%에서 심낭을 공유하고 75%에서 심장을 공유함
   (2) 배붙은 쌍태아(omphalopagus)의 경우 80%에서 간을 공유하며 30%에서 선천성 심장기형을 보임
   (3) 그 외, 엉치붙은 쌍태아(pygopagus), 궁둥붙은 쌍태아(ischiopagus), 머리붙은 쌍태아(craniopagus) 등이 있음

## 2. 초음파 소견

1) 단일양막 쌍태아 중에 다음과 같은 초음파 소견을 보이는 경우 결합 쌍태아를 의심해야 함(Chen CP et al. 2011; Norton ME et al. 2017; Woodward PJ et al. 2011)
   (1) 임신 제1삼분기에 태아가 둘로 갈라진 형태
   (2) 동일한 해부학적 위치에서 반복적으로 붙어 보이는 태아 몸통(그림 5-1)

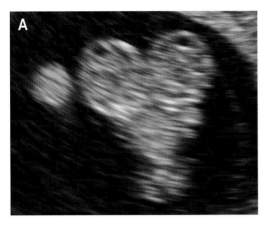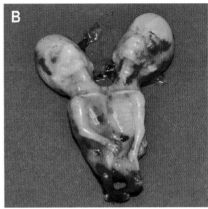

■ 그림 5-1. 결합쌍둥이. **A.** 시상면. 머리 하나에 두개의 척추뼈가 보인다. **B.** 육안소견

(3) 두 태아의 머리와 몸통이 같은 위치에서 확인되거나 팔다리가 비정상적으로 가까이 위치함

(4) 태아의 운동 및 시간의 경과 후에도 두 태아의 위치가 변하지 않음

(5) 과도하게 신전된 척추

(6) 2-7개의 유합된 제대혈관

2) 50%에서 양수과다증을 동반함

3) 진단을 위해서 연속적인 피부 덮개(contiguous skin covering)가 있어야 함

4) 컬러 도플러는 혈류 공급을 평가하는데 유용함. 머리붙은 쌍태아에서 뇌의 공유 정도를 평가할 수 있고 간의 혈류 공급 평가에도 유용함. 주요 혈관의 연결은 심혈관 손상 및 태아 사망으로 이어질 수 있음

## 3. 감별진단

1) 두양막쌍태아가 붙어 있는 경우 결합쌍태아로 오진할 수 있으며, 결합쌍태아는 매우 기형이 심하여 복합기형의 단태아로 혼동할 수 있으므로 주의해야 함

2) 결합부위가 유연한 경우에는 위치관계가 변하여 보이기도 하므로 초음파뿐만 아니라 단순 X-선 촬영이나, 자기공명영상 등을 이용할 수 있음. 임신을 유지할 경우 수술 전 장기의 공유정도를 평가하기 위하여 자기공명영상이 필수적임

## 4. 처치 및 예후

1) 10-40%에서 자궁 내 태아사망이 발생하고, 살아서 태어나더라도 생존하는 경우는 절반 미만임. 75%가 출생 후 24시간 이내에 사망한다는 보고도 있음

2) 조기진단이 중요하며 삼태아 이상의 다태임신에서 결합쌍태아가 보이는 경우 정상 태아를 위해 결합쌍태아의 선택적 유산(selective reduction)이 추천됨

3) 예후는 결합부위의 위치와 범위, 공유 장기의 종류 및 정도, 그리고 다른 동반기형의 유무에 따라서 결정되며 이러한 예후인자를 출생 전에 판단하는 것은 사실상 어려움

4) 임신을 유지하는 경우 태아 심장초음파, 장기의 공유정도를 평가하기 위한 자기공명영상 검사가 필요하며, 분만은 임신 제3삼분기에 제왕절개 분만이 추천됨

5) 한쪽 태아가 사망했거나 심각한 기형이 있는 경우에는 출생 후 응급 분리 수술이 필요함

**참고문헌**

1. 대한산부인과초음파학회. 기형태아의 초음파 영상도해, 3판

2. Chen CP et al. Conjoined twins detected in the first trimester: a review. Taiwan J Obstet Gynecol 2011;50:424-31.

3. Mutchinick OM et al. Conjoined twins: a worldwide collaborative epidemiological study of the International Clearinghouse for Birth Defects Surveillance and Research. Am J Med Genet. 2011;157:274-87

4. Norton ME et al. Callen's Ultrasonography in Obstetrics and Gynecology, 6th ed. Elsevier,2017; p114.

5. Woodward PJ et al. Diagnostic Imaging: Obstetrics, 2nd edi. Amirsys 2011.P.11.30-33.

# 06 단일양막성 쌍태아
## Monoamniotic Twin

## 1. 개요

1) 단일융모막과 단일양막으로 구성되어 있고 수정 후 약 8~12일사이에 분할하여 발생하는 것으로 알려져 있음(Slotnick RN et al., 1996)
2) 전체 쌍태임신의 1%, 단일융모막 쌍태임신의 2~5%를 차지함
3) 태아사망율은 약 20%정도로 보고되고 있으며 탯줄얽힘(cord entanglement)이 중요한 원인임
4) 주요태아기형이 약 25%정도까지 보고되고 있음

## 2. 초음파소견(그림 6-1)

1) 단일융모막 쌍태임신의 특징과 태아 사이의 양막이 보이지 않는 것으로 진단할 수 있음. 다시 말하면 단일 태반, 같은 성(gender)쌍둥이, 태아 사이의 양막이 보이지 않는 것이 특징임
2) 약 8주 이전에는 한 개의 난황낭에 두 명의 태아가 보이는 경우 의심할 수 있으나 예외도 있음. 대개 10주 이후에 정확히 진단할 수 있음(Ishii K. 2015)

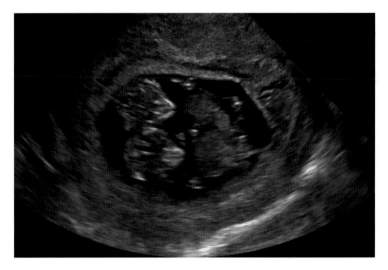

■ 그림 6-1. 임신 10주의 단일양막성 쌍태아. 두 태아가 나란히 보이고 사이막이 확인되지 않음

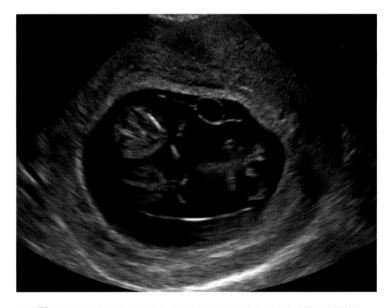

■ 그림 6-2. 임신 10주의 단일양막 쌍태아. 하나의 양막과 하나의 난황낭이 확인됨

## 3. 감별진단

이양막성 쌍태아에서 두 태아 사이의 얇은 태아막을 확인하지 못하는 경우 단일융모막 쌍태아로 잘못 진단될 수 있음

## 4. 임신 중 예후

1) 조산, 태아성장지연, 선천성기형 등과 같은 합병증이 증가하며 이는 다른 쌍태임신과 같음
2) 단일 융모막을 가지기 때문에 단일융모막쌍태아에서 특이하게 나타나는 합병증(태아수혈증후군, 쌍태아빈혈-적혈구증가증연쇄, 쌍태아역행동맥관류 등)이 나타날 수 있음
3) 탯줄얽힘(cord entanglement), 결합쌍태아같은 단일양막성 쌍태임신에서 특이한 합병증이 나타날 수 있음. 탯줄얽힘은 거의 대부분에서 나타남(그림 6-3)

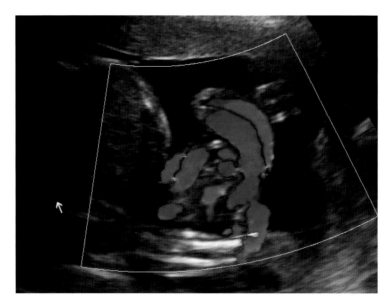

■ 그림 6-3. 단일양막성 쌍태아에서 탯줄꼬임을 컬러도플러로 확인할 수 있음

4) 태아기형은 단일융모막 이양막성 쌍태임신에서보다 더 자주 나타나는 것으로 알려져 있음
5) 주산기 사망률은 다른 종류의 쌍태아보다 높게 나타나며 약 5.8%의 태아사망이 일어나는 것으로 알려져 있음. 30주 이전에 나타나는 경우가 많고 원인은 쌍태아수혈증후군 혹은 성장지연(30%), 예측하지 못한 경우도 54% 정도로 나타남
4) 임신부의 합병증은 일반적으로 이양막 쌍태임신과 유사함

## 5. 산전관리 및 산전치료

1) 단일융모막 쌍태아에서 태아 목덜미투명대를 이용한 다운증후군 선별검사 시 측정값이 차이가 나는 경우 여러 평가 방법(가장 큰 값, 가장 작은 값, 혹은 평균을 이용하는 것 등)이 제시되었으나

일치된 권고사항은 아직 없음. 태아 목덜미투명대의 차이가 20% 이상의 경우 쌍태아 수혈증후군의 위험이 높아진다는 보고가 있음. 양수검사나 융모막 생검을 시행할 때는 한 번의 검사를 시행함(Boyle B et al. 2014; Sparks TN et al. 2016; Prats P et al. 2012)

2) 일반적으로 임신 제 3삼분기(약 24주-28주)부터 입원을 하여 집중석인 태아심박모니터링을 시행함. 입원을 하지 않은 경우보다 입원을 하여 집중적으로 감시를 하는 것이 임신 예후가 더 좋은 것으로 알려져 있음. 입원 후 한 시간 이상의 태아심박수 검사를 하루에도 수 회 실시하여 태아의 상태를 확인함(D'Antonio F et al. 2019)

3) 태아폐성숙을 위해 스테로이드를 투여하는 것이 일반적임. 일치된 의견이 있는 것은 아니지만 태아모니터링을 위해 입원할 때 스테로이드를 투여하고 34주 전에 분만하게 되면 분만 전에 다시 한 번 투여하는 것을 권고하기도 함

4) 단일양막성 쌍태임신에서 분만 진통 시 발생할 수 있는 탯줄 얽힘에 의한 합병증 때문에 제왕절개 분만을 시행해야 함. 많은 경우 임신 32+0주에서 34+0주 사이에 분만을 시행함. 이는 34주 이후에 분만을 하게 되면 태아사망의 가능성이 상존하고 있고 한 태아가 사망하면 다른 태아에도 신경학적 손상같은 심각한 합병증을 야기할 수 있기 때문임(Van Mieghem T et al. 2014)

5) 이 외의 경우는 다른 쌍태아의 관리와 비슷함

## 참고문헌

1. Boyle B et al. Prevalence and risk of Down syndrome in monozygotic and dizygotic multiple pregnancies in Europe: implications for prenatal screening. BJOG. 2014;121:809-19.

2. D'Antonio F et al. Perinatal mortality, timing of delivery and prenatal management of monoamniotic twin pregnancy:systematic review and meta-analysis. Ultrasound Obstet Gynecol. 2019;53:166-74.

3. Ishii K. Prenatal diagnosis and management of monoamniotic twins. Curr Opin Obstet Gynecol. 2015;27:159-64.

4. Lee YM. Delivery of twins. Semin Perinatol. 2012;36:195-200.

5. Prats P et al. First trimester risk assessment for trisomy 21 in twin pregnancies combining nuchal translucency and first trimester biochemical markers. Prenat Diagn. 2012;32:927-32 Slotnick RN et al. Monoamniotic twinning and zona manipulation: a survey of U.S. IVF centers correlating zona manipulation procedures and high-risk twinning frequency. J Assist Reprod Genet. 1996;13:381-5.

6. Sparks TN et al. Observed Rate of Down Syndrome in Twin Pregnancies. Obstet Gynecol. 2016;128:1127-33.

7. Van Mieghem T et al. Prenatal management of monoamniotic twin pregnancies. Obstet Gynecol. 2014;124:498-506.

**XV**

PART

# 태아의 성장

Fetal Growth

# 01 자궁내성장제한

Intrauterine Growth Restriction, IUGR

## 1. 개요

1) 정의: 출생체중이 해당 임신 주수의 10 백분위수 미만
2) 태아성장 및 태아성숙의 지연과 태아안녕을 위협하여 주산기 이환율과 사망률 증가됨
3) 성장 이후에도 만성질환 이환율과 사망률 증가와 연관 있음
4) 산과적 처치의 주목적: 자궁내성장제한의 원인을 찾고, 최적의 분만시점을 결정함

## 2. 초음파 소견

1) 태아생물계측(fetal biometry) 및 태아성장의 연속적 평가(ACOG. 2013)
2) 도플러
(1) 제대동맥 도플러: 태반기능이상을 나타내는 중요 지표임
   이완기말 혈류소실 또는 혈류역전은 자궁내 저산소혈증을 반영하는 비정상 파형임(ACOG. 2015)

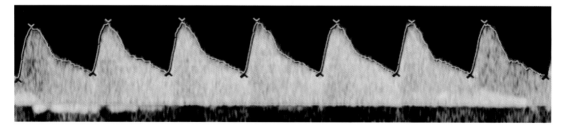

■ 그림 1-1. 정상 제대동맥 도플러

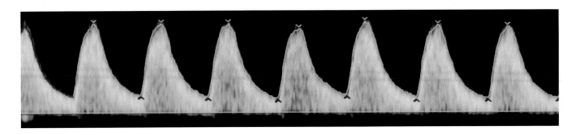

■ 그림 1-2. 비정상 제대동맥 도플러: 이완기말 혈류 감소

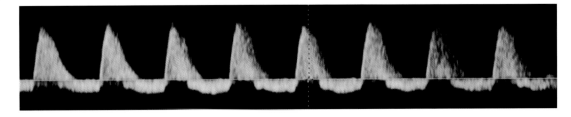

■ 그림 1-3. 비정상 제대동맥 도플러: 이완기말 혈류 역전

    (2) 중간대뇌동맥(middle cerebral artery flow) 도플러: 중간대뇌동맥 이완기말 혈류 증가로 인한 박동지수(pulsatile index) 감소됨

    (3) 정맥관 도플러: 심근기능 악화 및 산혈증 반영됨(Berkeley E et al. 2012)

  3) 양수량

    (1) 태아의 신혈류를 반영하므로, 간접적으로 태아혈류순환 상태를 예측할 수 있음

    (2) 심한 양수과소증은 비정상 도플러 파형과 관련 있을 수 있음(Henry IG et al. 2011)

## 3. 감별진단

건강한 체질적 저체중아(constitutional small for gestational age)와의 구별이 중요함(Ott WJ et al. 1988)

## 4. 임신 중 예후

양수과소증, 태아심박수 감소, 태동감소, 비수축검사 이상, 사산 등의 발생 가능성 증가됨(Mendez-Figuera H et al. 2016)

## 5. 산전관리 및 산전치료

1) 2-4주 간격의 연속적 초음파 태아생물계측 검사가 필요함(Marsal K et al. 2009; ACOG. 2013)
2) 자궁 내 성장제한 태아 평가의 표준검사법: 비수축검사(non-stress test), 생물리학적 계수(biophysical profile, BPP), 제대동맥 도플러(ACOG. 2015)
3) 최적의 분만시기 결정
   (1) 임신 32주 전: 도플러나 태아심박수의 이상이 없다면 분만을 늦추고, 보존적 기대치료(Ganzevoort W et al. 2017)
   (2) 임신 34주 후: 도플러 이상, 양수과소증 등이 있다면, 분만 유도(ACOG. 2013)

## 6. 신생아 관리

신경발달장애, 낮은 아프가 점수, 호흡곤란, 신생아 패혈증, 괴사성장염 등의 이환율과 주산기사망율 증가됨(De Jesus lc et al. 2013; Mendez-Figuera. 2016)

## 7. 장기 예후

1) 심장구조변화 및 심장기능장애 가능성 증가됨(Cruz-Lemini M et al. 2016)
2) 성인기 이후 고혈압, 당뇨, 동맥경화, 만성 신질환증후군 가능성 증가됨(Luyckx va et al. 2015; Burton GJ et al. 2016)

## 8. 유전상담

1) 세염색체증(특히 세염색체증 13, 18)과 연관됨(Eydoux P et al. 1989)
2) 태반 국한성 섞임증(confined placental mosaicism)과 연관됨(Wostenholme J et al. 1994)
3) 선천성 태아심장기형, 선천성 배갈림증과 연관됨(Khoury MJ et al. 1988)

---

**참고문헌**

1. American College of Obstetricians and Gynecologists. ACOG Practice bulletin no. 134: fetal growth restriction. Obstet Gynecol 2013;121:1122-33.

2. American College of Obstetricians and Gynecologists: Fetal growth resctriction. Practice bulletin no. 134, May 2013, Reaffirmed 2015.

3. Berkely E et al. Doppler assessment of the fetus with intrauterine growth restriction. Am J Obstet Gynecol 2012;206:300-8.

4. Burton GJ et al. Placental origins of chronic disease. Physiol Rev 2016;96:1509.

5. Cruz-Lemini M et al. Fetal cardiovascular remodeling persist at 6 months in infants with intrauterine growth restriction. Ultrasound Obstet Gynecol 2016;48:349.

6. De Jesus LC et al. Outcomes of small for gestational age infants born at < 27 weeks' gestation. J Pediatr 2013;163:55.e1.

7. Eydoux P et al. Chromosomal prenatal diagnosis: study of 936 cases of intrauterine abnormalities after ultrasound assessment. Prenat Diagn 1989;9:255-69.

8. Ganzevoort W et al. How to monitor pregnancies complicated by fetal growth restrictions and delivery before 32 weeks: post-hoc analysis of TRUFFLE study. Ultrasound Obstet Gynecol 2017;49:769.

9. Henry IG et al. Timing of delivery of the growth-restricted fetus. Semi Perinatol 2011;35:262-9.

10. Khoury MJ et al. Congenital malformation and intrauterine growth retardation: a population study. Pediatrics 1998;82:83-90.

11. Luyckx VA et al. Birth weight, malnutrition and kidney-associated outcomes-a global concern. Nat Rev Nephrol 2015;11:135.

12. Marsal K et al. Obstetric management of intrauterine growth restriction. Best Pract Res Clin Obstet Gynecol 2009;23:857-70.

13. Mendez-Figueroa H et al. Small-for-gestational-age infants among uncomplicated pregnanices at term: a secondary analysis of 9 Maternal-Fetal Medicine Units Network studies. Am J Obstet Gynecol 2016;215:628.e1.

14. Ott WJ. The diagnosis of altered fetal growth. Obstet Gynecol Clin North Am 1998;15:237-63.

15. Wostenhome J et al. Confined placental mosaicism, IUGR, and adverse pregnancy outcome: a controlled retrospective U.K. collaborative study. Prenat Diagn 1994;14:345-61.

# 02 거대아/큰몸증
## Macrosomia

## 1. 개요

1) 일반적으로 출생체중을 기준으로 진단하며, 거대아는 출생체중이 4,000 g 이상으로 확인된 신생아를 의미함

2) 태아예상체중은 초음파 계측을 통한 머리둘레(head circumference, HC), 복부둘레(abdominal circumference, AC), 대퇴골길이(femur length, FL) 등으로 계산하여 추정함

3) 출생 전에 출생체중을 정확하게 예측하는 데에는 한계가 있으며, 특히 체중이 큰 태아이거나 당뇨임신에서 오차가 큼(Benson CB et al. 1987)

## 2. 초음파 소견

1) 거대아: 태아 예상출생체중 4,000 g

2) 임신기간에 비해 큰 신생아(large for gestational age), 부당 중량아, 태아과도성장: 태아 예상출생체중 ≥ 출생주수에 따른 97 백분위 또는 2 표준편차

3) 태아복부둘레 ≥35 cm: 거대아 예측에 도움이 됨(Allahyar J et al. 1999)(그림 2-1)

4) 복부둘레와 머리둘레의 차이 ≥5 cm : 견갑난산과 상완신경총 손상 위험성 높음(Loraine E et al. 2015)(그림 2-1)

5) 복부지름과 양쪽마루뼈지름 차이 ≥2.6 cm, 또는 복부둘레 ≥90 백분위: 견갑난산 위험성이 증가됨(Rebecca R et al. 2020)

6) 당뇨임신에서는 과도한 장기성장과 피하지방의 증가로 태아의 어깨와 체간에 지방을 더욱 축적시켜 견갑난산의 위험도 증가됨(Bochner CJ et al. 1987)

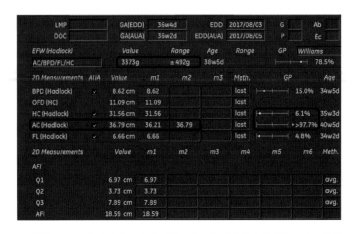

■ 그림 2-1. 초음파 검사 5일 뒤, 견갑난산으로 사산한 출생체중 4.3 kg 신생아의 출생체중 예측 보고서. 3,373 g의 예상 체중을 포함해서 '±492 g의 예상 범위'와 '35 cm보다 큰 복부둘레', '5 cm 이상이 복부둘레-머리둘레 차이'에도 주목할 필요가 있음

## 3. 감별진단

임신 기간에 비해 큰 신생아, Beckwith–Wiedemann syndrome 등

## 4. 임신 중 예후

1) 당뇨임신과 동반되는 경우 태아기형과 태아사망 가능성 증가됨
2) 제왕절개분만, 견갑난산, 산후출혈, 산도열상, 융모양막염 발생 증가됨
3) 신생아 쇄골골절, Erb 마비, 신생아집중치료실 입원, 신생아사망 발생 증가됨(Campbell S et al. 2014)

## 5. 산전관리 및 산전치료

1) 거대아 예방을 위한 산전관리 방법은 제한적임
2) 당뇨임신의 경우 엄격한 혈당 조절이 필요함
3) 분만 중 신생아손상, 견갑난산, 신생아사망 및 모체손상 예방을 위한 분만시기와 방법에 대한 상담이 필요함(Stuart C. 2014)
4) 거대아 임신은 만삭이전 또는 만삭의 선택적 유도분만의 적응증이 아님(산과학. 2019)

5) 거대아 임신의 선택적 제왕절개분만은 임상의사가 신중히 판단하여 결정해야 함

6) 당뇨임신에서 추정태아체중이 4,250-4,500 g 이상일 경우 제왕절개술이 견갑난산 예방에 효과적임(Chauhan SP et al. 2005)

## 6. 신생아 관리

1) 분만 후 출생체중 측정을 통해 거대아 또는 임신 기간에 비해 큰 신생아 등으로 확진함

2) 신생아 손상율 및 사망율이 정상 체중아 비해 높음(Stuart C. 2014)

3) 신생아 시기부터 발현되는 과성장성 유전병인 Beckwith–Wiedemann syndrome과 감별 필요함

## 7. 장기 예후

Beckwith–Wiedemann syndrome: 과성장, 복벽결손, 큰 혀증, 신생아 저혈당, 암발생 소인의 가능성이 있음

## 8. 유전상담

(1) 거대아의 병력이 있거나 당뇨 혹은 임신성 당뇨가 있는 경우에는 임신 전 상담을 통하여 임신 초기부터 혈당검사와 엄격한 조절이 필요함

(2) Beckwith–Wiedemann syndrome: 염색체 11p15 이상으로, 대개 산발적으로 발생함

**참고문헌**

1. 대한산부인과학회. 산과학. 제6판. 서울:군자출판사:2019.

2. Allahyar J et al. Macrosomia Prediction Using Ultrasound Fetal Abdominal Circumference of 35 Centimeters or More. Obstet Gynecol 1999;93:523-6.

3. Benson CB et al. Sonographic determination of fetal weights in diabetic pregnancies. Am J Obstet Gynecol. 1987;156:441-4.

4. Chauhan SP et al. Suspicion and treatment of the macrosomic fetus. Am J Obstet Gynecol. 2005;193:332-46.

5. Loraine E et al. Association of Fetal Abdominal–Head Circumference Size Difference With Shoulder Dystocia: A Multicenter Study. Am J Perinatol R 2015;5:e99-104.

6. Rebecca R et al. The test accuracy of antenatal ultrasound definitions of fetal macrosomia to predict birth injury: A sys-

tematic review. Eur J Obstet Gynecol Reprod Biol 2020:246;79-85.

7. Stuart CF et al. macrosomia: a problem in need of a policy. Ultrasound Obstet Gynecol 2014:43;3-10.

# XVI
PART

# 양수

Amniotic Fluid

# 01 양수과소증
Oligohydramnios

## 1. 개요

1) 양수과소증(Oligohydramnios): 양수량이 비정상적으로 감소된 상태
2) 무양수증(anhydramnios): 양수포켓을 측정할 수 없을 정도로 감소된 상태
3) 발생빈도-1-5%(Petrozella et al. 2011)

## 2. 초음파 소견

1) 양수과소증을 진단하는 초음파 기법(ACOG. 2016)
   (1) 양수량이 200-500 mL 이하 혹은 해당 임신주수 정상치의 5백분위수 이하, 또는
   (2) 단일최대양수포켓(single deepest vertical pocket, SDP)이 2 cm 미만, 또는
   (3) 양수지수(amniotic fluid index, AFI)가 5 cm 미만, 또는
   (4) 주관적인 판단
2) 경계성 양수과소증(borderline oligohydramnios): 양수지수가 5-8 cm 인 경우

## 3. 감별진단

1) 특발성 양수과소증(idiopathic oligohydramnios)(그림 1-1)
   (1) 선천성 태아이상, 양수파열, 태반이상 등의 다른 원인이 없는 경우임
   (2) 전체 임신의 0.5-5%
   (3) 중증 특발성 양수과소증의 예후: 유도분만 7.56배, 제왕절개 2.07배, 7점 이하의 5분 아프가 점수 1.53배, 신생아 집중치료실 입원 1.47배 증가됨(Shrem et al. 2016)

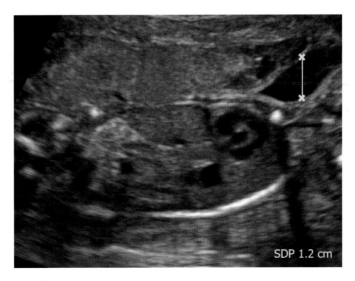

■ 그림 1-1. 특발성 양수과소증. SDP 1.2 cm

2) 양수과소증과 동반된 태아 기형: 요로계 폐쇄, 양측성 신무형성증(bilateral renal agenesis), 다낭성 신이형성증(multicystic dysplastic kidney), 상염색체 열성 다낭성 신질환(autosomal recessive poly-cystic kidney)(그림 1-2)

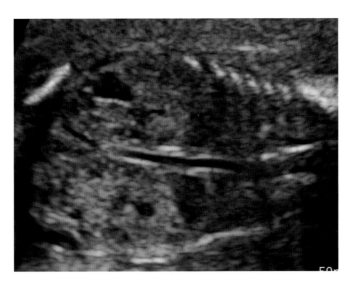

■ 그림 1-2. 양수과소증이 합병된 상염색체열성 다낭성신질환

3) 양막파열
4) 자궁태반순환부전: 자궁내태아성장지연, 고혈압, 자간전증, 과숙임신

5) 임신부 약물 복용: 안지오텐신전환효소 억제제(angiotensin-converting enzyme inhibitor), 안지오텐신 수용체차단제(angiotensin receptor blocker), 비스테로이드물질(nonsteroidal agent)

6) 다태임신: 쌍태아수혈증후군(Twin-to-twin transfusion syndrome)의 공혈아

## 4. 임신 중 예후

원인, 중증도, 발생시기에 따라 달라짐. 경증인 경우가 많고 다른 원인이 없는 경우에는 대게 예후가 양호함

1) 제 1 삼분기: 90% 이상 자연유산됨

2) 제 2 삼분기

(1) 경계성 양수과소증 예후: 대부분 양호함

(2) 중증 양수과소증: 조기분만 42%, 태아기형 25%, 사산 5%이 동반됨(Petrozella et al. 2011) 생존율은 원인질환에 따라 다름

(3) 조기 양수과소증(early oligohydramnios): 조기분만, 골격계 이상, 폐형성부전증(pulmonary hypoplasia) 발생 증가. 폐형성부전증의 위험은 특히 26주 이전의 양수파열이나 파열 기간이 최소 2-5주 이상 일 때 증가함

3) 제 3 삼분기

(1) 남아있는 양수량이 중요

(2) 탯줄압박, 태반부전증, 태변착색과 관련하여 비반응성 비수축검사, 태아심박동 감소, 제왕절개, 낮은 아프가 점수 위험 증가

(3) 주산기 사망률이 단일 최대 양수 포켓이 2-8 cm 일 때 0.2%, 1-2 cm 일 때 3.8%, 1 cm 미만일 때 11%임(Chamberlain PF et al. 1984)

## 5. 산전관리 및 산전치료

1) 산전관리

(1) 양수과소증이 진단되면 원인들에 대한 감별진단필요. 감별진단을 위해 임신부 병력 확인 및 신체검진을 시행, 고혈압 등의 태반이상과 임신부약물복용력, 양막파열을 감별함. 정밀초음파 검사를 통해 양수과소증과 관련이 있는 태아비뇨기 이상을 확인해야 함

(2) 임신 주수에 따른 산전검사(비수축검사, 생물리학계수 등)를 시행함

(3) 주기적 초음파 검사(태아성장 3-4주 간격, 양수양 측정 41주까지 주 1-2회, 41주 이후 주 2회, 도플러 혈류검사)를 시행함

(4) 임신부혈청 알파태아단백(alpha-fetoprotein)이 상승될 수 있음. 이는 양막파수 등의 경우에 태아의 혈액이 질이나 태반을 통과하여 임신부 혈액으로 유출될 수 있기 때문임

(5) 분만시기: 자궁내성장지연, 임신부 고혈압, 양막파수 등이 합병된 경우, 해당 상황에 따라 결정함. 태아가 정상적으로 성장하고 비수축검사가 정상인 특발성 양수과소증인 경우 성해신 분만시기는 없지만 36주 이전의 분만은 권유되지 않고 자궁경부의 숙화상태에 따라 분만시기를 결정함

2) 산전치료

(1) 경계성 양수과소증인 경우에는 주기적 초음파 검사를 하면서 경과관찰함(Chamberlain et al. 1984)

(2) 양수주입술(amnioinfusion): 조기양막파열에서 폐형성부전의 예방, 분만지연, 탯줄 압박 감소 등의 효과가 있다는 보고도 있으나 현재까지 명확한 이득은 밝혀져 있지 않음(van Kampen et al. 2019)

(3) 임신부 수액공급: 특발성 양수과소증이면서 순환혈액량이 감소된 환자(hypovolemic patient)에게 시도됨

## 6. 신생아관리

주산기 예후는 원인과 중증도, 발생시기에 좌우. 따라서 중증 양수과소증이 지속되면 모체태아전문의, 신생아전문의, 각 분과 별 소아 전문의간 다학제통합진료(multidisciplinary care)적인 접근이 필요함

## 7. 장기예후

태반이상이나 태아 기형등의 원인이 존재하는 양수과소증은 각 원인과 분만시기에 따라 예후가 결정됨. 특발성 양수과소증의 경우 분만 시 처치의 필요는 증가하지만 장기예후는 양수량이 정상인 경우와 다르지 않음(Rossi et al. 2013)

## 8. 유전상담

1) 태아기형이 확인 된 경우 염색체 검사: 파타우증후군(13번 세염색체) 등은 조기 양수과소증(early oligohydramnios)을 야기하는 대표적인 질환임

2) 태아기형이 확인되지 않은 양수과소증에서 염색체검사는 필요하지 않음

**참고문헌** ////////////////////////////////////////////////////////////////////////////////////////////////////////////////////////////////////////////

1. American College of Obstetrics and Gynecologists: ACOG Practice Bulletin No. 175. December 2016. Ultrasound in pregnancy.

2. Chamberlain PF et al. Ultrasound evaluation of amniotic fluid volume. I: the relationship of marginal and decreased amniotic fluid volumes to perinatal outcomes. Am J Obstet Gynecol. 1984;150:240-9.

3. Petrozella L et al. Clinical significance of borderline amniotic fluid index and oligohydramnios in preterm pregnancy. Obstet Gynecol. 2011;117:338-42.

4. Rossi A et al. Perinatal outcomes of isolated oligohydramnios at term and post-term pregnancy: a systematic review of literature with meta-analysis. Eur J Obstet Gynecol Reprod Biol. 2013;169:149-54.

5. Shrem G et al. Isolated Oligohydramnios at Term as an Indication for Labor Induction: A Systematic Review and Meta-Analysis. Fetal Diagn Ther. 2016;40:161-73.

6. van Kempen LEM et al. Amnioinfusion Compared With No Intervention in Women With Second-Trimester Rupture of Membranes: A Randomized Controlled Trial. Obstet Gynecol. 2019;133:129-36.

# 02 양수과다증
## Polyhydramnios

## 1. 개요

1) 양수과다증(hydramnios, polyhydramnios): 양수량이 비정상적으로 증가된 상태
2) 발생빈도: 0.2-2%(Sandlin et al. 2013)

## 2. 초음파 소견

1) 단일최대양수포켓(single deepest vertical pocket, SDP)이 8 cm 초과(그림 2-1A)
2) 양수지수(amniotic fluid index, AFI)가 24 cm 초과(그림 2-1B)(Khan et al. 2017)

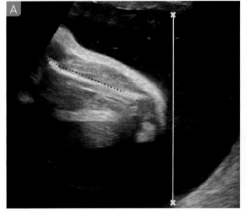 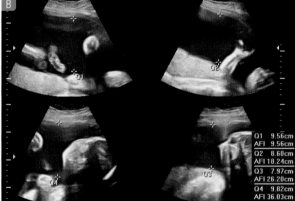

■ 그림 2-1. 양수과다증. **A.** 단일최대양수포켓 측정(SDP 12.7 cm), **B.** 양수지수(AFI 36 cm)

표 2-1. **양수과다증의 분류**(Lazebnik N et al. 1996)

| | 양수지수(AFI) | 단일최대양수포켓(SDP) |
|---|---|---|
| 경증(Mild) | 25–30 cm | ≥ 8 cm |
| 중증도(Moderate) | 30.1–35 cm | ≥ 12 cm |
| 중증(Severe) | ≥ 35.1 cm | ≥ 16 cm |

## 3. 감별진단

1) 특발성 양수과다증(idiopathic polyhydramnios)

   (1) 선천성 태아 이상, 감염, 태반이상, 당뇨 등의 다른 원인이 없는 경우임

   (2) 전체 양수과다증의 50-60%를 차지함

   (3) 약 37%에서 자연적으로 소실되며, 80%가 경증 양수과다증임(Odibo IN et al. 2016)

   (4) 중증 특발성 양수과다증의 예후: 불량한 주산기 예후(거대아, 조기분만, 낮은 아프가점수 등)와 연관, 주산기 사망률 2-5배 증가함(Magann et al. 2007)

2) 양수과다증과 동반된 태아 기형

   (1) 중추신경계: 무뇌아(anecephaly), 뇌류(encephalocele), 척추갈림증(spina bifida), 후두공뇌탈출기형(iniencephaly), 수두증(hydrocephalus), 작은머리증(microcephaly), 통앞뇌증(holoprosencephaly), 대뇌동정맥기형(cerebral arteriovenous malformation), Dandy-walker 기형

   (2) 얼굴과 목: 갑상샘종(goiter), 작은턱증(micrognathia), 입천장갈림증(cleft palate), 목 종양(neck mass), 림프물주머니(cystic hygroma), 선천성상기도폐쇄(congenital high airway obstruction)

   (3) 심혈관계: 부정맥(arrhythmia), 심장딴곳증(ectopia cordis), 심장종양(cardiac tumor), 동맥관무발생(agenesis of the ductus arteiosus)

   (4) 호흡기계: 기관지무발생증(tracheal agenesis), 물가슴증(hydrothorax), 기관지허파분리증(bronchopulmonary sequestration), 선천성낭성샘모양기형(congenital cystic adenomatoid malformation), 횡격막탈장(diaphragmatic hernia)

   (5) 위장관계: 식도폐쇄증(esophageal atresia)(그림 2-2A), 샘창자폐쇄증(duodenal atresia)(그림 2-2B), 빈돌창자폐쇄증(jejunal atresia), 선천성거대결장(congenital megacolon), 고리이자(annular pancreas), 배꼽탈장(omphalocele), 배벽갈림증(gastroschisis), 태변복막염(meconium peritonitis)

   (6) 비뇨기계: 물콩팥증(hydronephrosis), 신우요관이행부막힘증(ureteropelvic junction obstruction), 중간막성콩팥종(mesoblastic nephroma), 바터증후군(Bartter syndrome)

   (7) 근골격계: 근긴장성이영양증(myotonic dystrophy), 관절굽음증(arthrogryposis), 불완전골형성증(osteogenesis imperfect), 연골무형성증(achondroplasia), 저인산증(hypophospathasia), 점상연골형성장애(chondrodysplasia punctata), 짧은늑골다지증증후군(short-rib polydactyly syn-

drome), Campomelia형성장애, Thanatophoric형성장애

3) 태아감염: TORCH, Parvovirus B-19

4) 태아빈혈

5) 임신부의 당뇨병

6) 다태임신: 쌍태아수혈증후군(Twin-to-twin transfusion syndrome)의 수혈아

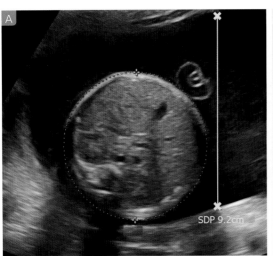 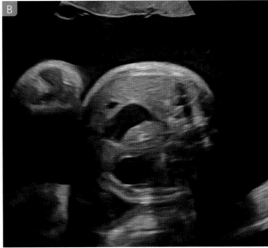

■ 그림 2-2. 위장관 폐쇄증과 동반된 양수과다증. **A.** 식도폐쇄증(esophageal atresia), **B.** 쌍기포징후(double bubble sign)소견이 관찰되는 샘창자폐쇄증(duodenal atreia)

## 4. 임신 중 예후

임신 초기에 발생할수록, 양수량이 많을수록 증가 관련합병증 증가됨

1) 경증 양수과다증

(1) 임신부에서 특별한 증상을 초래하지 않음

(2) 갑자기 진행되는 양수과다증: 과도하게 커진 자궁이 주위 조직을 압박하여 호흡곤란을 발생시키거나 다음과 합병증과 관련이 있음(Odibo IN et al. 2016)

① 임신중고혈압질환(Hypertensive disorders in pregnancy)

② 비뇨기감염(urinary tract infection)

③ 조기분만 또는 조기양막파수(premature rupture of membrane)

④ 목덜미탯줄(nuchal cord)

⑤ 비정상태위(malpresentation)

⑥ 제왕절개분만(cesarean delivery)

⑦ 자궁내태아사망(intrauterine fetal demise) 또는 신생아사망(neonatal death)

2) 중증 양수과다증

태아의 선천성기형(79%), 조기분만(46%), 저체중출생아(16%), 염색체이수성(13%), 주산기사망(27%)과 관련됨(Pri-Paz et al. 2012)

3) 분만전후합병증

(1) 양수파열과 동반되는 태반조기박리, 탯줄탈출증 발생가능함

(2) 산후출혈: 과도하게 신전된 자궁으로 인해 자궁이완증 유발될 수 있음(Sandlin AT et al. 2013)

# 5. 산전관리 및 산전치료

1) 산전관리

(1) 원인들에 대한 감별진단 필요함

(2) 심한 양수과다증: 선천성 태아기형과 관련이 높음. 정밀초음파 검사를 시행하여 태아이상 감별함(Pri-Paz S et al. 2012)

표 2-2. 중등도 이상의 양수과다증에서 정밀초음파 평가 항목 및 주요 동반이상

| 태아 상태 |
| --- |
| ① 태아 성장(Fetal growth)<br>② 태아 움직임(Fetal movement) – 근긴장성 이영양증<br>③ 다태임신(Multiple gestations) – 쌍태아수혈증후군<br>④ 태아중간뇌동맥도플러(Middle cerebral artery Doppler) – 태아빈혈 |
| **태아 구조적 기형** |
| ① 심장 – 심장기형 및 부정맥<br>② 위장관 – 식도폐쇄증, 십이지장폐쇄증<br>③ 팔다리 – 관절굽음증<br>④ 얼굴 – 입천장갈림증, 작은턱증<br>⑤ 목 – 목종양<br>⑥ 신장 – 요관깔대기막힘<br>⑦ 척추 및 골반 – 천미기형종, 신경관결손증 |
| **태반 이상** |
| ① 융모막맥관종(Chrioangioma) |

507

① 태아수종 동반된 양수과다증

    i. 면역성 또는 비면역성 태아수종의 감별을 위해 모체의 항체선별검사 시행함

    ii. 비면역성 태아수종의 원인 중 감염을 배제하기 위하여 TORCH(Toxoplasmosis, Rubella, CMV, Herpes) 검사 시행함

② 임신성 당뇨 또는 현성 당뇨의 진단 및 엄격한 혈당관리 중요함(태아 고혈당으로 인해 태아의 소변량이 증가가 양수과다의 원인)

2) 산전치료

(1) 무증상 특발성 양수과다증

    ① 경한 양수과다증의 약 50%는 호전됨. 임신 초기 진단 또는 경한 양수과다증의 경우 호전 가능성의 증가함

    ② 무증상 특발성 양수과다증: 경과 관찰(3-4주마다 양수량 측정)

    ③ 양수량이 점차 증가하는 경우 원인에 대한 재평가 시행함(Odibo IN et al. 2016)

(2) 양수감소술(amnioreduction)

    ① 적응증: 복부 불편감이나 호흡곤란 등의 증상이 있는 경우 고려할 수 있음

    ② 방법

      i. 일반적으로 시행하는 양수천자와 유사함

      ii. 긴 시간동안 다량의 양수를 제거하기 위해서 18~22게이지(gauge)의 바늘을 사용하므로 임신부에게 국소마취를 하기도 함

      iii. 바늘 삽입 시 초음파로 태반이나 태아를 피해야 함

      iv. 배액방법: 튜브를 이용한 진공펌프법 또는 자연배액방법

      v. 배액시간: 20-30분동안 1-2 L를 천천히 배액함(갑자기 많은 양의 양수를 배액하면 조기진통이나 태반조기박리의 위험이 증가)

      vi. 합병증: 조기분만(4.1-9.4%), 조기양막파수(1.1-2.2%), 태반조기박리(0-2.3%)등 있음. 양수감소술을 시행하지 않은 군에 비해 유의하게 증가하지는 않음(odd ratio, OR 1.4, 95% CI 0.46–1.26)(Erfani H et al. 2019)

(3) 약물치료(medical treatment)

    ① 적응증: 조기진통이 동반되거나, 양수감소술에도 불구하고 지속되는 심한 양수과다증

    ② 인도메타신(indomethacin)

      i. 프로스타글란딘 저해제(prostaglandin inhibitor)

      ii. 태아 신장 혈류량 감소시켜 소변 배출량 줄임

      iii. 합병증: 태아동맥관수축(임신 32주에는 약 50%까지 증가함)(Moise KJ. 1997), 중증뇌실내출혈(1.29배), 괴사성 장염(1.36배), 뇌실주위백질연화증(1.59배)(Hammers AL. et al. 2015)

③ 임신 32주이상에서는 약물치료는 추천되지 않으며, 그 이전에는 72시간내의 단기간 투여를 고려할 수 있음

(4) 분만시기

① 임신부와 태아상태, 양수과다의 정도, 임신주수에 따라 결정

  i. 임신 37주 이상의 중증도-중증 양수과다증의 임신부

    i) 정상에 비해 자궁내사망(24배), 거대아(2.8배), 비정상태위(2.5배), 제왕절개분만(2.5배), 낮은 5분 아프가점수(4.3배)로 증가됨(Luo QQ et al. 2017)

    ii) 태아 폐성숙지수는 양수과다증에서 정상인군에 비해 낮았음(Piazze JJ et al. 1998)

    iii) 임신부나 태아의 분만적응증이 없는 경증 양수과다증: 39주 이후 분만을 고려함(ACOG. 2019)

# 6. 신생아관리

1) 양수과다증은 중증도에 따라 주산기예후가 달라짐
2) 양수량이 증가할수록 거대아로 인한 합병증, 낮은 아프가 점수, 높은 신생아 중환자 치료와 관련 있음(Karkhanis P et al. 2014)
3) 중증 양수과다증 지속: 모체태아전문의, 신생아전문의, 각 분과 별 소아 전문의간 다학제통합진료(multidisciplinary care)적인 접근이 필요함

# 7. 장기예후

1) 정상 초음파 소견의 양수과다증 임신부의 신생아 예후
(1) 유전학적 이상(3.7% vs. 0.75%), 선천적 기형(19% vs. 10%), 신생아중환자실입원(12% vs. 5%)이 유의하게 증가함(Yefet E et al. 2016)
(2) 양수과다증과 관련된 예후 설명 필요함
2) 장기적 예후
(1) 신경학적이상 및 발달지연(9.7% vs. 3%)증가, 특히 운동발달지연(6% vs. 1.1%)과 집중 및 학습장애(3.7% vs. 0.75%)가 증가함(Yefet E et al. 2016)

## 8. 유전상담

1) 특발성 양수과다증에서 염색체 이상

3.2-13.3%로 다양하나, 정상 초음파 소견을 보이는 경증, 중증도 양수과다증에서 각각 1%, 2% 발생함(Dashe JS et al. 2002). 염색체 검사의 절대적 적응증이 되지 않음

2) 태아수종, 태아의 구조적 및 움직임 이상 또는 중증 양수과다증에서 염색체 이상

10-13%에서 발견. 태아핵형분석(karyotyping) 및 염색체마이크로어레이(chromosome microarray)를 임신부와 상의 후 시행하는 것을 고려해야 함(Dashe JS et al. 2002, Boito S et al. 2016)

### 참고문헌

1. American College of Obstetricians and Gynecologists (ACOG) Committee Opinion No. 764: Medically Indicated Late-Preterm and Early-Term Deliveries. Obstet Gynecol. 2019;133:e151-5.

2. Boito S et al. Prenatal ultrasound factors and genetic disorders in pregnancies complicated by polyhydramnios. Prenat Diagn. 2016;36:726-30.

3. Dashe JS et al. Hydramnios: anomaly prevalence and sonographic detection. Obstet Gynecol. 2002;100:134-9.

4. Erfani H et al. Amnioreduction in cases of polyhydramnios: Indications and outcomes in singleton pregnancies without fetal interventions. Eur J Obstet Gynecol Reprod Biol. 2019;241:126-8.

5. Hammers AL et al. Antenatal exposure to indomethacin increases the risk of severe intraventricular hemorrhage, necrotizing enterocolitis, and periventricular leukomalacia: a systematic review with metaanalysis. Am J Obstet Gynecol. 2015;212:505.e501-13.

6. Karkhanis P et al. Polyhydramnios in singleton pregnancies: perinatal outcomes and management. The Obstetrician & Gynaecologist. 2014;16:207-13.

7. Khan S et al. Outcome of pregnancy in women diagnosed with idiopathic polyhydramnios. Aust N Z J Obstet Gynaecol. 2017;57:57-62.

8. Lazebnik N et al. Severity of polyhydramnios does not affect the prevalence of large-for-gestational-age newborn infants. J Ultrasound Med. 1996;15:385-8.

9. Luo QQ et al. Idiopathic polyhydramnios at term and pregnancy outcomes: a multicenter observational study. J Matern Fetal Neonatal Med. 2017;30:1755-9.

10. Magann EF et al. A review of idiopathic hydramnios and pregnancy outcomes. Obstet Gynecol Surv. 2007;62:795-802.

11. Moise KJ. Polyhydramnios. Clin Obstet Gynecol. 1997;40:266-79.

12. Odibo IN et al. Idiopathic polyhydramnios: persistence across gestation and impact on pregnancy outcomes. Eur J Obstet Gynecol Reprod Biol. 2016;199:175-8.

13. Piazze JJ et al. The effect of polyhydramnios and oligohydramnios on fetal lung maturity indexes. Am J Perinatol. 1998;15:249-52.

14. Pri-Paz S et al. Maximal amniotic fluid index as a prognostic factor in pregnancies complicated by polyhydramnios. Ultrasound Obstet Gynecol. 2012;39:648-53.

15. Sandlin AT et al. Clinical relevance of sonographically estimated amniotic fluid volume: polyhydramnios. J Ultrasound Med. 2013;32:851-63.

16. Yefet E et al. Outcomes From Polyhydramnios With Normal Ultrasound. Pediatrics. 2016;137:e20151948.

# XVII

PART

# 태아수종

Hydrops Fetalis

01
면역성 태아수종, 비면역성 태아수종

# 01 면역성 태아수종, 비면역성 태아수종
## Immune Hydrops, Nonimmune Hydrops Fetalis

## 1. 개요

피부 부종 및 복강, 흉강, 심낭 등의 태아 신체부위에서 두 군데 이상의 체액이 존재하는 것을 말함

1) 면역성 태아수종

    (1) 산모의 면역 체계와 적합하지 않은 태아의 적혈구에 존재하는 항원으로 인하여 산모에서 항체가 생성되고 태아 적혈구를 파괴함으로써 심한 빈혈증이 유발되고 태아수종에 이르게 됨

    (2) 동종면역(isoimmunization)을 유발하는 대표적인 적혈구 항체는 Rh항원 중 D이며, 산모가 Rh 음성이고 태아가 Rh 양성일 때 발생함

    (3) 2015년에 실시된 연구 결과에 따르면, 전 세계적으로 발생 빈도가 0.4-2.7%인 것으로 보고됨 (Velkova E et al. 2015)

    (4) Rh 음성인 산모가 Rh 양성인 태아를 처음으로 임신하게 되면 태아의 Rh 항원이 모체의 면역계를 자극하여 항-D 항체를 만들어낼 위험은 약 16%이며 이후 Rh 항원에 감작된 산모가 임신을 하는 경우 약 8-10%에서 면역성 태아수종이 발생함(Bowman JM et al. 1985)

2) 비면역성 태아수종

    (1) 산모 혈류내에 태아적혈구를 파괴하는 항체가 존재하지 않는 상태에서 생기는 경우를 말하며, 태아수종 중 거의 90% 이상을 차지함

    (2) 약 1/1,700-3,000 분만 빈도로 발생하며, 원인을 찾지 못하는 경우가 15-25%라고 알려져 있고, 국내 연구에서도 26.8%가 특발성(idiopathic) 으로 보고됨(Norton, M.E et al. 2015; 고훈 등. 2011)

    (3) 가장 흔한 원인은 태아의 부정맥(fetal arrhythmia), 심장의 구조적 이상, 심근병증 등 심혈관계의 이상이 있을 때 이며(17-35%) 중심정맥압(central venous pressure)의 증가로 인해 발생할 수 있음 (Norton, M.E et al. 2015)

    (4) 다른 원인으로는 염색체 이상(7-16%), 혈액학적 이상(4-12%), 선천성 감염(5-7%), 흉부에 문제가 있어 정맥이 막히거나 흉강내 압이 올라가 정맥환류(venous return)가 잘 안되는 경우

(6%), 쌍태아수혈증후군(Twin-twin transfusion syndrome, TTTS) (3-10%)이 있으며, 그 외 요관의 이상, 장관의 이상, 림프관의 형성이상(lymphatic dysplasia), 융모막맥관종(chorioangioma) 등을 포함한 종양, 골격이형성증(skeletal dysplasia) 등으로 다양함(Norton, M. E et al. 2015)

## 2. 초음파 소견

1) 진단 기준: 아래 소견 들 중 태아 신체부위에서 두 군데 이상의 체액이 존재
   (1) 태아의 피부 및 피하에 부종이 있는 경우: 피부 두께 >5 mm, 주로 두피 부종이 첫 번째 증상(그림 1-1)
   (2) 복수(그림 1-2)
   (3) 흉막삼출(pleural effusion)(그림 1-3)
   (4) 심낭삼출(pericardial effusion)
   (5) 그 외 다른 증상
   ① 거대태반(placentomegaly)
   - 임신 제2삼분기: 태반 두께 >40 mm, 임신 제3삼분기: 태반 두께 >60 mm
   ② 양수과다증(polyhydramnios)
   ③ 간비장비대(hepatosplenomegaly)

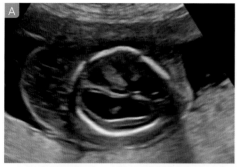
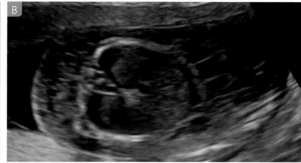
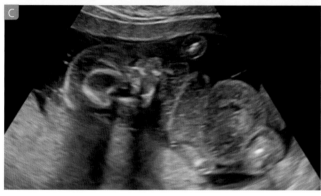

■ 그림 1-1. 임신17주 태아의 피부 및 피하 부종. A. 두피의 부종이 보임, B. 복부의 피부 및 피하 부종과 함께 복수 소견이 같이 보임, C. 피부 부종이 보임

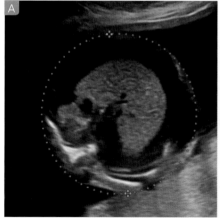
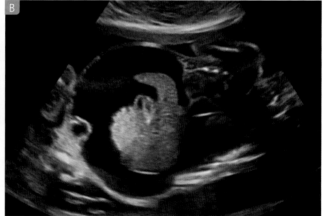

■ 그림 1-2. 임신 33주 태아의 복수. A. 복강 내 복수가 보임, B. 복강내 간, 소장, 대장 등이 복수에 둘러 싸여 있음

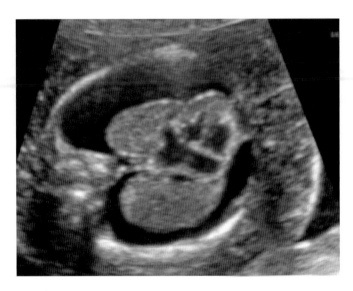

■ 그림 17-3. 흉강내 흉막삼출

## 3. 감별진단

1) 면역성 태아수종

    (1) Rh 부적합(Rh incompatibility)

    (2) 기타 항체(other Antibodies)

2) 비면역성 태아수종

    (1) 특발성(Idiopathic)

    (2) 심혈관기형: 심장의 구조적 문제, 빠른부정맥(tachyarrhythmia), 느린부정맥(bradyarrhythmia)

    (3) 염색체 이상: 터너증후군(Turner Syndrome), 다운증후군(Down syndrome)

    (4) 감염(infection): 파르보바이러스 B19 (parvovirus B19), 톡소포자충증(toxoplasmosis), 거대세포바이러스(cytomegalovirus), 풍진(rubella), 매독(syphilis)

    (5) 쌍태아수혈증후군(Twin-twin transfusion syndrome, TTTS)

    (6) 드문 경우

        ① 태아종양 - 기형종(teratoma), 흉강내종양, 선천성 간혈관종(congenital hepatic hemangioma), 태반 융모막맥관종(placenta chorioangioma)

        ② 혈관기형(vascular malformation)

        ③ 유전질환 - 리소솜축적병(lysosomal storage disease))

# 4. 임신 중 예후

1) 면역성 태아수종
(1) Rh 동종면역인 경우 태아수종이 나타나기 전 치료한다면 90% 이상의 생존률을 보임
(2) 태아수종이 나타난 후에 치료한다면 75%의 생존률을 보임
(3) 208명의 산모를 대상으로 임신 중 자궁내 수혈을 총 590회 시행한 후향적 연구에서 전체 주산기 생존율은 86%였음. 태아수종의 진단시점이 이르거나 20주 이전에 자궁내 수혈의 필요성이 있는 경우 낮은 생존율을 보였고, 시술에 따른 태아소실은 4.8%의 결과를 보였음(Van Kamp IL et al. 2004)
(4) 116명의 산모를 대상으로 457회의 자궁내 수혈을 시행한 연구에서 출생 후 단기간내 신생아 생존율은 97.4%를 보였음. 분만 후 33%의 신생아에서 호흡 보조가 필요했고 16%에서 교환 수혈이 필요했으며, 54%에서 top-up 수혈이 필요했음(McGlone L et al. 2011)

2) 비면역성 태아수종
(1) 비면역성 태아수종의 예후는 근본적인 병인, 진단된 임신 주수 및 분만 주수 등에 달려있으며, 주산기 사망률은 40-90%임
(2) 태아의 질병이 심할수록 더 이른 시기에 태아수종이 나타남
(3) 태아 부정맥, 암죽가슴증(chylothorax), 파르보바이러스 B19 같은 교정이 가능한 비면역성 태아수종의 경우 생존율이 더 좋음
(4) 자궁 내 태아수혈이나, 최소 침습적 태아 수술 등 자궁 내 치료가 가능한 경우에도 예후가 향상될 수 있음
(5) 태아수종이 진단된 임신 주수가 24주 이전일 경우 약 31%의 생존율을 갖는다면, 24주 이후에 진단받는 경우 생존율은 48%로 더 높음(Norton, M. E et al. 2017)
(6) 태아수종이 있으면서 빠른부정맥(tachyarrhythmia)이 있는 경우 치료 시 예후가 더 좋음
(7) 태아수종이 있으면서 태아기형 및 염색체이상이 있는 경우에는 치사율이 매우 높음

# 5. 산전관리 및 산전치료

1) 면역성 태아수종
• 처음 이환된 임신의 경우 태아의 심한 용혈성 질환은 나타나지 않고 이전 임신에서 감작된 경우 심한 태아 용혈성 질환이 나타나는 것으로 알려져 있음
• RhD에 감작된 경우가 의심되면 먼저 산모의 항체역가를 간접쿰스검사(indirect Coombs test)로 측정하고 대개 임계역가는 1:16을 기준으로 함
• 보통 임신 28주에 투여하지만 34주까지 항-D 면역글로불린(anti-D immunoglobulin, Rho-

Gam)을 300 μg 또는 1,500 IU를 근육주사함

(1) 처음 이환된 임신

① 먼저 산모의 항체선별검사에서 용혈성 질환을 일으키는 항체가 발견되면 항 RhD 항체 역가 검사를 시행해야 함

② 태아의 항원이 양성인 경우 임신 24주부터 1-2주 간격으로 중대뇌동맥 도플러를 측정함

③ 중대뇌동맥 최고수축기속도가 1.5 MoM 이상이면 태아의 적혈구 용적율(hematocrit)과 자궁 내 수혈을 위한 제대천자의 적응증이 됨

④ 만약 적혈구 용적율이 30% 이하이면 자궁내 수혈을 고려해야 함

⑤ 임신 32주부터는 비수축검사나 생물리학적 검사(biophysical profile)를 시행함

⑥ 임신 38주에 분만을 고려함

(2) 이전에 이환된 태아나 영아가 있는 경우

① 산모의 항RhD 항체 역가는 태아 빈혈의 정도를 예측하는데 사용할 수 없으며, 임신 16주에 시작해서 매 1-2주마다 연속적으로 중대뇌동맥 도플러 측정함

② 대부분의 경우에 자궁내 수혈을 필요로 하지만 드물게 필요로 하지 않는 경우에는 처음 이환된 임신과 동일하게 관리함

③ 최고중대뇌동맥 속도가 1.5 MoM보다 커지면 즉시 수혈을 할 수 있도록 혈액을 준비해 놓은 상태에서 태아 혈액채취를 시행하고, 적혈구용적율이 30% 보다 적으면 수혈을 시행

④ 대부분의 센터에서는 임신 35주까지 자궁 내 수혈을 시행하며 임신 37-38주에 분만을 고려함

2) 비면역성 태아수종

(1) 심장이 원인인 경우

① 상실성빈맥(supraventricular tachycardia)이나 심방조동(artrial flutter) 같은 태아 빈맥의 경우 산모에게 디곡신(digoxin) 등의 항부정맥제를 투여함

② 태아의 서맥, 특히 anti-Ro/La 항체와 연관된 완전방실차단(complete atrioventricular block)의 경우에는 베타-작용제나 스테로이드를 투여해 볼 수 있으나 예후가 불량함

(2) 선천성 감염이 원인인 경우

① 파르보바이러스 감염이 임신 20주 이전에 일어난 경우 태아에게 심한 빈혈, 태아수종이 나타날 수 있는데, 중간대뇌동맥의 도플러 검사로 태아의 빈혈을 예측할 수 있으며, 최고수축기속도가 1.5MoM 이상이면 치료를 시작함

② 매독에 의한 태아수종인 경우 산모에게 페니실린(penicillin)을 투여함으로써 태아수종을 완화시킬 수 있으나 예후는 선천성 매독의 중증도에 따라 다름

(3) 쌍태아수혈증후군이 원인인 경우

쌍태아수혈증후군에서 수여태아(recipient)는 양수과다증과 함께 태아수종이 나타날 수 있고, 최근 태아경(fetoscopy)을 이용하여 태반에 존재하는 교통 혈관에 대하여 레이저응고술(Laser coagulation)을 이용하면 생존률이 향상됨

(4) 흉강내 원인인 경우

흉막삼출이 너무 심하여 생긴 태아수종이나 선천성 낭성선종양폐(congenital cystic adenomatoid malformation)가 태아의 흉곽에 자리를 잡고 있어 태아의 정맥환류가 되지 않아 생기는 태아수종의 경우 초음파 유도하 천자술(paracentesis)을 시행하거나 흉강-양막강 션트(thoraco-amnionic shunt) 시행 고려됨

## 6. 신생아 관리

1) 태아수종을 가진 아기는 출생 직후부터 집중적인 치료가 필요하기 때문에, 대부분의 경우 3차 병원에서 분만을 진행함

2) 신생아 전문의는 분만 과정부터 참관하여 적절한 처치를 시행하고, 이후 원인에 대한 검사와 치료를 병행하게 되는데, 치료는 원인이 되는 기저 질환이 확인된 경우 이를 교정해 주는 것이 우선임

3) 출생 직후 치료는 초기 소생술, 원인 질환을 알아내기 위한 검사 및 가능한 경우 원인 질환의 치료로 나뉨

4) 초기 소생술은 영아의 심폐 상태를 안정화시키는 데 주력하며, 분만 직후에는 심각한 복수 또는 흉막 삼출이 환기를 손상시키는 경우 이에 대한 배액을 준비하며, 심한 빈혈이 있는 경우 수혈을 위하여 불일치 유형의 Rh-D 음성, O형인 백혈구여과제거(leukocyte-filtered) 및 방사선조사(irradiated) 적혈구 혈액제제를 준비함

5) 영아의 심폐기능이 안정되면 원인질환에 대한 진단 평가를 실시하여 태아수종의 원인 질환을 확인

6) 태아의 병인에 따라 추가 검사가 결정되며, 향후 치료 및 예후 등이 결정함

## 7. 장기 예후

1) 면역성 태아수종

(1) 신경발달정도 평가를 위해 임신 중 용혈성 질환으로 자궁내 수혈을 받았던 291명의 태아 및 신생아에 대한 평균 8.2년간 추적관찰을 시행한 LOTUS연구에 따르면 전체적으로 높은 생존율을 보였음

(2) 질환을 동반한 경우는 뇌성마비의 경우 2.1%, 심각한 발달지연 3.1%, 양측성 청각장애 1.0%를 보였고 전체적인 신경학적 발달장애는 4.8%로 낮았음. 태아수종의 심각성 정도가 불량한 신경발달예후의 주요한 위험인자였음(Lindenburg IT et al. 2012)

2) 비면역성 태아수종

　(1) 근본적인 병인에 따라 다르지만, 파르보바이러스 B19 감염으로 인해 생긴 태아수종의 경우 자궁 내 수혈을 받은 경우 5-11%에서 신경 발달 장애가 있다고 한 코호트 연구에서 밝힌 바가 있음(De Jong, Eveline P et al. 2012)

　(2) 한 연구에 따르면 비면역성 태아수종을 가진 신생아 51명을 대상으로 연구한 결과 생후 1년까지 생존한 영아의 정상적인 발달률은 68%임(Nakayama, H et al. 1999)

## 8. 유전상담

1) 면역성 태아수종

　(1) 부성접합체성(paternal zygosity)이 이형접합자(heterozygous)인 경우는 약 50%에서 태아혈액형이 Rh 음성이며, 산모나 태아에게 추가적인 검사나 치료가 필요하지 않음

　(2) Rh-D 음성인 산모에게서 부성접합체성을 확인한다면 추가적인 검사 여부를 판단하는데 도움이 됨

2) 비면역성 태아수종

　(1) 태아의 염색체 이상이 7-16%로 비면역성 태아수종의 원인이 될 수 있으므로, 초음파 이상 유무와 상관없이 태아 핵형검사(karyotype), 형광동소보합법(fluorescence in situ hybridization, FISH), 및 염색체 마이크로어레이 검사(chromosomal microarray analysis, CMA)가 필요함(Norton, M. E et al. 2015)

　(2) 유전 검사는 양수천자 또는 태아혈액검사로 시행될 수 있으며, 후자는 빈혈이 의심되는 경우 태아 적혈구용적율과 혈색소를 같이 직접 분석할 수 있음(Norton, M. E et al. 2015)

**참고문헌** /////////////////////////////////////////////////////////////////////////////////////////////////////////////////////////

1. 고훈, 등. 태아수종의 특성 및 사망률과 연관된 위험인자. J Korean Soc Neonatol. 2011;18;221-7.

2. Bowman JM. Controversies in Rh prophylaxis: Who needs Rh immune globulin and when should it be given? Am J Obstet Gynecol. 1985;151:289-94.

3. De Jong et al. "Intrauterine transfusion for parvovirus B19 infection: long-term neurodevelopmental outcome." Am J Obstet Gynecol. 2012;206;204.e1-5.

4. Lindenburg IT et al. Long-term neurodevelopmental outcome after intrauterine transfusion for hemolytic disease of the fetus/newborn: the LOTUS study. Am J Obstet Gynecol. 2012;206;141.e1-8.

5. McGlone L et al. Short-term outcomes following intrauterine transfusion in Scotland. Arch Dis Child Fetal Neonatal Ed. 2011;96;F69-70.

6. Nakayama, H et al. "Long‐term outcome of 51 liveborn neonates with non‐immune hydrops fetalis." Acta Paediatr. 1999;88;24-8.

7. Norton, M. E et al. Society for maternal-fetal medicine (SMFM) clinical guideline# 7: nonimmune hydrops fetalis. Am J Obstet Gynecol. 2015;212;127-39.

8. Van Kamp IL et al. Treatment of fetal anemia due to red-cell alloimmunization in the Netherlands, 1988-1999. Acta Obstet Gynecol Scand. 2004;83;731-7.

9. Velkova E. Correlation between the amount of anti-D antibodies and IgG subclasses with severity of haemolytic disease of foetus and newborn. Open Access Maced J Med Sci. 2015;3;293-7.

10. Woodward, P. J et al. Diagnostic Imaging: Obstetrics. 3rd ed. Salt Lake City, UT: Elsevier; 2016. p. 1052-7.

# XVIII

PART

# 태아에서 비교적 흔한 유전 증후군

Fetal Genetic Syndrome

# 01

# 21 세염색체증후군

## Trisomy 21

## 1. 개요

가장 흔한 염색체 이상으로 다운증후군(Down syndrome)이라고도 불리며, 지적장애, 신체기형, 신체기능이상, 성장장애 등을 일으킴. 다운증후군의 95%에서 21번 염색체가 3개가 존재하는 세염색체(trisomy)를 보이고, 5%는 모자이씨즘(mosaicism) 또는 로버트슨전위(Robertsonian translocation)을 보임. 심장기형, 위장관계기형, 중추신경계기형이 동반될 수 있으며, 특징적인 얼굴 모습을 보이며 지능이 낮음(Norton ME et al. 2017)

약 600-800명에 한 명의 빈도를 보이며, 임신부의 나이가 많을수록 다운증후군 아이를 출산할 위험성이 더 커짐. 30세 이하의 여성에서의 출산 확률은 1/940 미만이며, 35세는 1/353, 40세는 1/85, 45세에서는 1/35이 됨(Morris JK et al. 2003)

## 2. 산전 초음파 소견

1) 심혈관계이상: 방실중격결실(atrioventricular septal defect, AVSD), 심실중격결실(ventricular septal defect, VSD), 심방중격결실(atrial septal defect, ASD), 팔로네징후(tetralogy of Fallot, TOF) 등

2) 소화기계이상: 십이지장폐쇄(duodenal atresia), 식도폐쇄(esophageal atresia), 배꼽탈장(omphalocele), 횡격막탈장(diaphragmatic hernia) 등

3) 중추신경계이상: 소뇌저형성증(cerebellar hypoplasia), 뇌실확장증(ventriculomegaly) 등

4) 기타: 림프물주머니(cystic hygroma), 비면역성 수종(nonimmune hydrops) 등

5) 부수소견(soft marker): 일시적이고 비특이적이며 정상 태아에서도 발견될 수 있는 소견들로 한 개의 부수적 이상소견 이외에는 다른 비정상 소견이 없으면 정상 태아일 가능성이 더 높음

  (1) 임신 제1삼분기 부수소견: 코뼈의 무형성 혹은 저형성

  (2) 임신 제2삼분기 부수소견: 단두증(brachycephaly), 측만지증(clinodatyly), 음영발생장(echogenic

bowel), 심장내 에코부위(echogenic intracardiac focus), 목덜미 비후(nuchal thickening), 경한 신우확장증(mild pyelectasis), 엄지발가락의 샌달틈(sandal gap deformity of great toe), 짧은 귀, 단일배꼽동맥(single umbilical artery), 대퇴골이나 상완골의 단축(short limbs), 제 5수지 중지골의 저형성(hypoplasia of middle phalanx) 맥락막총낭종(choroid plexus cyst) 등(Benacerraf BR. 2010; Nyberg DA et al. 2001; Papp C et al. 2008)

## 3. 감별진단

파타우증후군, 삼배수체(triploidy), 기타 다발성 기형이 동반되는 증후군 등과 감별이 필요함

## 4. 임신 중 예후

다운증후군 태아는 자연유산과 사산의 위험이 높아 약 30%가 유산 또는 사산됨

## 5. 산전관리 및 산전치료

현재까지 알려진 산전치료 방법은 없음

## 6. 신생아 관리

잘 먹지 못하고 근육에 힘이 없음. 40%에서 선천성 심장기형을 갖고 약 3%는 식도기형 문제로 잘 먹지 못함. 치료는 신생아기부터 여러 분야에서 종합적으로 이루어져야 함. 지능저하를 막을 수 있는 치료법은 없으나, 갑상선 이상 또는 청력 장애 등이 있으면 발달장애가 더 심해질 수 있으므로, 이상이 있으면 적절한 치료가 필요함. 심장질환, 소화기계 기형 등 건강에 나쁜 영향을 미칠 수 있는 질환은 조기 발견하여 치료를 하는 것이 중요함. 예방 접종은 스케줄에 맞추어 시행해야 함(Bull MJ. 2011)

## 7. 장기 예후

여러 분야의 협진과 치료가 평생 필요함. 면역계 이상으로 반복적인 바이러스 및 세균 감염이 발생하

며, 발달 지연으로 2세가 지나야 걸으며, 언어 발달이 늦고 성인 평균 지능이 IQ 20-50 정도 됨. 갑상선 질환, 간질, 사시, 잦은 중이염과 청력장애, 치주염과 부정 교합, 폐고혈압, 수면 무호흡증, 백혈병 등이 발생할 수 있음. 남자는 잠복 고환이 지속될 수 있음. 성인기엔 백내장, 당뇨병, 치매 등의 질환이 일찍 발생하고, 강박장애와 우울증 등 정신과적 문제도 발생 가능. 최종 키가 작으며 비만이 흔히 관찰됨. 중증 심장 질환을 가지고 있거나 드물게 백혈병이 발생하여 치료가 잘 되지 않는 다운증후군 아이의 경우에는 조기 사망할 수 있음. 평균 수명은 55세 이상임. 지능 지수는 낮지만 일반 사람들과 잘 어울려 지낼 수 있으며, 사회적인 보조 아래 독립적으로 생산적인 삶을 살 수 있음(Myrelid A et al. 2002)

## 8. 유전상담

1) 유전양식: 다운증후군은 21번 염색체 증가의 형태에 따라 크게 세 가지로 분류되는데 형태에 따라 다른 상담이 필요함(Norton ME et al. 2017)

    (1) 삼염색체성 다운증후군: 약 95%를 차지하며, 90%는 난자 감수분열의 비분리(nondisjunction) 현상으로 발생하며, 5%는 배우자의 정자 감수분열의 비분리가 원인임

    (2) 전위형 다운증후군: 약 4%를 차지하며, 로버트슨전위를 가짐. 삼염색체성과는 달리 임신부의 연령과 무관하며, 이 중 40%는 로버트슨전위를 가진 부모로부터 유전됨. 드물지만 (21;21) 전위 보인자인 경우에는 100% 재발 위험성이 있음

    (3) 모자이씨즘 다운증후군: 약 1%를 차지하며, 수정 후 초기단계의 세포분열 시 일부 세포에서 21번 염색체의 비분리로 일어남. 임신부의 연령과 관련이 없음

2) 가족 내에서의 위험

    (1) 삼염색체성 다운증후군: 약 1%에서 다음 임신에서 다시 발생할 수 있으며, 재발 위험은 임신부의 연령이 높아질수록 증가함

    (2) 전위형 다운증후군: 부모 중에 전위 보인자가 있는 경우에는 또 다른 다운증후군 형제가 태어날 가능성이 높음. 이 경우에 임신부가 전위가 있으면 16%, 남편이 전위가 있으면 5%에서 다운증후군 태아가 태어날 수 있음(전종관 등. 2015)

3) 산전진단검사(testing for prenatal diagnosis) 및 착상전유전검사(preimplantation genetic testing, PGT)

    (1) 임신 초기 초음파검사에서 목덜미투명대(nuchal translucency, NT) 증가함

    (2) 모체혈청 선별검사

    - 4중 표지자 검사(AFP, hCG, uE3, inhibin A): 81%의 발견율을 보임. 임신부의 혈청에서 hCG와 inhibin A는 증가하고, PAPP-A, 알파태아단백(alpha-fetoprotein, AFP)과 비결합에스트리올(unconjugated Estriol, uE3)은 감소함

    - 통합선별검사(integrated screening test): 태아 목덜미투명대와 임신부 혈액의 PAPP-A(임신 11-13

주 사이에 측정), 그리고 AFP, hCG, uE3, inhibin A(임신 15-20주 사이에 측정)를 검사함. 94-96%의 발견율을 보임

(3) 태아DNA선별검사: 태아DNA선별검사의 큰 장점은 검사 후 고위험군의 비율이 0.2% 정도로 모체혈청선별검사의 5%에 비하여 낮다는 점임. 위음성율도 모체혈청선별검사에 비하여 낮음. 그러나 양성예측율(positive predictive value)은 임신부의 나이에 따라 33~92%로 다양하게 보고되고 있으므로, 고위험군으로 나왔을 경우에 반드시 확진을 위하여 산전침습전진단검사를 통한 태아 염색체검사를 해야 함

(4) 산전침습적진단검사 및 착상전유전검사

선별검사 결과 다운증후군의 고위험군인 경우, 임신 제1삼분기에는 융모막융모생검, 임신 제2삼분기에는 양수천자술로 태아 염색체검사를 시행함. 세포유전학적 염색체 검사 또는 염색체 마이크로어레이로 확인할 수 있음

전위형 다운증후군에서 부모 중에 전위 보인자가 있는 경우에는 다음 임신에서 침습저진단검사 및 착상전유전검사 적용 가능함

**참고문헌**

1. 전종관, 등. 기형 태아를 위한 카운슬링. 군자출판사;2015. p.296-300.

2. Benacerraf BR. The history of the second-trimester sonographic markers for detecting fetal Down syndrome, and their current role in obstetric practice. Prenat Diagn 2010;30:644-52.

3. Bull MJ. Health supervision for children with Down Syndrome. Pediatrics 2011;128:393-406.

4. Myrelid A et al. Growth charts for Down's syndrome from birth to 18 years of age. Arch Dis Child 2002;87:97-103.

5. Morris JK et al. Comparison of models of maternal age-specific risk for Down syndrome live births. Prenat Diagn 2003;23:252-8.Norton ME et al. Callen's Ultrasonography in Obstetrics and Gynecology. 6th Edition. Elsevier; 2017. p.27-9

6. Nyberg DA et al. Sonographic markers of fetal trisomies: second trimester. J Ultrasound Med 2001;20:655-74.

7. Papp C et al. Ultrasonographic findings of fetal aneuploidies in the second trimester--our experiences. Fetal Diagn Ther 2008;23:105-13.

8. Zhang H et al. Non-invasive prenatal testing for trisomies 21, 18 and 13: clinical experience from 146,958 pregnancies. Ultrasound Obstet Gynecol 2015;45:530-8.

# 02 18 세염색체증후군

Trisomy 18

## 1. 개요

18번 염색체가 하나 더 존재하면서 발생하는 18 세염색체증후군은 에드워드증후군((Edward's syndrome) 이라고도 하며, 두 번째로 흔한 상염색체 이상임. 80-85%의 경우에서 완전한 18번 세염색체에 의해 발생. 10%에서는 정상 세포주도 존재하는 모자이씨즘, 5%에서는 18번 염색체의 장완이 다른 염색체에 전위되면서 발생함(Hill LM. 1996)

신생아 6,000-8,000명당 1명의 빈도로 발생하며, 임신 중에는 더 많은 빈도를 보임. 산모의 나이가 많을수록 위험은 증가함

## 2. 산전 초음파 소견

대부분의 경우 하나 이상의 다음과 같은 다양한 초음파 이상 소견을 보임(Hill LM. 1996)

1) 중추신경계이상: 작은머리증, 맥락막총낭종, 수막탈출증(meningomyelocele), 소뇌저형성증

2) 두개안면부이상: 돌출된 후두부, 작은턱, 외이 위치 이상 및 모양 결함, 목덜미 비후

3) 심혈관계이상: 심방 혹은 심실중격결실, 방실중격결실, 이중출구우심실(double outlet right ventricle), 대동맥협착증

4) 소화기계이상: 배꼽탈장, 횡격막탈장, 기관식도누출관 동반한 식도폐쇄(esophageal atresia with tracheoesophageal fistula)

5) 비뇨생식계이상: 말굽콩팥, 신우확장증, 일측콩팥무형성증, 낭성신장형성이상(cystic renal dysplasia)

6) 골격계이상: 검지가 중지위에 있거나 새끼가 넷째 손가락 위에 있는 손 모양(overlapping fingers), 발바닥이 배 밑 모양같이 생긴 발바닥 모양(rocker-bottom foot), 곤봉발

7) 기타: 양수과다증, 자궁내 성장제한

## 3. 감별진단

페나-쇼키어(Pena–Shokeir I)증후군, pseudotrisomy 18, 선천성 다발관절만곡증(arthrogryposis multiplex congenital)

## 4. 임신 중 예후

대부분의 경우 유산 혹은 사산이 되며 예후가 좋지 않음(Won RH et al. 2005)

## 5. 산전관리 및 산전치료

1) 산전관리: 18 세염색체 증후군 태아의 경우, 대부분 예후가 좋지 않고 생존한 경우에도 심각한 기형이나 지체를 보이므로, 이에 대한 산모와 보호자와의 상담이 필요. 임신 지속 시, 신생아 소생에 대한 준비와 추후 관리에 대한 준비, 분만 방법에 대한 논의 필요. 18 세염색체 증후군 태아는 과숙분만이나 진통 중 태아심박동 이상으로 인해 제왕절개술을 하는 경우가 많음(Schneider AS et al. 1981). 미리 상의하여 불필요한 제왕절개술을 줄일 수 있음
2) 산전치료: 현재까지 알려진 산전치료 방법은 없음

## 6. 신생아 관리

출생 후 전반적인 신체검진, 산전에 시행되지 않았다면 핵형분석이 필요. 대부분의 경우 심장기형을 동반하므로, 심장초음파 검사가 필요(Matsouka R et al. 1983). 주 기형에 대한 수술적 치료의 경우, 삶의 질 향상을 위해 시행될 수는 있으나 18 세염색체 증후군 환아의 낮은 장기 생존 확률을 고려하여 부모와 상의 필요함

## 7. 장기 예후

대부분 생후 수개월내 사망. 5~10%정도만 1년 이상 생존함(Rasmussen SA et al. 2003)

## 8. 유전상담

1) 유전 양식 및 가족 내에서의 위험
    (1) 삼염색체 에드워드증후군: 재발 위험은 1%, 혹은 산모의 나이에 의한 위험 중 높은 쪽으로 상담
    (2) 상호전위형(reciprocal translocation) 에드워드증후군: 부모 중 한 사람이 염색체 18번의 균형(balanced) 상호전위 보인자이면 재발 가능성이 있음
    (3) 모자이씨즘 에드워드증후군: 재발 위험은 매우 낮으며 산발적으로 발생함
2) 산전침습적진단검사 및 착상전유전검사
    목덜미투명대 증가(Hyett JA et al. 1995), 모체혈청선별검사 혹은 태아DNA선별검사에서 고위험군, 자궁내 성장제한을 동반한 초음파 이상 소견이 관찰되는 경우 해부학적 동반 기형 여부를 파악하고 침습적진단검사를 통한 태아 핵형분석 필요함
    전위형 에드워드증후군에서 부모가 보인자이면 다음 임신에서 침습적진단검사 및 착상전유전검사 적용 가능함

**참고문헌**

1. Hill LM. The sonographic detection of trisomies 13, 18, and 21. Clin Obstet Gynecol 1996;39:831-50.
2. Hyett JA et al. Cardiac defects in 1st-trimester fetuses with trisomy 18. Fetal Diagn Ther 1995;10:381-86.
3. Matsouka R et al. Congenital heart anomalies in the trisomy 18 syndrome, with reference to congenital polyvalvular disease. Am J Med Genet 1983;14:657-68.
4. Rasmussen SA et al. Population-based analyses of mortality in trisomy 13 and trisomy 18. Pediatrics 2003;111:777-84.
5. Schneider AS et al. High cesarean section rate in trisomy 18 births: a potential indication for late prenatal diagnosis. Am J Obstet Gynecol 1981;140:4:367-70.
6. Won RH et al. The timing of demise in fetuses with trisomy 21 and trisomy 18. Prenat Diagn 2005;25:608-11.

# 03 13 세염색체증후군
Trisomy 13

## 1. 개요

13번 염색체가 하나 더 존재하면서 발생하는 13 세염색체증후군은 파타우증후군(Patau syndrome) 이라고 하며 빈도는 약 5,000-20,000 출생아 당 1명임. 임신부의 나이가 많을수록 위험은 증가. 모체의 제1감수분열 시의 비분리에 의해 유래한 여분의 염색체와 관련됨. 약 20%는 불균형 로버트슨전위에 의해서 유발됨(Wyllie JP et al. 1994)

## 2. 산전 초음파 소견

약 90%에서 초음파에서 이상소견이 발견됨(Benacerraf BR et al. 1988; Roberts DJ et al. 1992)
임신 중기에 시작된 자궁내 성장제한 및 임신 말기 양수과다증이 특징적임
1) 중추신경계이상: 통앞뇌증, 뇌량형성부전(agenesis of corpus callosum), 뇌류(encephalocele)
2) 두개안면부이상: 정중선 이상을 동반하는 경우가 많음, 단안증(cyclopia), 작은턱증, 경사진 이마(sloping forehead), 입술입천장갈림증(cleft lip and palate), 작은 안구증(microphthalmia), 두눈가까움증(hypoterlorism)
3) 심혈관계이상: 심실중격결실, 심방중격결실, 우심증(dextrocardia), 양대혈관우심실기시, 좌심실형성부전증
4) 소화기계이상: 배꼽탈장
5) 비뇨생식계이상: 다낭콩팥(polycystic kidney), 신피질낭종(renal cyst), 물콩팥증(hydronephrosis), 말굽콩팥
6) 골격계이상: 축뒤다지증(postaxial polydactyly of hand and feet), 손발가락굽증(camptodactyly), 겹쳐진 손가락

## 3. 감별진단

멕켈(Meckel-Gruber)증후군과 감별 필요함

## 4. 임신 중 예후

임신 초기 유산의 약 1%를 차지함. 대부분의 경우 유산 혹은 사산이 되며 예후가 좋지 않음. 전자간증 발생위험이 증가함(Tuohy JF et al. 1992)

## 5. 산전관리 및 산전치료

1) 산전관리: 자궁내 성장제한을 동반한 초음파 이상 소견이 관찰되는 경우 13 세염색체증후군 확인 필요. 대부분 예후가 좋지 않고 생존한 경우에도 심각한 기형이나 지체를 보이므로, 이에 대한 임신부와 보호자와의 상담이 필요. 임신 지속 시, 신생아 소생에 대한 준비와 추후 관리에 대한 준비, 분만 방법에 대한 논의 필요함
2) 산전치료: 현재까지 알려진 산전치료 방법은 없음

## 6. 신생아 관리

임신을 유지하는 경우 치료는 신생아기부터 여러 분야에 걸쳐 종합적으로 이루어져야 함

매우 불량한 예후를 나타내 대부분은 유아기에 사망하며 평균 생존일은 2.5일 정도로 출생 후 6개월 간 생존한 경우가 5% 미만임(Wiliams GM, 2020)

## 7. 장기 예후

생존할 경우 심한 정신지체를 보이며 발작(seizure), 근육긴장저하(hypotonia)나 과다근육긴장증(hypertonia), 무호흡발작(apneic episode), 섭식장애, 성장제한 등을 동반함

# 8. 유전상담

1) 유전 양식 및 가족 내에서의 위험: 다음 임신의 재발률은 경험적으로 약 1% 정도로 알려져 있으며, 임신부의 나이의 증가에 따라 증가함. 부모 중 한 사람이 전위 보인자일 경우 다음 임신시 재발 가능성이 있음

2) 산전진단검사 및 착상전유전검사
    (1) 초음파 또는 모체혈청선별검사: 태아 목덜미투명대 증가, PAPP-A는 감소함
    (2) 태아DNA선별검사: 13 세염색체증후군에 대해 약 91% 민감도와 약 99% 이상의 특이도를 보임. 고위험군으로 나왔을 경우에 반드시 확진을 위하여 침습적진단검사를 권유함
    (3) 산전침습적진단검사 및 착상전유전검사: 선별검사 결과 고위험군인 경우 산전침습적진단검사 시행함. 부모 중 한 사람이 전위 보인자일 경우 착상전유전검사나 산전진단검사를 고려함

**참고문헌**

1. Benacerraf BR et al. Sonographic detection of fetuses with trisomies 13 and 18: accuracy and limitations. Am J Obstet Gynecol 1988;158:404-9.
2. Roberts DJ et al. Cardiac histologic pathology characteristics of trisomies 13 and 21. Hum Pathol 1992;23:1130-40.
3. Tuohy JF et al. Pre-eclampsia and trisomy 13. Br J Obstet Gynaecol. 1992;99:891-4.
4. Wiliams GM et al. Patau Syndrome. StatPearls. Treasure Island (FL): StatPearls Publishing StatPearls Publishing LLC.; 2020.
5. Wyllie JP et al. Natural history of trisomy 13. Arch. Dis. Child. 1994;71:343-5.

# 04 X 일염색체

Monosomy X, Turner Syndrome

## 1. 개요

여성에게만 이환 되는 염색체 이상으로 X염색체가 하나 소실되어 발생. 생존 가능한 유일한 일염색체(monosomy)이며 작은 키, 생식샘발생장애(gonadal dysgenesis), 림프부종 등이 있을 때 의심. 50%에서 감수분열 오류에 의한 45,X 핵형을 보이며, 30-40%에서는 정상 세포주가 있는 45,X/46,XX 혹은 45,X/46,XY등의 모자이씨즘, 나머지 10-20%는 등완염색체(isochromosome) X와 같이 X염색체에 구조적 재배열이 있는 경우임. 임신부의 나이에 따라 발병률이 증가하지는 않으며(Koeberl DD et al. 1995), 대부분 부계의 감수분열 중 비분리에 의해 발생. 신생아 2,500명당 1명의 빈도로 발생함(Hall JG et al. 1982)

## 2. 산전 초음파 소견

다음과 같은 산전 초음파 소견이 관찰될 수 있음(Kagan KO et al. 2006; Papp C et al. 2006)
1) 목덜미투명대 증가
2) 림프물주머니
3) 심혈관계이상: 대동맥협착, 좌심실형성부전(hypoplastic left heart syndrome), 이첨판 대동맥 판막(bicuspid aortic valve) 등
4) 비뇨기계이상: 말굽콩팥, 중복신장 등

## 3. 감별진단

림프물주머니가 있는 경우 신경관결실, 수막탈출증, 뇌탈출증 등과 감별. 출생 후 림프부종이 있는 경

우에는 밀로이병(Milroy disease)이나 다른 유전 질환과 감별. 성장 후 작은 키와 무월경을 보이는 경우 가족력, 누난(Noonan)증후군, 연골뼈형성이상증(레리-웨일증후군, Leri-Weill syndrome), 성장호르몬 부족, 갑상선기능부전 등의 가능성 확인함(Hall JG et al. 1982)

## 4. 임신 중 예후

임신 초기 유산 가능성 높음(Committee on Genetics, American Academy of Pediatrics. 1995)
임신 초기 유산이 되는 경우의 10-20%에서 터너증후군이 확인됨(Hall JG et al. 1982)

## 5. 산전관리 및 산전치료

1) 산전관리: 터너증후군이 확인된 경우, 동반된 산전 초음파 소견 및 염색체 이상의 종류에 따라 다양한 임상양상의 가능성에 대한 상담이 필요함. 특히 키, 선천성기형, 불임에 대한 설명이 이루어져야 하며, 여성의 경우 대부분 정상 지능을 보이지만 일부 학습장애 발생 가능성에 대해서도 설명이 필요함. 제왕절개의 적응증이 되지 않지만, 림프기형 정도와 심장기형의 존재 여부에 따라 3차 의료기관에서의 분만 여부 결정 필요함
2) 산전치료: 현재까지 알려진 산전치료 방법은 없음

## 6. 신생아 관리

출생 후 전반적인 신체검진과 심장기형을 확인하기 위한 심장초음파, 신장기형 확인을 위한 복부초음파가 필요함. 림프부종의 여부를 확인하여 필요 시 증상에 대한 치료가 이루어져야 하며, 향후 물갈퀴목(webbed neck)이 관찰되는 경우 수술적 치료가 필요. 고궁구개(High-arched palate), 빨기 및 연하곤란으로 인한 섭식곤란 확인 필요함

## 7. 장기 예후

장기 예후에 영향을 미치는 요인은 작은 키, 심혈관계 질환, 인지발달, 자가면역질환, 생식능력 등이 있음. 신장에 대해서는 성장호르몬 치료가 필요할 수 있으며, 15세 이후에 2차 성징을 위해 에스트로겐 치료가 필요함(Committee on Genetics, American Academy of Pediatrics, 1995). 터너증후군의 경우 혈관

질환에 취약하여 30%정도에서 고혈압이 발생할 수 있으므로, 고혈압에 대한 관찰이 필요(Hall JG et al. 1982; Sybert VA. 1998). 심혈관계 질환에 대해서도 정기적인 추적관찰이 필요함. 그 외 자가면역성 갑상선 질환의 발생도 증가할 수 있음(Gruñeiro de Papendieck L et al. 1987). 드물게 자연임신이 가능하기는 하지만 대부분 보조생식술을 통해 임신이 가능함

## 8. 유전상담

1) 유전양식: 일반적으로 터너증후군은 산발적으로 발생하고 대부분 유전되지 않음
2) 가족 내에서의 위험: 재발률은 대부분 높아지지 않으며(Larizza D et al. 2011) 임신부의 나이와 관련이 없음. 하지만 터너증후군 부모가 자연임신을 한 경우에는 염색체 이상이나 선천성 기형이 30%까지 보고되기도 하여(Saenger P, 1996) 임신시 침습적진단검사가 필요함
3) 산전진단검사: 임신 중 초음파 이상, 모체혈청선별검사 혹은 태아DNA선별검사 이상 소견 시 터너증후군 확인 필요. 침습적진단검사를 통한 세포유전학적 염색체 검사를 통해 진단 가능함

**참고문헌**

1. Committee on Genetics, American Academy of Pediatrics. Health supervision for children with Turner syndrome. Pediatrics 1995;96:1166-73.
2. Gruñeiro de Papendieck L et al. High incidence of thyroid disturbances in 49 children with Turner syndrome. J Pediatr 1987;111:258-61.
3. Hall JG et al. Turner's syndrome. West J Med. 1982;137:32-44.
4. Kagan KO et al. Relation between increased fetal nuchal translucency thickness and chromosomal defects. Obstet Gynecol 2006;107:6-10.
5. Koeberl DD et al. Prenatal diagnosis of 45, X/46, XX mosaicism and 45, X: implications for postnatal outcome. Am J Hum Genet. 1995;57:661-6.
6. Larizza D et al. Familial occurrence of Turner syndrome: casual event or increased risk? J Pediatr Endocrinol Metab 2011;24:223-5.
7. Papp C et al. Prenatal diagnosis of Turner syndrome: report on 69 cases. J Ultrasound Med 2006;25:711-7.
8. Saenger P. Turner's syndrome. N Engl J Med 1996;335:1749-54.
9. Sybert VA. Cardiovascular malformations and complications in Turner syndrome. Pediatrics. 1998;101:11.

# 05 삼중X증후군
Triple X Syndrome, Trisomy X, 47,XXX

## 1. 개요

　　X 염색체의 세염색체로 발생. 여성에서 가장 흔한 성염색체 이상. 62%가 신체적으로 정상 소견을 보여, 상당수의 환자들은 발견되지 않은 채 지내는 것으로 알려져 있음. 추가된 X 염색체의 90% 이상이 모계로부터 유래되었고 감수분열 시 비분리현상이 원인으로 임신부의 나이가 많을수록 위험은 증가함. 모자이씨즘도 존재함

　　태아의 삼중X증후군은 다른 적응증에 의한 산전진단검사에서 우연히 발견되는 경우가 많음

　　여아 출생아 1,000명당 1명의 빈도로 발생함(Tartaglia NR, 2010)

## 2. 산전 초음파 소견

　　태아의 특징적 산전 초음파 소견은 없음

## 3. 감별진단

　　특징적 산전 초음파 소견이 없으므로 특별히 감별할 다른 질환은 없음

## 4. 임신 중 예후

　　임신 중 태아는 정상적인 발달 소견을 보이는 경우가 대부분임

## 5. 산전관리 및 산전치료

현재까지 알려진 산전치료 방법은 없음

## 6. 신생아 관리

출생 후 임상양상이 뚜렷하지 않아 진단되는 경우가 드묾

## 7. 장기 예후

대부분의 여성은 증상이 없고, 증상이 있더라도 경미함. 키가 큰 경향이 있으며 발달은 정상범위에 속하며, 정상적인 사춘기를 지내고 임신이 가능함. 조기 난소 부전, 불규칙 월경이 생길 수 있음(Evans JA et al. 1990). 언어발달 지연, 운동기능장애, 학습장애가 형제에 비해 높은 위험을 가지고 있을 수 있어 조기에 언어, 직업, 물리 또는 발달 평가와 치료가 필요함(Ottoer M et al. 2010)

키가 큰 경향이 있으며 발달은 정상범위에 속하며, 정상적인 사춘기를 지내고 임신이 가능함

## 8. 유전상담

1) 가족 내에서의 위험: 정상 염색체의 부모에서 이전 임신에 삼중X증후군 아기를 출산한 경우에 재발률은 높아지지 않으며, 임신부의 나이의 증가에 따라 위험성은 증가함. 삼중X증후군 여성이 임신을 할 경우 태아에 유전될 위험성은 매우 낮은(<1%) 것으로 추정됨(Gardner RJM et al. 2003)

2) 산전진단검사(Robinson A, 1988)

   (1) 모체혈청선별검사: 진단에 도움이 되지 않음

   (2) 태아DNA선별검사: 대부분 고령 임신부 대상 검사에서 우연히 고위험 결과가 나오며, 산전침습적진단검사를 통한 확인이 필요함

   (3) 산전침습적진단검사: 대부분 고령 임신부의 융모막융모생검이나 양수천자술에서 우연히 진단됨

**참고문헌**

1. Evans JA et al. Children and young adults with sex chromosome aneuploidy. Birth Defects Orig Artic Ser 1990; 26:1-312.

2. Gardner RJM et al. Chromosome abnormalities and genetic counseling, 3rd ed, Oxford University Press, 2003.

3. Otter M et al. Triple X syndrome: a review of the literature. Eur J Hum Genet 2010;18:265-71.

4. Robinson A et al. Prenatal diagnosis of sex chromosomal abnormalities. In: Milunsky A (ed): Genetic Disorders and the Fetus: Diagnosis, Prevention and Treatment, 4th edn Baltimore and London: Johns Hopkins, 1998, pp 249-285.

5. Tartaglia NR et al. A review of trisomy X (47,XXX). Orphanet J Rare Dis. 2010;5-8.

# 06 클라인펠터증후군
### Klinefelter Syndrome

## 1. 개요

남성의 염색체인 46,XY에서 X염색체가 1개 이상 더 존재하여 나타남. 임상적 소견이 경미한 편이나 생식샘 기능, 신체 발달, 지적 능력 등에 다양한 정도의 이상이 발생할 수 있음. 난자나 정자가 발생하는 과정 중, X염색체가 쌍을 이루었다가 단일 염색체로 분리되는 과정에 문제가 생겨 여분의 X염색체를 추가로 갖는 난자나 정자가 발생하게 되고, 이것의 수정에 의해 발생하는 표현형의 스펙트럼임

클라인펠터증후군의 염색체 형태는 다양하게 나타날 수 있으며, 47,XXY는 가장 많아 80-90%를 차지하며, 모자이씨즘(46,XY/47,XXY)이 10% 정도를 차지함. 일부는 48,XXXY, 49,XXXXY도 있을 수 있음

47,XXY는 남아 500-800명당 1명의 빈도로 발생하며, 48,XXXY는 20,000명당 1명의 빈도로 발생함. 임신부뿐 아니라 남편의 나이가 증가함에 따라 빈도가 증가하는 것으로 알려져 있음(Shiraishi K et al. 2018)

## 2. 산전 초음파 소견

특징적 산전 초음파 소견은 없음. 임신 제1삼분기에 목덜미투명대가 증가할 수 있음(Viuff MH et al. 2015)

## 3. 감별진단

특징적 산전 초음파 소견이 없으므로 특별히 감별할 다른 질환은 없음

## 4. 임신 중 예후

임신 중 태아는 정상적인 발달 소견을 보이는 경우가 대부분임(Dotters-Katz SK et al. 2016)

## 5. 산전관리 및 산전치료

현재까지 알려진 산전치료 방법은 없음

## 6. 신생아 관리

출생 후 임상양상이 뚜렷하지 않아 진단되는 경우가 드묾(Dotters-Katz SK et al. 2016)

## 7. 장기 예후

1) 영유아기에 임상양상이 뚜렷하지 않아 진단되는 경우가 드묾. 일부에서 영아기에 잠복고환, 요도하열을 동반하기도 함. 소아기에는 또래에 비해 크며, 지능은 정상 범위로 정신지체는 없으나, 학습부진과 수행능력 저하를 보임. 언어와 사회성 발달에 어려움을 보이기도 함

2) 사춘기는 청소년기에 정상적으로 시작되어 고환이 4 cc 이상으로 커지고 음모와 음경 발달이 정상적으로 진행됨. 하지만 점차 정세관이 퇴화하여 고환이 작아져서 성인기에는 무정자증, 불임이 될 수 있음. 고환이 퇴화하여 테스토스테론 분비가 줄면 여성형 유방을 보이며 체모가 감소함. 대부분 청소년기 이후 성인기에 불임, 여성형 유방을 검사하다가 우연히 진단됨. 남자의 고성선자극호르몬성 생식샘저하증(hypergonadotropic hypogonadism)의 가장 흔한 원인임

3) 일찍 진단이 된 경우에는 치료를 위해 테스토스테론을 12세 경부터 주기적으로 투여하는 것이 좋음. 고환의 기능손상은 영구적인 것이기 때문에 적절한 처치로 남성화 현상을 유발한 후 유지시켜 주어야 함. 여성형 유방으로 심리적 스트레스를 많이 느끼면 수술을 시행하기도 함. 불임 치료로 고환조직 정자 채취술(testicular sperm extraction, TESE)과 세포질내정자주입(intracytoplasmic sperm injection, ICSI)을 이용한 체외수정시술을 시도할 수 있음

4) 나이가 들수록 골밀도 감소, 비만, 인슐린 저항성, 당뇨병, 심혈관계 질환, 자가면역질환, 유방암의 발생 위험이 증가함(Deebel NA et al. 2020; Shiraishi K et al. 2018)

# 8. 유전상담

1) 가족 내에서의 위험: 임신부뿐 아니라 남편의 나이가 증가함에 따라 클라인펠터증후군의 빈도가 증가하는 것으로 알려져 있음(Wikström AM et al. 2011). 다음 임신 시 재발 위험률은 더 높아지지 않음(Visootsak J et al. 2006)

2) 산전진단검사

   (1) 임신 제1삼분기 초음파 검사: 목덜미투명대가 증가할 수 있음

   (2) 모체혈청선별검사: 진단에 도움이 되지 않음

   (3) 태아DNA선별검사: 대부분 고령 임신부 대상 검사에서 우연히 이뤄짐. 클라인펠터증후군 고 위험 결과시 침습적진단검사로 확진을 권유함(Wang Y et al. 2020)

   (4) 산전침습적진단검사: 대부분 고령 임신부의 융모막융모생검이나 양수천자술에서 우연히 이뤄 짐

**참고문헌**

1. Deebel NA et al. Age-related presence of spermatogonia in patients with Klinefelter syndrome: a systematic review and meta-analysis. Hum Reprod Update 2020;26:58-72.

2. Dotters-Katz SK et al. The impact of prenatally diagnosed Klinefelter Syndrome on obstetric and neonatal outcomes. Eur J Obstet Gynecol Reprod Biol 2016;203:173-6.

3. Shiraishi K et al. Klinefelter syndrome: From pediatrics to geriatrics. Reprod Med Biol 2018;18:140-50.

4. Visootsak J et al. Klinefelter syndrome and other sex chromosomal aneuploidies. Orphanet J Rare Dis. 2006;1:42. doi: 10.1186/1750-1172-1-42.

5. Viuff MH et al. Only a Minority of Sex Chromosome Abnormalities Are Detected by a National Prenatal Screening Program for Down Syndrome. Hum Reprod 2015;30:2419-26.

6. Wang Y et al. Cell-free DNA screening for sex chromosome aneuploidies by non-invasive prenatal testing in maternal plasma. Mol Cytogenet 2020;13:10.

7. Wikström AM et al. Klinefelter syndrome. Best Pract Res Clin Endocrinol Metab 2011;25:239-50.

# 07 디죠지증후군
## DiGeorge Syndrome

## 1. 개요

염색체 22번 장완의 미세결실에 의해 태아의 발달 과정에서 목신경능선(cervical neural crest)이 세 번째, 네 번째 아가미궁(branchial arches)으로 이동하는 데에 장애가 발생하여 머리, 심장, 흉선의 발달에 각각 이상을 일으킴. 약 3,000-4,000명에 한 명의 빈도를 보임(de la Chapelle A et al. 1981)

상염색체 우성 질환으로, 3 Mb정도의 길이의 22p11.2에서의 결실에 의해 유발됨. 부모로부터 유전되는 경우는 약 5-10% 정도임

다양한 임상 표현형: 거의 증상이 없는 경우, 경한 경우, 심장기형을 동반한 경우, 디죠지증후군에 이르기까지 여러 가지 임상 증상을 보임

동의어: 22q11 미세결실, CATCH 22 증후군, 뿔줄기기형얼굴(conotruncal anomaly face)증후군, 입천장-심장-얼굴(velo-cardio-facial)증후군

## 2. 산전 초음파 소견

1) 두개안면부이상: 입천장갈림증(이 때는 입술갈림증을 동반하지 않는 단독 입천장갈림증이 발생하는 경우가 많아서 산전 초음파 검사에서 미리 진단하기 어려운 경우가 많음)
2) 흉선과 부갑상선의 형성 부전(hypoplasia) 또는 무형성(aplasia)
3) 심혈관계이상: 다양한 종류의 심기형을 동반하며, 팔로네징후, 대동맥궁단절(interruption of aortic arch), 총동맥간증(truncus arteriosus), 심실중격결실 등. 기타 좌심실형성부전증이나 양대혈관우심실기시가 동반될 수 있음
4) 비뇨생식계이상: 단일콩팥, 에코성 콩팥(echogenic kidney), 다낭성신이형성증, 말굽콩팥
5) 기타: 양수과다증

## 3. 감별진단

VACTERL 증후군, 눈-귓바퀴-척추(골덴하)[Oculo-auriculo-vertebral(Goldenhar)] 증후군, 스미스-렘리-오피츠(Smith-Lemli-Opitz)증후군, 알라질(Alagille)증후군, 기타 미세결실이 있는 염색체 이상들과 감별이 필요함

## 4. 임신 중 예후

양수과소증, 자궁내 성장제한이 있을 수 있음

## 5. 산전관리 및 산전치료

1) 산전관리: 산전에 진단된 심장기형의 약 11.5%의 원인이 22q11 미세결실에 기인된다고 보고됨 (Levy-Mozziconacci A et al. 1997). 비뇨생식계이상이 동반되는 경우가 1/3 정도임. 따라서 산전진단검사에 뿔줄기심장기형(B형대동맥궁단절), 총동맥간증, 팔로네징후의 경우나, 심혈관계이상과 함께 비뇨생식계이상이 발견되는 경우 검사가 권장됨
2) 산전치료: 현재까지 알려진 산전치료 방법은 없음

## 6. 신생아 관리

생후 24시간 이내에 저칼슘혈증으로 인해 경련이 나타날 수 있으므로 잘 교정해야 함

심장기형의 동반 유무 및 그 심한 정도에 따라서 매우 다양한 예후를 보임. 출생 후에는 소아과, 소아심장, 이비인후과, 성형외과 등 여러 의료진에 의한 다학제적 접근이 필요함

## 7. 장기 예후

다양한 임상 표현형을 나타내어 증상이 거의 없는 경우부터 심한 경우까지 여러 가지 임상 증상을 보이는 특징을 가짐. 흉선의 형성부전 정도에 따라 완전한 면역 결핍에서부터 거의 정상적인 세포성 면역 기능에 이르기까지 다양함. 작은 키 및 경증 또는 중증의 학습장애가 흔함. 행동 또는 정신과적 문제가 10% 미만에서 발생하는 것으로 보고됨

# 8. 유전상담

1) 유전양식: 상염색체 우성 질환. 부모로부터 유전되는 경우는 약 5-10% 정도이며, 90%는 새롭게 발생함(de novo)

2) 가족 내에서의 위험

(1) 약 10%에서 가족력이 있으므로, 환자의 부모도 검사를 시행하는 것이 좋음. 만약 부모 중 한 명이 결실을 가지고 있으면 다음 임신시의 재발률은 50%임

(2) 새롭게 발생한 경우는 다음 번 임신시의 재발률은 낮음

3) 산전진단검사 및 착상전유전검사

(1) 태아DNA선별검사: 태아DNA선별검사로 미세결실에 대한 선별검사를 하는 것은 아직 추천하지 않음(대한모체태아의학회. 2019)

(2) 산전침습적진단검사: 세포유전학적검사만으로는 미세결실의 확인이 어려울 수 있으므로 형광제자리부합법 또는 염색체 마이크로어레이 검사를 통해 염색체 22q11의 결실을 확인함 (Driscoll DA et al. 1993)

(3) 가족내의 변이가 확인된 경우에는 다음 임신시에 산전침습적진단검사 또는 착상전유전검사가 도움이 될 수 있음

**참고문헌**

1. 대한모체태아의학회 산전진단검사위원회. 태아 염색체 선별검사와 진단검사에 대한 대한모체태아의학회 임상진료지침. 1판. 서울: 제이플러스; 2019.

2. Burn J et al. Conotruncal anomaly face syndrome is associated with a deletion within chromosome 22q11. J Med Genet 1993;30: 822-24.

3. de la Chapelle A et al. A deletion in chromosome 22 can cause DiGeorge syndrome. Hum Genet 1981;57:253-6.

4. Driscoll DA et al. Prevalence of 22q11 microdeletions in DiGeorge and velocardiofacial syndromes: implications for genetic counselling and prenatal diagnosis. J Med Genet 1993;30:813-7.

5. Levy-Mozziconacci A et al. Prenatal diagnosis of 22q11 microdeletion. Prenat Diagn 1997;17:1033-7.

# 08 5p 미세결실증후군
## Cri-du-Chat Syndrome

## 1. 개요

고양이울음증후군 혹은 묘성증후군이라고도 불리며, 후두부의 이상으로 고양이와 유사한 고음의 울음소리를 내는 질환임. 작은머리증(microbrachycephaly), 작은 턱, 넓은 콧등, 눈구석주름, 비정상적 지문, 근육긴장저하, 발달지연, 정신지체 등이 나타날 수 있음. 신경계, 심장, 신장 기형, 귀 앞의 덧살(preauricular tag), 합지증(syndactyly), 요도밑열림증(hypospadias), 잠복고환증(cryptorchidism) 등이 동반됨

출생아 15,000~50,000명 당 1명의 빈도로 나타남

고양이울음증후군은 5번 염색체 단완의 부분결실이 원인임. 약 80%에서 부분결실이 새로 발생하며, 약 12%에서는 5번 염색체 단완의 상호전위를 가진 보인자인 부모로부터 유전되어 발생함

5번 염색체 단완 말단의 결실(terminal deletion)이 대부분이고, 일부 환자에서 5번 염색체 단완내의 결실(interstitial deletion), 새로 발생한 전위, 가족성 전위(familial translocation), 모자이씨즘, 아버지의 역위에서 유래된 결실(1%) 등이 관찰됨(Cerruti Mainardi P. 2006; Rodríguez-Caballero A et al. 2010)

## 2. 산전 초음파 소견

소두증, 작은 턱 등의 안면 이상이 초음파에서 보일 수 있으나, 대부분 산전에는 비특이적 산전 초음파 소견만 보이며, 진단이 내려지지 못할 수 있음(Sherer DM et al. 2006)

## 3. 감별진단

작은머리증 및 얼굴이상을 나타내는 다른 장애와의 감별이 필요함

## 4. 임신 중 예후

자궁내 성장제한 동반 가능

## 5. 산전관리 및 산전치료

현재까지 알려진 산전치료방법은 없음(Sherer DM et al. 2006)

## 6. 신생아 관리

1) 임상증상 및 관련 검사
   (1) 신체검사: 저체중, 고양이울음, 안면기형, 사시, 귀 앞 부속물, 질식, 청색증 위기, 빠는 힘의 부족, 근육긴장저하, 비정상적인 지문, 합지증, 요도밑열림증, 잠복고환증을 확인
   (2) 뇌파검사: 경련 진단
   (3) 청력검사: 일부 환자에서 감각신경난청과 언어지연이 보고되었으므로 모든 고양이울음증후군 환자에서 반드시 청력검사를 시행해야 함
   (4) 심장초음파, 심전도: 선천성 심기형 진단
   (5) 뇌자기공명영상촬영: 뇌병변 확인, 뇌위축
   (6) 신장기형 관련 검사
2) 치료: 심장기형이 있는 경우 수술적 치료가 필요할 수 있으며 경련이 있다면 항경련제를 포함한 치료가 필요함. 모유 수유가 가능하나 빨고 삼키기에 곤란을 가진 신생아는 물리치료를 첫 일주일 내에 시작해야 함. 후두와 후두개의 기형으로 기관 내 삽관이 어려움(Rodríguez-Caballero A et al. 2010)

## 7. 장기 예후

생후 첫 일년 동안 고양이울음이 점점 사라지고 발달지연 및 정신운동지연이 뚜렷해지기 시작함. 반복적인 호흡기감염, 장염 등이 발생함. 섭식장애와 성장에 대한 주기적인 관찰이 필요함. 외사시, 근시, 백내장, 동공확장근육의 결함, 치아 부정교합이 동반될 수 있고 척추측만증, 편평발, 내반족, 서혜부탈장, 배곧은근분리가 발생할 수 있음. 나이가 듦에 따라 근육긴장저하증이 과다근육긴장증으로 대치됨. 모든 환자에서 중증의 발달지연 및 정신지체가 관찰되고 언어발달이 특히 느림. 약 50%에서 과다

활동 및 공격적 성향이 나타남. 조기 특수교육으로 정신운동발달을 5-6세의 정상아 수준으로 향상시킬 수 있음. 발달지연 및 지적장애에 대한 특수교육이 성인기까지 지속적으로 필요함. 사망률은 생후 첫해 약 10%이나, 이후의 치명률이나 사망률은 높지 않음. 약 90%의 사망이 생후 1년내 발생함(Rodríguez-Caballero A et al. 2010)

## 8. 유전상담

1) 유전양식: 염색체검사에서 5번 염색체 단완의 결실을 확인하여 확진. 형광제자리부합법, 염색체 마이크로어레이 등의 분자세포유전학적 검사가 도움이 됨. 염색체 상의 절단점 위치는 5p13에서 5p15.2이며, 결실의 크기는 5-40 Mb의 범위임. 임상 특징과 잠재적으로 연결된 5p15의 유전자는 SEMA5A, CTNNDS, TERT, SRD5A1, TPPP 등으로 알려져 있음. SEMA5A (5p15-pter) 유전자와 CTNND2 (5p15.2) 유전자는 중요 유전자 부위(critical regions)에 위치하며 뇌 발달에 관련이 있는 것으로 알려져 있으며, 이 유전자가 결실된 것이 발달지연이나 정신지체의 원인으로 알려져 있음

2) 가족 내에서의 위험: 약 80%는 부모 염색체가 정상이면서 가족 내에서 처음으로 발생한 경우이며, 재발률은 낮음. 약 12%는 가족성 균형전위로 인해 발생하는데, 이 경우에는 재발률이 높아짐. 이 러한 부모에서 자손에서 5번 염색체 단완의 결실이 생길 위험성은 8.7-18.8%로 알려져 있음. 남녀 보인자에 대한 위험성은 비슷함(Mainardi PC et al. 2001; Wu Q et al. 2005; Zhang X et al. 2005)

3) 산전진단검사 및 착상전유전검사: 대부분 고양이울음증후군은 다른 적응증으로 시행한 침습적진 단검사를 통한 염색체검사에서 우연히 진단됨

산전 초음파 검사에서 작은머리증, 얼굴이상, 심장기형 등이 보여서 침습적진단검사를 시행해서 진단하기도 함

5p와 연관된 균형재배열 보인자의 경우, 다음 임신에 산전침습적진단검사 또는 착상전유전검사 가 도움이 될 수 있음(Mainardi PC et al. 2001; Wu Q et al. 2005; Zhang X et al. 2005)

**참고문헌** ////////////////////////////////////////////////////////////////////////////////////////////////////////////////////////////////////////////////////////////////////////

1.  Cerruti Mainardi P. Cri du Chat syndrome. Orphanet J Rare Dis 2006;1:33.

2.  Mainardi PC et al. Clinical and molecular characterisation of 80 patients with 5p deletion: genotype-phenotype correlation. J Med Genet 2001;38:151-8.

3.  Rodríguez-Caballero A et al. Cri du chat syndrome: a critical review. Med Oral Patol Oral Cir Bucal 2010;15:e473-8.

4.  Sherer DM et al. Second-trimester diagnosis of cri du chat (5p-) syndrome following sonographic depiction of an absent fetal nasal bone. J Ultrasound Med 2006;25:387-8.

5.  Wu Q et al. Determination of the 'critical region' for cat-like cry of Cri-du-chat syndrome and analysis of candidate genes by quantitative PCR. Eur J Hum Genet 2005;13:475-85.

6.  Zhang X et al. High-resolution mapping of genotype-phenotype relationships in cri du chat syndrome using array comparative genomic hybridization. Am J Hum Genet 2005;76:312-26.

# 09 프라더-윌리증후군
## Prader-Willi Syndome

## 1. 개요

부계 유래 또는 모계 유래 여부에 따라서 증상이 다른 대표적인 각인(imprinting)에 의한 유전질환임. 15q11.2-q13부위의 결실에 의한 유전증후군으로 부계 유래 염색체의 결실인 경우 프라더-윌리증후군, 모계 유래 염색체의 결실인 경우 엔젤만증후군으로 나타남. 비정상적인 각인은 부계 혹은 모계 유전자의 결실, 단부모두몸증(uniparental disomy, UPD), 혹은 각인결실 등에 의해 발생(L'Herminé AC et al. 2003)

프라더-윌리증후군의 경우 초기 유아기의 심각한 근긴장도 저하와 섭식 장애, 이후 아동기의 과식으로 인한 병적인 비만이 특징적. 그 외 발달지연, 인지기능장애, 행동문제, 생식샘저하증, 작은 키, 특징적 외모(좁은 양측이마 직경, 아몬드 모양의 안검열, 좁은 콧등, 얇은 윗입술, 처진 입꼬리 등), 사시, 척추측만증 등이 있을 수 있음

프라더-윌리증후군은 10,000~30,000명당 한 명의 빈도로 발생함(Cassidy SB et al. 2012)

## 2. 산전 초음파 소견

프라더-윌리증후군에서는 다음과 같은 소견들이 관찰될 수 있음
1) 양수과다증
2) 태아 운동 저하
3) 이상태위(malpresentation)
4) 특징적인 두개안면부 소견
5) 큰 양두경골직경(biparietal diameter), 뇌실확장증, 뇌량형성부전
6) 태아심박동 이상

## 3. 감별진단

프라더-윌리증후군, 엔젤만증후군은 서로 감별이 필요. 프라더-윌리증후군의 경우 취약X증후군, 다른 근육병증이나 신경병증 외 다른 유전 증후군들과 감별이 필요함

## 4. 임신 중 예후

프라더-윌리증후군의 경우, 임신 중 태아의 근긴장도저하에 의한 태동감소, 이상태위로 제왕절개의 빈도가 증가할 수 있음

## 5. 산전관리 및 산전치료

현재까지 알려진 산전치료 방법은 없음

## 6. 신생아 관리

프라더-윌리증후군은 근긴장도저하와 섭식 장애가 있어 성장장애가 동반되며 장관영양이 필요할 수 있음. 추후 사시여부에 대한 검사 및 발달장애에 대한 평가 필요함

## 7. 장기 예후

프라더-윌리증후군은 대부분 생후 1-2년 이후 섭식장애 호전. 초기 아동기부터 과식증이 발생하여 비만 발생. 주 이환율과 치사율의 원인은 비만에 의한 것으로 아동기부터 행동 및 체중에 대한 관리 필요. 정상 키, 체지방량 감소, 지방제외체중 증가 등을 위해 성장호르몬 치료가 필요할 수 있음

## 8. 유전상담

1) 유전양식: 프라더-윌리증후군은 여러 가지 기전에 의해서 15q11.2-q13부위의 부계 유래의 PWS/AS 유전자 부위가 발현되지 않아(lack of expression) 발생

2) 가족 내에서의 위험

　(1) 환자의 형제: 유전자 변이의 종류에 따라 다음 임신에서 재발위험률이 달라짐. 이전 임신에서 유전자의 결실 혹은 단부모두몸증에 의해 증후군이 발생한 경우 재발위험은 1% 미만. 부모의 염색체 전위에 의한 경우와 각인센터 유전자 변이에 의한 경우의 재발위험은 최대 50%임

　(2) 환자의 자녀: 대부분 난임 또는 불임임. 다음 세대에 영향을 미칠 위험도 원인에 따라 다름. 이론적으로는 유전자 결실로 인한 프라더-윌리증후군의 경우, 환자가 여성인 경우 그 자녀는 50%의 확률로 엔젤만증후군이 있을 수 있고, 환자가 남성이었다면 그 자녀는 50% 확률로 프라더-윌리증후군이 발생할 수 있음. 단부모두몸증에 의한 경우, 다음 세대로 전달될 확률은 드묾. 염색체 전위에 의한 프라더-윌리증후군의 경우 다음 세대에 프라더-윌리증후군 혹은 엔젤만증후군의 발생할 위험률은 증가함(Driscoll DJ et al. 2017)

3) 산전진단검사 및 착상전유전검사:

임신 중의 진단은 침습적진단검사 중 우연히 발견되며, 세포유전학적검사, 형광제자리부합법, 염색체 마이크로어레이, DNA메틸화 분석을 통하여 진단 가능함

프라더-윌리증후군은 DNA메틸화분석에서 15번 염색체 Prader-Willi critical region (PWCR)에 모친의 각인만이 존재하는 소견을 통해 확인. 이에 반해 엔젤만증후군은 모계에서 유전되는 UBE2A 대립유전자의 발현 및 기능부전을 확인하여 진단함

세포유전학적검사에서 15q11.2의 결실 혹은 15번 염색체를 포함하는 염색체 전위가 있는 경우에도 형광제자리부합법 혹은 DNA메틸화 분석을 통한 추가 감별이 필요할 수 있음

DNA메틸화는 조직 특이적으로 다를 수 있으므로 융모막융모생검보다는 양수천자술 선호함(Glenn CC et al. 2000)

**참고문헌**

1. Cassidy SB et al. Prader-Willi syndrome. Genet Med 2012;14:10-26.
2. Driscoll DJ et al. Prader-Willi Syndrome. In Adam MP et al. editors. GeneReviews, Seattle, 1993-2020. University of Washington, Seattle.
3. Glenn CC et al. DNA methylation analysis with respect to prenatal diagnosis of the Angelman and Prader-Willi syndromes and imprinting. Prenat Diagn 2000;20:300-6.
4. L'Herminé AC et al. Fetal phenotype of Prader-Willi syndrome due to maternal disomy for chromosome 15. Prenat Diagn 2003;23:938-43.

# 10 1p36 미세결실증후군

## 1p36 Deletion Syndrome

## 1. 개요

1번 염색체의 단완 끝부분(1p36.13-1p36.33)의 결실로 인하여 발생하며, 안면기형, 사지기형, 심장기형, 생식기 장애, 발달장애, 지적장애 등이 복합적으로 나타남. 일자형 눈썹, 움푹한 눈(deep-set eyes), 넓고 납작한 코(broad and flat nasal root/bridge), 얼굴중앙부 형성부전(midface hypoplasia), 긴 인중(long philtrum), 튀어나온 턱(pointed chin)등의 안면기형 외에도 작은머리증, 낮은 위치의 귀(low-set ears), 굴지증(camptodactyly), 단지증(brachydactyly), 작은 발이 특징적임. 선천성 심장기형, 골격 장애, 외부생식기 장애가 나타날 수 있고, 드물게 신장의 문제나 갑상선 기능저하가 동반될 수 있음. 근긴장도저하, 성장지연, 경련, 발달장애, 지적장애 등이 나타남

1/5,000-1/10,000의 빈도로 나타나며(Guterman S et al. 2019; Faivre L et al. 1999), 진단을 위해 형광제자리부합법, 염색체 마이크로어레이 등을 이용함(Zhang X et al. 2019)

## 2. 산전 초음파 소견

1) 중추신경계이상: 작은머리증, 뇌량형성부전, 뇌실확장증
2) 얼굴이상: 얼굴중앙부 형성부전, 긴 인중, 튀어나온 턱, 낮은 위치의 귀
3) 심혈관계이상: 방실중격결실, 심실중격결실, 팔로네징후 등
4) 근골격계이상: 굴지증, 단지증, 작은 발 등(Lissauer D et al. 2007)

## 3. 감별진단

레트증후군, 엔젤만증후군, 프라더-윌리증후군

## 4. 임신 중 예후

정상 태아보다 자연유산과 사산의 위험이 높음

## 5. 산전관리 및 산전치료

현재까지 알려진 산전치료방법은 없음(Faivre L et al. 1999)

## 6. 신생아 관리

1) 임상증상 및 관련 검사
    (1) 신체검사: 작은머리증, 안면기형, 굴지증, 단지증, 작은 발
    (2) 중추뇌신경계 검사: 뇌량무형성, 대뇌 피질 위축, 뇌실확장증 등의 이상에 대한 영상의학적 검사. 간질이나 다른 발작이 있으므로 영상의학적 검사 및 뇌파 검사를 할 수 있음
    (3) 심장초음파, 심전도: 선천성 심장기형 진단
    (4) 안과, 이비인후과 검사: 시각 및 청각장애 확인
    (5) 비뇨생식기계 검사
2) 치료
운동발달, 인지, 사회기능에 대한 조기 재활치료를 시행하는 것이 좋음. 심장기형이 있는 경우 수술적 치료가 필요할 수 있으며 경련이 있다면 항경련제를 포함한 치료가 필요함

## 7. 장기 예후

연하곤란, 식도역류, 보행장애가 일반적으로 나타남. 원시, 근시, 사시도 발생할 수 있음. 흔하지는 않지만 눈꺼풀틈새축소(blepharophimosis), 백내장, 안구 백색증(ocular albinism), 시신경 위축증(optic atrophy), 시신경 창백증(optic disk pallor) 및 시신경유두결실(optic nerve coloboma)이 동반될 수 있음. 대부분 언어 발달과 운동 능력 발달이 지연되며, 자폐증 스펙트럼이 나타날 수 있음. 심장기형이 있는 경우 수술이 필요할 수 있으며, 항경련제 치료가 필요하기도 함. 발달지연 및 지적장애에 대해 운동발달, 인지, 사회기능에 대한 조기 재활치료를 시행하는 것이 좋음(Battaglia A et al. 2008)

## 8. 유전상담

1) 유전양식 및 가족 내에서의 위험:

염색체 1p36의 결실은 대부분 새롭게 발생함. 약 50%는 1p36 말단부의 결실, 약 30%는 염색체 내의 중간부위 결실, 나머지는 더 복잡한 염색체 재배열에 의해 발생함. 환자의 20%는 균형 전위를 가진 부모에게서 유전자를 물려받은 경우임

2) 산전진단검사 및 착상전유전검사:

다른 적응증으로 시행한 침습적진단검사를 통한 염색체 검사에서 우연히 진단됨. 산전 초음파 검사에서 작은머리증, 얼굴이상, 심장기형 등이 관찰되어 침습적 진단검사를 통해 진단하기도 함. 1번 단완염색체결실증후군과 연관된 균형전위 보인자의 경우에는 산전진단검사 및 착상전유전검사가 다음 임신에 도움이 될 수 있음(Zhang X et al. 2019)

**참고문헌**

1. Battaglia A et al. Further delineation of deletion 1p36 syndrome in 60 patients: a recognizable phenotype and common cause of developmental delay and mental retardation. Pediatrics 2008;121:404-10.

2. Campeau PM et al. Prenatal diagnosis of monosomy 1p36: a focus on brain abnormalities and a review of the literature. Am J Med Genet A 2008;146:3062-9.

3. Faivre L et al. Prenatal detection of a 1p36 deletion in a fetus with multiple malformations and a review of the literature. Prenat Diagn 1999;19:49-53.

4. Guterman S et al. Prenatal findings in 1p36 deletion syndrome: New cases and a literature review. Prenat Diagn 2019;39:871-82.

5. Lissauer D et al. Prenatal diagnosis and prenatal imaging features of fetal monosomy 1p36. Prenat Diagn 2007;27:874-8.

6. Zhang X et al. Prenatal detection of 1p36 deletion syndrome: ultrasound findings and microarray testing results. J Matern Fetal Neonatal Med 2019;25:1-5.

# 11 누난증후군
Noonan Syndrome

## 1. 개요

작은 키와 특징적인 외형(귀 위치이상, 두눈먼거리증(hypertelorism), 낮은 콧등, 대두증)과 심장기형이 특징적. 그 외 넓은 목 혹은 물갈퀴목, 특이한 가슴모양, 응고장애, 림프 형성이상, 잠복고환, 척추변형, 안구 이상, 일부에서 발달 및 지능장애가 다양한 정도로 발생할 수 있음

누난증후군은 임상적인 특징에 의해 진단함. 염색체검사 결과는 정상. 원인이 되는 다양한 유전자의 변이가 알려져 있음(50%에서 *PTPN11*에 변이, 13%에서 *SOS1*, 5%에서 *RAF1*, 5%에서 *RIT1*, 5%미만에서 *KRAS*, 1%미만에서 *BRAF, LZTR1, MAP2K1, NRAS* 등)

1,000-2,500명당 1명의 빈도로 발생함

## 2. 산전 초음파 소견(Allason JE et al. 2001; Nisbet DE et al. 1999)

1) 목덜미투명대 증가
2) 안면부 이형증
3) 심혈관계이상(50-80%): 폐동맥판막협착증(20-50%), 비후성심근증(20-30%), 심방 혹은 심실중격결실, 대동맥협착, 팔로네징후 등
4) 비뇨기계이상
5) 양수과다증
6) 흉수
7) 태아수종

## 3. 감별진단

터너증후군, 왓슨(Watson)증후군, 심장-얼굴-피부(Cardiofaciocutaneous)증후군, 코스텔로(Costello)증후군, 신경섬유종증 제 1형(Neurofibromatosis 1) 등 다른 질환들과 감별이 필요함

터너증후군에서 나타나는 작은 키, 넓은 목 혹은 물갈퀴목이 누난증후군에서도 나타나기 때문에 감별이 필요함

## 4. 임신 중 예후

임신 제1삼분기 혹은 제2삼분기에 위의 특징적인 산전 초음파 소견들이 관찰될 수 있음. 대부분 정상적인 성장 및 출생체중을 보임

## 5. 산전관리 및 산전치료

현재까지 알려진 산전치료 방법은 없음

## 6. 신생아 관리

출생 후 전반적인 신체검진과 심장기형을 확인하기 위한 심장초음파, 신장기형 확인을 위한 복부초음파가 필요. 섭식장애, 다양한 발달 장애에 대한 평가 필요함

## 7. 장기 예후

선천성 심장기형의 영향을 제외하면 일반적으로 정상 수명을 보임. 전반적인 성장과 심혈관, 비뇨생식계, 안구의 이상이 있을 수 있으므로 정기적인 확인 필요. 누난증후군의 1/3정도에서 응고장애도 있을 수 있으므로 이에 대한 검사와 주의가 필요(Derbent M et al. 2010). 발달성 운동조절장애가 취학기 아동의 50%에서 관찰될 수 있고, 25%정도에서 학습장애가 있어 10-15%에서 특수교육이 필요할 수 있으므로 정기적인 평가 요구됨(Lee DA et al. 2005; van der Burgt I et al. 1999)

## 8. 유전상담

1) 유전양식: 대부분 상염색체 우성의 형태로 유전됨. 그러나 *LZTR1* 유전자의 변이의 경우에는 상염색체 우성 혹은 상염색체 열성의 형태로도 유전될 수 있음
2) 상염색체 우성 유전인 경우의 가족 내에서의 위험
   (1) 환자의 부모: 대부분 새롭게 발생한 변이가 원인이지만, 약 30-75%에서 부모의 누난증후군이 진단되기도 하므로, 환자의 유전자 변이가 진단된 경우에는 부모의 검사가 필요할 수 있음
   (2) 환자의 형제: 부모의 누난증후군이 확인된 경우, 다음 임신에서의 재발 위험은 50%임. 부모가 누난증후군이 아닌 경우 위험은 1%미만임
   (3) 환자의 자녀: 누난증후군 환아가 그 변이를 다음 세대로 전달할 확률은 50%임
3) 산전진단검사 및 착상전유전검사
   (1) 분자유전학검사상 유전자변이가 밝혀진 가족에서는 산전진단 및 착상전유전검사가 가능함
   (2) 산전 초음파 검사에서 누난증후군을 의심할 만한 산전 초음파 소견이 보이더라도 비교적 소견이 비특이적인 경우가 많고, 심혈관계 기형 및 다양한 염색체 이상 및 유전성 질환 등과 관련될 수 있음

**참고문헌**

1. Allanson JE et al. Noonan Syndrome. 2001. In: Adam MP et al. editors. GeneReviews. Seattle, 1993-2020. University of Washington, Seattle
2. Derbent M et al. Clinical and hematological findings in Noonan syndrome patients with PTPN11 mutations. Am J Med Genet 2010;152A:2768-74.
3. Lee DA et al. Psychological profile of children with Noonan syndrome. Dev Med Child Neurol 2005;47:35-8.
4. Nisbet DL et al. Prenatal features of Noonan syndrome. Prenat Diagn 1999;19:642-7.
5. van der Burgt I et al. Patterns of cognitive functioning in school-aged children with Noonan syndrome associated with variability in phenotypic expression. J Pediatr 1999;135:707-13.

# 12 결절성경화증
## Tuberous Sclerosis

## 1. 개요

특징적인 피부[색소침착저하반(hypomelanotic macule), 안면 혈관섬유종 등], 뇌[뇌실막밑 결절(subependymal nodules), 피질결절(cortical tubers), 뇌실막밑 거대세포 종양(subependymal giant cell astrocytomas), 발작, 지적 장애 등], 신장[낭종, 콩팥세포암종(renal cell carcinoma), 혈관근육지방종(angiomyolipoma) 등], 심장[횡문근종(rhabdomyoma), 부정맥], 폐[림프관평활근종증(lymphangioleiomyomatosis)]의 기형을 동반하는 질환. 종양억제역할을 하는 hamartin을 합성하는 *TSC1*과 tuberlin을 합성하는 *TSC2*유전자의 결함에 의해 발생. 신생아 5,800명당 1명의 빈도로 발생함(Osborne JP et al. 1991)

## 2. 산전 초음파 소견(Bader RS et al. 2003; Isaacs H 2009)

　　1) 중추신경계 이상: 피질결절, 뇌실막밑 결절, 뇌실막밑 거대세포 종양
　　2) 심혈관계 이상: 횡문근종, 부정맥
　　3) 비뇨기계 이상: 낭종
　　4) 태아수종
　　5) 양수과다증

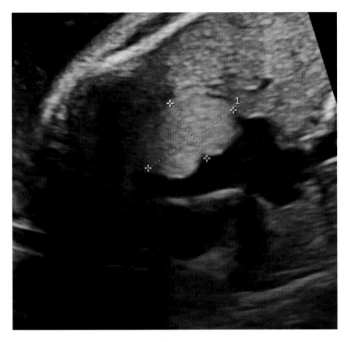

■ **그림 12-1.** 심장 횡문근종. 임신 32주 결절성경화증 태아의 우측 심방 내의 심장 횡문근종

## 3. 감별진단

심장 혹은 중추신경계 결절의 경우 단일 소견 혹은 다른 구조적 기형과 감별 필요함

## 4. 임신 중 예후

결절성경화증 태아의 심장 횡문근종은 임신 중 커질 수 있고, 심박동 이상, 정상 혈류 폐쇄 및 역류의 원인이 될 수 있음. 심장 횡문근종이 있어도 태아수종이 없다면 예후는 다른 동반질환에 따라 달라짐. 뇌신경계의 종양이 사망률과 치명률의 주원인. 신장 질환이 초기 사망의 두 번째 원인임

## 5. 산전관리 및 산전치료

현재까지 알려진 산전치료 방법은 없음

## 6. 신생아 관리

출생 후 전반적인 신체검진과 심장기형을 확인하기 위한 심장초음파, 신장기형 확인을 위한 복부초음파, 뇌 병변 확인을 위한 영상검사가 필요임

## 7. 장기예후

매우 다양한 증상들이 생후 첫 10년이내 관찰될 수 있음. 표현 정도도 다양하기 때문에 부모의 상태로 자녀의 질환 표현 정도를 예측하기 어려움

80%에서 발작이 발생할 수 있고, 50%에서 발달장애나 지적장애가 있을 수 있음. 16-61%에서 자폐스펙트럼장애, 21-50%에서 주의력결핍 과다행동장애(Attention deficit hyperactivity disorder, ADHD)가 있을 수 있음(Northrup H et al. 1999)

## 8. 유전상담

1) 유전양식: 상염색체 우성으로 유전
2) 가족 내에서의 위험
   (1) 환자의 부모: 1/3은 부모가 결절성 경화증이 있고, 2/3는 새로운 유전자 변이로 인해 발병.
   (2) 환자의 형제: 부모가 이환 되었을 경우 50%의 확률로 유전. 새로 발현된 경우 재발위험은 낮으나 생식샘 모자이씨즘에 의해 1-2%에서는 재발가능
   (3) 환자의 자녀: 결절성경화증이 다음 세대로 전달될 확률은 50%임
3) 산전진단검사 및 착상전유전검사
   (1) 가족내의 분자유전학검사상 *TSC1* 혹은 *TSC2*의 유전자변이가 밝혀진 경우에는 산전진단 및 착상전유전검사가 가능함
   (2) 산전 초음파 검사에서 심장의 횡문근종이 발견된 경우에 결절성경화증이 동반될 가능성은 약 75-80%로 알려져 있음

**참고문헌** ///////////////////////////////////////////////////////////////////////////////////////////////////////////

1. Bader RS et al. Fetal rhabdomyoma: prenatal diagnosis, clinical outcome, and incidence of associated tuberous sclerosis complex. J of Pediatrics 2003;143:620-4.
2. Isaacs H. Perinatal (Fetal and Neonatal) Tuberous Sclerosis: A Review. Am J Perinatol. 2009;26:755-60.

3. Northrup H et al. Tuberous Sclerosis Complex. 1999. In: Adam MP et al. editors. GeneReviews. Seattle, 1993-2020. University of Washington, Seattle.

4. Osborne JP et al. Epidemiology of tuberous sclerosis. Ann N Y Acad Sc 1991;615:125-7.

# 13 코넬리아드랑에증후군
## Cornelia de Lange Syndrome

## 1. 개요

드 랑에 증후군이라고도 불리며, 안면 이형성, 성장지연, 소두증(microcephaly), 다모증, 상지 기형 등이 나타나는 유전 질환임. 증상의 심각한 정도는 개인마다 다양함

다양한 유전자 변이가 알려져 있으며, 이 중 약 60%를 차지하는 대표적 유전자 이상은 5p31에 위치한 *NIPBL*(Nipped-B homolog) 유전자 변이임

미국 신생아 약 10,000-50,000명 중 한 명의 빈도로 발병함(Marchisio P et al. 2008)

## 2. 산전 초음파 소견

1) 목덜미투명대 증가: 약 54%에서 임신 제1삼분기 초음파에서 나타남
2) 안면이상: 제2삼분기 이후에 작은납작머리증, 작은 턱, 코끝이 위를 향한 작은 코(small upturned nose), 입천장갈림증 등의 안면 이상 소견
3) 흉곽이상: 짧은 흉골, 갈비뼈의 이상
4) 사지이상: 짧은 팔다리, 구부러진 팔꿈치, 짧은 중수골(phalangeal hypoplasia), 손발가락부족증(oligodactyly), 요골형성부전, 엄지손가락 딴 곳 위치, 측만지증, 두 번째와 세 번째 발가락 합지증
5) 심장기형: 심실중격결실 등
6) 선천성 횡격막탈장(Avagliano L et al. 2017)

## 3. 감별진단

3q의 부분 복제, 2q31의 결실, Fryns 증후군, 태아알콜증후군(fetal alcohol syndrome, FAS)

## 4. 임신 중 예후

자궁내 성장제한이 68%에서 나타남. 약 31%는 미숙아로 출생함

## 5. 산전관리 및 산전치료

현재까지 알려진 산전치료방법은 없음(Avagliano L et al. 2017)

## 6. 신생아 관리

1) 임상증상 및 관련 검사
   (1) 신체검사: 안면기형, 작은 흉곽, 사지기형, 특징적인 피부 소견으로 다모증, 대리석피부증(cutis marmorata), 푸른 눈, 코, 입 주변의 피부, 유두와 배꼽의 형성부전 등 관찰
   (2) 뇌파검사: 경련 진단
   (3) 심장초음파, 심전도: 선천성 심기형 진단(심실중격결실 등)
   (4) 청각검사: 코넬리아드랑에증후군 환자의 90% 이상에서 전도성 난청이 발견됨
   (5) 생식기계 검사: 남아는 잠복고환, 성기 형성 부전, 요도밑열림증이 있을 수 있음
2) 치료
   생후 호흡곤란, 호흡기계 감염, 발작, 혈소판감소증, 수유곤란, 위식도역류, 장폐색 등이 나타날 수 있음. 위장계, 호흡기계, 비뇨기계, 심장기형에 대한 내과적 치료 필요할 수 있음. 청력 손실에는 보청기 등을 사용함. 사지기형 치료를 위해 정형외과 수술 필요할 수 있음(Kline AD et al. 2007)

## 7. 장기 예후

발달지연, 언어장애, 인지장애, 경련, 시각장애, 청각장애, 선천성 심기형 등의 동반 여부 및 정도에 따라 예후가 달라짐. 대부분 지속적으로 성장이 지연되어 키가 작고 왜소한 몸집을 가짐. 다양한 정도(경증~중증)의 정신지체를 보임. IQ 평균 53정도임. 대부분 언어발달이 지연됨. 약 4%만 정상 또는 약간 낮은 언어구사 능력을 가짐. 자폐, 과다활동, 자해가 약 44%에서 나타남. 기대수명은 일반적으로 정상이지만 흡인성폐렴, 무호흡, 선천성 심장병, 심부전 및 수술 후 합병증으로 인해 사망률이 증가한다는 보고도 있음(Kline AD et al. 2007; Kline AD et al. 2019)

## 8. 유전상담

### 1) 유전양식

*NIPBL*, *RAD21*, *SMC3* 유전자 변이는 상염색체 우성으로 유전되며, *HDAC8*, *SMC1A* 유전자 변이는 X연관 유전임(Clark DM et al. 2012; Hague J et al. 2019; Marchisio P et al. 2008) 대게 새롭게 발생함. 약 1% 이하에서 부모에서 유전된 경우가 보고됨

### 2) 가족 내에서의 위험: 재발 위험은 관련 유전자 종류에 따라 다름

### 3) 가족력이 있는 경우의 산전진단검사 및 착상전유전검사

    (1) 가족내의 분자유전학검사상 유전자 변이가 밝혀진 경우에는 산전진단검사 및 착상전유전검사 가능함

    (2) 코넬리아드랑에증후군의 가족력이 있으나 분자유전학검사상 유전자변이가 밝혀지지 않은 경우에는 산전 초음파 검사가 도움이 될 수 있음

---

**참고문헌**

1. Avagliano L et al. Cornelia de Lange syndrome: To diagnose or not to diagnose in utero? Birth Defects Res 2017;109:771-7.

2. Clark DM et al. Identification of a prenatal profile of Cornelia de Lange syndrome (CdLS): a review of 53 CdLS pregnancies. Am J Med Genet A 2012;158:1848-56.

3. Hague J et al. Clinical Diagnosis of Classical Cornelia de Lange Syndrome Made From Postmortem Examination of Second Trimester Fetus With Novel NIPBL Pathogenic Variant. Pediatr Dev Pathol 2019;22:475-79.

4. Kline AD et al. Cornelia de Lange syndrome: clinical review, diagnostic and scoring systems, and anticipatory guidance. Am J Med Genet A 2007;143:1287-96.

5. Kline AD et al. Cornelia de Lange syndrome, related disorders, and the Cohesin complex: Abstracts from the 8th biennial scientific and educational symposium 2018. Am J Med Genet A 2019;179:1080-90.

6. Marchisio P et al. Audiological findings, genotype and clinical severity score in Cornelia de Lange syndrome. Am J Med Genet A 2008;146:426-32.

# 14 소토스증후군
## Sotos Syndrome

## 1. 개요

특징적인 얼굴모양, 과도한 성장, 학습장애의 3가지 임상적인 특징을 보이는 유전질환으로 체중, 신장, 머리둘레가 90 백분위수 이상이고 4-5세까지 급격히 빠른 성장을 함. 특징적인 얼굴모양으로는 돌출한 이마와 턱, 외하방으로 째진 안열, 홍조, 길고 좁은 얼굴을 보임. 약 14,000명 중 1 명의 빈도로 발병함(Tatton-Brown K et al. 1993)

염색체 5q35에 위치하는 *NSD1* 유전자 변이 또는 염색체 미세결실에 의함(Tatton-Brown K et al. 2005).

동의어: 대뇌성거인증(cerebral gigantism), 염색체 5q35 결실증후군

## 2. 산전 초음파 소견

1) 과도한 성장(>2 표준편차)
2) 특징적인 얼굴모양: 돌출한 이마(frontal bossing), 거대한 두부, 외하방으로 째진 안열(antimongoloid slant), 돌출한 턱(prominent jaw)
3) 중추신경계이상: 뇌실확장증, 중심봉합선 봉합장애(midline fusion defect)
4) 심혈관계이상, 비뇨생식계이상
5) 골격계이상: 척추측만증(Allanson JE et al. 1996; Cole TR et al. 1996)

## 3. 감별진단

위버(Weaver)증후군, 베크위트-비데만(Beckwith-Wiedemann)증후군, 심슨-골라비-버멜(Simpson-

Golabi-Behmel) 증후군, 바나얀-릴리-루발카바(Bannayan-Riley-Ruvalcaba)증후군 등과 감별 필요함

## 4. 임신 중 예후

조산, 거구증(gigantism), 전자간증(15%) 소견을 보임

## 5. 산전관리 및 산전치료

현재까지 알려진 산전치료 방법은 없음

## 6. 신생아 관리

출생 시에 호흡곤란 증상과 영아기에는 수유곤란을 겪는 등 영아기에 적응에 어려움이 있음. 각종 기형과 장애에 대해 적절한 전문가에게 의뢰. 신생아 자극프로그램, 작업치료, 물리치료, 언어치료 및 소토스증후군 환아를 양육하는데 적합한 교육 등이 도움이 됨

## 7. 장기 예후

학습능력, 사회적응 능력이 떨어짐. 일부 환자에서는 결합조직에 결함, 심장기형, 콩팥 이상, 중추신경계 기형, 안구 문제, 종양 발생률 증가 등이 발견됨(Tatton-Brown K et al. 2004)

## 8. 유전상담

1) 유전양식: 상염색체 우성으로 유전되며, 95% 이상은 새롭게 발생함
2) 가족 내에서의 위험:환자 부모가 소토스증후군이 없다면, 다음 임신에서의 재발위험은 낮음 (<1%). 드물게 부모의 생식샘 모자이씨즘(germline mosaicism)에 의해 재발 가능함
3) 산전진단검사 및 착상전유전검사: 가족내의 분자유전학검사상 유전자변이가 밝혀진 경우에는 적용 가능함

**참고문헌** /////////////////////////////////////////////////////////////////////////////////////////////////////////////////////////////////////////////////////////////////////////////////////

1. Allanson JE et al. Sotos syndrome: evolution of facial phenotype subjective and objective assessment. Am J Med Genet. 1996;65:13-20

2. Cole TR et al. Sotos syndrome: a study of the diagnostic criteria and natural history. J Med Genet. 1994;31:20-32.

3. Tatton-Brown K et al. Sotos Syndrome. 2004 Dec 17 [Updated 2019 Aug 1]. In: Adam MP, Ardinger HH, Pagon RA et al., editors. GeneReviews® [Internet]. Seattle (WA): University of Washington, Seattle; 1993-2020.

4. Tatton-Brown K et al. Genotype-phenotype associations in Sotos syndrome: an analysis of 266 individuals with NSD1 aberrations. Am J Hum Genet. 2005;77:193-204.

5. Tatton-Brown K et al. Clinical features of NSD1-positive Sotos syndrome. Clin Dysmorphol. 2004;13:199-204.

# 15 베크위트-비데만증후군
## Beckwith-Wiedemann Syndrome, BWS

## 1. 개요

여러 가지 임상적 증상을 보이는 성장 관련 질환으로 주로 배꼽탈장, 큰혀증(macroglossia), 거구증의 소견이 특징적임. 11p15에 위치한 각인 유전자(imprinted domain)의 비정상적 발현에 의함. 약 50%에서는 모계 유래 11번 염색체에서 각인센터2(imprinting center 2: IC2)의 메틸화 소실, 약 5%에서 모계 유래 11번 염색체의 각인센터1의 메틸화 획득, 약 20%에서는11p15 염색체 두 개 모두를 아버지로부터 물려받은 부계단부모두몸증(paternal uniparental disomy), 약 5%에서 모계 유래 *CDKN1*의 유전자 변이와 관련됨(Keren B et al. 2013; Shuman C et al. 1993). 세포유전학적 이상(11p15.5부위의 중복, 역위, 전좌 등)은 1% 미만임. 약 13,700명당 1명의 빈도로 발생함

동의어: 복벽결실-큰혀증-거구증(Exomphalos-Macroglossia-Gigantism)증후군

## 2. 산전 초음파 소견

1) 거구증: 25주 이전엔 없다가 25-26주 사이에 급속한 체중증가로 확인
2) 큰혀증: 32주 경부터 확인 가능함
3) 배꼽탈장: 배꼽탈장이 있는 태아의 4.0-11.7%에서 이 증후군이 동반됨
4) 양수과다증
5) 기타: 긴 탯줄, 태반비대(enlarged placenta), 신장비대증, 간비대증, 나선형 귀오목(small groove ear-lobe creases(76%)), 횡격막탈장, 반쪽비대(hemihypertrophy)(Wilson M et al. 2008)

## 3. 감별진단

심슨-골라비-버멜증후군, 펄먼(Perlman) 증후군, 코스텔로증후군, 소토스증후군, 프로테우스(Proteus) 증후군, 젤웨거(Zellweger) 증후군 등과 감별이 필요함

## 4. 임신 중 예후

약 50% 이상이 양수과다, 조산, 거구증 소견을 보임. 거구증이나 배꼽탈장 등과 연관된 출산 시 외상이 발생할 수 있어 제왕절개로 출산을 고려함

## 5. 산전관리 및 산전치료

현재까지 알려진 산전치료 방법은 없음

## 6. 신생아 관리

출생 후의 저혈당, 울혈성 심부전 조절이 중요함. 대개 울혈성 심부전 및 증후군과 연관된 심한 기형이 사망원인이 됨(Cohen MM Jr. 2005). 신생아기에 저혈당증이나 대설증에 의한 호흡곤란에 대해 적절한 치료가 되지 못한 경우 신경이상, 정신발육지연 등의 장기적 후유증을 남길 수 있음(Gardiner K et al. 2012)

## 7. 장기예후

신생아기를 지나서는 예후가 비교적 좋아지며, 비정상적인 성장은 7~8세부터 감소함. 장기적 합병증으로 윌름씨 종양, 부신피질암, 신경모세포종, 간모세포종 등 악성종양이 9%에서 발생할 수 있음(Edmondson AC et al. 2015)

## 8. 유전상담

1) 유전양식: 대부분은(85%) 새롭게 발생. 난임 부부에서의 보조생식술에 의한 임신에서 유전자 각인에 의한 질환이 증가할 수 있다고 알려져 있음

2) 가족 내에서의 위험: 재발 위험은 유전적 변이의 종류에 따라 달라짐
세포유전학적 염색체 검사가 정상이면서 메틸화 변이로 인한 경우는 대부분 유전되지 않음.
*CDKN1C* 변이는 상염색체 우성으로 유전됨

3) 산전진단검사 및 착상전유전검사
   (1) 가족에서의 유전적 변이를 알고 있는 경우에 산전진단 적용은 가능하지만, 태아의 조직을 이용한 메틸 유전자 진단의 제한점에 대한 상담이 이루어져야 함
   (2) 모체혈액과 양수 내 알파태아단백이 배꼽탈장으로 인해 높아져 있을 수 있음

**참고문헌**

1. Cohen MM Jr. Beckwith-Wiedemann syndrome: historical, clinicopathological, and etiopathogenetic perspectives. Pediatr Dev Pathol 2005;8:287-304.

2. Edmondson AC et al. Overgrowth syndromes. J Pediatr Genet 2015;4:136-43.

3. Gardiner K et al. Brain abnormalities in patients with Beckwith-Wiedemann syndrome. Am J Med Genet A 2012;158:1388-94.

4. Keren B et al. SNP arrays in Beckwith-Wiedemann syndrome: an improved diagnostic strategy. Eur J Med Genet 2013;56:546-50.

5. Shuman C, Beckwith JB, Weksberg R. Beckwith-Wiedemann Syndrome. In: Adam MP, Ardinger HH, Pagon RA et al., eds. GeneReviews®. Seattle (WA): University of Washington, Seattle; 1993.

6. Wilson M et al. The clinical phenotype of mosaicism for genome-wide paternal uniparental disomy: Two new reports. Am J Med Genet 2008;146:137-148.

# 16 홀트-오람증후군
## Holt-Oram Syndrome

## 1. 개요

상지의 결함[손목(carpal), 요골(radial), 무지구(thenar) 뼈의 이상], 선천성심장기형, 심장전도장애 등이 특징적. 약 70%에서 심장과 사지의 발달에 중요한 T-box전사인자 형성에 관여하는 *TBX5*유전자의 변이로 발생. 신생아 100,000명당 1명의 빈도로 발생함

## 2. 산전 초음파 소견(Brons JT et al. 1988; McDermott DA et al. 2004)

1) 심혈관계이상(75%): 심방중격결실(30-60%), 심실중격결실, 동맥관개존증, 부정맥 등
2) 골격계이상: 다양한 정도의 요골무형성증

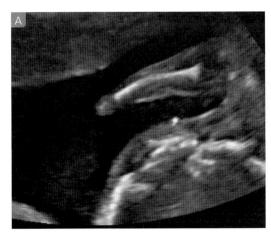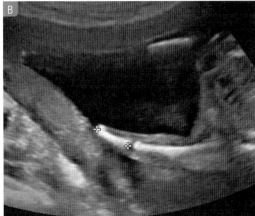

■ 그림 16-1. 홀트-오람증후군. 임신 20주 홀트-오람증후군 태아의(A)좌측 전완골무형성증과(B)우측 전완골형성부전증이 관찰됨

## 3. 감별진단

듀안-레디알 레이(Duane-radial ray) 증후군, 타운즈-브록스(Townes-Brocks)증후군, 다른 신장-손 (Heart-hand)증후군, 판코니 빈혈(Fanconi anemia), VACTERL 증후군 등과 감별이 필요함

## 4. 임신 중 예후

대부분 정상적인 성장과 발달을 보임(Barisic I et al. 2014)

## 5. 산전관리 및 산전치료

1) 산전관리: 홀트-오람증후군의 위험이 있는 경우, 정밀초음파를 통해 상지 및 심장기형에 대한 평가 가 필요함
2) 산전치료: 현재까지 알려진 산전치료 방법은 없음

## 6. 신생아 관리

전반적인 신체검진, 심장기형을 확인 위한 심장초음파, 심장전도장애에 대한 평가 필요함

## 7. 장기 예후

심장 및 정형외과적 결함의 정도에 따라 예후가 달라짐. 부정맥에 대한 약물치료, 선천성심장기형에 대한 수술, 상지 결함에 대한 지원 필요. 심장전도장애에 대하여 매년 검사 및 추적관찰 필요함

## 8. 유전상담

1) 유전양식: 상염색체 우성의 형태로 유전. 85%의 경우에서 새로운 변이로 인해 발병. 가족 내에서 같은 유전변이가 진단된 경우에도 매우 다양한 정도의 임상증상(variable expressivity)을 보임

2) 가족 내에서의 위험

   (1) 환자의 형제: 부모가 이환 되었을 경우 50%의 확률로 유전. 홀트-오람증후군 관련 증상도 없고 환자에게서 발견된 유전자 변이도 없는 부모의 경우에는 다음 임신에서의 재발률은 매우 낮지만, 일반인에 비해서는 약간 높음

   (2) 환자의 자녀: 다음 세대로 전달될 확률은 50%

3) 산전진단검사 및 착상전유전검사: 가족력이 있는 경우 산전 초음파 검사에서 요골부위 이상과 심장기형 여부에 대한 검사가 도움이 될 수 있으며, 가족내의 *TBX5*유전자의 변이가 확인된 경우에는 산전진단적용이 가능함

**참고문헌**

1. Barisic I et al. Holt Oram syndrome: a registry-based study in Europe. Orphanet J Rare Dis 2014;9:156.

2. Brons JT et al. Prenatal ultrasound diagnosis of the Holt-Oram syndrome. Prenat Diagn 1988;8:175-81.

3. McDermott DA et al. Holt-Oram Syndrome. In: Adam MP et al. editors. GeneReviews. Seattle, 1993-2020. University of Washington, Seattle.

# 17 피에르-로빈연쇄
## Pierre-Robin Sequence

## 1. 개요

작은턱증(micrognathia), 설하수증(glossoptosis), 입천장갈림증(cleft palate) 등 세가지 증상으로 특징지어지는 질병임. 아래 턱이 작아서, 혀가 뒤쪽으로 위치하게 되고, 이로 인해 입천장이 완전히 닫히지 못하는 일련의 이상을 초래하는 대표적인 연쇄(sequence) 관련 질환임. 약 8,500-14,000명당 1명의 빈도로 발생(Tan et al. 2013). 정확한 원인은 아직까지 알려지지 않음(Kaufman MG et al. 2016)

피에르-로빈 단독으로 나타날 수 있지만, 50% 이상에서 스티클러(Sticker)증후군, 입천장심장얼굴(velocardiofacial)증후군, 태아알콜증후군, 트레처-콜린스(Treacher Collins)증후군, 대뇌-눈-얼굴(cerebro-oculo-facial)증후군, 입-얼굴-손발(oro-facial-digital)증후군, 네이거(Nager)증후군, 18 세염색체 증후군 등과 같은 증후군과 동반되어 나타날 수도 있음. 동반되는 증후군에 따라 다양한 유전적 원인이 있음(Tan TY et al. 2013)

다중 혹은 단일유전자분석, 엑솜분석 혹은 유전체분석 등을 사용. 17q24.3-q25.1에 위치하는 *SOX9*, *KCNJ2, KCNJ16, MAP2K6* 유전자 변이가 연관되며, 그 외 *GAD67*(2q31), *PVRL1*(11q23-q24) 유전자의 변이와도 연관된다고 보고됨. 동반 증후군이 없는지 확인이 필요함(Jakobsen et al. 2006)

동의어: 입천장갈림증-작은턱증-설하수증, 피에르-로빈증후군, 로빈증후군

## 2. 산전 초음파 소견

1) 입천장갈림증
2) 작은턱증
3) 설하수증
4) 양수과다증
5) 기타: 심혈관계이상이 20%에서 동반

## 3. 감별진단

스티클러증후군, 입천장심장얼굴증후군, 태아알콜증후군, 트레처-콜린스증후군, 대뇌-눈-얼굴증후군, 입-얼굴-손발증후군, 네이거증후군, 18 세염색체 증후군 등과 감별이 필요함

## 4. 임신 중 예후

삼킴 장애로 양수과다증 소견이 보일 수 있음

## 5. 산전관리 및 산전치료

현재까지 알려진 산전치료 방법은 없음

## 6. 신생아 관리

태어나서 호흡곤란의 문제가 자주 발생하므로, 기도삽관이나 기관절개술이 필요할 수 있음. 신생아 시기부터 발현하는 수유장애와 호흡곤란, 합병증으로 기도 흡인 및 폐감염을 일으킴

## 7. 장기 예후

증상의 심각성에 따라 자세교정요법과 외과적 요법이 선택됨(Butow KW et al. 2009). 상기도 폐쇄는 청색증, 뇌의 저산소증, 흡인성폐렴, 폐동맥고혈압, 폐성심(cor pulmonale), 치명적인 질식 등과 같은 심각한 결과를 가져올 수 있음

증후군을 동반하는 경우는 예후가 불량, 연관된 증후군이 없는 경우에는 출생 시부터 기도와 섭식문제를 해결해 주면 정상 성장 및 발육이 가능함. 사망률은 2.2-26.0%임

## 8. 유전상담

1) 유전양식: 대부분은 새롭게 발생하지만, 일부의 환자는 상염색체 열성, X-연관 형질로 유전되는 것

으로 추정됨

2) 산전진단검사: 산전 초음파 소견에 의해 의심되는 경우, 다양한 유전자가 관여하므로 유전자 검사
   는 매우 제한적임

**참고문헌** ///////////////////////////////////////////////////////////////////////////////////////////////////

1. Butow KW et al. Pierre Robin sequence: appearances and 25 years of experience with an innovative treatment protocol. J Pediatr Surg 2009;44:2112-8

2. Jakobsen LP et al. "The genetic basis of the Pierre Robin Sequence". The Cleft Palate-Craniofacial Journal 2006;43:155-9.

3. Kaufman MG et al. Prenatal Identification of Pierre Robin Sequence: A Review of the Literature and Look towards the Future. Fetal Diagn Ther 2016;39:81-9.

4. Tan TY et al. Developmental and genetic perspectives on Pierre Robin sequence. Am J Med Genet 2013;163:295-305.

# 18 멕켈증후군

Meckel Syndrome, Meckel-Gruber Syndrome, MKS

## 1. 개요

뒤통수뇌탈출증(occipital encephalocele), 커다란 다낭신장(renal cystic dysplasia)과 뒤축 손발가락 과다증의 세 가지 징후를 특징으로 하는 상염색체 열성 유전 질환임. 입술 및 입천장갈림증, 생식기계 기형, 중추신경계 기형, 간섬유화 등이 동반됨. 담관 증식, 담관 확장, 문맥 섬유화, 문맥 혈관 폐색이 나타남. 13,250-140,000명당 1명에서 발병. 생후 며칠 안에 대부분 사망하며, 사망 원인은 중추신경계 기형 및 신기능 장애, 폐형성 부전임. 다양한 관련 유전자가 보고되고 있음. 제 1형 멕켈증후군 원인 유전자로 염색체 17q21-24에 *MKS1*, 제 2형 멕켈증후군의 원인 유전자로 *TMEM216*이 알려짐. 현재까지 밝혀진 관련 유전자는 MKS1부터 10까지, *TMEM216*, *TMEM231*, *TMEM237*, *C5orf42* 등 이며(Tallila J et al. 2009) 계속적으로 관련 유전자가 밝혀지고 있음. 멕켈증후군에 연관된 유전자의 상당수가 주버트증후군과 관련되어 있음(Otto EA et al. 2009; Shaheen R et al. 2009; Tallila J et al. 2009)

## 2. 산전 초음파 소견(Logan CV et al. 2011; Nizard J et al. 2005)

초음파를 통해서 출생 전 진단 가능. 빠르면 임신 11-14주 사이에 발견됨

1) 다낭신장: 95-100% 환자에서 관찰됨. 처음에는 신장에 작은 낭종이 발생하나 점점 커지면서 신장의 실질을 파괴시킴. 신기능 장애로 대부분 양수과소증 발생함

2) 폐형성부전: 양수과소증이 동반되면서 발생. 작은 흉곽이 관찰됨

3) 뒤통수뇌탈출증: 60-80%에서 동반됨. 넓어진 뒤 숫구멍을 통해서 마름뇌천장, 소뇌벌레와 아래 셋째 뇌실과 확장된 넷째 뇌실의 탈출이 동반됨. 댄디-워커기형(Dandy-Walker malformation)과 수두증(hydrocephalus)이 관찰될 수 있음

4) 뒤축 손발가락 과다증: 55-75%에서 보임. 모든 사지의 손발가락에서 관찰될 수 있음(Logan CV et al. 2011; Nizard J et al. 2005)

## 3. 감별진단

13번, 18번 세염색체 증후군, 주버트(Jourbert)증후군, 바르데-비들(Bardet-Biedl)증후군 및 스미스-렘리-오피츠증후군

## 4. 임신 중 예후

심한 양수과소증으로, 태아의 흉곽, 사지 등의 정상적인 발달이 어려움

## 5. 산전관리 및 산전치료

현재까지 알려진 산전치료 방법은 없음(Nizard J et al. 2005)

## 6. 신생아 관리

대부분의 신생아는 호흡기능 및 콩팥 기능 장애로 출생 후 수 시간 혹은 수 일 안에 사망함. 뇌탈출증에 대한 신경학적 치료가 고려될 수 있음(Tallila J et al. 2009)

## 7. 장기 예후

대부분의 출생아는 출생 수 시간 내 사망하며, 소수에서 수 개월까지 살아 있을 수 있으나, 호흡기능 및 콩팥 기능 장애로 100% 사망함(Shaheen R et al. 2013)

## 8. 유전상담

1) 유전양식: 대부분 상염색체 열성으로 유전됨. 약 25%에서 재발함
2) 산전진단검사: 아직 산전 유전자 검사는 거의 적용되지 않음. 대부분 산전 초음파 검사로 진단되나, 막이 뇌탈출증부위를 덮을 수 있기 때문에 모체혈청 또는 양수의 알파태아단백 수준은 정상일 수 있음

**참고문헌** //////////////////////////////////////////////////////////////////////////////////////////////////////////////////////////////////////////////////////////

1. Logan CV et al. Molecular genetics and pathogenic mechanisms for the severe ciliopathies: insights into neurodevelopment and pathogenesis of neural tube defects. Mol Neurobiol 2011;43:12-26.

2. Nizard J et al. Fetal cystic malformations of the posterior fossa in the first trimester of pregnancy. Fetal Diagn Ther 2005;20:146-51.

3. Otto EA et al. Hypomorphic mutations in meckelin (MKS3/TMEM67) cause nephronophthisis with liver fibrosis (NPHP11). J Med Genet 2009;46:663-70.

4. Shaheen R et al. Mutations in TMEM231 cause Meckel-Gruber syndrome. J Med Genet 2013;50:160-2.

5. Tallila J et al. Mutation spectrum of Meckel syndrome genes: one group of syndromes or several distinct groups? Hum Mutat 2009;30:e813-30.

# Index

# 국문 찾아보기

## ㅈ

## A